EL EXPOSI

LA BIBLIA, LIBRO POR LIBRO

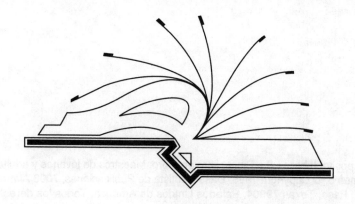

5

1, 2 CORINTIOS, FILEMON,
2 REYES (2 CRONICAS 21—36),
AMOS, OSEAS, JONAS, MIQUEAS

52 Estudios intensivos de la Biblia
para maestros de jóvenes y adultos

CASA BAUTISTA DE PUBLICACIONES

CASA BAUTISTA DE PUBLICACIONES
Apartado Postal 4255, El Paso, TX 79914 EE. UU. de A.
www.casabautista.org

Ediciones: 1995, 1996, 1997, 1999
Quinta edición: 2002
Clasifíquese: Educación Cristiana
Número de Clasificación Decimal Dewey 220.6 B471
Temas: 1. Biblia – Estudio
2. Escuelas dominicales – Currículos

ISBN: 0-311-11255-2
C.B.P. Art. No. 11255

4 M 8 02

Impreso en Bielorrusia
Printed in Belarus

PRINTCORP. LP № 347 of 11.05.99. Kuprevich St. 18, Minsk, 220141,
Ord. 0284A. Qty 4 000 cps.

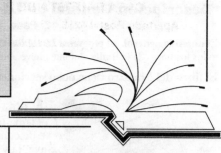

EL EXPOSITOR BÍBLICO

PROGRAMA:
"LA BIBLIA, LIBRO POR LIBRO"
MAESTROS DE
JÓVENES Y ADULTOS

DIRECTOR GENERAL
Ted O. Stanton

DIRECTOR DE LA DIVISIÓN DE DISEÑO
Y DESARROLLO DE RECURSOS
Jorge E. Díaz

DIRECTOR DEL
DEPARTAMENTO EDITORIAL
Rubén O. Zorzoli

COMENTARISTAS
1 Corintios
James Giles
Amós, Oseas, Jonás
Roy Wyatt
2 Corintios, Filemón
Cecilio McConnell
2 Reyes (2 Crónicas 21—36),
Miqueas
Gary Light

AGENDAS DE CLASE
1 Corintios,
Amós, Oseas, Jonás
Raquel de Catalán
Joyce Wyatt
2 Corintios, Filemón,
2 Reyes (2 Crónicas 21—36),
Miqueas
Víctor Lyon, Josie Smith

EDITORES
Nelly de González
Mario Martínez

ASISTENTE EDITORIAL
Gladys A. de Mussiett

REIMPRESIONES
Y PRODUCCIÓN CONTRATADA
Violeta Martínez

CONTENIDO

Descripción General de La Biblia, Libro por Libro

El objetivo general del programa *La Biblia, Libro por Libro* es facilitar el estudio de todos los libros de la Biblia, durante nueve años, en 52 estudios por año.

El libro del Maestro tiene ocho secciones bien definidas:

1 **Información general.** Aquí encuentra el tema-título del estudio, el pasaje que sirve de contexto, el texto básico, el versículo clave, la verdad central y las metas de enseñanza-aprendizaje.

2 **Estudio panorámico del contexto.** Ubica el estudio en el marco histórico en el cual se llevó a cabo el evento o las enseñanzas del texto básico. Aquí encuentra datos históricos, fechas de eventos, costumbres de la época, información geográfica y otros elementos de interés que enriquecen el estudio de la Biblia.

3 **Estudio del texto básico.** Se emplea el método de interpretación gramático-histórico con la técnica exegético-expositiva del texto. En los libros de los alumnos esta sección tiene varios ejercicios. Le sugerimos tenerlos a la vista al preparar su estudio y al enseñar. Un detalle a tomar en cuenta es que las referencias directas o citas de palabras del texto bíblico son tomadas de la Biblia Reina-Valera Actualizada. En algunos casos, cuando la palabra o palabras son diferentes en la Biblia RV-60 se citan ambas versiones. La primera palabra viene de la RVA y la segunda de la RV-60 divididas por una línea diagonal. Por ejemplo: *que Dios le dio para mostrar/manifestar...* Así usted puede sentirse cómodo con la Biblia que ya posee.

4 **Aplicaciones del estudio.** Esta sección le guiará a aplicar el estudio de la Biblia a su vida y a la de sus alumnos, para que se decidan a actuar de acuerdo con las enseñanzas bíblicas.

4

El objetivo educacional del programa *La Biblia, Libro por Libro* es que, como resultado de este estudio el maestro y sus alumnos puedan: (1) conocer los hechos básicos, la historia, la geografía, las costumbres, el mensaje central y las enseñanzas que presentan cada uno de los libros de la Biblia; (2) desarrollar actitudes que demuestren la valorización del mensaje de la Biblia en su vida diaria de tal manera que puedan ser mejores discípulos de Cristo.

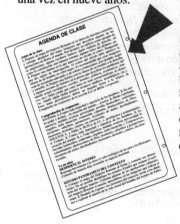

5 Prueba. Esta sección sólo aparece en el libro de sus alumnos. Da la oportunidad de demostrar de qué manera se alcanzaron las metas de enseñanza-aprendizaje para el estudio correspondiente. Hay dos actividades, una que "prueba" conocimientos de los hechos presentados, y la otra que "prueba" sentimientos o afectos hacia las verdades encontradas en la Palabra de Dios durante el estudio.

6 Ayuda homilética. Provee un bosquejo que puede ser útil a los maestros que tienen el privilegio de predicar en el templo, misiones o anexos. En algunos casos, el bosquejo también puede ser usado en la clase como otra manera de organizar y presentar el estudio del pasaje.

7 Lecturas bíblicas para el siguiente estudio. Estas lecturas forman el contexto del siguiente estudio. Si las lee con disciplina, sin duda leerá toda su Biblia por lo menos una vez en nueve años.

8 Agenda de clase. Ofrece los procedimientos y sugerencias didácticas organizadas en un plan de clase práctico con actividades sugeridas para enseñar a los jóvenes y a los adultos. A los maestros se les dicen las respuestas correctas a las preguntas y/o ejercicios que aparecen en los libros de los alumnos.

5

METODOS:
La dinámica de grupo

¿Qué es la dinámica de grupo?
Dinámica. La dinámica es la fuerza o condición que produce cambios en el individuo como resultado de su participación en un grupo de personas. **Grupo.** Existen dos clases de grupos. (1) *El grupo primario.* Es aquel en el cual todos los miembros se relacionan "cara a cara" y se relacionan entre sí por vínculos emocionales, cálidos, íntimos y personales. Por ejemplo, la familia, el grupo de amigos, la clase de estudio bíblico. (2) *El grupo secundario.* A diferencia del grupo primario, tiene relaciones frías, impersonales. Por ejemplo, las personas que van en un autobús o en un ascensor.

Nos interesa el grupo primario, y por eso queremos dar atención a sus características:

1) Dos o más personas que se llaman entre sí por su nombre y que se hablan directamente.
2) Cada uno de los participantes se siente parte del grupo.
3) Todos los miembros buscan alcanzar el mismo propósito o meta.
4) Los participantes se ayudan recíprocamente para lograr los propósitos por los cuales se constituyeron en grupo.

Ventajas educativas del trabajo en grupo
Los grupos pueden constituirse: al principio del año, al comenzar el desarrollo de una Serie o Unidad de Estudios; o bien, para la consideración de ciertos temas en particular. Es mejor que los grupos se formen por iniciativa de los alumnos y después sean ajustados por el maestro según su conocimiento y propósito.

Entre las ventajas educativas del trabajo en grupo se encuentran:

1) Estimula la capacidad de asimilación. Todos desean manejar con propiedad los datos e información para responder al grupo.
2) Ayuda a la memorización. Al tener que usar con frecuencia cierta información, repetirla a otra persona facilita la labor.
3) Incentiva "ver" las cuestiones, problemas y situaciones desde otros puntos de vista, así como desde la posición de otras personas.
4) Desarrolla un sentimiento de "nosotros", con el fortalecimiento del espíritu de grupo, atenuando el egoísmo.
5) Enseña a pensar.
6) Enseña a escuchar de modo comprensivo, a hablar reflexivamente contribuyendo así al diálogo.
7) Reemplaza la competición por la cooperación.
8) Estimula la iniciativa personal y la creatividad.
9) Ayuda a vencer temores, inseguridades e inhibiciones, dando oportunidad a que se cultiven los sentimientos de seguridad y confianza.
10) Promueve el espíritu de tolerancia y conduce a actuar objetiva e impersonalmente.

Principios para la acción de un grupo

Comprensión del proceso
Hay dos elementos que deben entenderse al trabajar en grupo. (1) El asunto, tema o contenido en consideración. (2) Cómo se trata con el asunto. En un grupo no se puede separar lo uno de lo otro pues se afectan mutuamente. Por ejemplo, un grupo de jóvenes casados que discuten acerca de la disciplina de los hijos, no deben ocultar sus emociones, tensiones y actitudes mientras tratan el tema entre sí. Todos los participantes deben saber que esta es la dinámica del proceso de grupo y que es necesario comprenderla para participar efectiva y oportunamente.

Definir el objetivo
¿Qué deseamos alcanzar? La respuesta la deben elaborar todos.

El ambiente físico
Es la "atmósfera del grupo". Debe facilitar la comunicación.

El ambiente emocional
Cordialidad, franqueza, amabilidad y colaboración deben ser parte del grupo.

Dirección compartida
Aunque al principio el grupo necesita dirección, el ideal es que después todos aporten algo para favorecer la acción y el éxito del grupo.

Flexibilidad
Los objetivos y metas que el grupo ha fijado deben alcanzarse de acuerdo con los procedimientos que se hayan seleccionado. Pero si hay necesidad de modificar algo, debe haber flexibilidad para hacerlo.

Evaluación permanente
El grupo debe examinar constantemente si está avanzando hacia el logro de sus objetivos y metas propuestas. Si descubren fallas deben corregirlas.

Esta información la puede encontrar en el libro:
IDEAS PRACTICAS PARA MAESTROS Y OTROS OBREROS. Artículo No. 11451 de la Casa Bautista de Publicaciones.

Nuestro propósito al incluir artículos como el anterior es animar a nuestros consiervos los maestros a enriquecer sus recursos, echando mano de las herramientas disponibles para avanzar hacia la excelencia en la educación.

POR QUE USAMOS LA Reina Valera Actualizada

Una de las características del Programa La Biblia, Libro por Libro es el uso del texto de la versión Reina-Valera Actualizada. La intención es hacer del Programa un material fresco, actual, que responda a las inquietudes y cuestionamientos de los jóvenes y adultos del mundo moderno. Es grato poder decir que con la participación de escritores que viven en los países donde se habla el castellano y son protagonistas de la historia, y con la inclusión de la versión RVA de la Biblia, sentimos que estamos en el aquí y ahora de la educación bíblica.

El mensaje de Dios nunca cambia, pero sí cambian las palabras para expresarlo. Los eruditos afirman que la traducción de una obra clásica, en cualquier idioma, necesita ser actualizada cada treinta años. Por ello usamos la RVA. Porque ofrece la traducción contemporánea más exacta y cuidadosamente documentada a disposición del mundo hispano en la actualidad.

Así es la RVA
El Texto Básico.
El texto se basa en la Reina-Valera, revisión de 1909, y refleja el uso de los mejores textos hebreos y griegos disponibles en la actualidad. Así, la RVA es un eslabón más en la ilustre tradición establecida por las revisiones anteriores.

Lenguaje.
La Biblia RVA mantiene un equilibrio entre el anhelo de expresar literalmente lo que dicen los manuscritos originales y la necesidad de comunicar claramente los pensamientos de los escritores bíblicos.

Formato.

El texto fluye en párrafos con títulos por temas. Los números que identifican los versículos están destacados en negrita y son fáciles de leer. Algunas de las ediciones incluyen las palabras de Cristo impresas en tinta de color rojo.

El formato predispone a la lectura, estudio, meditación y memorización de las Escrituras. El lector querrá compartir un ejemplar de la Biblia RVA tanto con los que aman la Palabra como con quienes no la conocen.

Material auxiliar.

Abundantes notas que incluyen referencias, comentarios, variantes de lectura y equivalencias de medidas enriquecen cada edición de la RVA.

Dependiendo de la edición, usted podrá encontrar materiales auxiliares tales como concordancia temática, estudios sobre la familia o el himnario de Tesoros Musicales.

"La aparición de la RVA aumentará el caudal bíblico, y enriquecerá nuestra lectura y comprensión de la Biblia. La fidelidad del texto sagrado se destacará y abrirá nuevas avenidas para el estudiante serio del texto de las Sagradas Escrituras.

Para el maestro dedicado a la enseñanza bíblica, para el estudiante de la Biblia que busca la voluntad de Dios en ella y para cada creyente en Cristo, una revisión como la RVA significa confianza y autoridad. Hemos tenido magníficas traducciones al castellano, y ahora, esta revisión pone en nuestras manos una obra excelente que complementa aquellas que tenemos y nos muestra un esfuerzo constante de los expertos para darnos el texto bíblico más fiel al original que podemos tener. Su lenguaje es sencillo, pero elegante y digno del Dios cuya revelación escrita representa." Pedro C. Pared.

Por eso y otras razones más usamos la versión RVA de la Biblia.

PLAN GENERAL DE ESTUDIOS

Libro	Libros con 52 estudios para cada año			
1	Génesis		Mateo	
2	Exodo	Levítico Números	Los Hechos	
3	1, 2 Tesalonicenses Gálatas	Josué Jueces	Hebreos Santiago	Rut 1 Samuel
4	Lucas		2 Samuel (1 Crónicas)	1 Reyes (2 Crón. 1-20)
5	1 Corintios	Amós Oseas Jonás	2 Corintios Filemón	2 Reyes (2 Crón. 21-36) Miqueas
6	Romanos	Salmos	Isaías	1, 2 Pedro 1, 2, 3 Juan Judas
7	Deuteronomio	Juan		Job, Proverbios, Eclesiastés Cantares
8	Efesios Filipenses	Habacuc Jeremías Lamentaciones	Marcos	Ezequiel Daniel
9	Esdras Nehemías Ester	Colosenses 1, 2 Timoteo Tito	Joel, Abdías, Nahúm Sofonías, Hageo, Zacarías, Malaquías	Apocalipsis

PLAN DE ESTUDIOS
1 CORINTIOS

Escriba antes del número de cada estudio, la fecha en que lo usará.

Fecha   **Unidad 1: Llamamiento a la unidad de la iglesia**
_____ 1. Llamamiento a la unidad
_____ 2. Llamamiento a ser colaboradores

                Unidad 2: Llamamiento a la consagración
_____ 3. Santidad en la iglesia
_____ 4. Santidad en el matrimonio

                Unidad 3: Llamamiento al buen uso de la libertad
_____ 5. Libertad responsable
_____ 6. Libertad en el ministerio
_____ 7. Los límites de la libertad cristiana

                Unidad 4: Llamamiento a la adoración
_____ 8. Adoración por medio de la cena del Señor
_____ 9. Los dones espirituales
_____ 10. Lo más importante
_____ 11. El don de lenguas y la profecía

                Unidad 5: Llamamiento al servicio
_____ 12. La resurrección de Cristo
_____ 13. Servicio amoroso a los necesitados

1 CORINTIOS: Normas para el pueblo de Dios
Fred Howard. Núm. 04355. CBP

La iglesia en Corinto estaba sumida en un mar de confusión. Tenía todos los problemas que posiblemente puede tener una iglesia: facciones, inmadurez espiritual, pleitos, conflictos matrimoniales, insistencia en los derechos, irregularidades en el culto, exhibición de dones espirituales, conflictos teológicos. La lista tiene características familiares ¿no es así? No podría ser de otro modo, porque estos problemas no estaban confinados a una iglesia del siglo primero. No existen iglesias en nuestros días que no tengan una o más dificultades como éstas. El pueblo de Dios de nuestros días necesita normas para sus vidas tanto individuales como colectivas. Fred Howard trata con actualidad aquellos asuntos y contesta algunas de nuestras interrogantes sobre la vida de la iglesia de hoy.

1 CORINTIOS
Una introducción

Primera Carta de Pablo a los corintios

Escritor. Por las características de los escritos que estamos tratando, podemos asumir que el escritor de 1 Corintios fue Pablo el apóstol. Una característica esencial de la literatura epistolar es que al iniciar su escrito, el remitente se identifica. En la primera epístola Pablo añade el nombre de Sóstenes al identificarse.

La ciudad de Corinto. Era una gran ciudad reconocida por su comercio, sus riquezas, su cultura científica, sus artes y también por la vida licenciosa de sus habitantes. Su nombre se deriva del griego *Korinthos* que significa ornamento. Estaba situada sobre el istmo que une a la península del Peloponeso con el continente griego. Tenía dos puertos, uno sobre el mar Egeo, que la ponía en comunicación con Asia, el otro al oeste, por el que recibía los productos de Italia. Corinto era el centro de las comunicaciones entre estas diversas partes del mundo conocido.

La iglesia en Corinto. En el capítulo 18 de Los Hechos se menciona la introducción del cristianismo en esta importante ciudad. Pablo llegó allí en su primer viaje misionero y vivió en la casa de Aquilas y Priscila, compañeros cristianos que, como él, eran tejedores de tiendas. Comenzó su trabajo evangelizador en la sinagoga y luego tuvo que usar una casa particular para sus reuniones debido a la oposición de los judíos. Después de un año y medio de arduo trabajo dejó allí a Apolos en su lugar (Hech. 18:27, 28). Se formó allí una iglesia fuerte.

En ausencia de Pablo surgieron problemas de diversa índole que exigieron la intervención del Apóstol por medio de epístolas.

Fecha y propósito de la epístola. La primera epístola fue escrita entre los años 53 a 54 desde Efeso, más o menos dos años después de la salida de Pablo de Corinto. Aunque se designa como la primera epístola, había sido evidentemente precedida por otra que no se ha conservado, pero a la cual se hace referencia en 5:9. Esta carta anterior se cruzó con otra de los corintios a Pablo, o fue seguida de ésta, en la cual le pedían consejos sobre ciertos asuntos. Contestando a esa misiva, el Apóstol les escribe la que es conocida como primera epístola a los corintios, en la que aprovecha para corregir algunos desórdenes que había en el seno de la iglesia (1:11; 5:1). Pablo fue informado de esos conflictos de primera mano. Eso fue lo que le impulsó a enviar a Timoteo a Corinto (4:17).

Posteriormente Pablo partió de Efeso y se dirigió a Troas donde esperaba encontrar a Tito a quien había enviado a Corinto para averiguar la condición en la iglesia y la reacción a la primera epístola.

Llamamiento a la unidad

Contexto: 1 Corintios 1:1 a 2:16
Texto básico: 1 Corintios 1:4-17
Versículo clave: 1 Corintios 1:10
Verdad central: El llamamiento de Pablo a los corintios para que estén unidos nos muestra que la iglesia de Cristo puede superar sus desavenencias cuando éstas se presentan.
Metas de enseñanza-aprendizaje: Que el alumno demuestre su: (1) conocimiento del llamamiento de Pablo a la iglesia de Corinto para que procuraran la unidad, (2) actitud de promover la unidad fraternal en su propia iglesia.

Estudio panorámico del contexto

A. Fondo histórico:

Situación geográfica de Corinto. La ciudad de Corinto estaba situada al sur de Acaya. Conectando los dos golfos contaba con dos importantes puertos a donde llegaban los grandes buques comerciales.

Situación económica. La economía dependía del comercio, principalmente porque servía de punto clave en todo tipo de transacciones. Las actividades principales de la ciudad giraban alrededor de la *agora,* el mercado central, donde se llevaban a cabo los negocios y las actividades comerciales.

Situación social. Corinto tenía todos los problemas morales que caracterizan a las ciudades que experimentan la emigración e inmigración de personas de todas partes del mundo. La inmoralidad era tan común en Corinto que se desarrolló el término popular: "Corintizar" que significaba vivir una vida desenfrenada, llena de lujuria.

Situación religiosa. Había un templo en honor de la diosa Afrodita, la diosa griega del amor, identificada con Venus de los romanos. La historia indica que llegó a haber mil prostitutas que servían a los hombres en el templo. El acto sexual era parte del culto. Tal énfasis contribuyó a la degeneración moral de los corintios.

Relación de Pablo con Corinto. En Hechos 18:1-17 se relatan los comienzos de la iglesia de Corinto. Pablo llegó allí después de fundar la iglesia en Atenas. Encontró a Aquilas y Priscila, quienes al igual que él hacían tiendas. Pablo trabajó con ellos, proveyendo así su propio sostenimiento mientras predicaba. Fue primero a la sinagoga para discutir con los judíos el hecho de que Jesús era el Cristo. Como resultado Crispo, el principal de la sinagoga, creyó en el Señor con toda su casa. Pablo se quedó allí un año y medio pero con el tiempo se levantó oposición a su predicación de parte de los judíos. Junto con Aquilas y Priscila salió de Corinto rumbo a Efeso, donde establecieron una iglesia.

Ocasión de la Primera Carta a los Corintios. Había división entre los hermanos en relación con líderes, doctrinas y problemas morales. Se dividieron sobre la predicación de Pablo, Pedro, Apolos y las enseñanzas de Cristo. Tenían dudas sobre la condición de los cristianos que morían y acerca de la resurrección. Había una tolerancia de inmoralidades graves dentro de la membresía de la iglesia.

Propósito principal de la Carta. Pablo escribió su carta para responder a las preguntas y dudas que habían surgido entre los hermanos en la iglesia de Corinto y exhortarles a la unidad, dejando a un lado sus desavenencias.

Fecha de la carta. Podemos fijar la fecha entre los años 54 y 55 d. de J.C. Fue escrita desde Efeso, después de unos dos años de haber salido Pablo de Corinto.

Apolos y Sóstenes. Apolos era judío, natural de Alejandría (Hech. 18:24). Era hombre elocuente y poderoso en las Escrituras. Fue instruido en el camino del Señor y era ferviente en espíritu. Conocía solamente el bautismo de Juan, de modo que Aquilas y Priscila le enseñaron todo lo relacionado con Jesús. Al llegar a Corinto su predicación impresionó tanto a algunos que llegó a ser foco de división entre los hermanos.

Hechos 18:16 se refiere a Sóstenes como principal de la sinagoga en Corinto, y que fue golpeado ante el tribunal en esa ciudad. Habiéndose convertido al evangelio, Sóstenes figura como compañero de Pablo en sus viajes.

B. Enfasis:

Saludos de Pablo y Sóstenes, 1:1-3. Como costumbre de aquel entonces, los autores se identificaban al principio de sus cartas. Pablo se consideraba apóstol tanto como los demás apóstoles, ya que había visto al Cristo resucitado en su camino a Damasco. Identifica a los recipientes de la carta como los de la iglesia, "santificados" y llamados a ser "santos". Notamos el énfasis sobre la separación del mundo, la cual era una necesidad especial de los cristianos en Corinto. *Gracia y paz* eran palabras de buena voluntad que se incluían como saludos comunes entre los cristianos.

Gratitud por la gracia concedida a los corintios, 1:4-7. Seguramente era difícil ganar a los inconversos en Corinto, especialmente a los griegos que no habían tenido la influencia de las Escrituras ni del judaísmo. Las atracciones mundanales representaban una tentación constante para los recién convertidos. Pablo los elogia por su privilegio de tener su vida enriquecida por el evangelio.

La fidelidad de Dios, 1:8, 9. Pablo asegura a los corintios que permanecerán fieles al Señor porque Dios es poderoso para guardarlos. La salvación no depende de su fidelidad; depende del poder de Dios, lo cual les impulsa a ser fieles hasta la muerte.

Llamamiento a la unidad, 1:10-13. La unidad era la mayor necesidad entre los hermanos en Corinto, y sigue siendo necesidad hasta hoy. *Llamado a predicar, 1:14-17.* Pablo insistía en que su ministerio principal era predicar el evangelio. Dejaba a otros la tarea de bautizar. *Sabiduría y poder de Dios, 1:18-31.* Corinto no se conocía como centro de filósofos, como Atenas, sin embargo, en la *agora* había personas dispuestas a filosofar. Pablo declara que la sabiduría más profunda es la que proviene de Dios. La verdad que Dios estaba en Cristo, reconciliando al mundo consigo mismo, es la sabiduría de mayor importancia. *El mensaje de Cristo crucificado, 2:1-5.* Pablo sabía que el tema del evangelio era un mensaje poderoso y no tenía que depender de las artes de la oratoria retórica para impactar. La tradición dice que Pablo no era predicador elocuente; era el contenido de su mensaje lo que impresionaba. *La sabiduría que viene del Espíritu, 2:6-16.* No hay manera de comparar la sabiduría humana, acumulada por medio de los esfuerzos intelectuales, con la del Espíritu Santo. Esta sabiduría divina penetra al corazón para traer convicción de pecado y una afirmación tanto intelectual como espiritual de las grandes verdades divinas.

──────────── **Estudio del texto básico** ────────────

1 Unidad por lo que Dios nos ha dado, 1 Corintios 1:4-9.

V. 4. Pablo pasa de la salutación a su gratitud a Dios por los hermanos en Corinto. La *gracia de Dios*, favor inmerecido del cual todos disfrutamos, era el regalo que permite a cada creyente llegar a Dios por medio de Cristo. Aquí Pablo llega al tema que era la pasión de su vida: tenemos la seguridad de la vida eterna solamente por lo que Cristo hizo por nosotros.

V. 5. Pablo menciona dos dones que tanto los griegos como los corintios apreciaban mucho: *palabra,* la proclamación de la verdad y *conocimiento* (*gnosis*), que abarca mucho más que los conocimientos adquiridos por los estudios, llegando a ser un don del Espíritu que comunica, a través de la persona a quien le han sido otorgados, "secretos de Dios".

V. 6. *El testimonio de Cristo* es el evangelio que el Apóstol había predicado y que había sido confirmado por diversos dones del Espíritu Santo. Es la predicación del evangelio, del que Cristo es el alma y la vida.

V. 7. Los corintios buscaban dones adicionales y especiales hasta el punto que provocaron conflictos. Pablo les dice al comienzo de su carta que ya tenían una amplia variedad de dones y que no necesitaban buscar otros. La responsabilidad de ellos era la de ministrar con los dones que ya tenían.

Vv. 8, 9. *Además, él os confirmará hasta el fin,* es recordarles que a pesar de sus muchos dones, aún no eran perfectos. Los conflictos entre ellos evidenciaban la falta de comprensión de que habían sido llamados a la comunión de Jesucristo y a la unidad.

2 Unidad por el nombre de nuestro Señor Jesucristo, 1 Corintios 1:10-13.

V. 10. Pablo entra al tema de las divisiones, uno de los problemas serios entre los hermanos en Corinto. *Os exhorto* es una palabra fuerte que se utiliza 24 veces en sus dos epístolas a los corintios. Tiene el significado de apelar por un cambio de corazón sobre un asunto, creando en ellos un espíritu de unidad. Su apelación es en el nombre de *Jesucristo*, la autoridad más alta del cristiano. *La misma mente* es la actitud mental de los seguidores de Cristo, y *el mismo parecer* se refiere a la opinión en relación con los asuntos de importancia en la iglesia.

V. 11. Pablo identifica la fuente de su información: *los de Cloé.* Algunos opinan que Cloé era una cristiana rica en Efeso, que tenía esclavos que eran creyentes, y que ellos le informaron de las condiciones en la iglesia de Corinto. Puede ser que los informantes eran sus familiares que se habían convertido al Señor y fueron enviados a ver al Apóstol para informarle de las disensiones que prevalecían en la iglesia. De cualquier manera, Pablo creyó que era importante aclarar la fuente de su información.

V. 12. *Yo soy de Pablo, ...de Apolos, ...de Pedro, ...de Cristo.* Ahora Pablo señala en forma clara la base de las contiendas. Parece que cada grupo intentaba defender su punto de vista identificándose con los varios líderes de la iglesia. No hay ninguna simpatía de parte de Pablo para los que apelaban a él.

V. 13. Es absurdo pensar que Cristo está dividido. Apelar a un ser humano como autoridad implicaría que esa persona era la fuente de la redención; tal concepto ni debe ser considerado.

3 Unidad por causa del evangelio, 1 Corintios 1:14-17.

V. 14. Habiendo llegado al tema del bautismo, Pablo les hace ver que la persona que administra el bautismo no es más importante que los demás. Pablo prefirió dejar el ministerio del bautismo en manos de otros, y dedicarse a la predicación del evangelio.

V. 15. El hecho de no haber sido bautizado por Pablo evitaba que algunos sintieran que tenían un privilegio especial porque él los había bautizado.

V. 16. Pablo recuerda que había bautizado a algunas personas pero ese hecho no tenía mayor significado.

V. 17. Pablo no quiso hacer *vana la cruz de Cristo* ostentando *sabiduría de palabras*, sino que proclamó que Jesús "por medio de la cruz" (Ef. 2:16), destruyó las enemistades para que su nuevo pueblo viviera en unidad.

─────────── **Aplicaciones del estudio** ───────────

1. Fijar nuestros ojos en Cristo y consagrarnos a anunciar el evangelio son los mejores preventivos para la división. Cuando las personas están entregadas a Cristo, habrá poca razón para divisiones.

2. Los líderes en las iglesias son ministros de Dios, y no deben ser adorados, venerados ni alzados a un nivel sobrenatural. Está bien tener respeto por los predicadores, pero no debemos considerarnos partidarios ni seguidores de una persona sino de Cristo el Señor.

--------------------- **Ayuda homilética** ---------------------

Pasos para resolver conflictos
1 Corintios 1:10-17

Introducción: Todos experimentamos conflictos de vez en cuando, con otra persona, en el trabajo, en la iglesia o con grupos. Por consiguiente, nos conviene buscar la manera de resolver los conflictos. Los consejos de Pablo a los cristianos en Corinto nos ayudan a nosotros hoy.

I. La naturaleza de los conflictos.
    A. Algunos conflictos surgen por diferencias de personalidad.
    B. Algunos conflictos surgen por diferencia de valores.
    C. Algunos conflictos surgen por diferencia de metas.

II. Una reflexión sobre las causas más profundas de los conflictos.
    A. A veces la causa inmediata puede señalar problemas más fundamentales debajo de la superficie.
    B. Somos motivados por muchos factores, conscientes e inconscientes, y a veces la motivación verdadera no sale a la superficie.
    C. Los mecanismos de defensa nos hacen reaccionar en forma conflictiva. Atacamos a otros, acusándolos de nuestras deficiencias.

III. Una entrega total a Dios nos da la base para resolver conflictos.
    A. Es necesario un paso racional, "que estéis unidos en la misma mente y en el mismo parecer" (1:10).
    B. Es necesario tener una actitud perdonadora.
    C. Es necesario ceder en lo que no es absolutamente esencial.

Conclusión: ¿Puede someter sus conflictos a este análisis y permitir que el Espíritu de Dios le guíe para resolverlos?

Lecturas bíblicas para el siguiente estudio

Lunes: 1 Corintios 3:1-4   **Jueves:** 1 Corintios 4:1-5
Martes: 1 Corintios 3:5-9   **Viernes:** 1 Corintios 4:6- 9
Miércoles: 1 Corintios 3:10-23   **Sábado:** 1 Corintios 4:10-21

AGENDA DE CLASE

Antes de la clase
1. Averigüe todo lo que pueda sobre la ciudad de Corinto en la antigüedad y en la actualidad. Vea los datos que aparecen bajo *Estudio panorámico del contexto* en este libro y en el del alumno. Si es posible, consulte también un comentario bíblico y una enciclopedia. Ubique la ciudad en un mapa de la época de Pablo. **2.** Escriba en un cuaderno todos los datos que consiguió y prepárese para presentarlos en primera persona, como si fuera un miembro de la iglesia en Corinto en el tiempo de Pablo. Puede empezar diciendo: "Corinto, la ciudad donde yo vivo y donde por el apóstol Pablo conocí a Cristo..." **3.** Lea Hechos 18:1-17 que relata los comienzos de dicha iglesia. Con anterioridad, pida a un alumno que lea este pasaje y se prepare para dar un resumen del mismo. **4.** Lea 1 Corintios 1:1-2:16 y subraye los motivos de disensión en la iglesia. Estudie los comentarios en este libro y en el del alumno. **5.** Tenga a mano un pizarrón y tiza o dos hojas de papel grande y un marcador de felpa. **6.** Complete la primera sección bajo *Estudio del texto básico*.

Comprobación de respuestas
JOVENES: **1.** a. Que se pongan de acuerdo. b. Que no haya más disensiones entre los miembros de la iglesia. c. Que estén completamente unidos en la misma mente y en el mismo parecer. **2.** Posibles respuestas: Uno, v. 12; Nuestro, v. 9; Informado, v. 11; Don, v. 7; Otro, v. 17; Señor, v. 9.
ADULTOS: **1.** Las respuestas pueden variar porque deben escribir el v. 10 en sus propias palabras. **2.** a. Por la gracia que les fue concedida en Cristo Jesús (salvación). b. Dios. c. Que había contiendas. d. A predicar.

Ya en la clase
DESPIERTE EL INTERES
Que los alumnos compartan sus resoluciones en cada Año Nuevo. Destaque las que incluyen volver a hacer algo que se abandonó, por ejemplo: los estudios, una dieta, tiempo devocional diario, etc. Relaciónelos con el tema de 1 Corintios que es un llamado a los lectores para que resuelvan volver a ser fieles al Señor como lo habían sido cuando Pablo trabajó entre ellos.

ESTUDIO PANORAMICO DEL CONTEXTO
1. Presente el relato en primera persona para describir a Corinto en la época de Pablo, su situación geográfica (señálela en el mapa), su cultura cosmopolita y sus religiones. **2.** Pida al alumno que se preparó para relatar los comienzos de la iglesia en Corinto (Hech. 18:1-17) que lo haga ahora.

ESTUDIO DEL TEXTO BASICO
1. Unidad por lo que Dios nos ha dado. Diga que los vv. 4-9 podrían titularse "Pablo recuerda". Un alumno lea en voz alta dichos versículos mien-

tras los demás tratan de encontrar cosas que Pablo recuerda de la iglesia en Corinto. Conversen sobre lo que encontraron (v. 4, los recuerda con gratitud a Dios porque les dio salvación en Cristo, vv. 5-8, los recuerda como una iglesia rica en Cristo, llena de dones a quien Dios guardará hasta el fin, v. 9, recuerda la fidelidad de Dios, el autor de la salvación). Una alternativa sería formar tres equipos y asignar a cada uno las divisiones recién mencionadas pidiendo que encuentren cosas que Pablo recuerda.

2. *Unidad en el nombre de Cristo.* Mencione que los recuerdos del pasado ceden ahora a la realidad del presente y que esa realidad lleva a Pablo a la exhortación del v. 10. Léanlo al unísono. Deben encontrar las tres cosas que Pablo les exhorta a hacer. Escríbalas en el pizarrón o en la hoja grande de papel. Comente la importancia de cada una. Diga que luego Pablo da las razones que motivaron su exhortación. Lean en silencio los vv. 10-12. Pregunte qué razones encontraron. Dialoguen sobre cada una, valiéndose del comentario en este libro y en el del alumno. Busquen en sus libros la explicación de quiénes eran "los de Cloé". Haga cada una de las preguntas del v. 13 para que los alumnos las contesten y justifiquen el porqué de sus respuestas.

3. *Unidad por causa de Cristo.* Forme dos grupos o pida a un sector de la clase que lea los vv. 15 y 16 y el comentario respectivo en sus libros y otro sector que lea el v. 17 y encuentren lo que Pablo consideraba su principal misión y deduzcan en qué se apoyaba Pablo para obtener resultados en su predicación: ¿El poder de su elocuencia?, ¿de su prestancia física?, ¿de la organización de su mensaje?, ¿o qué?

APLICACIONES DEL ESTUDIO
Pida que cada uno lea en silencio las aplicaciones en su libro. Borre el pizarrón o coloque la segunda hoja grande de papel. Trace una línea vertical en el centro. Titule un lado *Desunión* y el otro *Unión*. Sugiera escribir las resoluciones que más frecuentemente se hacen. Bajo el primer título hagan una lista de cosas que resuelven no hacer para no crear o fomentar la desunión en la iglesia. Bajo el segundo título, cosas que sí harán este año para promover e impulsar la unión en la iglesia.

PRUEBA
1. Entre todos, elaboren una respuesta *unida*, tomando de lo mejor que cada uno escribió. Es como una "lección objetiva" en que para mantener un buen espíritu tuvieron que ceder, ajustarse al pensamiento de otros, etc. **2.** La actividad 2 es más difícil. *Jóvenes:* Diga que resolver hacer lo que allí sugiere es sacudir su indiferencia o desinterés en alguna persona y hacer un esfuerzo de buena voluntad para promover la unidad. *Adultos:* Diga que hacer lo que se sugiere es para los valientes dispuestos a ceder y dejar de lado su orgullo para promover la unidad. **3.** Vea cuántos están dispuestos a intentarlo para que "no sea vana la cruz de Cristo".

Llamamiento a ser colaboradores

Contexto: 1 Corintios 3:1 a 4:21
Texto básico: 1 Corintios 3:1-17
Versículo clave: 1 Corintios 3:9
Verdad central: La aclaración de Pablo a los hermanos de Corinto respecto a su posición de servidores de la iglesia nos enseña que somos colaboradores de Cristo en el evangelio.
Metas de enseñanza-aprendizaje: Que el alumno demuestre su: (1) conocimiento de la aclaración de Pablo acerca de la posición de colaboradores que guardaban los apóstoles, (2) actitud de colaborar en el avance del reino de Dios.

―――――――――― **Estudio panorámico del contexto** ――――――――――

A. Fondo histórico:

El proceso de siembra-cultivo-cosecha en los días de Pablo. El mundo agrario entenderá con facilidad la ilustración que Pablo utiliza cuando se refiere a las labores de sembrar y regar. Cuando brota la semilla y echa sus raíces, es importante cultivar alrededor de las matas tiernas para mantenerlas limpias de la maleza y con tierra suelta. Así, la tierra queda lista para ser regada y proseguir el cultivo con miras a levantar una gran cosecha.

Se debe reconocer que hay responsabilidades humanas y divinas en el proceso de lograr la cosecha. Podemos hacer todo lo que nos corresponde en la esfera humana, pero Dios es quien se encarga del crecimiento en su reino.

Características de la arquitectura de la época de Pablo. Todos hemos observado el cuadro triste de un edificio con grietas. Al preguntar por qué aparecieron esas grietas, encontramos que son el resultado de deficiencias en los cimientos del edificio. Pablo hace la aplicación, declarando que él mismo puso los cimientos de la obra en Corinto, y otros han edificado sobre esas bases. Declara que Jesucristo es el fundamento que ya está puesto, y nadie puede tomar su lugar.

B. Énfasis:

Cristianos carnales y cristianos espirituales, 3:1. Cuando los cristianos tienen valores carnales y no espirituales, los frutos de esta carnalidad serán las divisiones, los conflictos y la inmoralidad. En Corinto los cristianos todavía vivían en la esfera de la carne y no en la del espíritu.

Alimento básico y sólido, 3:2, 3. El recién nacido no tiene desarrolladas todavía las enzimas que disuelven las partículas de la comida sólida para suministrar la energía al bebé. Por eso, tiene que recibir la leche, que es una de las formas más sencillas de alimentación. La figura sirve para una aplicación espiritual muy apropiada.

División por seguir a líderes humanos, 3:4-6. Ni Pablo, ni Apolos, ni ningún otro líder son los dueños de la iglesia, por lo tanto, nuestra lealtad se la debemos solo a Cristo.

La tarea de los sembradores, 3:7-9. La siembra y el cultivo de la semilla por medio de nuestro amor y amistad son elementos esenciales para el crecimiento del reino de Dios en la tierra.

La tarea del arquitecto, 3:10. El arquitecto tiene la responsabilidad de concebir el edificio que ha de construirse, dibujar los planos, y hacer los cálculos necesarios para garantizar una construcción sana y bonita. Si dejamos que Cristo sea el arquitecto de nuestra vida, sabemos que no habrá fallas.

El único fundamento, 3:11. Cristo es el fundamento y por ende tenemos la seguridad de que el cimiento es adecuado. Cristo utilizó esta ilustración al referirse a la persona que edificó su casa sobre la roca y la otra que edificó sobre la arena.

El fuego probará la obra de sobreedificación, 3:12-15. Si una construcción es de paja, madera u otro material que se quema con facilidad, cuando hay un incendio el deterioro es rápido. En cambio, si se utilizan materiales que resisten el calor, entonces se puede salvar algo con esfuerzos rápidos para apagar el fuego. La aplicación tiene que ver con la permanencia de los materiales que utilizamos en la construcción de nuestras vidas.

El creyente, templo de Dios, 3:16-23. Nuestra vida refleja lo que hemos hecho con los materiales que hemos utilizado para construirla.

Los que causan disensiones, 4:1-23. Pablo reconoce que había varias personas en la iglesia de Corinto que fomentaban las disensiones. En vez de aliarse con los seguidores de Pablo, Pedro o Apolos, cada uno necesitaba reconocer que aunque son líderes, también son humanos y tienen debilidades. Pablo anuncia que espera llegar en un espíritu de amor y mansedumbre y no con un palo para castigar a los que causaban las divisiones (4:21).

─────────────── **Estudio del texto básico** ───────────────

1 Colaboradores de Dios unidos, 1 Corintios 3:1-9.

V. 1. Si el recién nacido en el sentido espiritual tiene la alimentación ideal, puede crecer rápidamente durante los primeros años de ser creyente. El mayor crecimiento durante este primer período determina su desarrollo futuro.

V. 2. El recién nacido en Cristo necesita los fundamentos más sencillos del evangelio: lecturas selectas de la Biblia, memorización de versículos bíblicos, aprender a orar al Señor y meditar sobre versículos clave. Si se comienza así, nos sorprenderá la rapidez con que se desarrolla.

V. 3. La persona convertida que no recibe estos elementos sencillos y fundamentales del cristianismo probablemente va a seguir el camino de la carnalidad, la práctica de los vicios y los conflictos con que ha vivido la vida natural antes de conocer a Cristo. Los *celos* y las *contiendas* son evidencia de esta carnalidad.

V. 4. *Pablo... Apolos.* El afiliarse a un grupo dentro de la iglesia por motivos de simpatía o afinidad, provocando división, es señal de carnalidad.

V. 5. Pablo y Apolos son solamente *siervos* que han compartido el evangelio, instrumentos de Dios mediante los cuales llegó el evangelio a Corinto.

V. 6. Dios es quien da el crecimiento. Pablo, Apolos y los demás líderes solamente hacen una parte en el amplio mundo de la evangelización. El tiempo de los verbos aquí es significativo. El sembrar y regar aparecen en forma sencilla del pasado, pero el trabajo de Dios, *el crecimiento*, refleja un acto continuo que se da simultáneamente con el trabajo de sembrar y cultivar.

V. 7. Dios es el único que puede dar el crecimiento. Miramos las plantas y glorificamos a Dios; miramos al creyente espiritual y sabemos que es obra de Dios. Pablo no está despreciando el trabajo de sembrar y cultivar; quiere hacer hincapié en la parte que Dios aporta.

V. 8. Los siervos del Señor recibirán la recompensa de acuerdo con el grado de fidelidad de cada uno y no de acuerdo con la clase de don que tiene. Posteriormente, Pablo va a tratar los dones espirituales, pero sabemos que algunos consideraban que ciertos dones eran superiores a otros. Pablo anticipa el problema y declara que todos recibirán su recompensa de acuerdo con la fidelidad con que desempeñan su don.

V. 9. Este versículo se cita con frecuencia y declara una verdad que es de suma importancia: Dios es nuestro socio. La ilustración de la semilla y los cimientos llega a tener su impacto cuando Pablo declara que los mismos creyentes forman el *huerto* y el *edificio de Dios.*

2 Colaboradores de Dios responsables, 1 Corintios 3:10-15.

Vv. 10, 11. Pablo había recibido *la gracia de Dios* de poder fundar iglesias sin tener que edificar sobre los cimientos que otros habían puesto. Pablo fue *perito arquitecto*, o sea, una persona con capacidades especiales para iniciar las obras. Su experiencia en el curso de los años indica que había ejercido este don con eficacia. No importa quién participa en la edificación, el fundamento puesto por Cristo da la estabilidad para un edificio permanente. ¡Benditas las personas que tienen el privilegio de edificar sobre este fundamento!

V. 12. Los materiales específicos mencionados en este versículo no tienen significado especial; simplemente se reconoce que hay materiales durables y otros que no lo son. *Piedras preciosas* probablemente se refiere al mármol o una sustancia dura y costosa, y no se refiere a joyas.

Vv. 13, 14. La *obra de cada* líder *será evidente* bajo la prueba del tiempo. Lo que estaba pasando en la iglesia de Corinto revelaba que algo no se hizo bien. ¿Quién se equivocó? Nuestra obra recibirá la recompensa de ver cristianos maduros trabajando en la iglesia para extender el reino de Dios y evitando las divisiones. A la luz del *día*, cuando es más fácil ver las cosas, se mostrará dónde estuvo la falla. ¿Fallaron los maestros, predicadores y misioneros, o los creyentes no quisieron mantenerse fieles a las enseñanzas que habían recibido?

V. 15. La figura del *fuego* que quema la obra no perdurable indica que debemos tener cuidado para invertir nuestros dones en un ministerio que dará fruto abundante y no resultará en pérdidas. Es una estrategia *El mismo será salvo, pero apenas, como por fuego* es descripción figurativa, y no se debe tomar en forma literal.

3 Colaboradores de Dios edificantes, 1 Corintios 3:16, 17.

V. 16. *Sois templo de Dios.* El Espíritu mora en los cristianos en forma personal, y mora en las iglesias locales donde se predica el evangelio y se ministra en nombre de Cristo. La pregunta en el versículo implica una respuesta positiva. Sí sabemos que somos la morada del Espíritu de Dios, pero a veces actuamos como si se nos hubiera olvidado.

V. 17. Si hay personas que están obrando en forma destructiva y perjudicial, tendrán que encarar el juicio de Dios. Esto abarca a los que obran en contra de la iglesia local tanto como los cristianos que están buscando extender el reino de Dios. Pablo reitera que los hermanos en Corinto forman parte del templo de Dios, pero para nosotros la aplicación puede ser más amplia.

Aplicaciones del estudio
---

1. Debemos respetar a los líderes que Dios nos ha dado y colaborar con ellos, sin mostrar prejuicios ni preferencias. Cada ministro tiene dones únicos; aceptémosles y colaboremos con ellos mientras están en nuestro medio. Cuando viene un nuevo líder debemos hacer a un lado la tendencia de quedar ligados emocionalmente al anterior. Eso obstaculiza la tarea del nuevo líder.

2. Somos colaboradores con Dios en la gran tarea de la edificación de su reino. Es importante reconocer a Cristo como el fundamento, y construir con los elementos permanentes y no los temporales que se pueden destruir con facilidad. Esto se relaciona con nuestra firmeza en la Palabra de Dios y las doctrinas que edifican.

3. Somos templo de Dios. Por consiguiente, damos testimonio del poder de Dios por medio de nuestra colaboración en la iglesia local, que es la representación visible del reino de Dios. Nuestro testimonio determina si aportamos para lograr una edificación firme o algo frágil.

4. Debemos avanzar decididamente. El cristiano debe procurar su desarrollo espiritual lo más pronto posible. No es lógico ni conveniente que se quede estancado.

Honrando el cuerpo como el templo de Dios
1 Corintios 3:16, 17

Introducción: ¿Qué es nuestro cuerpo? Algunos dicen que es la fuente de todo mal. Otros caen en un ascetismo enfermizo. El punto de vista más correcto es reconocer que Dios nos ha dado nuestro cuerpo y que es el único medio con que podemos glorificarle.

I. **La afirmación: nuestro cuerpo es templo de Dios.**
   A. El templo en el Antiguo Testamento era un lugar de santidad especial. Había vasos consagrados que eran para el uso exclusivo en actos de sacrificio y adoración.
   B. El templo era respetado con reverencia. Isaías reaccionó con las palabras "santo, santo, santo", al entrar al templo.
   C. El templo fue protegido de contaminación. Jesús echó fuera del templo a los cambistas.

II. **La bendición: el Espíritu Santo mora en nuestros cuerpos.**
   A. Nos convence del pecado no confesado.
   B. Nos ilumina el camino cada día.
   C. Nos advierte de peligros en nuestro alrededor. A Pablo le avisó un familiar que saliera de la ciudad para proteger su vida.

III. **La consecuencia: Dios está listo para protegernos.** *Si alguien destruye el templo de Dios, Dios lo destruirá a él (v. 17).*
   A. Dios protegió a José de la destrucción en casa del faraón.
   B. Dios protegió a Daniel en el foso de los leones.
   C. Dios protegió a David de la lanza de Saúl.

IV. **El desafío: ser santos en medio de la maldad**
   A. Como templos de Dios, vamos a encarar la corrupción moral y espiritual.
   B. Como templos de Dios, tenemos la seguridad de la protección divina.
   C. Como templos de Dios, tenemos la victoria final en contra de Satanás.

Conclusión: Dios espera que seamos sus instrumentos en el mundo. Somos sus voceros para esparcir sus ideales a la humanidad. Somos la única Biblia que muchas personas van a leer. Por eso, debemos guardar nuestros cuerpos limpios y consagrados, para poder cumplir con la misión divina que Dios nos ha encomendado.

Lecturas bíblicas para el siguiente estudio

Lunes: 1 Corintios 5:1-5   **Jueves:** 1 Corintios 6:1-8
Martes: 1 Corintios 5:6-8   **Viernes:** 1 Corintios 6:9-11
Miércoles: 1 Corintios 5:9-13 **Sábado:** 1 Corintios 6:12-20

AGENDA DE CLASE

Antes de la clase
1. Lea 1 Corintios 3:1 a 4:21. Note las cuatro ilustraciones o comparaciones que Pablo presenta en el capítulo 3. Anótelas en su cuaderno. **2.** Busque objetos que las representan, para llevar a clase. Por ejemplo: leche en un biberón y pan, semillas y una planta ya madura, un ladrillo y el dibujo o foto de una casa. Para la ilustración de los vv. 16 y 17 consiga una etiqueta engomada para cada alumno. **3.** Estudie bien los comentarios que del texto básico hace este libro y el del alumno. **4.** Consiga un diccionario para llevar a clase. **5.** Haga los ejercicios de la primera sección bajo *Estudio del texto básico* en el libro del alumno.

Comprobación de respuestas
JOVENES: **1.** Memorice 1 Cor. 3:9 y escríbalo. **2.** Posibles respuestas: Cristo, v. 1; Otro, v. 10; Leche, v. 2; Arquitecto, v. 10; Beber, v. 2; Obra, v. 13; Revelada, v. 13; Alimento, v. 2; Da, v. 7; Oro, v. 12; Recompensa, v. 8; Edificio, v. 9, Siervos, v. 5.
ADULTOS: 1 a. No habían crecido, eran niños espirituales. b. Estaban divididos siguiendo a líderes terrenales. c. Dios. d. Jesucristo. 2, 3 y 4, respuestas personales.

Ya en la clase
DESPIERTE EL INTERES
Escriba en el pizarrón o en una hoja grande de papel *COLABORAR*. Dé el diccionario a un alumno para que busque y lea en voz alta su definición. ("Trabajar con otra u otras personas, especialmente en obras del espíritu.") Haga notar que ser colaboradores es el concepto clave de este estudio y que, colaborar en la iglesia, es trabajar en obras del Espíritu. Verán en el pasaje a considerar, la mejor manera de hacerlo.

ESTUDIO PANORAMICO DEL CONTEXTO
1. Repase lo presentado en el estudio anterior sobre Corinto, haciendo preguntas como: ¿Dónde está Corinto? En los tiempos de Pablo, ¿era un pueblito o una gran ciudad? ¿Era rica o pobre? ¿Cómo era socialmente?, ¿y religiosamente? Finalmente pregunte cómo les parece que el ambiente de Corinto puede haber influido sobre la iglesia. Cuando en una sociedad hay tanta diversidad cunde el individualismo es más difícil que la gente se sienta predispuesta a ser unida por el bien común. **2.** Presente un breve resumen de los capítulos 3 y 4 donde se ve reflejada esta idiosincrasia individualista.

ESTUDIO DEL TEXTO BASICO
1. Colaboradores de Dios unidos. Escriba en el pizarrón o en una hoja grande de papel HOMBRE NATURAL y HOMBRE ESPIRITUAL.

Explique la diferencia entre ellos como la describe 1 Cor. 2:13-15 a fin de establecer una base para la consideración de 3:1-4. Coloque en un lugar visible la leche y el pan. Pida a un alumno que lea en voz alta esos versículos. Guíe un diálogo con preguntas como: ¿Por qué menciona que todavía eran "niñitos"? Natural y carnal es igual a "niñitos" y que implica mayormente inmadurez. El niño puede crecer, lo inmaduro puede madurar. No es un estado estático y sin esperanza sino una etapa a superar. Junto a la leche y el pan, coloque las semillas y la planta madura. Un alumno lea en voz alta los vv. 5-8. Guíe luego un diálogo con preguntas como: ¿Con qué compara Pablo a la iglesia? ¿Qué tiene que suceder para que estas semillas se conviertan en una planta madura como ésta? ¿Quién había "plantado" la iglesia en Corinto? ¿Quién la había regado? ¿Quién le había dado el crecimiento? ¿Quiénes no son "algo"? ¿Quién es "algo"? Lean todos juntos el v. 9. Relaciónelo con la ilustración de la planta.

2. *Colaboradores responsables.* Coloque junto a los demás objetos el ladrillo y la lámina de un edificio terminado. Haga notar las últimas tres palabras del v. 9 y diga que ahora verán en qué sentido la iglesia es como un edificio. Borre el pizarrón o en una hoja grande de papel escriba en columna: Dueño, perito arquitecto, cimiento, obreros constructores. Pida que mientras un alumno lee en voz alta los vv. 10 y 11 encuentren quién es cada uno de estos que escribió. Después de la lectura de los versículos, que lo digan. Vaya escribiendo las respuestas junto a cada nombre (Dueño: Dios, etc.) Pida que identifiquen en el v. 12 los materiales superiores y los inferiores. ¿Qué simbolizan los unos y los otros? (la obra del colaborador responsable y la del obrero irresponsable). Encuentren en los vv. 13, 14 lo que pasará con la obra de los unos y de los otros. Lea usted y explique, valiéndose de los comentarios en este libro y en el del alumno, el v. 15. Es como pasar de grado en la escuela con las calificaciones más bajas con que se puede pasar.

3. *Colaboradores edificantes.* Lea en voz alta los vv. 16 y 17. Reparta las etiquetas y dígales que escriban en ella su nombre y luego, si realmente creen que son "templo de Dios" agreguen esta frase y se coloquen la etiqueta como una escarapela. Explique la diferencia entre un colaborador edificante y un colaborador destructor.

APLICACIONES DEL ESTUDIO

Vayan leyendo en voz alta las aplicaciones en el libro del alumno. Escojan una para elaborar una ilustración (como lo hizo Pablo) en el contexto actual y local de ustedes.

PRUEBA

1. Por parejas escriban en sus libros las respuestas al inciso 1. Compruebe lo realizado. **2.** Dirija la segunda parte como una lluvia de ideas. Luego cada uno escriba algo positivo que puede hacer para colaborar en la obra de la iglesia. Los que quieran, compartan lo que escribieron.

Unidad 2

Santidad en la iglesia

Contexto: 1 Corintios 5:1 a 6:20
Texto básico: 1 Corintios 5:1-13
Versículo clave: 1 Corintios 5:7
Verdad central: El llamamiento que Pablo hizo a los corintios a la consagración nos enseña que la iglesia de hoy debe tener como una de sus principales metas la santidad de sus miembros.
Metas de enseñanza-aprendizaje: Que el alumno demuestre su: (1) conocimiento del llamamiento de Pablo a la consagración cristiana, (2) actitud de consagración al Señor en la tarea que desempeña en la iglesia.

─────────── **Estudio panorámico del contexto** ───────────

A. Fondo histórico:

Los fornicarios: Hemos hecho referencia anterior al ambiente sensual en Corinto en los días de Pablo. Había un hedonismo secular reflejado en la búsqueda del placer carnal de parte de la población internacional que llegaba y salía de Corinto. A la vez había un paganismo religioso que fomentaba la satisfacción sexual por medio de las prostitutas religiosas en el templo pagano para atender a los adoradores. Todo esto creó un ambiente muy contrario para el establecimiento de una iglesia y para el énfasis en la santidad de vida para los que se convirtieron al evangelio.

Avaros y ambiciosos. Siempre encontraremos en cualquier medio a aquellos que quieren aprovecharse de otros. En el día de Pablo la membresía de la iglesia de Corinto incluía a ciertas personas motivadas por avaricia y ambición. Su influencia tuvo un efecto negativo sobre los miembros de la iglesia, de modo que prevalecía un espíritu conflictivo.

Idolátricas. (Idolatría antigua interesada en uso de amuletos, talismanes y objetos para atraer la suerte, astrología y horóscopos). Seguramente algunos querían aprovechar lo que ofrecía el cristianismo, pero también querían seguir con sus prácticas idolátricas. El sincretismo religioso siempre ha sido un problema para la humanidad. Pero Dios es celoso y quiere nuestra devoción exclusiva. Para seguir a Dios, hay que abandonar a los otros dioses. En nuestro medio hoy esto abarca tanto las cosas materiales como los placeres de la carne. Muchos tratan de servir a dos señores, pero Cristo dijo que esto es imposible.

B. Enfasis:

Los corintios frente al pecado cometido, 5:1, 2. La disciplina eclesiástica siempre ha sido un tema candente. En Corinto algunos preferían actuar como si no existiera. Pero el Espíritu de Dios no puede obrar cuando hay pecado en medio de su iglesia.

Pablo obra según su autoridad apostólica, 5:3-5. Ciertas personas tienen autoridad por el rango que han adquirido como resultado de esfuerzo y persistencia. Otras tienen autoridad porque dominan un campo de conocimiento y se consideran expertas sobre un tema dado. Otras tienen autoridad por su ejemplo en el sentido moral o espiritual. Pablo está afirmando su autoridad en este último sentido cuando dicta a los corintios el proceder con relación a la inmoralidad en la iglesia.

La masa y la levadura, 5:6-8. Estamos familiarizados con la función de la levadura. Su fermentación tiene el efecto de inflar sustancias como la harina y los otros ingredientes del pan que de otra manera serían duras para masticar. Pablo utiliza la levadura para ilustrar su efecto de aumentar el mal que está alrededor. Es cierto que el mal engendra más maldad. Pablo sabía que si la iglesia en Corinto permitía la inmoralidad dentro de la congregación sin tomar medidas para removerla, el efecto sería la extensión del pecado en otros. Por eso, recomendó medidas severas de disciplina.

Cristianos frente a pecados notorios, 5:9-13. Pablo exhortó a los corintios a que se separaran del ambiente pernicioso que corrompe. Aunque reconoce que no es posible que se separaran totalmente del mundo y los pecados, insiste que los cristianos deben vivir vidas ejemplares.

Los cristianos han de evitar litigios, 6:1-8. Los tribunales en el mundo antiguo buscaban proteger la justicia, pero muchas veces el mismo sistema estaba corrompido con jueces que tomaban decisiones basadas en intereses personales. Seguramente en Corinto, ciudad pagana y licenciosa, la situación sería muy parecida. Por eso, Pablo considera que sería contradictorio que los cristianos acudan a los tribunales seculares para resolver problemas.

El reino no es compatible con el pecado, 6:9-11. Pablo insiste en que los que practican los vicios no pueden haber experimentado el nuevo nacimiento. Enumera varios de los vicios, pe o cualquier pecado separa a uno de Dios.

───────────────── **Estudio del texto básico** ─────────────────

1 Pugnar por la santidad de los creyentes, 1 Corintios 5:1-5.
V. 1. Otro problema grande en la iglesia de Corinto era la inmoralidad de parte de uno de los miembros. La *inmoralidad sexual* era tan común en el imperio romano que dejó de sorprender a las personas. En ambientes así las personas tienden a ser insensibles y tolerantes. Parece que esto había pasado entre los cristianos en Corinto. Pero la naturaleza de esta inmoralidad era tan seria que *ni entre los gentiles se tolera.* El texto indica que los cristianos esta-

ban tolerando algo escandaloso y que probablemente la situación había existido durante un tiempo. *Hay quien tiene la esposa de su padre* implica que era una situación permanente, y que el padre vivía. Ya sea que se refiera a la madrastra o que el padre estaba divorciado de la mujer, de todos modos era un pecado grave.

V. 2. Pablo se escandalizó de que individuos tan *inflados de soberbia* pudieran pasar por alto algo tan serio como esta inmoralidad. Estaban ciegos a la realidad de la existencia de pecados morales cerca de ellos. Los corintios debían haber llorado de vergüenza y tomar cartas en el asunto que estaba carcomiendo el poder espiritual de la congregación.

V. 3. Aunque Pablo no estaba presente físicamente, sugiere que los corintios sabían cuál debía ser su actitud, ya que él les había enseñado los principios morales del cristianismo.

V. 4. Pablo apela a la lealtad de los corintios al Señor Jesús, el cual es la autoridad final con relación a nuestro comportamiento. Pablo asegura que este mismo Señor Jesús y el recuerdo de su propia presencia espiritual les darán el valor para actuar en la forma más indicada.

V. 5. *Entregad al tal a Satanás* representa la disciplina que Pablo recomienda para la iglesia. No es que ellos tuvieran poder literal para entregar a alguien a Satanás; es una figura para ilustrar las consecuencias graves de tal forma de comportamiento. *A fin de que su espíritu sea salvo* indica que Pablo creía en una disciplina que podría restaurar, y no simplemente castigar.

2 Una vez santificados, celebrad la fiesta, 1 Corintios 5:6-8.

V. 6. Los corintios estaban dispuestos a tolerar el pecado. La *levadura* es figura que se utiliza en la Biblia para indicar el poder de la influencia de algo pequeño. Puede indicar algo bueno o malo, y en este caso se refiere a lo malo. Lo malo no era solamente la inmoralidad del miembro; también era la actitud tolerante de la iglesia. La indiferencia en este caso podía llevar a otros a cometer pecados más graves.

V. 7. *La vieja levadura* es una referencia a la práctica común entre los judíos en vísperas de la celebración de la Pascua. Solían buscar en toda la casa para deshacerse de todo pedazo de pan que tenía levadura, y recordaban la ocasión cuando los israelitas comieron el pan sin levadura al salir de la esclavitud de Egipto. Comían pan sin levadura como parte de la celebración de la fiesta. La analogía se aplica en el caso de Corinto, cuando Pablo amonesta a los creyentes a deshacerse del miembro que vivía en pecado. *Sois sin levadura* se refiere a la condición limpia de los cristianos cuando se han purificado por la expulsión del elemento corrupto.

V. 8. La *fiesta* de la Pascua duraba ocho días en que no comían pan con levadura. *La levadura de malicia y de maldad* se refiere a los actos paganos que practicaban los corintios antes de conocer a Cristo.

La palabra *sinceridad* en griego es combinación de dos palabras que significan sol y juzgar. Indica lo que se puede examinar bajo la luz del sol, sin encontrar defecto.

3 La necesidad de la santidad, 1 Corintios 5:9-13.

V. 9. Parece que Pablo había escrito una carta anterior, condenando la inmoralidad en la iglesia y la actitud de tolerancia entre los corintios. Esta carta se ha perdido. Ahora Pablo entra al tema de la disciplina eclesiástica tanto como al de la condenación de la inmoralidad. *No os asociéis con fornicarios* es un mandato claro de no soportar a un fornicario dentro de la compañía de los creyentes.

V. 10. Pablo aclara lo que ha dicho, porque reconoce que es imposible vivir en un mundo perfecto. Siempre habrá *fornicarios, avaros, estafadores e idólatras* en nuestro medio. Pero nosotros podemos tener cuidado para no imitar las prácticas inmorales. Pablo rechaza la estrategia de la separación radical del mundo. No podemos *salir del mundo*, más bien nuestra responsabilidad es ser la levadura, los elementos de preservación en nuestro medio.

V. 11. Pablo habla en términos claros de su prohibición de tener contacto con los que cometen los pecados ya mencionados. Esto implica que la inmoralidad en la iglesia de Corinto estaba más esparcida y no se limitaba al caso de la fornicación. *Ni aun comáis* no es referencia a la cena del Señor, sino a las prácticas comunes de asociación cercana entre las personas. La lista de pecados que Pablo menciona abarca los pecados en contra de uno mismo (las inmoralidades), de la sociedad (calumniador y estafador) y de Dios (idolatría).

V. 12. Los miembros de la iglesia local tienen obligación de ejercer la disciplina sobre su membresía. En esto hay dos extremos que son igualmente perjudiciales. Algunas iglesias actúan en forma punitiva, mientras otras no ejercen ninguna disciplina sobre los miembros. La iglesia de Corinto estaba en el segundo grupo.

V. 13. Dios al fin se encarga de la justicia. En el juicio final cada persona será juzgada de acuerdo con la decisión que hayan tomado con relación a Cristo como Salvador. Los que han preferido una vida de inmoralidad y corrupción recibirán su castigo. Los cristianos que hemos servido a Cristo durante todos los años recibiremos las recompensas que Dios nos tiene reservadas. *Quitad al malvado...* es una cita de Deuteronomio 17:7; 22:24 ; y 24:7, y vuelven a insistir en que los corintios deben ejercer la disciplina para los fornicarios en su medio.

──────────────── **Aplicaciones del estudio** ────────────────

1. Los líderes de la iglesia deben estar pendientes del comportamiento de la membresía. Esto no implica una repetición de la inquisición ni de la cacería de brujas como se practicaba en algunas colonias americanas en el período colonial, pero sí insiste en que debemos tener pastores que vigilen las ovejas, para rescatar a la persona que está en peligro de descarriarse.

2. Debemos condenar el pecado sin condenar al pecador. Hay una tendencia de tratar en forma punitiva al miembro de la familia o de la iglesia que trae ignominia sobre los demás. Nuestra misión es redentora. Cada iglesia puede programar actividades sanas para fortalecer al creyente cuando enfrenta la tentación, y así no tendrá que participar en las actividades dolorosas de la expulsión.

3. Debemos ser levadura buena en la sociedad. Nuestra influencia debe penetrar en la comunidad de tal manera que todos reciban la influencia para actuar de acuerdo con los ideales morales y espirituales de la fe cristiana.

Ayuda homilética

Cuando lo poco llega a ser mucho
1 Corintios 5:6, 7

Introducción: La levadura es una sustancia pequeña que tiene la capacidad de causar un efecto grande. Puede hacer fermentar una masa y hace que el pan sea más sabroso y más liviano. La Biblia utiliza la figura de la levadura para referirse al efecto negativo tanto como positivo. Miremos los efectos de eventos pequeños en las vidas de personas, desde las dos perspectivas.

I. **El poder del mal es abrumador.**
   A. El faraón endureció su corazón y causó la destrucción de miles de israelitas y egipcios.
   B. Cuando algunos influyeron en otros para hacer el becerro de oro, Moisés mandó la destrucción de los culpables, y murieron 3,000 hombres (Exo. 32:25-29).
   C. Saúl se llenó de celos y causó la guerra civil en la nación hasta su muerte.

II. **El poder del bien es impresionante.**
   A. José resistió la tentación y llegó a salvar a su nación.
   B. Martín Lutero se atrevió a cuestionar las doctrinas y prácticas de la Iglesia Católica Romana y principió la Reforma Protestante que ha bendecido a millones de personas.
   C. Rogerio Williams tomó una doctrina despreciada y la hizo el fundamento de su ministerio, resultando en la libertad religiosa, doctrina preciosa para millones en todas partes del mundo.

Conclusión: Una semilla quedó aprisionada en una grieta en un edificio de una iglesia. Después de poco tiempo brotó una planta, y todos pasaron admirando su belleza. Pero con el tiempo el árbol creció, y sus raíces causaron grandes daños en el edificio. Si hubiesen cortado el árbol cuando era pequeño, hubieran evitado un costo fuerte de reparación. Así es con las cosas pequeñas en nuestras vidas. Mejor quitarlas cuando parecen insignificantes.

Lecturas bíblicas para el siguiente estudio

Lunes: 1 Corintios 7:1-9
Martes: 1 Corintios 7:10-16
Miércoles: 1 Corintios 7:17-24

Jueves: 1 Corintios 7:25-28
Viernes: 1 Corintios 7:29-35
Sábado: 1 Corintios 7:36-40

AGENDA DE CLASE

Antes de la clase
1. Lea 1 Corintios 5:1 a 6:20. Anote en su cuaderno el pecado que la iglesia en Corinto toleraba en su seno, motivo del capítulo 5. **2.** Estudie bien los comentarios del pasaje en este libro y en el del alumno. **3.** En una franja de cartulina escriba *En boca cerrada no entran moscas* y en otra franja *Tomar el toro por las astas*. **4.** Con anterioridad, pida a un alumno que se prepare para presentar una buena explicación del *Estudio panorámico del contexto* tal como aparece en el libro del alumno. **5.** Consiga un poco de levadura para llevar a clase. **6.** Complete en el libro del alumno la primera sección bajo *Estudio del texto básico*.

Comprobación de respuestas
JOVENES: **1.** Pecados que el capítulo 5 menciona: Inmoralidad sexual, soberbia, jactancia, malicia, fornicario, avaros, idólatra, calumniador, borracho, estafador. **2.** Incesto. **3.** Entregar el tal a Satanás.
ADULTOS: **1.** Versículos 2, 6 y 12. **2.** Subraye en su Biblia lo que se indica.
3. Entregarlo a Satanás para destrucción de lo carnal y salvación espiritual.

Ya en la clase
DESPIERTE EL INTERES
Muestre la franja donde escribió *En boca cerrada no entran moscas* y solicite a los presentes que expliquen lo que significa este refrán. Muestre luego la franja donde escribió *Tomar el toro por las astas* y solicite lo mismo. Muestre las dos franjas juntas y comente que es de notar que indican dos actitudes opuestas: una es la del que evita todo compromiso para no tener problemas y la otra es la del que se atreve a hacer frente a los problemas sin amilanarse. Agregue que en este estudio verán cuál era la actitud de la iglesia en Corinto y cuál la de Pablo.

ESTUDIO PANORAMICO DEL CONTEXTO
1. Repase el problema en la iglesia de Corinto enfocado en los dos estudios anteriores (divisiones). Diga que ahora considerarán un segundo problema que los afectaba. **2.** El alumno que se preparó, presente su exposición. Agregue usted más información obtenida de su propio estudio. Incluyan: las condiciones sociales y religiosas que facilitaban la inmoralidad, que había inmoralidad impune en la iglesia y que verán cómo Pablo encaró el problema. **3.** Pida a los alumnos que se fijen en la palabra *santidad* en el título y *consagración* en los subtítulos. Guíe una conversación sobre el significado de estas dos palabras.

ESTUDIO DEL TEXTO BASICO
1. Pugnar por la consagración de los creyentes. Escriba este subtítulo

en el pizarrón. Diga que una manera popular de expresarlo sería "tomar el toro por los cuernos" y que eso es lo que Pablo comienza a hacer en los vv. 1-5. Comente que antes de poder hacerlo, hay que *ver* al "toro". Un alumno lea en voz alta los vv. 1 y 2 donde Pablo les muestra "el toro". Pregunte: ¿Cuál es el problema que saca a luz Pablo en el v. 1? ¿Y cuál es el problema que expone en el v. 2? Después de cada pregunta permita que respondan. Al hacer notar la actitud de la iglesia hacia la inmoralidad, comente que es un ejemplo de la actitud *En boca cerrada no entran moscas* o sea no inmiscuirse en la vida de los demás. Un alumno lea en voz alta los vv. 3-5. Los demás deben prestar atención para encontrar: (1) la orden de Pablo y (2) la autoridad con que la dio. Comenten lo encontrado. Para que no haya lugar a dudas, aclare bien lo que quiso decir Pablo en el v. 5 (vea el comentario en este libro).

2. *Una vez santificados, celebrad la fiesta.* Escriba este subtítulo en el pizarrón. Muestre la levadura que trajo a clase y pregunte cuál es su función en la masa. Comente que en la Biblia, la levadura casi siempre representa lo malo, el pecado que "leuda" (corrompe) la sociedad y, en este caso, a la iglesia. Comente que el v. 5 encaró la disciplina del inmoral desde el punto de vista de cómo lo beneficiaría a él mismo y que los vv. 6-8 la encaran desde el punto de vista del beneficio que recibirá la congregación. Al leer en silencio los vv. 6-8 encuentren dicho beneficio. Luego explique la conexión que tiene con la pascua de los judíos y la fiesta perpetua del que vive una vida pura sabiéndose salvo en Cristo.

3. *La necesidad de la consagración.* Escriba el subtítulo en el pizarrón. Forme dos equipos. En los vv. 9-13 uno debe encontrar y prepararse para explicar la orden de Pablo que toca la relación de los cristianos con los paganos, y el otro equipo la relación de los cristianos con los que, siendo miembros de la iglesia, persistían en sus pecados. Al recibir las respuestas, estimule el diálogo para que entiendan bien que en cuanto al pecado dentro de la iglesia, debían "tomar el toro por los cuernos" y quitarlo.

APLICACIONES DEL ESTUDIO
Un alumno leerá en voz alta la primera aplicación en el libro del alumno. Dé oportunidad para que digan su opinión. Proceda de la misma manera con la segunda y tercera aplicaciones.

PRUEBA
1. Trabajen en parejas para cumplir con la primera actividad en el libro del alumno. Sería interesante que alguno se animara a presentar la respuesta como un monólogo: "Yo, Pablo,..." **2.** Exhorte a pensar sinceramente en lo que pide el inciso 2 en sus libros. Trabajen en silencio, sabiendo que las decisiones que tomen serán privadas, entre cada uno y su Señor.

Santidad en el matrimonio

Contexto: 1 Corintios 7:1-40
Texto básico: 1 Corintios 7:1-16
Versículo clave: 1 Corintios 7:2
Verdad central: Las declaraciones de Pablo respecto a las parejas nos enseñan que lo ideal es la consagración del matrimonio al Señor.
Metas de enseñanza-aprendizaje: Que el alumno demuestre su: (1) conocimiento de las enseñanzas de Pablo respecto a la santidad en el matrimonio, (2) actitud de consagrar su matrimonio al Señor (si es soltero, valorice la trascendencia de consagrar el hogar a Dios).

─────────── **Estudio panorámico del contexto** ───────────

A. Fondo histórico:

El concepto de Pablo de la unión matrimonial. Algunos han atacado a Pablo por sus enseñanzas con relación a las mujeres, diciendo que trató de oprimirlas, dictando su forma de vestimenta en los cultos (1 Cor. 11:2-6) y diciendo que debían aprender en silencio en las iglesias. También se refirió a la mujer como el vaso más frágil y la causa del pecado de Adán (2 Cor. 11:3). Otros dicen que no entendió la dinámica de las relaciones entre casados. Pero esto es juzgar a Pablo injustamente. Si leemos todo lo que dice del matrimonio (Ef. 5:28-33 y 2 Cor. 11:2), podemos sacar la conclusión que Pablo tenía un profundo conocimiento y respeto por las relaciones matrimoniales.

La influencia de la filosofía de los griegos. Tenían la idea de que el celibato era bueno, dada la "bajeza" de todo lo material, incluido el cuerpo humano. La filosofía griega enseñaba el dualismo; o sea, que en el ser humano el espíritu es bueno pero la carne es mala. Esto les llevaba a condenar las relaciones sexuales, aun en el matrimonio, como una expresión de la naturaleza baja. Entre los cristianos del primer siglo la influencia griega era tal que había grupos que fomentaban el celibato como el estado ideal, e insistían, como decía Tertuliano, que el matrimonio era "apenas una alternativa secundaria a lo mejor". Ciertas sectas extremistas insistían en que los casados debían vivir sin tener relaciones sexuales. Los matrimonios en Corinto estaban sintiendo los efectos de este ascetismo que caracterizaba el ambiente del primer siglo.

B. Enfasis:

El celibato es honroso, 7:1. Pablo, tanto como Jesús, aprobaban la vida de celibato. Pero los dos insistían en que el celibato no era asunto de mayor santidad, sino de comodidad. El soltero estaba más libre para participar en el ministerio itinerante que caracterizaba la expansión de la iglesia en estos primeros años. El soltero puede soportar las incomodidades más fácilmente que uno que tiene la responsabilidad de cuidar una esposa con hijos. Pablo no está declarando que el celibato es un estado superior al matrimonio.

El matrimonio es el estado normal, 7:2. La gran mayoría de las personas se casan y tienen hijos. Este ha sido el plan de Dios desde la creación. Responde a la naturaleza del ser humano y la necesidad del compañerismo, amor y satisfacción del impulso sexual. El matrimonio no es simplemente un medio de legalizar el abuso sexual de parte de uno de los cónyuges.

Los deberes de los casados, 7:3-6. Pablo insiste en una sumisión mutua en cuanto a la satisfacción del impulso sexual. Tanto el esposo como la esposa deben respetar los deseos de su cónyuge y estar dispuestos para participar en el acto sexual en forma sana y espontánea.

Solteros, viudas y casados, 7:7-16. Pablo reconoce que hay ventajas en permanecer soltero. Estas ventajas tienen relación con dos asuntos: la facilidad con que el soltero o el viudo puede movilizarse para hacer la obra del Señor, y su creencia en la inminente segunda venida de Cristo. Pablo pensaba que el tiempo era corto, que Cristo iba a regresar dentro de poco y, por consiguiente, aconsejó a los solteros y a las viudas que no se casaran. Pero reconoce que si uno no tiene el don de continencia, entonces es mejor casarse y así evitar las frustraciones de uno que necesita satisfacer los impulsos sexuales y no tiene el medio legítimo de hacerlo.

Servicio para Dios en el estado social de cada cual, 7:17-24. No podemos revivir el pasado. Si en el pasado hemos tenido un estilo de vida no muy recomendable, no debemos permitir que ese pasado sea tropezadero para servir al Señor, una vez que nos convertimos al evangelio. Los casados no deben abandonar sus familias para vivir como célibes. Cada uno debe luchar por ir adelante, aceptando la situación en que estaba cuando conoció a Cristo.

Los solteros, 7:25-28. Debido a las circunstancias especiales del primer siglo, Pablo recomienda a los solteros que permanezcan como él. Reconoce que no tiene declaración del Señor para citar como base de autoridad para su consejo, pero piensa que *a causa de la presente dificultad,* es mejor permanecer soltero. *La presente dificultad* seguramente tenía que ver con las condiciones rigurosas que tenían que aguantar los misioneros que viajaban para esparcir el evangelio. Sería muy incómodo tratar de llevar a la familia.

Lo temporal y lo eterno, 7:29-31. Pablo creía que Cristo iba a regresar durante su vida. Por eso, insistía en que no se podían hacer planes a largo plazo. No sería justo traer otros hijos al mundo que no tendrían oportunidad de vivir una vida completa. Sabemos que Pablo estaba equivocado en este aspecto. Luego reconoció que el fin no estaba tan cerca como él creía.

El "afán" del casado, 7:32-34. No debemos interpretar estos pasajes en sentido negativo, como si el ser casado conlleva cargas que hacen descuidar el servicio para el Señor. Tal no fue la intención de Pablo. *La posición de la viuda, 7:39, 40.* La muerte del cónyuge disuelve las relaciones legales que existían; por eso, la viuda o el viudo estaba en libertad de contraer otro matrimonio. Pero Pablo recomienda que no se casen.

──────────── **Estudio del texto básico** ────────────

1 Consagración mutua en el matrimonio, 1 Corintios 7:1-4.

V. 1. La expresión: *En cuanto a* aparece en 7:1; 7:25; 8:1 y 12:1, e introduce los temas del matrimonio, el celibato, las comidas ofrecidas a ídolos y los dones espirituales. *No tocar mujer* es un eufemismo y se refiere al acto sexual, pero en el contexto se incluye todo lo que envuelve el ser casado.

V. 2. Pablo aquí da una de las razones por las que es mejor estar casado. El participar en las relaciones sexuales no solamente es lícito en el matrimonio; sino que de verdad es un elemento necesario en los casos normales. La mejor manera de evitar la tentación de participar en actos inmorales es tener su cónyuge para la legítima expresión del impulso sexual. La expresión también prohíbe la poligamia, que era un problema tanto en el mundo pagano como entre los judíos.

V. 3. Pablo reconoce que Dios ha dado su bendición al sexo dentro del matrimonio. Cuando una pareja participa en el acto sexual, no debe sentir culpabilidad; es una forma de expresar el amor entre los dos y tiene la bendición de Dios. Tampoco dice que el acto sexual debe limitarse al propósito de procrear hijos. Pablo aquí contradice el concepto que el celibato era un estado superior al matrimonio.

V. 4. El matrimonio feliz es el en que cada cónyuge se da al otro y cede sus deseos y sentimientos personales para el bien del otro. Pablo aboga por la igualdad de derechos en el matrimonio. La cultura grecorromana y la judía miraban a la mujer como propiedad del esposo; el cristianismo eleva el estado de la mujer al de igualdad.

2 Consagración a motivos superiores, 1 Corintios 7:5-9.

V. 5. Pueden existir ciertas condiciones en que la pareja interrumpe sus relaciones sexuales: (1) por *acuerdo mutuo*; (2) por *algún tiempo* específico; (3) por una razón especial, tal como para dedicarse *a la oración;* y (4) con la intención de reanudar las relaciones normales en el futuro. Si la decisión de no tener sexo es unilateral, no es buena. La expresión: *para que no os tiente Satanás* señala que el impulso sexual es poderoso, y cuando la persona comienza a ser sexualmente activa, es difícil parar tal impulso. Esto es argumento fuerte en contra de las relaciones premaritales. La *incontinencia* lleva a muchas personas a cometer actos de infidelidad marital, los cuales traen sufrimiento durante el resto de sus vidas.

V. 6. *Concesión*, quiere decir comprensión amplia de la naturaleza humana y no como si Pablo estuviera haciendo una excepción a una norma rígida establecida en la revelación divina. *No por mandamiento* quiere decir que ningún mandamiento de Jesús había tratado este tema.

V. 7. Pablo vuelve al tema de la soltería y el don de continencia. *Fuesen como yo* indica que Pablo tuvo el don de continencia y no sentía la necesidad de aliviar la tensión del impulso sexual. Sin embargo, reconoce que no toda persona tiene este don.

V. 8. Pablo era rabino y participaba en el juicio en contra de los cristianos (Hech. 26:10); por consiguiente, casi es seguro que había sido casado con hijos, ya que esto era un requisito para los rabinos que participaban en tales juicios. Algunos opinan que el "privilegio paulino" (1 Cor. 7:15) es una referencia autobiográfica.

V. 9. El *don de continencia* se refiere al celibato. El celibato como imposición contraviene la naturaleza humana. Cuando a alguien se le impone un comportamiento ajeno a su estructura física y psíquica, se le expone a presiones que son más dañinas que benéficas.

3 La consagración del cónyuge creyente es el mejor testimonio, 1 Corintios 7:10-16.

V. 10. Ahora Pablo entra en el tema de la separación y el divorcio. Declara en forma categórica que Jesús había prohibido el divorcio (Mar. 10:2-9).

V. 11. La cláusula entre paréntesis advierte que si existe tal caso, la mujer debe permanecer sin casarse o debe reconciliarse con el esposo.

Vv. 12, 13. Ni siquiera el hecho de que uno de los cónyuges sea incrédulo permite al creyente la separación. Si de la parte no creyente hay disposición de mantener los lazos del matrimonio, no hay excusa para promover un divorcio.

V. 14. Este versículo no enseña la conversión por substitución, como enseñan algunas sectas. Creen que uno puede ejercer la fe y ser bautizado por un ser querido que murió hace años. Pablo está diciendo que el testimonio cristiano del creyente será levadura para crear en el inconverso el deseo de conocer al Señor. *De otra manera vuestros hijos serían impuros.* Los hijos nacidos en un matrimonio donde uno de los cónyuges es cristiano, indudablemente que desde la cuna recibirán la influencia del padre creyente.

V. 15. Ahora la situación enfoca al incrédulo que desea separarse. Pablo dice que el creyente no debe sentirse como esclavo en un matrimonio que no va a funcionar. Dios ha llamado a las personas a vivir en paz; a veces el divorcio solicitado por el no creyente es el único camino para experimentar la paz.

V. 16. Pablo trata primero el caso de la esposa otra vez. Anima a la esposa cristiana a no separarse, y buscar la manera de dar ejemplo al esposo, para que se convierta. Después, repite el mismo consejo para el esposo. El valor del pasaje es animar a los cristianos a ser firmes en vivir su fe frente al cónyuge inconverso. Pero si el inconverso decide irse, el creyente no debe sentirse atado a un matrimonio que no es del agrado de ninguno de los dos.

─────────── **Aplicaciones del estudio** ───────────

1. **Algunos tienen el don de celibato.** Si uno tiene este don, puede dedicarse al servicio del Señor y tener un ministerio fructífero. Pero no debemos imponer este estilo de vida a nadie.
2. **El acto sexual es bendecido por Dios dentro del matrimonio.** Los casados no deben sentir suciedad ni culpabilidad cuando expresan su amor en el acto más íntimo de amor.
3. **El creyente debe permenecer con el cónyuge incrédulo si éste consiente.** Pero si el inconverso decide irse, el cristiano no debe sentirse culpable.

─────────── **Ayuda homilética** ───────────

Claves para la felicidad en el matrimonio
1 Corintios 7:1-7

Introducción: Entre los problemas matrimoniales que más frecuentemente se mencionan están las dificultades económicas y los problemas en la esfera del sexo. Pablo nos da en este pasaje las claves para alcanzar la felicidad en el matrimonio en la esfera del sexo.

I. **Una actitud mental correcta, vv. 2-4.**
   A. La sumisión mutua en vez de la superioridad de uno sobre el otro.
   B. Una preferencia para la satisfacción del otro en vez del egoísmo.
II. **Una prioridad correcta, v. 5.**
   A. Participar en el sexo según el deseo cuando están en circunstancias normales.
   B. Abstenerse del sexo cuando hay un motivo especial, o físico, o espiritual.
   C. Volver a participar en el sexo cuando haya pasado la causa especial de acuerdo mutuo de abstención.
III. **Una precaución correcta, v. 5b.**
   A. Satanás busca el lado flaco de cada uno para tentarnos.
   B. El impulso sexual es el impulso más difícil de dominar.
   C. La satisfacción completa de los dos cónyuges formará un castillo fuerte para resistir los dardos de Satanás.

Conclusión: Aunque Pablo dice que la condición óptima para servir al Señor es como soltero, reconoce que no todos tienen ese don. Aprueba el sexo en el matrimonio: además de procrear, la procreación; es canal bendito para la expresión del amor entre cónyuges.

Lecturas bíblicas para el siguiente estudio

Lunes: 1 Corintios 8:1-3
Martes: 1 Corintios 8:4-6
Miércoles: 1 Corintios 8:7, 8

Jueves: 1 Corintios 8:9, 10
Viernes: 1 Corintios 8:11, 12
Sábado: 1 Corintios 8:13

AGENDA DE CLASE

Antes de la clase
1. Lea 1 Corintios 3:1 a 4:21 y estudie el material expositivo en este libro y en el del alumno. Anote en su cuaderno el concepto ascético de los griegos de todo lo material, incluyendo la sexualidad y el concepto judeocristiano del matrimonio y la sexualidad. **2.** Con anterioridad pida a los alumnos que traigan a clase una foto de su casamiento o una de su núcleo familiar. **3.** Prepare tiritas de papel con las preguntas que se indican en cada parte del estudio del texto básico. **4.** Complete la primera sección bajo *Estudio del texto básico* en el libro del alumno.

Comprobación de respuestas
JOVENES: **1.** Que cada hombre tenga su propia esposa y cada mujer tenga su esposo. **2.** v. 6 - Que no se nieguen el uno al otro a menos que sea por mutuo acuerdo. V. 12 - el cónyuge creyente no se separe de su cónyuge no creyente. **3.** Que el matrimonio no se divorcie, pero si lo hacen, quédense sin casarse o reconcíliense.
ADULTOS: **1.** Respuesta personal. **2.** A causa de la inmoralidad sexual es mejor que cada hombre tenga su esposa y cada mujer tenga su esposo. **3.** El alumno debe elegir entre varios consejos.

Ya en la clase
DESPIERTE EL INTERES
Los presentes muestren las fotos que trajeron. Cuenten algo relacionado con la ocasión de la foto o de su cónyuge o familia. Procure que sea un momento amable, de buenos recuerdos que ya de por sí muestran el valor del matrimonio y de la familia.

ESTUDIO PANORAMICO DEL CONTEXTO
1. Haga que los alumnos investiguen en esta sección de sus libro para encontrar el contraste entre el concepto griego y el concepto judeocristiano de la sexualidad. Guíe el estudio con preguntas como las siguientes: ¿Cuál era el propósito de la actividad sexual en el mundo griego? ¿Y en la cultura judía? ¿Qué lugar ocupaba para los griegos la sexualidad en el matrimonio? ¿Y para la comunidad judeocristiana? ¿Qué empezaban a pensar algunos en la iglesia con referencia a la sexualidad por influencia del pensamiento griego? (Que era malo.) **2.** Encuentren en sus libros la palabra que indica una filosofía griega de todo lo material, incluyendo el sexo (ascetismo).

ESTUDIO DEL TEXTO BASICO
Escriba en el pizarrón el bosquejo del texto básico:
Mientras lo escribe haga notar que vuelven a ser importantes las palabras "santidad" y "consagración". Repasen lo que significan.

1. Consagración mutua en el matrimonio. Explique que lo que Pablo escribe y que considerarán en tres partes (lea el bosquejo) es en respuesta a preguntas de la iglesia. Busquen en sus libros, bajo esta sección, cuál habría sido la primera pregunta. Dé a tres distintos alumnos una de las tiras de papel en que habrá escrito una de estas tres preguntas: 1. ¿Qué razón práctica da Pablo para que cada uno tenga su cónyuge? (v. 2). 2. ¿Para quién es el consejo del v. 3? 3. ¿Tiene el esposo más autoridad sobre su propio cuerpo que la esposa? (v. 4). Otro alumno lea en voz alta los vv. 1-4. Los que tienen las preguntas las leerán y darán las respuestas. Que los demás participantes se sientan en libertad de expresar cualquier inquietud al respecto. Termine subrayando "Consagración mutua" en el pizarrón y destaque que cuando la hay, va desapareciendo el egoísmo y el interés propio. Y ese es el mejor escudo protector contra la infidelidad.

2. Consagración a motivos superiores. Diga que hasta ahora, los consejos eran para gente casada y que ahora verán consejos para viudos y solteros en contestación a una pregunta de ellos que puede haber sido la que aparece bajo esta sección en sus libros. Encuéntrenla. Reparta a otros tres alumnos tres tiritas con tres preguntas más: 1. ¿Bajo qué circunstancias puede uno en el matrimonio negarse al otro? (v. 5). 2. Al decir Pablo en el v. 7 que quisiera que todos los hombres fueran como él ¿se refería al celibato o al matrimonio? 3. ¿Qué consejo tiene Pablo para los solteros y viudos? (vv. 8, 9). Otro alumno lea en voz alta los vv. 5-9. Enseguida los que tienen las preguntas las irán leyendo y contestando. Siga con el tono conversacional. Subrayen en sus Biblias *mejor es casarse que quemarse.*

3. La consagración del cónyuge creyente es el mejor testimonio. Diga que a renglón seguido Pablo tiene consejos para el creyente casado con un inconverso. Busquen en sus libros, bajo esta sección, cuál habría sido la pregunta que la iglesia hiciera a Pablo en la carta que le escribió. Reparta a otros tres alumnos las últimas tres tiritas de papel con las siguientes preguntas: 1. ¿Cuál es el mandato del Señor a la esposa y al esposo que tienen cónyuges inconversos? (vv. 10, 11). 2. ¿Cuál es la opinión de Pablo sobre abandonar al cónyuge inconverso y por qué opina así? (vv. 12-14). 3. ¿Cuál debe ser la gran esperanza del cónyuge creyente en relación con su pareja no creyente? (v. 16). Otro alumno lea en voz alta los vv. 10-16. Enseguida los que tienen las preguntas las irán leyendo y contestando.

APLICACIONES DEL ESTUDIO
Pregunte: ¿Qué podría hacer nuestra iglesia para fortalecer a los matrimonios y las familias representadas en la congregación? Apunte las respuestas a fin de ver la manera de dar el primer paso para organizar un ministerio que tanto se necesita.

PRUEBA
Realicen individualmente y en silencio las actividades bajo esta sección en el libro del alumno. Si quieren, pueden compartir lo que escribieron.

Libertad responsable

Contexto: 1 Corintios 8:1-13
Texto básico: 1 Corintios 8:1-13
Versículo clave: 1 Corintios 8:9
Verdad central: La recomendación de Pablo en relación con lo sacrificado a los ídolos nos enseña que debemos usar la libertad cristiana con suma responsabilidad procurando no ser piedra de tropiezo para los débiles en la fe.
Metas de enseñanza-aprendizaje: Que el alumno demuestre su: (1) conocimiento de la recomendación de Pablo a los corintios en el sentido de no comer carne sacrificada a los ídolos, (2) actitud de usar su libertad cristiana con responsabilidad.

-------------Estudio panorámico del contexto -------------

A. Fondo histórico:

La carne sacrificada a los ídolos. En Corinto, ciudad pagana, se acostumbraba ofrecer los animales a los dioses paganos antes de matarlos. A veces se utilizaba la carne en actos de adoración pagana, otras veces simplemente para el consumo. Algunos eruditos indican que ésta era la única carne que se podía comprar en el mercado, es decir, carne que había sido ofrecida a ídolos. Todo animal había sido dedicado a un ídolo antes de ser sacrificado. Unicamente los judíos, que ofrecían sacrificios a Jehovah, habrían hecho el sacrificio de acuerdo con las leyes levíticas. Pero el hecho de que el animal había sido sacrificado a un ídolo levantaba la pregunta entre algunos cristianos si el comprar y comer esa carne era un acto de idolatría. La controversia había dividido a la iglesia en dos partidos: los que decían que no era pecado y los que insistían en que sí lo era.

La resolución de Pablo establecía varias normas: (1) No es pecado comprar y comer la carne, porque el cristiano sabe que en verdad no existen los ídolos que las personas adoran. (2) Es importante no ser de tropiezo para los hermanos más débiles en la fe. (3) Es mejor ceder nuestros derechos para no ofender al hermano débil. (4) Es importante dejar que el amor entre cristianos sea nuestro marco de referencia en los asuntos de controversia.

B. Enfasis:

Lo sacrificado a los ídolos, 8:1. El vivir en una cultura pagana exige cierto grado de tolerancia para las prácticas que consideramos incorrectas y/o contradictorias a las normas del cristianismo. Poco a poco los ideales del cristianismo pueden transformar las prácticas que son contrarias.

Conocimiento y amor, 8:2, 3. Muchas personas cometen actos malos por ignorancia; otras por creencias equivocadas. Dicen que si nacen mellizos en ciertas partes del Africa, son echados al río porque creen que los dioses están enojados con los padres y la única manera de apaciguar el enojo es con el sacrificio de los recién nacidos.

La doctrina de un solo Dios, 8:4-6. Si creemos en el Dios único y verdadero, entonces los dioses falsos no tienen ningún efecto sobre nosotros y nuestro medio. Algunos atribuyen a Satanás más poder del que tiene. Si seguimos al Dios que es omnipotente, omnisciente y omnipresente, podemos descansar tranquilos, porque sabemos que este Dios controla todo.

La costumbre y la conciencia, 8:7, 8. Las costumbres no deben establecer las normas de comportamiento; las normas establecidas por una fuente autoritativa nos deben guiar en la toma de decisiones con relación al comportamiento. La conciencia se elabora por medio de la enseñanza de las normas por una autoridad que es aceptada, respetada y amada. Por eso, los padres de familia tienen mayor responsabilidad por el desarrollo de la conciencia en los hijos. Si no hay autoridad y límites en cuanto al comportamiento, no habrá conciencia en los niños.

El amor, la conciencia y la libertad, 8:9-13. Aunque el conocimiento de que comer carne sacrificada a los ídolos o cosas semejantes no es malo, hay que evitar que nuestra libertad ofenda gravemente a un hermano débil, o de inducir a alguien a hacer lo que no quiere. Si una persona es reconocida por ser consagrada al Señor y se le ve participando en cosas de dudosa moral, seguramente afectará a los más débiles. Todo hombre debe andar de tal manera que alumbre o guíe a su hermano al cielo.

——————————— **Estudio del texto básico** ———————————

1 Conocimiento y amor, 1 Corintios 8:1-3.

V. 1. Pablo llega ahora a contestar otra pregunta que los corintios le habían hecho por medio de la carta que le habían escrito. Esta pregunta tenía que ver con la carne que había sido ofrecida a ídolos; ¿se podía comprar y comer o no? El *conocimiento* que todos tienen puede ser una referencia a Hechos 15:20, que contiene una advertencia de "apartarse de la contaminación de los ídolos". Esta declaración en Hechos abarca mucho más que lo que enfrentaban los cristianos en Corinto. *El conocimiento envanece;* la palabra *envanece* en griego lleva la idea de estar inflado. Todos hemos visto a personas que parecen infladas con su propio sentimiento de importancia porque han adquirido un conocimiento más avanzado que los demás en cierto campo. Pero la persona debe ser más humilde cuando se da cuenta de la magnitud del conocimiento disponible y lo poco que logramos dominar. *El amor edifica.*

Son tres palabras cortas, pero tienen un gran significado. Pablo pone el conocimiento en perspectiva con el amor, declarando que el amor puede lograr mucho más que la manifestación de nuestros conocimientos.

V. 2. Pablo habla sobre los corintios que estaban inflados con sus conocimientos. El griego tiene palabras distintas para el verbo *saber*. Una señala el conocimiento de hechos; la otra abarca el conocimiento de la naturaleza de las cosas. Aquí la palabra lleva el sentido de conocer la naturaleza de las cosas. Los corintios podrían explicar con lógica que la carne sacrificada a ídolos no recibía ningún efecto de ese sacrificio; pero para los hermanos con una conciencia infantil era más difícil distinguir entre los que comían como acto de adoración a un ídolo y los que no estaban adorando al comerse la carne.

V. 3. Pablo vuelve al énfasis sobre el amor a Dios, conectando la necesidad de mayor amor entre los corintios. La controversia sobre la carne sacrificada a ídolos había opacado el énfasis en el amor. Pablo sabía que la fuente del amor por los hermanos es un amor más profundo por Dios. Termina este versículo con el énfasis sobre la iniciativa divina para conocer al ser humano en forma más íntima. El ser conocido por Dios y conocerle a él, nos capacita para percibir las cosas desde la perspectiva divina, lo cual añade otra dimensión al tema de los sacrificios de carne a los ídolos.

2 La doctrina de un solo Dios, 1 Corintios 8:4-6.

V. 4. La mejor manera de contrarrestar las controversias en la iglesia es enfocar la naturaleza del Dios a quien servimos. No hay ninguna contaminación en la carne sacrificada a ídolos que en realidad no existen. Pablo dijo que *el ídolo nada es en el mundo*. ¡Qué declaración tan profunda! Pero ¡qué contradicción con las prácticas humanas! *No hay sino un solo Dios*. El judío había recitado esta declaración diariamente durante siglos porque es parte del *Shema* y viene de Deuteronomio 6:4. Es un mensaje que necesitamos recordar constantemente.

V. 5. Había *muchos dioses y muchos señores* en aquel día. Hasta el emperador se creía divino y exigía el título de "Señor". El gnosticismo enseñaba una serie de "aeones" divinos que, según ellos, eran más dignos de adoración que Jesús. Pablo se impresionó cuando llegó a Atenas por los múltiples dioses y el altar "al dios no conocido".

V. 6. Aquí tenemos una de las primeras confesiones de fe de los cristianos. Contiene varias verdades céntricas de la fe cristiana. *Hay un solo Dios*. Era tema de los profetas, quienes luchaban en contra de los que seguían a los dioses Dagón, Moloc y Baal. *Un solo Señor, Jesucristo*, quien está al lado de Dios y forma parte de la Trinidad. Pablo no tenía problema en creer que Jesús era divino. Cristo era agente en la creación (véase Juan 1:1-5; Col. 1:16; Heb. 1:2). Nuestra existencia en la familia de Dios es *por medio de él*, porque su muerte en la cruz hizo posible nuestra redención y adopción en la familia de Dios.

3 Libertad responsable, 1 Corintios 8:7-13.

V. 7. Pablo reconoce que no todo cristiano está en el mismo nivel de desarrollo y que algunos no han captado las implicaciones del hecho que hay un solo Dios y un solo Señor Jesucristo. Los cristianos en Corinto estaban inseguros sobre los ídolos y la carne que había sido ofrecida a elles. *Su conciencia se contamina por ser débil.* Es problema para el hermano débil, pero sigue diciendo que los hermanos más maduros deben estar dispuestos a ceder para no ofender al hermano débil.

V. 8. El comer o no comer no es lo que *nos recomienda a Dios.* No somos ni menos ...ni más, este es argumento de la persona madura, que se ha desarrollado hasta el punto de reconocer que la carne ofrecida a ídolos no es contaminada, y el comerla no nos hace ni menos santos, y el no comerla no nos hace más santos.

V. 9. La libertad de uno puede ser tropezadero para otro. Nuestro derecho puede afectar a otros en forma negativa. El principio del respeto por el hermano débil es válido, y debe hacernos examinar bien nuestro comportamiento antes de hacer algo cuestionable.

V. 10. Aquí Pablo da la ilustración del caso hipotético. *Sentado a la mesa en el lugar de los ídolos* da la impresión que el hermano fuerte estaba participando hasta cierto punto en la ceremonia relacionada con la adoración del ídolo. La pregunta implica que la respuesta es afirmativa, que el comportamiento del hermano fuerte va a tener efecto negativo sobre el hermano débil.

V. 11. El hermano débil es influenciado a portarse de acuerdo con el nivel de madurez del hermano fuerte, siguiendo el ejemplo de uno que respeta más. Esto nos llama para examinar nuestro comportamiento en toda esfera, y estar seguros de que no seríamos avergonzados en nada si Cristo viniera en este momento y nos encontrara participando en cualquier actividad.

V. 12. Si pecamos en contra del hermano débil, estamos pecando en contra de Cristo. La palabra *pecando* tiene el sentido de no dar en el blanco. Al hacerle daño al ser humano; le hacemos daño a la causa de Cristo.

V. 13. Aquí Pablo asienta el principio que ha de guiarnos en las cuestiones del respeto por el hermano débil. Si el participar en algo que para mí no es perjudicial hace que mi hermano débil haga lo mismo, para su detrimento, entonces debo estar dispuesto a ceder mi derecho de participar. Cada derecho tiene que ser medido a la luz de las posibles consecuencias para los demás en la comunidad cristiana.

────────────── **Aplicaciones del estudio** ──────────────

1. Es importante practicar el amor *agape* en toda relación. Cuando predomina el amor, los conflictos serán menos y de menor significado. Lo que debe caracterizar a la familia cristiana en la iglesia es ese amor que tenemos el uno por el otro. Esto distinguía a la iglesia primitiva, y debe distinguirnos hoy en día.

2. Identifiquemos los ídolos que están en nuestro medio hoy. Al enumerarlos, podemos determinar hasta qué punto estamos sirviendo a los dioses falsos y hasta qué punto influyen en nuestro comportamiento diario. Esto puede estimularnos a quitar los dioses ajenos que están en medio nuestro, y consagrarnos de nuevo al Dios único y verdadero.

3. En Cristo tenemos libertad, pero debemos estar dispuestos a sacrificar esta libertad para evitar ofender a uno que es más débil que nosotros. Este principio puede tener un efecto revolucionario sobre nosotros en nuestros negocios, nuestras actividades sociales y en las relaciones con otros familiares.

─────────────── **Ayuda homilética** ───────────────

Tres actividades para evitar
1 Corintios 8:4-13

Introducción: Solemos hacer hincapié en lo positivo en vez de lo negativo, pero de vez en cuando hay que mencionar las cosas que afectan nuestra vida y/o la de otros en forma perjudicial.

  I. La idolatría, porque hay un solo Dios, v. 6.
    A. Toda clase de idolatría es una ofensa delante de Dios.
    B. La adoración de ídolos es inútil, porque no existen.
  II. La libertad extrema, porque podemos ser tropezadero a otros, v. 9.
    A. Podemos insistir demasiado en nuestra libertad, que afecta negativamente a otros.
    B. Una libertad extrema nos quita oportunidades para ministrar a otros.
  III. La comida de carne cuestionable, porque puede ofender al hermano más débil, v. 13.
    A. El comprar, preparar y comer carne ofrecida a ídolos, puede encaminar al hermano más débil a cometer un acto que sería perjudicial.
    B. El abstenerse de actos que en sí no son malos, puede fortalecer nuestro testimonio en la comunidad y darnos más oportunidades para testificar.

Conclusión: Cristo se encarnó y llegó a ser como siervo para redimirnos. Su ejemplo de sacrificio voluntario nos inspira a entregar nuestros derechos y libertades para fortalecer al hermano más débil.

Lecturas bíblicas para el siguiente estudio

Lunes: 1 Corintios 9:1-7   **Jueves:** 1 Corintios 9:17, 18
Martes: 1 Corintios 9:8-12   **Viernes:** 1 Corintios 9:19-23
Miércoles: 1 Corintios 9:13-16   **Sábado:** 1 Corintios 9:24-27

AGENDA DE CLASE

Antes de la clase
1. Lea 1 Corintios 8. Subraye las palabras *conocer, conocimiento, sabe* y *saber*. **2.** Escriba en su cuaderno en qué sentido debe cuidarse el creyente fuerte y maduro para no perjudicar la fe del cristiano inmaduro y débil. **3.** Escriba en un papel grande; *¿Soy yo guarda de mi hermano?* **4.** Con anterioridad, pida a dos alumnos que se preparen para debatir el tema de 1 Corintios 8. Uno debe defender la posición de que nada tiene de malo comer la carne sacrificada a los ídolos. El otro debe asumir la postura de Pablo de ser responsable con su libertad. **5.** Piense y anote ejemplos concretos actuales donde se aplican los principios enunciados en la sección *Aplicación práctica* en el libro del alumno. **6.** Complete la primera sección bajo *Estudio del texto básico* en el libro del alumno.

Comprobación de respuestas
JOVENES: **1.** Frases a tachar: "y pensadlo bien", "no abuséis de", "para que", "venga a ser", "mal testimonio y", "creyentes", "que todavía no han madurado". **2.** a. Amor, conocimiento. b. Que no son nada. (c) Cristo.
ADULTOS: **1.** a. Envanece, edifica. b. Nada es, sino un solo Dios. c. Los hermanos, sus débiles conciencias, estáis pecando. **2.** 12, 10, 9, 1, 3, 5, 8, 7, 11, 4, 6, 2.

Ya en la clase
DESPIERTE EL INTERES
Muestre el cartel: *¿Soy yo guarda de mi hermano?* Desafíe a los presentes a pensar seriamente en esta pregunta. Luego pregunte: ¿Somos de verdad responsables por otras personas? ¿Cómo? ¿Se limita esa responsabilidad a ciertas personas, como son los hijos o los hermanos en la iglesia? ¿Qué responsabilidad tenemos hacia todas las personas con quienes entramos en contacto? Dirija la atención al título del estudio y destaque que en esta ocasión enfocarán el delicado tema de la responsabilidad que el creyente tiene con respecto a los demás.

ESTUDIO PANORAMICO DEL CONTEXTO
Usando la información que aparece en esta sección en su libro y en el del alumno, explique el origen del problema de comer carne sacrificada a los ídolos, motivo por el que escribió Pablo en el capítulo 8 de 1 Corintios. Comente que aunque este problema en sí no es relevante a nuestra época y cultura, los principios que Pablo enuncia sí lo son.

ESTUDIO DEL TEXTO BASICO
1. Debate. El alumno a quien asignó defender la posición de que estaba bien comer la carne sacrificada a los ídolos será el primero en presentar sus

argumentos. Luego, el alumno a quien asignó defender la posición de Pablo, presentará sus argumentos en contra del primero. Cuando hayan terminado, agradezca el trabajo realizado. Diga que, visto superficialmente, las dos posturas tienen algo de razón, pero que una consideración más detenida de 1 Corintios 8 dirá cuál es la mejor.

2. *Conocimiento y amor.* Un alumno lea en voz alta 1 Corintios 8:1-3. Pregunte: ¿Cuál es el peligro del tipo de conocimiento al que se refiere Pablo? (arrogancia, egoísmo). ¿Qué alternativa sugiere Pablo al conocimiento? (amor) ¿Cuál era el efecto del amor en contraste con el efecto del conocimiento sin el ingrediente del amor? ("edifica": es un buen testimonio que resulta en el crecimiento espiritual de quienes lo rodean).

3. *La doctrina de un solo Dios.* Los alumnos lean en silencio los versículos 4 al 6 para encontrar lo que los lectores de esta carta *sabían* acerca de los ídolos y de Dios. Pida a un voluntario que diga qué sabían de los ídolos y, a otro voluntario, qué sabían de Dios. Reciten al unísono Juan 3:16 y destaque el énfasis en el amor de Dios. Si hay alumnos que no han aceptado a Cristo como su Salvador personal, explique la vida eterna en Cristo, generada por el amor de Dios.

4. *Libertad responsable.* Escriba en el centro del pizarrón la palabra *DEBIL*. Un alumno lea en voz alta los versículos 7 al 13. Los demás deben marcar las palabras *débil* y *débiles* cuando aparecen en el texto. Guíe el estudio del pasaje en base a las palabras que marcaron. Vaya escribiendo alrededor de la palabra que escribió en el pizarrón las conductas que deben tener los fuertes en razón de los débiles.

APLICACIONES DEL ESTUDIO

1. Lean todos juntos en voz alta el versículo clave: 1 Corintios 8:9. Diga que ésta es la regla a seguir al tratar de determinar si algo conviene o no conviene hacer. **2.** Un alumno lea el inciso 1 bajo esta sección en su libro. Presente el ejemplo que pensó (vea "Antes de la clase", inciso 5) y decida si los participantes pueden pensar en otros ejemplos. Haga lo mismo con los incisos restantes.

PRUEBA

1. En parejas o grupos de tres completen lo que pide el inciso 1. **2.** ADULTOS: El inciso 2 presenta un "Estudio de caso". Léalo pausadamente hasta donde dice: "Para ellos, ir a esas corridas era dar muy mal testimonio." Enseguida, haga una por una las preguntas. Escriban un resumen de las respuestas en el lugar correspondiente en sus libros. JOVENES: Lea en voz alta la primera parte del inciso 2. Lea en voz alta la segunda parte y procure guiar un diálogo que lleve a la contestación de la pregunta que luego pueden escribir en sus libros. Instelos a seguir reflexionando sobre esto durante la semana.

Libertad en el ministerio

Contexto: 1 Corintios 9:1-27
Texto básico: 1 Corintios 9:1-19
Versículo clave: 1 Corintios 9:19
Verdad central: El ejemplo de Pablo en el desempeño de su ministerio nos muestra que se debe hacer buen uso de las libertades que confiere una posición de liderazgo.
Metas de enseñanza-aprendizaje: Que el alumno demuestre su: (1) conocimiento de la manera cómo el apóstol Pablo hizo uso de su libertad cristiana, (2) actitud de responsabilidad en el ejercicio de la libertad cristiana.

—————— **Estudio panorámico del contexto** ——————

A. Fondo histórico:

El sostenimiento de los líderes religiosos. Moisés recibió revelación específica en el monte Sinaí para normar el sostenimiento de los levitas. Dios estableció la ley del diezmo, en que las personas traían la décima parte de su cosecha o de sus ganados para entregárselos al sacerdote (Lev. 27:30-33). Esto se utilizaba en sostener económicamente a los levitas, porque ellos no tenían parte en la repartición de la tierra. Sabemos que algunos de los profetas tuvieron sus propios medios de sostenimiento (Amós 7:14), y otros fueron hospedados en la casa de personas temerosas de Dios (1 Rey. 17:8-16). Jesús estableció la norma que el obrero es digno de su salario (Mat. 10:10), y Pablo repitió este refrán en sus enseñanzas con relación al pago de los ministros (1 Cor. 9:14; 1 Tim. 5:18).

El salario de los soldados. El soldado es sostenido por el gobierno que lo recluta y entrena para servir. No se espera que el soldado se sostenga a sí mismo. Se establece el principio que uno que trabaja tiene derecho de recibir su sostenimiento de la entidad que lo contrata. El sacerdote que servía en el templo recibía su parte de las ofrendas y vivía de ellas. Al hacer los sacrificios, una parte de ciertos sacrificios era para Aarón y sus hijos (Lev. 6:16; 7:8-10; 10:12-15).

Malversación de fondos y riqueza ilícita. El caso de los hijos de Elí nos ilustra que algunos sacerdotes aprovechaban la ocasión para alimentar su egoísmo y avaricia (1 Sam. 2:12-17). Algunos reclamaban una parte del animal antes de ser cocido el sebo, lo cual era una violación de las instrucciones y las costumbres. Esto ilustra que es fácil para el ministro ser motivado y hasta contaminado por la avaricia.

El deporte en el mundo de Pablo. Las competencias deportivas eran actividades de suma importancia en el mundo grecorromano. Los juegos olímpicos hoy día reciben su nombre de la competencia más famosa del mundo antiguo. En Corinto se celebraban las competencias cada tres años. Los atletas se entrenaban durante largo tiempo, y se preparaban con gran entereza para el día de la competencia. Pablo utiliza la ilustración de las competencias para hacer paralelo con la carrera del cristiano.

B. Enfasis:

El apostolado de Pablo, 9:1, 2. Pablo no seguía la norma de depender de los miembros de la iglesia en Corinto para su sostenimiento económico. Más bien, participaba con Aquilas y Priscila en confeccionar tiendas, y vivía de las ganancias de ese trabajo.

La libertad de Pablo, 9:3-6. Pablo insiste en que tenía el derecho normal de ser sostenido como los demás obreros dedicados a predicar el evangelio, esa era la norma. Pero Pablo decidió ejercer su libertad y sostenerse por sus propios recursos. Aunque esto trajo oposición de parte de algunos en Corinto, Pablo insiste en su derecho. Algunos no querían considerarlo apóstol por no actuar conforme a los convencionalismos y costumbres establecidas. Una parte de esta carta fue escrita para defender su apostolado.

Un principio fundamental, 9:7-14. El que ministra el evangelio tiene derecho de vivir del evangelio. Hoy día hay ministros que son bivocacionales, pero esto se debe a las circunstancias locales, cuando la iglesia no tiene la fuerza económica para sostener al pastor y su familia. Se considera que la congregación local debe aceptar la responsabilidad de sostener a su líder espiritual.

El verdadero galardón, 9:15-18. Pablo reconoce que el verdadero galardón es el privilegio de ser contado como soldado de Jesucristo y de poder predicar el evangelio. Ese privilegio nos da una recompensa que excede toda remuneración que se podría recibir. Pablo quería probar que su interés no era el dinero. El mismo decidió sostenerse con su capacidad de hacer tiendas.

Pablo lo subordina todo a su misión en el evangelio, 9:19-23. Pablo insiste en que nuestro deber es lograr la presentación del evangelio, y que debemos estar dispuestos a acomodarnos a las circunstancias necesarias para hacerlo.

La entrega total de Pablo a su ministerio, 9:24-27. Pablo mantenía sus prioridades en el debido lugar. Se entrenaba como buen atleta para poder ganar el premio. Insistía en el dominio de su cuerpo, incluyendo los impulsos emotivos. Su misión era ser encontrado fiel en la predicación de! evangelio. No quería ser descalificado por alguna falla personal que él hubiera cometido.

1 La libertad de Pablo, 1 Corintios 9:1-6.

V. 1. Pablo comienza el versículo con preguntas retóricas, las cuales exigen una respuesta afirmativa. Afirmaba que estaba *libre* de las limitaciones de otros, tales como los rabinos que oficiaban en el judaísmo y tenían la responsabilidad de cumplir con los requisitos impuestos por la autoridad superior. *¿No soy apóstol?* Esto demuestra que algunos estaban cuestionando la validez de su apostolado. Cuando eligieron sucesor de Judas, el requisito que más se menciona es que tenía que ser uno que había visto al Señor resucitado (Hech. 1:22). Pablo mismo se declaró *apóstol*, como uno nacido fuera de tiempo (1 Cor. 15:8). Su visión del Cristo resucitado en el camino a Damasco fue tan dramática que él no pudo dudar de la validez de esa parte del requisito para ser apóstol. Los mismos creyentes en Corinto eran evidencia de la bendición de Dios en su ministerio. Pero algunos estaban poniendo en tela de duda su apostolado.

V. 2. *Otros*, tal vez en Efeso y en las iglesias en Galacia, habían criticado a Pablo, diciendo que no era apóstol. *Ciertamente para vosotros lo soy*, Pablo no dudaba de su relación con los hermanos en Corinto cuando tenía que ver con su *apostolado*. *El sello* se utilizaba para verificar la validez de los documentos. Los mismos cristianos en Corinto eran la mejor evidencia que Pablo podía mostrar.

Vv. 3, 4. Pablo comienza la defensa de su decisión de no recibir sostenimiento de los hermanos allí. *Defensa* es término legal que utilizaba el defensor en las cortes para responder a las acusaciones. *Cuestionan* es otro término legal y se relaciona con las personas encargadas de investigar los hechos de un caso. La pregunta del v. 4 viene en forma retórica con el elemento negativo, lo cual exigía una afirmación positiva, como "¡ciertamente que sí!" *Comer y beber* son palabras que abarcan todo lo que encierra el sostenimiento. Pablo declara que todo misionero tiene el derecho de esperar su sostenimiento de parte de los hermanos de la iglesia que lo comisionan. La iglesia en Antioquía separó, mandó y sostuvo a Pablo y Bernabé en el primer viaje misionero (Hech. 13:1-3).

V. 5. Los apóstoles casados solían ser acompañados por sus esposas en los viajes misioneros. Se mencionan específicamente a los *demás apóstoles*, los *hermanos del Señor* y Pedro.

V. 6. Bernabé era miembro de la congregación original en Jerusalén, y temprano en la historia de la iglesia primitiva vendió sus posesiones para compartir con los hermanos necesitados (Hech. 4:6). Mostró su amor y confianza en Pablo después de su conversión, llevándolo a Jerusalén (Hech. 9:26, 27). Llevó a Pablo desde Tarso para colaborar en la iglesia en Antioquía (Hech. 11:25-26). Posteriormente, el Espíritu Santo les separó para ser los primeros misioneros al extranjero (Hech. 13:1-3). Pablo pregunta si sólo él y Bernabé no tenían el derecho de dejar el trabajo para recibir el sostenimiento de los hermanos.

2 Un principio fundamental, 1 Corintios 9:7-14.

V. 7. Pablo utiliza tres casos bien conocidos para fundamentar su punto de vista. (1) El soldado es sostenido por el gobierno que lo recluta. (2) El viñador tiene derecho de participar en el fruto de sus labores. (3) El pastor se beneficia de su rebaño. Por consiguiente, los apóstoles tenían el derecho de recibir su sostenimiento de manos de los hermanos donde ministraban.

Vv. 8, 9. Ahora Pablo cita Deuteronomio 25:4: *No pondrás bozal al buey que trilla.* Una actitud humanitaria de parte del dueño del buey exigía que le permitiera comer un poco de la cosecha mientras estaba trabajando en el campo. Si Dios ha hecho tal provisión para una bestia, ¿no tendría mucho más cuidado en hacer los preparativos para un apóstol?

V. 10. *El que ara* y *el que trilla.* Invertimos nuestros esfuerzos en el trabajo con la esperanza de ganar un salario para nuestro sostenimiento material, además de la satisfacción emocional que sentimos por haber producido algo de valor.

Vv. 11, 12. Pablo no quiere reclamar su derecho, porque estaba dispuesto a soportar toda incomodidad para tener el privilegio de compartir el evangelio con otros.

V. 13. Ahora Pablo utiliza la ilustración del sacerdote. Según la ley de Moisés, los sacerdotes tenían derecho de comer una parte de algunos de los sacrificios que hacían los ofrendadores (Núm. 18:8, 9; Deut. 18:1-4). Esta es la base para el sostenimiento de los ministros en las iglesias hoy. Es un plan bíblico, y da resultados positivos para extender la causa de Cristo.

V. 14. A través de los siglos los paganos que se convierten responden con traer ofrendas espontáneas para el sostenimiento de la obra.

3 El verdadero galardón, 1 Corintios 9:15-18.

Vv. 15, 16. Pablo no aprovechó el derecho que tenía de recibir sostenimiento de las iglesias donde ministraba. En cambio, había desarrollado un cierto orgullo que le hizo decir algo así: *Sería mejor morir* que permitir que alguien me acuse de aprovecharme de la iglesia. Predicó el evangelio porque tenía una obligación interna de hacerlo. Por eso dijo: *¡Ay de mí si no anuncio el evangelio!*

V. 17. Pablo reconoce que algunos no tienen el gozo que debieran tener en el servicio para el Señor. *Me ha sido confiado* es la idea de haber sido comisionado.

V. 18. Pablo sintió una gran satisfacción de haber podido predicar el evangelio a los corintios sin depender de ellos por su sostenimiento. Esta satisfacción le daba toda la recompensa que necesitaba.

4 El servicio de un hombre libre, 1 Corintios 9:19.

V. 19. La pasión de la vida de Pablo era acomodarse a las circunstancias para poder ser fiel al Señor. Era libre de todos; es decir, no se había endeudado con nadie porque había provisto su propio sostenimiento.

―――――――――― Aplicaciones del estudio ――――――――――

1. El obrero del Señor tiene derecho de sostenimiento de parte de la iglesia. La mayoría de las iglesias sostienen a su pastor de acuerdo con el nivel de vida del promedio de la membresía.

2. El obrero debe servir a Dios por llamado divino y no por intereses personales. Creemos en un ministerio motivado por el llamado divino.

3. Debemos servir al Señor con gozo y no con sentido de deber ni obligación. La gente puede captar cuál es nuestra motivación.

―――――――――― Ayuda homilética ――――――――――

Predicando el evangelio
1 Corintios 9:16-18

Introducción: El Señor nos ha salvado *de algo:* "la condenación eterna", pero a la vez nos ha salvado *para algo:* "predicar el evangelio".

    I. La obligación de predicar el evangelio es constante, v. 16.
      A. Porque es urgente que el mundo escuche el mensaje.
      B. Porque es deber impuesto por Cristo.
      C. Porque es privilegio servir al Señor.
    II. La actitud necesaria al predicar el evangelio es el amor, v. 17.
      A. Algunos predican de buena gana.
      B. Algunos predican de mala gana.
    III. La recompensa por predicar el evangelio es eterna, v. 18.
      A. Tenemos gozo porque podemos ofrecer algo tan valioso por pura gracia.
      B. Tenemos gratitud al ver que personas responden al mensaje.

Conclusión: ¡Ay de mí si no anuncio el evangelio! Es el grito de uno que ha sido llamado, comisionado y enviado. No se contenta con cerrar la boca y quedarse en casa. Tiene que estar anunciando las buenas nuevas. Es como Jeremías cuando decidió no profetizar. "Pero hay en mi corazón como un fuego ardiente, apresado en mis huesos. Me canso de contenerlo y no puedo" (Jer. 20:9).

Lecturas bíblicas para el siguiente estudio

Lunes: 1 Corintios 10:1-5   **Jueves:** 1 Corintios 10:18-22
Martes: 1 Corintios 10:6-10   **Viernes:** 1 Corintios 10:23-29
Miércoles: 1 Corintios 10:11-17   **Sábado:** 1 Corintios 10:30 a 11:1

AGENDA DE CLASE

Antes de la clase
1. Lea 1 Corintios 9. Escriba en su cuaderno las siguientes frases, dejando dos o tres renglones entre cada una: *Yo nunca..., ¡Ay de mí...!, Mi recompensa...* Complételas después de haber estudiado esta agenda de clase. **2.** Piense en una ilustración usada en algún mensaje que a usted le haya impactado. **3.** Consiga prestado de la biblioteca de la iglesia o de su pastor algún libro de ilustraciones diseñado para ayudar en la predicación. **4.** En tres hojas de papel tamaño carta escriba con un marcador negro y en letra grande, una de las siguientes frases: *Yo nunca..., ¡Ay de mí...!, Mi recompensa...* **5.** Haga la primera sección bajo *Estudio del texto básico* en el libro del alumno.

Comprobación de respuestas
JOVENES: **1.** Deben escribir el v. 19 en sus propias palabras. **2.** (1) derecho, beber. (2) todo, obstáculo, evangelio, Jesucristo. (3) ordenó, anuncian el evangelio, evangelio. (4) anuncio, evangelio. (5) predicando, pueda yo presentarlo gratuitamente, abusar, evangelio.
ADULTOS: **1.** V. 4, v. 12, v. 14, v. 18. **2.** V. 19. libre, siervo, ganar, número.

Ya en la clase
DESPIERTE EL INTERES
Si consiguió el libro de ilustraciones, muéstrelo y comente que éste, como otros parecidos, se publican para ayudar a que los predicadores hagan un mayor impacto, que por una buena ilustración uno recuerda verdades que de otra manera hubiera olvidado. Relate una que a usted le haya impactado. Agregue que muchas veces las mejores ilustraciones surgen de la propia experiencia y que lo que hoy enfocarán es justamente eso.

ESTUDIO PANORAMICO DEL CONTEXTO
1. Un alumno lea en voz alta 1 Corintios 8:13. Diga que esta afirmación del apóstol Pablo va seguida de un ejemplo concreto que muestra que él ya practica el principio que ese versículo y todo el capítulo 8 estipula. **2.** Presente un breve repaso del mismo y relate, a grandes rasgos, la ilustración que en el capítulo 9 da de su propia conducta. Mencione que para subrayar esa ilustración, usó también otras a fin de demostrar los derechos que él tenía y a los cuales había renunciado para no dar lugar a equívocos y alcanzar así a más personas con el evangelio de Jesucristo.

ESTUDIO DEL TEXTO BASICO
Pida a los presentes que abran sus Biblias en 1 Corintios 9 y noten que abundan las preguntas. Diga que son preguntas retóricas que ya llevan implícitas las respuestas, que es un estilo de escribir y hablar que da más

fuerza a lo que uno quiere decir, por medio de cuestionar la lógica de algo totalmente lógico.

1. La libertad de Pablo. Que un alumno lea las preguntas del v. 1 haciendo una pausa después de cada una. Usted simulará ser Pablo que responde a sus propias preguntas. Explique su respuesta, usando las explicaciones obtenidas de su propio estudio. Terminen leyendo en voz alta el v. 2 simulando aún ser Pablo y explique cómo es que los hermanos en Corinto eran "el sello de mi apostolado". Proceda de la misma manera con los vv. 3-6. Escriba en el pizarrón o en una hoja grande *libre* y *derecho*. Pregunte: ¿Qué relación hay entre ambas? ¿Cómo eran los corintios libres, teniendo el derecho de comer carne sacrificada a los ídolos? Relacionen la libertad y derecho de los cristianos en Corinto con la libertad y derechos de Pablo de percibir un salario como apóstol.

2. Un principio fundamental. Estudien estos versículos de la misma manera que los anteriores: un alumno leyendo las preguntas, usted contestando y explicando cada una. Haga notar la palabra *esperanza* en el v. 10 y agréguela a las que ya escribió en el pizarrón. Asegúrese de que comprendan que es la esperanza que nace del derecho que cada uno tiene de recibir mantenimiento por su trabajo. Agregue que habiendo establecido Pablo la lógica absoluta de este principio fundamental, pasa a mostrar cómo se aplica a su propio ministerio. Estudien los vv. 11-13 de la misma manera que los anteriores, haciendo uno las preguntas y usted respondiendo y explicando sus respuestas. Lean en voz alta todos juntos el v. 14. Subráyenlo en sus Biblias.

3. El verdadero galardón. Coloque en la pared, las tres hojas tamaño carta donde escribió las tres frases. Forme parejas, lean los vv. 15-18 y encuentren la información para completar las oraciones. Verifique luego lo que encontraron, asegurándose de que entiendan bien que Pablo, a pesar de tener derecho a ello, no percibía ninguna entrada por su ministerio evangélico, que su *esperanza* no era recibir un sueldo.

4. El servicio de un hombre libre. Lean todos juntos en voz alta el v. 19. Comente que la esperanza del Apóstol de participar del fruto no era *ganar más* sino *ganar a más*.

APLICACIONES DEL ESTUDIO
1. Pida que cada alumno complete las tres frases en las hojas que puso en la pared, ahora relacionándolas con su propia vida. Pueden escribirlas en el margen en sus libros. **2.** Dirija luego una diálogo en que los que deseen hacerlo, compartan lo que escribieron. Dé atención especial a las respuestas que demuestran una esperanza similar a la de Pablo.

PRUEBA
Individualmente hagan lo que pide esta sección en el libro del alumno. Conversen sobre lo que cada uno hizo.

Los límites de la libertad cristiana

Contexto: 1 Corintios 10:1 a 11:1
Texto básico: 1 Corintios 10:6 a 11:1
Versículos clave: 1 Corintios 10:23, 24
Verdad central: Las enseñanzas de Pablo acerca de la libertad que tiene el cristiano para decidir lo que conviene nos recuerdan que esa libertad debe ejercerse en relación con la edificación individual y de la iglesia.
Metas de enseñanza-aprendizaje: Que el alumno demuestre su: (1) conocimiento de las normas bíblicas en cuanto a la práctica de la libertad que el cristiano tiene para decidir lo que conviene, (2) actitud de adoptar esas normas en su relación con los demás.

--------- Estudio panorámico del contexto ---------

A. Fondo histórico:

"Fueron bautizados en la nube y en el mar." Pablo se refiere a la nube que guiaba a los israelitas en su salida y la protección que recibieron de la nube. El ser bautizado en la nube quiere decir que el pueblo fue consagrado a Dios para pertenecerle, después de haber experimentado su maravillosa liberación.

"Participar con los demonios". Dios satisfizo de manera sobrenatural las necesidades de los israelitas, dándoles comida y bebida en el desierto. A pesar de eso el pueblo con frecuencia se rebelaba en contra de Dios y Moisés, y hasta llegaron a expresar que mejor les hubiera sido morir en Egipto. Por eso, la gran mayoría de los que salieron de Egipto murieron y fueron sepultados en el desierto. Pablo utiliza esta experiencia para dar ejemplo a los corintios. Ellos no deben repetir los pecados de los israelitas. En el versículo 20 Pablo menciona que los paganos en Corinto estaban ofreciendo sacrificios a los demonios, porque sus actos de adoración a los dioses paganos eran actos de sacrificio a los demonios, puesto que el diablo es fuente de toda idolatría.

B. Enfasis:

La historia es reveladora, 10:1-5. Podemos aprender mucho del análisis de la historia, y una lección es que debemos evitar repetir los errores de los antepasados. Pablo relata la historia de la salida de los israelitas de Egipto, y hace hincapié en su rebeldía y falta de gratitud a Dios y Moisés. Pablo creía en la preexistencia de Cristo, y consideraba que Cristo era la fuente del agua que salía de la roca (Núm. 20:6-11). Dios se manifestó en varias ocasiones para proveerles y protegerles en forma sobrenatural.

Un mal ejemplo del uso de la libertad, 10:6-13. Los israelitas ejercieron su libertad en varias ocasiones, practicando la idolatría (haciendo el becerro de oro y levantándose para beber y bailar, Exo. 32:6, murmurando en contra de Dios y Moisés, y rebelándose de tal manera que perecieron más de 23.000, Núm. 25:1-9). Estos casos representan una advertencia para los corintios, para evitar las mismas inmoralidades que encaminaron a los israelitas a la destrucción.

No conviene participar en la idolatría, 10:14-22. La lucha que Dios tenía con los israelitas era para que abandonaran la idolatría. Las instrucciones de aniquilar a los cananeos al entrar en la tierra prometida tenía el fin de evitar la tentación de la idolatría para los israelitas. La idolatría y el sincretismo llegaron a ser las amenazas más poderosas a la fidelidad de la nación al Dios verdadero. Fue hasta después del exilio que aprendieron la lección que hay un solo Dios.

Los límites de la libertad, 10:23 a 11:1. Pablo vuelve a tratar el problema del capítulo 8, y menciona de nuevo el principio que, aunque podemos tener libertad para hacer muchas cosas como cristianos, no podemos ni debemos ejercer esa libertad si la conciencia del hermano débil es afectada por nuestras acciones.

─────── **Estudio del texto básico** ───────

1 Un mal ejemplo del uso de la libertad, 1 Corintios 10:6-13.

V. 6. Pablo está advirtiendo a los corintios, quienes estaban actuando en forma parecida a los israelitas, que se quejaban de su líder, Moisés: *No seamos codiciosos de cosas malas.* Llama a los corintios a evitar la idolatría y las inmoralidades que captaron la atención de los israelitas. Los corintios estaban tentados por los placeres sensuales que se relacionaban con las fiestas paganas.

V. 7. *No seáis idólatras* lleva el significado de dejar de hacer lo que ya estaban haciendo. La participación en las actividades paganas en Corinto podría llevar a algunos a cometer los actos de idolatría. Es evidente que todos los israelitas eran culpables de participar en la adoración del becerro de oro.

V. 8. Los corintios debían evitar *la inmoralidad sexual.* Ya que Corinto era centro de la adoración a la diosa Afrodita, tenían a sus sacerdotistas que funcionaban como prostitutas para los hombres que participaban en las ceremonias sensuales.

Pablo cita el caso de Números 25:9, donde Moisés declara que 23.000 personas murieron porque los israelitas comenzaron a alejarse de Jehovah y a seguir a los dioses de Moab. La tentación en Corinto era real, y había miembros de la iglesia viviendo en forma inmoral, de modo que fue necesaria la advertencia de Pablo.

V. 9. Inclinarnos al pecado es tentar a Cristo, porque nos aleja de los ideales que Dios nos ha señalado en su Palabra. La referencia a *las serpientes* viene de Números 21:4-6, cuando el pueblo se quejaba del maná y mencionó su preferencia por la comida en Egipto. Jehová mandó una plaga de serpientes para morderles.

V. 10. Pablo da una advertencia en contra de la murmuración, citando el caso ya mencionado del castigo de Dios para los israelitas. Los corintios estaban murmurando sobre la preferencia de líderes espirituales y la preferencia de ciertos dones sobre otros. Pablo tenía sus bases para llamarles al arrepentimiento.

V. 11. Las experiencias de personas en el pasado pueden servirnos de lecciones para evitar los mismos errores. La palabra *instrucción* implica que los corintios deben aceptar la experiencia como algo pertinente para ellos. Pablo pensaba que había llegado *el fin de las edades*, o sea, los últimos días antes de la segunda venida de Cristo.

V. 12. A veces tenemos demasiada confianza en nuestra fuerza para tratar de resistir la tentación. Los corintios no concebían la posibilidad de ser desviados del camino verdadero por las tentaciones que les rodeaban. *Mire que no caiga* es una advertencia pertinente para todo cristiano.

V. 13. Este versículo es uno de los más importantes y más útiles en toda la Biblia para ayudarnos a resistir la *tentación*. Reconoce que las tentaciones de toda índole no son únicas para nosotros; otros antes habrán experimentado la misma lucha. Los corintios habían tenido esta experiencia. *Pero fiel es Dios*; una declaración profunda y poderosa. Dios entiende nuestra lucha y ha prometido acompañarnos por los caminos peligrosos. Dios no es autor de la tentación, pero sí tiene autoridad final sobre Satanás, que es la fuente de toda tentación. *Nos dará la salida*, nos dará los recursos para resistir la tentación y nos señala el camino que hemos de seguir para no caer en el pecado.

2 No conviene repetir el pasado, 1 Corintios 10:14-22.

V. 14. Pablo introduce su advertencia con una referencia cariñosa: *amados míos*. La experiencia de Israel en el desierto debe darnos la base para seguir un camino distinto, el de resistir la tentación y así evitar las caídas. El sumario de todo está en las cuatro palabras: *huid de la idolatría*. Esta advertencia tenía pertinencia especial para los corintios, que vivían en un medio donde prácticas idolátricas eran tan comunes. Representaba tentación en dos esferas: los contactos sociales y la participación en los festivales paganos. Pablo aconseja huir de la tentación de la idolatría. La asistencia a las fiestas paganas era exponerse a una tentación difícil de vencer; por consiguiente, era mejor huir de ellas.

V. 15. Aquí Pablo apela a las capacidades cognoscitivas de los corintios. *Juzgad vosotros*; la palabra *vosotros* enfatiza la responsabilidad de ellos de tomar la decisión. Pablo sabía que la evidencia era clara a favor de los consejos que él les había dado, ahora quiere que ellos tomen la decisión.

V. 16. Al participar de la copa y el pan, estamos compartiendo nuestra comunión con Cristo. Esto debe ser el efecto principal en participar de la Cena: que nos acercamos a Cristo y nos consagramos de nuevo a él.

V. 17. El enfoque de Pablo aquí es la unidad del cuerpo y la necesidad de llegar a un acuerdo sobre los líderes en la congregación, tanto como otros aspectos de la comunión entre los miembros. Pablo les anima a reconocer que la unidad en su participación en la cena es uno de los beneficios de la fiesta; pues todos participan *de un solo pan.*

V. 18. Pablo ruega por un espíritu de unidad entre los hermanos de Corinto, porque las circunstancias eran semejantes a las de los adoradores y los sacerdotes de la antigüedad.

Vv. 19, 20. Ahora Pablo vuelve a la situación local en Corinto. La comida que se ofrece a ídolos no es nada para el cristiano que no cree en ídolos (8:4-6), pero para el pagano sí tiene significado. El ídolo no es nada y por eso lo sacrificado a los ídolos tampoco tiene significado, a pesar del hecho de que para el pagano sí tiene valor. Puesto que los que ofrecen sacrificios a los ídolos en esencia están adorando a Satanás, Pablo no quiere que los corintios participen con los demonios.

Vv. 21, 22. Hay que tomar una decisión, o *la copa del Señor* o *la copa del demonio.* Hay referencias en el Antiguo Testamento que indican que Dios tiene celos cuando su pueblo participa en la idolatría (Exo. 20:5; 34:14; Deut. 4:24; 32:21). La pregunta: *¿seremos más fuertes que él?* para Pablo era un absurdo. Afirmando que los cristianos no deben participar en actos que provoquen los celos de Dios.

3 ¿Hasta dónde llega mi libertad?, 1 Corintios 10:23 a 11:1.

Vv. 23-26. Pablo introduce el tema del respeto desde otra perspectiva. Aunque *todo* puede ser *lícito* para uno, *no todo conviene* ni *edifica.* Si colocamos el bien de otros antes de nuestro propio, esto afectará nuestro comportamiento en gran manera. Podemos evitar muchos problemas si no hacemos muchas preguntas. Pablo está hablando del caso específico de comprar la carne; hasta qué punto debemos seguir su consejo en otras esferas está sujeto a debate. El versículo 26 declara que todo lo que Dios ha creado es para nuestro beneficio. La corrupción humana ha contaminado mucho de lo bueno que Dios hizo.

Vv. 27-30. El que acepta una invitación a comer en casa de uno no creyente; coma sin hacer preguntas. Pero si uno con una *conciencia* débil menciona que la carne ha sido sacrificada a ídolos, no debe comer por respeto a la *conciencia* del hermano débil.

Vv. 31-33. Todas las acciones deben estar encaminadas a glorificar a Dios, esto en sí va a revelar el rumbo de su comportamiento. Busquemos las actividades que fomentan la unión y no la división.

11:1. Pablo con su actitud nos enseña que debemos estar seguros de que nuestro comportamiento glorifique a Cristo para poder invitar a otros a imitar nuestra conducta cristiana.

--------- Aplicaciones del estudio ---------

1. **Frecuentar lugares donde se practican inmoralidades nos pone en peligro.** Mejor evitar nuestra participación en tales ambientes.
2. **Nadie está exento del peligro de caer en pecado.** El que cree que es tan fuerte que no será cederá a la tentación debe tener cuidado, en cualquier momento Satanás puede tocarle en su punto débil. El conoce nuestro lado flaco.
3. **Debemos acudir a Dios en momentos de tentación.** Podemos pedir que nos indique el camino para resistir tal tentación.
4. **Debemos buscar oportunidades de adoración, comunión y participación en la cena del Señor, para seguir adelante.** La comunión con otros nos ofrece una fuente de inspiración que nos ayuda a seguir el camino recto.

--------- Ayuda homilética ---------

La tentación
1 Corintios 10:13

Introducción: Pablo entendía la naturaleza de las tentaciones que los corintios estaban experimentando. Un problema era el medio corrupto, la lujuria y la idolatría. Pero Pablo les llamó a la pureza en la adoración y en la vida moral. El consejo para ellos nos ayuda para enfrentar la tentación.

I. **La tentación es una experiencia común a los seres humanos: "que no sea humana".**
   A. Para algunos, la tentación viene en la esfera del apetito físico.
   B. Para algunos, la tentación viene en la esfera de autoridad y poder.
II. **La tentación es proporcional en su intensidad: "lo que podéis soportar".**
   A. Satanás busca nuestro lado flaco para atacarnos.
   B. Satanás busca el momento de debilidad para atacarnos.
III. **La tentación es resistible con la ayuda divina: "Dios... dará la salida."**
   A. Proveyó cordero para Abraham en el momento del sacrificio.
   B. Proveyó capacidad de resistir en la experiencia de José.
   C. Proveyó comidas alternativas para Daniel y sus compañeros.

Conclusión: El atleta es motivado por su entrenador, quien está a su lado para instruirlo y animarlo. Dios está a nuestro lado para ayudarnos a resistir la tentación. Si pedimos su ayuda, él está accesible y no se negará a responder.

Lecturas bíblicas para el siguiente estudio

Lunes: 1 Corintios 11:2-6
Martes: 1 Corintios 11:7-12
Miércoles: 1 Corintios 11:13-16

Jueves: 1 Corintios 11:17-22
Viernes: 1 Corintios 11:23-26
Sábado: 1 Corintios 11:27-34

AGENDA DE CLASE

Antes de la clase
1. Lea 1 Corintios 10:1 a 11:1. Al ir estudiando en este libro y en el del alumno, anote en su cuaderno los límites a la libertad cristiana que se desprenden del estudio. **2.** Haga un cartel con el título y el bosquejo de este estudio: LOS LIMITES DE LA LIBERTAD CRISTIANA... **3.** Prepare papel y lápiz para que un "secretario" tome notas donde se indica. **4.** Prepare tres copias de las preguntas que aparecen bajo "No conviene repetir el pasado" en esta agenda de clase. **5.** Haga la primera sección bajo *Estudio del texto básico* en el libro del alumno.

Comprobación de respuestas
JOVENES: **1.** edifica, otro, conviene, bien, lícito, busque. Compruebe en su Biblia el orden en que van en el texto. **2.** la muerte. **3.** V. 12, v. 13, v. 21, cap. 11:1.
ADULTOS: **1.** Murieron 23.000 personas, perecieron por las serpientes. **2.** No hay una sola respuesta.

Ya en la clase
DESPIERTE EL INTERES
1. Coloque en un lugar visible el cartel con el título y bosquejo del estudio. Llame la atención al título y a la palabra clave del mismo: *LIMITES*. Muestre el mapa de su país y pregunte qué implican los límites geográficos de su patria (los límites de su ciudadanía, de los derechos civiles, la protección de las leyes del Estado, por ejemplo). Recalque que saliendo de esos límites no cuentan con las libertades y la protección que la constitución les asegura. **2.** Pregunte qué pasa si uno no respeta los límites de su casa y quiere usar la de su vecino como si fuera suya. Asegúrese que entiendan que en su casa tienen ciertas libertades que no se pueden tomar en la casa de otros. Diga que, en cierto sentido, así también es la libertad cristiana.

ESTUDIO PANORAMICO DEL CONTEXTO
1. Mencione que no comer carne sacrificada a los ídolos para no escandalizar a otros, era un límite legítimo a la libertad cristiana de los creyentes en Corinto; que no cobrar sueldo cuando Pablo tenía derecho a hacerlo, muestra otro límite que busca un bien mayor. Agregue que en este estudio enfocarán más ilustraciones o ejemplos que arrojan aún más luz sobre los límites que conviene poner a nuestra libertad en Cristo. **2.** Valiéndose del material en esta sección en este libro y en el del alumno, explique los vv. 1-5 a fin de que puedan luego entender las ilustraciones que aparecen en los vv. 6-9. Divida el pizarrón o una hoja grande de papel, en tres secciones verticales. Titule la de la izquierda: *BENDICIONES DIVINAS* y anote debajo, las bendiciones que los vv. 1-5 mencionan.

ESTUDIO DEL TEXTO BASICO

1. Un mal ejemplo del uso de la libertad. Titule la sección del centro en el pizarrón: *RESPUESTA DEL PUEBLO* y la de la derecha: *CASTIGO DE DIOS.* Los alumnos leerán en silencio los vv. 6-10. Deben encontrar la información para escribir en esas dos secciones. Al ir haciéndolo, estimule el diálogo para que entiendan bien que Dios libra, pero que la libertad que nos da en Cristo tiene sus límites pues castiga la desobediencia consciente y continua de sus hijos. Diga luego que Dios mismo nos ayuda a quedarnos dentro de los límites que él determina y que verán cuál es esa ayuda al leer los vv. 11-13. Léanlos en silencio y luego, los alumnos digan lo que encontraron.

2. No conviene repetir el pasado. Forme tres grupos de estudio. Dé a cada uno, una copia de preguntas como las siguientes que deben contestar en base a lo que dicen los vv. 14-22 y el comentario en sus libros.1) ¿Qué demuestra el hecho de que Pablo llamara a sus lectores "Amados míos"? 2) ¿Qué debemos hacer cuando el pecado acecha? 3) ¿Qué es la copa de bendición? 4) ¿A qué se refiere "el pan que partimos"? 5) ¿Qué cosa debe ser motivo de unión? 6) Busquen en el libro del alumno la información que explica el juego de palabras que Pablo hace con el vocablo *demonios.* Después, vaya haciendo las preguntas, dejando que los grupos respondan por turno y los demás agreguen algo que el primero no incluyó.

3. ¿Hasta donde llega mi libertad? Haga notar esta pregunta en el bosquejo. Dirija una discusión sobre el tema. Nombren un secretario para escribir las conclusiones de la clase. Lean después los vv. 23 y 24 y vean si lo que dice es parecido a las conclusiones que apuntó el secretario. Diga enseguida que Pablo, como conclusión al tema de comer carne sacrificada a los ídolos, les dio directivas concretas sobre qué hacer. Lean en silencio los vv. 25-30 y luego los alumnos digan las directivas. Compárenlas con las que aparecen en sus libros. Diga que después de darles las directivas en cuanto a la carne, les dio criterios a seguir ante cualquier disyuntiva. Pídales que los encuentren en 1 Corintios 10:31 a 11:1. El "secretario" escriba lo que encontraron.

APLICACIONES DEL ESTUDIO

Comparen lo que el "secretario" escribió con las aplicaciones en sus libros. Sugiera hacer copias de lo apuntado para que cada participante tenga la suya. Si demuestran interés en tener una, vea la manera de poder hacerlo para repartir en la próxima sesión.

PRUEBA

1. Cada uno escriba la respuesta al inciso 1 en esta sección de sus libros. **2.** Lea en voz alta el inciso 2. Discutan las posibles respuestas antes de que cada uno decida qué escribir en sus libros como respuesta.

Adoración por medio de la cena del Señor

Contexto: 1 Corintios 11:2-34
Texto básico: 1 Corintios 11:23-34
Versículo clave: 1 Corintios 11:26
Verdad central: La exhortación de Pablo a los corintios a celebrar la cena del Señor de manera digna nos enseña que tal celebración debe estar revestida de solemnidad y respeto, así como de una profunda comprensión de su verdadero significado.

Metas de enseñanza-aprendizaje: Que el alumno demuestre su: (1) conocimiento del significado espiritual de la cena del Señor, (2) actitud de respeto y dignidad al celebrarla.

──────── **Estudio panorámico del contexto** ────────

A. Fondo histórico:
La fiesta del amor (agape) de la iglesia primitiva. Cristo frecuentemente se reunió con otras personas para comer. Algunas de sus enseñanzas más significantes tienen que ver con la invitación a un banquete (Luc. 14:7-24). Después de Pentecostés, los creyentes solían comer juntos. Al establecerse iglesias en las varias ciudades de Asia Menor, sabemos que celebraban reuniones regulares en que había comida para todos. Las fuentes literarias nos dan base para creer que las "fiestas de amor", como llegaron a llamarse, eran actividades comunes entre los hermanos en las iglesias. Ciertamente era el caso en Corinto. Pablo fue consultado sobre la actitud y la manera en que algunos estaban portándose en estas cenas. Parece que algunos llegaban temprano y comenzaban a comer, a beber y hasta a emborracharse. Otros llegaban más tarde, debido a sus tareas en casa o en el trabajo, y encontraban a algunos muy adelantados en la comida. Esto ocasionó disgustos y conflictos entre los hermanos. Parece que, además de comer juntos, también aprovechaban la ocasión para celebrar la cena del Señor. Pablo fue consultado en una carta anterior, la cual no tenemos y ahora intenta contestar las preguntas presentadas en esa carta. En este estudio están algunas de sus respuestas.

B. Enfasis:
Modestia de las mujeres en el culto, 11:2-16. Pablo trata un problema serio en su día, pero que tiene poca pertinencia en los detalles específicos

para nosotros hoy. Sin embargo, hay principios aplicables para nuestro día. Las mujeres en el día de Pablo eran consideradas en un nivel un poco más alto que los esclavos. Pablo era producto de su día y cultura, de modo que acata las normas comúnmente aceptadas. En el Cercano Oriente era costumbre que las mujeres llevaran velos sobre la cabeza y la cara cuando salían de la casa. Tal vez el propósito original del velo era protegerles de los rayos tan fuertes del sol y de la arena que golpeaba la piel con fuerza cuando había vientos fuertes. Pero con el tiempo el velo llegó a simbolizar decoro y sumisión. Por eso, Pablo aconsejó a las mujeres llevar velo cuando estaban en los cultos, a no cortarse el pelo, y a estar en sumisión a sus esposos. Pablo contribuyó a la igualdad al dar la enseñanza que en Cristo no hay ni hombre ni mujer (Gál. 3:28).

Abusos en la cena del Señor, 11:17-22. El enfoque principal de la lección de hoy tiene que ver con la cena del Señor. Hay que entender las circunstancias especiales en Corinto, a que nos hemos referido anteriormente. Si la iglesia de Corinto solía celebrar la fiesta de amor, como se ha indicado, tal vez había pasado los límites de lo decoroso, y estaba siendo ocasión de división más que de expresión del amor mutuo. Por eso, Pablo sugiere que sería mejor comer en casa y llegar a la reunión para participar en la cena del Señor junto con los demás.

La cena del Señor, 11:23-26. Tenemos en los Evangelios el registro de la noche en que Cristo instituyó la cena (Mat. 26:26-30; Mar. 14:22-26; Luc. 22:15-20). Aquí tenemos la repetición de esa ocasión de parte de Pablo.

Tomando la cena de manera digna, 11:27-34. Pablo aportó un elemento importante cuando mencionó la posibilidad de tomar la cena indignamente. La dignidad es la actitud de valorar debidamente el sacrificio de la cruz y la promesa de la segunda venida de Cristo. Por supuesto es una buena oportunidad para analizar nuestro desarrollo y fijar metas para el crecimiento.

──────── **Estudio del texto básico** ────────

1 Adoración en memoria de Cristo, 1 Corintios 11:23-26.

V. 23. Pablo transmitió la *enseñanza* a los hermanos en Corinto acerca de la cena del Señor. La cena tomó lugar la misma noche en que Cristo fue entregado. *Tomó pan*, seguramente uno de los panes que utilizaron en la fiesta de la Pascua.

V. 24. Dar *gracias* antes de comer era una costumbre muy antigua, y representaba la gratitud por la vida, la salud y las energías para ganarse el pan del que participaban. Cristo partió el pan, para distribuir pedazos para la participación de todos los discípulos. La frase: *Esto es mi cuerpo* se ha malentendido por muchos. Algunos insisten en que el pan llegó a ser literalmente el cuerpo de Cristo. Nosotros pensamos que Cristo estaba hablando en forma simbólica, y quería decir que el pan representaba su cuerpo. El comer el pan debe comprometernos a aceptar el señorío de Cristo en todo aspecto de nuestra vida. Cristo vino, vivió y dio su vida por toda la humanidad.

V. 25. *Después de haber cenado* da la base para la evidencia que muchas iglesias tenían una comida que llegó a llamarse la "fiesta de amor". Pablo expresa que la copa representa *el nuevo pacto en* la *sangre* de Cristo, y lleva el sentido del perdón por los pecados del creyente, identificando la copa con la sangre derramada por Jesús. *Haced ...en memoria de mí* nos hace observar la cena como acto solemne, recordando el precio que Cristo pagó al morir en la cruz para salvarnos. Asimismo recordamos que él viene otra vez.

V. 26. *Todas las veces* no dicta la frecuencia con que debemos observar la cena. El propósito principal de la cena es recordar lo que Cristo hizo por nosotros. Los corintios utilizaban la cena como medio para satisfacer los apetitos físicos personales y hasta de glotonería, de modo que Pablo estaba dando una norma que servía para corregir sus prácticas. *Hasta que venga* testifica de la esperanza de los cristianos en la segunda venida de Cristo.

2 Comprensión al tomar la Cena, 1 Corintios 11:27-30.

V. 27. *De manera indigna* tiene el sentido de observar la cena de manera irreverente. Pablo no está exigiendo que uno sea digno de participar en la cena, porque quién sabe si podemos llegar a ser dignos de tal honor, pero podemos acercarnos a la mesa con una humildad que reconoce nuestra gratitud por la gracia de Dios y la muerte de Cristo. *Será culpable* lleva el sentido que el que la toma indignamente acarrea consecuencias serias delante del mismo Señor, cuya persona está representada por los elementos.

V. 28. Pablo exhorta a cada cristiano a hacer un autoexamen de su vida antes de participar en la cena. El examen es para asegurarse que uno recuerda el propósito especial de la cena, y enfocar su mente y corazón en la misericordia de Dios al entregar su Hijo para morir por nosotros en la cruz.

V. 29. En la cena nuestro enfoque debe estar en lo que Cristo hizo por nosotros y no en nuestros méritos o falta de dignidad. Si nos examinamos antes de participar en la cena, entonces evitaremos tomarla indignamente, lo cual incurriría en el juicio de Dios. Discernir significa entender la profundidad del significado de la cena del Señor.

V. 30. Algunas personas se enferman y sufren físicamente debido a los conflictos y controversias entre hermanos. La palabra *duermen* quiere decir muerte y el término fue utilizado con frecuencia en tiempos neotestamentarios para referirse a la muerte física, para indicar que los creyentes creían que la muerte física es temporal, y que en un día futuro los muertos resucitarán para ascender al cielo y estar con Cristo por toda la eternidad.

3 Un examen de conciencia al tomar la Cena, 1 Corintios 11:31-34.

V. 31. Otra vez Pablo advierte de la importancia del autoexamen. La repetición de la idea indica que los corintios no estaban acostumbrados a hacer esto. La solución de las dificultades con relación a la comunión entre los hermanos en la iglesia podría lograrse si cada persona buscaba autoexaminarse. Esto da pauta para nosotros en la solución de dificultades en nuestro medio.

Si podemos enfocar la necesidad de confesar, orar y pulir nuestros motivos en nuestro servicio al Señor, esto podría traer avivamientos en la obra. **V. 32.** Cuando por medio del autoexamen estamos convencidos de una actitud incorrecta, Dios nos juzga, y esto trae la disciplina del Señor, la cual nos restaura a la relación correcta con el Señor. Hay una diferencia entre castigo y disciplina. El padre disciplina a su hijo con metas correctivas, para que sea hijo más perfecto. Así nos trata Dios. *No seamos condenados con el mundo* crea el problema de la posibilidad de perder la salvación. Sabemos que Dios va a juzgar y condenar a los inconversos, o sea, el mundo, pero a sus hijos los disciplina para que sean fieles al Señor. Si uno no acepta la disciplina del Señor, es indicio de que no es hijo de Dios. Su incredulidad se manifiesta en su rebelión en contra de Dios.

Vv. 33, 34. Ahora Pablo está llegando a mencionar los pasos prácticos que pueden dar los hermanos en la iglesia de Corinto para evitar las dificultades. Primero, si van a comer, todos deben esperar la llegada de todos los demás antes de iniciar la comida. Algunos interpretan la palabra *comer* para aplicarse a la observancia de la cena. El consejo para los que tienen hambre, que deben comer en casa, implica que no llegaban a la reunión de la iglesia para participar en una comida formal. Parece que Pablo está tratando de hacer que la cena fuera ocasión de consagración espiritual y no tanto social, la cual siempre deja lugar para que algunos se ofendan. De esta manera no se reúnen para juicio.

La expresión: *Las demás cosas* puede referirse a los detalles relacionados con la fiesta de amor, o el cuidado de los enfermos o a los otros problemas que mencionaron en su carta que no tenemos. *Cuando llegue* ilustra que Pablo tenía planes de ir a Corinto. La segunda epístola trata el problema que le impidió a Pablo hacer ese anhelado viaje y no cumplir lo que había prometido. Algunos hermanos consideraron que Pablo cometió esta falta intencionalmente.

——————————Aplicaciones del estudio ——————————

1. Hay muchos elementos que pueden producir armonía en las iglesias, tanto como hay elementos que pueden producir división. Debemos buscar participar en las actividades que fomentan la armonía y el compañerismo y evitar las actividades que dan ocasión para la división.

2. Es mejor anunciar cuando se va a observar la cena. De esta manera las personas pueden estar en oración y buscar consagrarse al Señor antes de llegar para la ceremonia. Esto nos motiva a mayor consagración, al recordar lo que Cristo hizo por nosotros.

3. La observancia de la cena debe celebrarse en un culto dedicado a recordar la muerte de Cristo. No debe ser algo añadido al final del culto cuando todos tienen afán de irse para las casas. Es importante planificar todo el culto, inclusive los himnos, las lecturas bíblicas y las oraciones, alrededor del enfoque de la muerte de Cristo.

4. El autoexamen debe concentrarse en nuestra relación con Cristo.
En ocasión de celebrar la Cena debemos aprovechar para escudriñar nuestros corazones y ponernos a cuenta con Dios. De esta oportunidad de analizarnos surge la oportunidad para la reconsagración.

Es frecuente que algunos hermanos al hacer ese análisis optan por no tomar la cena del Señor, pues han encontrado que no son "dignos" de participar a causa de sus pecados. Lo ideal es que después de que uno se declara con faltas delante del Señor se aproveche la oportunidad para arreglar cuentas con Dios y participar gozosamente de la fiesta.

Ayuda homilética

Tres experiencias dolorosas que debemos evitar
1 Corintios 11:31, 32

Introducción: Dentro del contexto de las normas dadas para la observancia de la cena del Señor encontramos consejos para evitar tres experiencias que pueden ser dolorosas. A veces será necesario efectuar cambios que reflejen con claridad nuestra relación con Dios.

I. Debemos evitar tener que ser juzgados por la comunidad, v. 31.
    A. Un autoexamen concienzudo nos revelará nuestras actitudes egoístas.
    B. Un autoexamen concienzudo nos mostrará qué cambios es necesario hacer.

II. Debemos evitar tener que ser disciplinados por el Señor, v. 32.
    A. La disciplina del Señor es para corregir y no para castigar.
    B. La disciplina del Señor es dolorosa en el momento pero beneficiosa al final.

III. Debemos evitar ser condenados con el mundo, v. 32.
    A. La condenación del mundo vendrá por la indiferencia e incredulidad.
    B. La condenación del mundo será dolorosa.
    C. La condenación del mundo será eterna.

Conclusión: Aceptar las enseñanzas de Jesús y vivir fielmente según sus demandas, evitará al creyente ser juzgado por la comunidad, disciplinado por el Señor y condenado con el mundo.

Lecturas bíblicas para el siguiente estudio

Lunes: 1 Corintios 12:1-5   **Jueves:** 1 Corintios 12:17-20
Martes: 1 Corintios 12:6-11   **Viernes:** 1 Corintios 12:21-26
Miércoles: 1 Corintios 12:12-16   **Sábado:** 1 Corintios 12:27-31

AGENDA DE CLASE

Antes de la clase
1. Lea 1 Corintios 11:2-34. Escriba en su cuaderno un breve párrafo bajo el título *Primer error histórico relacionado con la Cena del Señor.* En él resuma los errores que describe 1 Corintios 11:17-22. **2.** Si es posible, pida prestados algunos de los utensilios que su iglesia usa en la cena del Señor (bandeja, copas). Colóquelos en un lugar visible en el aula. Si esto no fuera posible, confeccione un cartel con el título de la Unidad: *Llamamiento a la adoración.* **3.** Confeccione las tarjetas para el estudio exegético de los vv. 23-26. **4.** Complete la primera sección bajo *Estudio del texto básico* en el libro del alumno.

Comprobación de respuestas
JOVENES: **1.** Del Señor. **2.** Vv. 23-26. **3.** La muerte del Señor.
ADULTOS: **1.** Lo recuerden a él y su sacrificio. **2.** Examínese cada uno a sí mismo. **3.** La muerte del Señor.

Ya en la clase
DESPIERTE EL INTERES
Dirija la atención de los presentes a los utensilios de la Cena que colocó en un lugar visible. Pregunte para qué los usa la iglesia. Guíe una conversación sobre cómo su iglesia celebra la cena del Señor (frecuencia, dónde se colocan los utensilios y qué contienen, quiénes lo dirigen, quiénes participan, etc.). Puntualice que este estudio trata de la cena del Señor como un acto de adoración en la vida de la iglesia. (Si no puede obtener los utensilios, antes de guiar la conversación recién sugerida, muestre el cartel y pregunte si alguna vez pensaron en la cena del Señor como un "llamamiento a la adoración".)

ESTUDIO PANORAMICO DEL CONTEXTO
1. Diga que al escribir Pablo la carta que estamos estudiando, la iglesia en Corinto celebraba la cena del Señor de una manera muy distinta a como lo hace ahora nuestra iglesia. Describa la escena que muestra 1 Corintios 11:17-22. Incluya la formación de facciones en la iglesia (v. 18), prioridades equivocadas (v. 20), el apurarse para comer (v. 21), algunos no alcanzaban a comer mientras que otros comían y bebían demasiado (v. 21). Diga que éste es el primer error que la historia registra con relación a la cena del Señor. Pregunte: ¿Pueden pensar en otros? **2.** Mencionen la diferencia entre el concepto de un "sacramento" y una "ordenanza" y otros errores doctrinales.

ESTUDIO DEL TEXTO BASICO
1. Adoración en memoria de Cristo. Pida a sus alumnos que abran sus Biblias en 1 Corintios 11. Diga que en los vv. 23-26 encontramos la única enseñanza apostólica sobre la cena del Señor, fuera del relato de su institu-

ción por parte de Jesús que relatan los Evangelios. Hagan un estudio exegético, versículo por versículo, después de que un alumno lea en voz alta 1 Corintios 11:23-26. Reparta tarjetas a cuatro alumnos quienes deben hacer el trabajo de investigación que ellas indican. Si lo desean, pueden pedir ayuda a otros alumnos. TARJETA 1: En el v. 23, encontrar lo siguiente: 1) Si lo que Pablo se dispone a escribir era su propia opinión o algo que recibió del Señor. 2) Quién instituyó la Cena y cuándo lo hizo. 3) El primer elemento simbólico que usó. TARJETA 2: En el v. 24 encontrar lo siguiente: 1) Lo primero y segundo que hizo Jesús al tomar el pan. 2) Lo que el pan simbolizaba. 3) En memoria de quién debían celebrar la cena. TARJETA 3: En el v. 25 encontrar lo siguiente: 1) Qué tomó Jesús después de haber cenado. 2) Qué simboliza la copa. 3) La frase que indica que los pensamientos del que participa de la Cena deben estar centrados en Cristo. TARJETA 4: En el v. 26 deben encontrar: 1) Si dice con qué frecuencia se debe celebrar la cena del Señor. 2) Lo que la Cena debe anunciar. 3) Hasta cuándo debe la iglesia seguir administrando la Cena.

Informen los alumnos. Noten que éste es el pasaje clásico que la iglesia siempre usa al celebrar la Cena. Nunca pierde actualidad, siempre tiene un poderoso mensaje, nunca debe dejar de celebrarse, siempre ha de ser un acto de adoración.

2. Comprensión al tomar la cena. Sigan el estudio exegético. Primero, un alumno lea en voz alta los vv. 27-30. Forme tres grupos que deben valerse de la exégesis en sus libros para hacer la suya propia. El primero hará una exégesis del v. 27. El segundo, del v. 28. El tercero, de los vv. 29, 30. Cada grupo informe. Usted agregue información según sea necesario.

3. Un examen de conciencia al tomar la Cena. Comente que los versículos anteriores constituyen una enseñanza desde el punto de vista negativo: como NO debe uno conducirse en la Cena, y que los vv. 31-34 contienen el punto de vista positivo, como SI debe uno conducirse al participar de la Cena en memoria de Cristo. Un alumno lea en voz alta los vv. 31-34. Presente luego usted una exégesis del pasaje, versículo por versículo.

APLICACIONES DEL ESTUDIO
1. Escriba en el pizarrón o en una hoja grande de papel: *¿Cómo celebramos la cena del Señor?* Permita que respondan. **2.** Pida a los alumnos que determinen ahora lo que pensarán en dicho momento la próxima vez que tomen la Cena. Pregunte: ¿Cómo nos examinamos a nosotros mismos? Proponga que cada uno lo haga *antes* del culto de celebración de la Cena y resuelva *antes* cualquier cosa que necesita resolver ante el Señor.

PRUEBA
1. Respondan entre todos la primera pregunta de esta sección. **2.** Escriban en sus libros las respuestas a las preguntas del inciso 2.

Unidad 4

Los dones espirituales

Contexto: 1 Corintios 12:1-31
Texto básico: 1 Corintios 12:8-20
Versículo clave: 1 Corintios 12:11
Verdad central: La declaración que hace Pablo acerca de los dones espirituales nos confirma el hecho de que el Espíritu Santo reparte los dones como él quiere para la edificación de todo el cuerpo de Cristo: la iglesia.

Metas de enseñanza-aprendizaje: Que el alumno demuestre su: (1) conocimiento de los dones espirituales que menciona Pablo, (2) actitud de practicar su don o dones para edificación de la iglesia.

--------- Estudio panorámico del contexto ---------

A. Fondo histórico:

Puesto que Corinto era una ciudad de movimiento, festividades y parrandas, refleja una tendencia hacia las emociones de efervescencia, expresiones libres y hasta éxtasis. Por consiguiente, estas emociones caracterizaban a algunos miembros en la iglesia de Corinto. Había la tendencia de valorar las expresiones emotivas poniéndolas encima de una seriedad que fomenta el equilibrio emocional. Esto contribuyó a la controversia en la iglesia sobre el valor relativo de los dones espirituales. Algunos estaban insistiendo en que el don de lenguas era de más valor que todos los demás.

B. Enfasis:

La confesión del Espíritu, 12:1-3. Pablo les recuerda a los corintios la pobreza de su existencia antes de conocer a Cristo. Se refiere a los *ídolos mudos*, que comunica la idea de ignorancia y tinieblas. Pablo mismo había experimentado una conversión dramática y podía entender el contraste agudo entre la vida sin Cristo y una vida transformada por el poder del Salvador.

Diversidad y unidad, 12:4-7. Entre los corintios se había adoptado una actitud de celos y conflicto porque algunos consideraban ciertos dones como de mayor valor o significado que otros. Esto había dividido la iglesia, de modo que Pablo insta a todos a reconocer que puede haber unidad en medio de la diversidad. La diversidad se manifestaba en las actividades distintas, el uso diferente y los efectos diversificados de los dones; la unidad se manifestaba en el origen común de todos los dones.

El Espíritu es el que reparte los dones, 12:8-11. Muchos esfuerzos se han hecho para clasificar los dones espirituales. Un erudito reconoce tres divisiones: los poderes intelectuales, los poderes que enfatizan la fe y las lenguas. Otros mencionan cinco divisiones: poderes intelectuales, poderes milagrosos, poderes de enseñanza, poderes de distinguir en forma crítica y poderes extáticos. No debemos percibir prioridad en el orden en que se mencionan los dones, porque Pablo aclara su concepto de prioridad en los capítulos 13 y 14.

Un ejemplo adecuado, 12:12-27. La analogía del cuerpo humano pone énfasis sobre la importancia de la unidad y la cooperación. En la iglesia ideal los miembros hacen lo mismo.

Práctica de los dones con amor, 12:28-32. Pablo coloca el amor por encima de todos los dones. Todos podemos poseer este don y ejercerlo junto con otros posibles dones. Es importante manifestar el *agape* en forma racional, sin limitación ni reserva, para asemejarnos a Cristo. Nadie posee todos los dones, pero el amor es lo que da mayor valor a todos y cada uno de los dones.

───────────── **Estudio del texto básico** ─────────────

1 Los dones que reparte el Espíritu 1 Corintios 12:8-10.

V. 8. Esta lista no contiene algunos de los dones que se mencionan en Romanos 12:6-8 y 1 Pedro 4:10, 11. Seguramente Pablo no estaba intentando mencionar todos los dones; probablemente estaba mencionando los que había observado entre los hermanos en Corinto. Por eso, no debemos tratar de considerar que esta lista es completa. *Sabiduría* es la capacidad de recibir información, asimilarla y tomar las decisiones correctas. *Conocimiento* puede incluir los eventos en la vida de Jesús y los demás hechos relacionados con las actividades de los apóstoles y los demás misioneros que esparcieron el evangelio en los días de Pablo.

V. 9. La *fe* es elemento esencial para todo cristiano, ya que hay que ejercer la fe para recibir a Cristo. Pero hay una *fe* que podemos ejercer, siendo cristianos, que puede mover las montañas, como Cristo menciona (Mat. 17:20; 21:21; Mar. 11:23). *Dones de sanidades* seguramente este don despierta más controversia que los *dones de lenguas.* Es difícil declarar categóricamente que nadie hoy tiene ese don, aunque por cierto hay personas que se aprovechan de los enfermos para fines lucrativos. Es interesante que en cada mención de un don, Pablo declara que es por el *Espíritu,* haciendo hincapié en el hecho que uno no escoge su don; es investido con el don según el poder del *Espíritu* Santo.

V. 10. Se mencionan cinco dones en este versículo: *hacer milagros,* que se distingue de sanidades, porque abarca áreas además de las sanidades, tales como echar fuera demonios, calmar las tempestades y resucitar muertos. *Profecía* ha sido un don de importancia desde la antigüedad, cuando los profetas pronunciaron el mensaje de Dios para el pueblo. No era tan obvio en día de Jesús y no se menciona tanto en las epístolas, pero aquí se reconoce como un don de importancia. *Discernimiento de espíritus*, era importante para Juan, que advirtió a los cristianos que probaran los espíritus para discernir si eran de Dios o no (1 Juan 4:1). *Géneros de lenguas,* las expresiones extáticas que tenían como fin dirigirse a Dios sin que otros pudieran entender. *Interpretación de lenguas* es la capacidad de discernir el mensaje que otro está hablando por medio de las mencionadas lenguas.

2 El Espíritu designa como él quiere, 1 Corintios 12:11.

V. 11. Recalca la fuente de todos los dones, que es el *Espíritu* Santo, y por consiguiente, son expresiones de su presencia y poder. Pablo enfoca el poder del *Espíritu* Santo en la distribución de los dones y el poder para hacerlos efectivos. Esto quiere decir que el creyente no escoge los dones que quiere poseer; más bien el Espíritu determina quién tiene qué don.

3 Ejemplo del cuerpo humano, 1 Corintios 12:12-14.

V. 12. Ahora Pablo utiliza la ilustración del cuerpo humano y su coordinación para dar énfasis a la unidad de la iglesia. Los dones espirituales deben hacernos más efectivos en hacer la obra del Señor en vez de ser motivo de división y conflicto. El cuerpo *tiene muchos miembros,* tantos que sería imposible mencionarlos y las partes intrincadas de cada miembro del cuerpo. *Así es Cristo,* porque cada cristiano es representante de él. Nuestras manos son de Cristo, y sirven en nombre de él. Nuestros pies llevan el mensaje del evangelio de Cristo a los lugares donde nosotros determinamos. Y así es con los otros miembros del cuerpo de Cristo. Esto debe motivarnos a tener mucho cuidado en asegurarnos de que estamos en los lugares y haciendo las cosas que no traen vergüenza al nombre de Cristo.

V. 13. Es *por un solo Espíritu* que todos somos *bautizados* para ser parte del cuerpo de Cristo. Es el Espíritu de Dios, y no el espíritu humano, que nos despierta a la necesidad de experimentar el nuevo nacimiento. El bautismo a que se refiere es el acto de obediencia cuando somos sumergidos en el agua en obediencia al mandato de Cristo. El nos dejó el desafío de ir, hacer discípulos y bautizarlos. La iglesia cristiana siempre debe ser agresiva al cumplir este mandato. Al bautizarse, uno forma parte del cuerpo de Cristo, que es la iglesia local. *Tanto judíos como griegos* ilustra que Pablo estaba luchando en contra de uno de los problemas principales en la iglesia primitiva, y este problema ha continuado durante toda la historia. Las divisiones raciales y nacionales nos mantienen divididos. Desde temprano en la iglesia en Jerusalén salió la queja de los helenistas en contra de los hebreos que algunas de las mujeres griegas no estaban siendo bien atendidas en la distribución de la comida (Hech. 6:1). Pablo hizo hincapié en el hecho que cuando uno recibe a Cristo, estas diferencias desaparecen. El evangelio debe romper las barreras raciales y las diferencias sociales. Pablo habla de *esclavos como libres* que reciben el Espíritu y a todos *se nos dio a beber de un solo Espíritu.* Tal vez esta parte del versículo se refiere a la noche en que Jesús se paró en medio de todos y dijo: "Si alguno tiene sed, venga a mí y beba" (Juan 7:37).

Los que entran al reino beben de esta agua que sacia la sed, y reciben el Espíritu Santo. Cada cristiano ha tenido esta experiencia de sentir que los resentimientos y prejuicios desaparecen por el poder del Espíritu Santo.

V. 14. Pablo vuelve a repetir la ilustración del cuerpo que es una sola entidad con muchos miembros. En los versículos siguientes hace hincapié en las varias verdades. El cuerpo está completo solamente cuando cada parte cumple su función específica. Cada órgano depende de los otros órganos para poder funcionar con perfección. La división y la discordia afectan la eficacia total del cuerpo.

4 Cada uno es importante, 1 Corintios 12:15-20.

V. 15. ¿Qué pasaría si hubiera rebeldía entre el *pie* y la *mano?* Un miembro del cuerpo no puede rebelarse en contra del cuerpo, diciendo que porque no es cierto miembro con una función diferente, entonces no quiere ser parte del cuerpo. Pablo entendía bien la naturaleza humana.

V. 16. Aquí Pablo ilustra el mismo punto, pero ahora utiliza la *oreja* y el *ojo*. La pregunta *¿no sería parte del cuerpo?* lleva la idea que la actitud personal o la declaración de un miembro no puede cambiar la realidad de la relación.

V. 17. Las dos preguntas retóricas ilustran que la existencia y la efectividad del cuerpo dependen de la disposición de cada miembro de aceptar su naturaleza y función únicas.

V. 18. La expresión: *Dios ha colocado,* afirma la soberanía de Dios con relación a los eventos de la historia y también en obrar en forma especial en nuestras vidas con los dones que tenemos. *Como él quiso* es una repetición para dar énfasis a la verdad que ya comunicó: la soberanía de Dios.

V. 19. Pablo repite la verdad del versículo 17. Si todos fuésemos el mismo miembro, entonces no habría cuerpo. Pero la diversidad en la iglesia es una de las características más ventajosas porque nos da la posibilidad de ministrar a todos los demás y ser ministrados por otros.

V. 20. *Son muchos los miembros.* Cuando buscamos a un médico general para atendernos de alguna enfermedad, le explicamos los síntomas, y nos explica que el problema no es de su especialización. Nos remite a otro que se especializa en el tratamiento de personas que padecen males del área de especialización que necesitamos. La analogía para la iglesia es que tenemos muchas actividades distintas y ministerios muy variados, pero todos juntos formamos un solo cuerpo. Tenemos que buscar balance entre la diversidad y la unidad.

——————— Aplicaciones del estudio ———————

1. Debemos aceptar el hecho de nuestra diversidad. Venimos de muchos fondos raciales, sociales y culturales distintos, y por eso tenemos que bendecir la diversidad y hacerla funcionar en forma positiva para el avance del reino.

2. No debemos dejar que la diversidad sea motivo de división en el cuerpo de Cristo. Hoy predomina la tendencia de unirse. Compañías grandes que anteriormente se jactaban de su grandeza e independencia hoy en día están buscando amalgamarse con otras compañías igualmente grandes. Han descubierto que pueden funcionar con mayor eficacia si unen los recursos y aprovechan su grandeza.

3. Como parte del cuerpo de Cristo, aceptemos la función única nuestra con nuestros dones especiales. Aportemos hasta donde podamos con la misión central de la iglesia, la cual es el avance del reino de Dios.

───────── **Ayuda homilética** ─────────

¿División o unidad?
1 Corintios 12:12-26

Introducción: Pablo presenta una analogía con relación a la normalidad y la anormalidad en el funcionamiento del cuerpo humano. Escuchamos informes de atletas que han ganado millones de dólares anualmente, pero ahora no pueden jugar por una herida en la rodilla, el codo, u otro miembro del cuerpo. Resalta la importancia de la sanidad de todos los órganos del cuerpo.

I. El cuerpo en rebeldía, vv. 15-17.
   A. La rebeldía afecta la capacidad del cuerpo de actuar al unísono cuando es necesario.
   B. La rebeldía corrompe el ambiente de amor y aceptación mutua. Cuando la comunidad cristiana está dividida internamente se impedirá el éxito de la misión.

II. El cuerpo en armonía, vv. 25, 26.
   A. Hay una preocupación mutua del uno por el otro, v. 25.
   B. Todos lloran cuando hay dolor en el cuerpo de Cristo.
   C. Todos se ríen cuando hay motivo de alegría en el cuerpo de Cristo.

Conclusión: Es motivo de alegría estar en una congregación donde prevalecen el amor y la armonía. Donde se ve que el Espíritu de Dios está obrando en su pueblo. ¡Que Dios nos guíe a ser miembros que fomenten la armonía y no la rebeldía!

Lecturas bíblicas para el siguiente estudio

Lunes: 1 Corintios 13:1, 2   **Jueves:** 1 Corintios 13:7, 8
Martes: 1 Corintios 13:3, 4   **Viernes:** 1 Corintios 13:9, 10
Miércoles: 1 Corintios 13:5, 6 **Sábado:** 1 Corintios 13:11-13

AGENDA DE CLASE

Antes de la clase
1. Lea 1 Corintios 12. En su cuaderno, escriba un don espiritual que el Señor le ha dado. **2.** Prepare una variedad de regalitos para dar uno a cada participante, por ejemplo: caramelos, galletitas, marcadores de libros, lápices, etc. **3.** Prepare un cartel con las cuatro funciones de los dones espirituales: ENSEÑANZA, TESTIMONIO, SERVICIO, ADORACION. **4.** Haga las actividades que aparecen al principio de la sección *Estudio del texto básico* en el libro del alumno.

Comprobación de respuestas
JOVENES: **1.** Palabra de sabiduría: enseñanza; Palabra de conocimiento: enseñanza; Fe: testimonio; Don de sanidades: servicio; Hacer milagros: testimonio; Profecía: adoración; Discernimiento de espíritus: adoración; Lenguas: adoración; Interpretación de lenguas: adoración. **2.** 2, 6, 4, 1, 5, 3. ADULTOS: **1.** Palabra de sabiduría, palabra de conocimiento, fe, dones de sanidades, hacer milagros, profecía, discernimiento de espíritus, géneros de lenguas, interpretación de lenguas. **2.** Escriba en sus palabras el v. 11. **3.** No. Porque cada uno tiene su función particular.

Ya en clase
DESPIERTE EL INTERES
A medida que van llegando los alumnos, dé a cada uno, sin hacer ningún comentario, uno de los regalitos que preparó. Cuando estén listos para comenzar, diga que lo que les dio son regalos. Pregunte qué hicieron para merecerlos (nada). Haga ver que se los dio porque usted quiso. Diga que, de la misma manera, Dios da a los creyentes "regalos" que llamamos "dones espirituales" y que en este estudio veremos qué debemos hacer con los dones espirituales que Dios, por pura gracia, nos ha dado.

ESTUDIO PANORAMICO DEL CONTEXTO
Explique el FONDO HISTORICO y dé un resumen del ENFASIS que aparece al principio de este estudio en este libro. Agregue cualquier otro dato interesante del estudio panorámico que aparece en el libro del alumno.

ESTUDIO DEL TEXTO BASICO
1. Los dones que reparte el Espíritu. Diga que necesita un voluntario para escribir una interesante lista en el pizarrón o en una hoja grande de papel. Los demás deben leer en silencio los vv. 8-10 y dictar los dones espirituales que van encontrando. Dirija los comentarios sobre cada uno para que resulte claro cómo se expresa cada don. Pueden referirse a sus libros donde se explican, antes de comentarlos.

Cuando hayan terminado la lista, muestre el cartel con las FUNCIONES de los dones. Pida que identifiquen la función de cada don apuntado. Vea si hay preguntas sobre alguno en particular y esté bien preparado para poder dar la orientación necesaria. Aclare que ésta no pretende ser una lista completa de los dones espirituales, que Romanos 12:1-8, Efesios 4:1-4 y 1 Pedro 4:10 mencionan otros dones. Pueden incluirlos en la lista. Que resulte claro que el Espíritu Santo no se limita a ciertos tipos ni a cierta cantidad de dones.

2. *El Espíritu designa como él quiere.* Lean todos juntos en voz alta el v. 11. Repáselo preguntando: ¿Quién da los dones? (El Espíritu Santo) ¿Puede un talento convertirse en un don espiritual? ¿Cómo? (Por obra del Espíritu Santo) ¿A quién da los dones? (A cada creyente en particular) Comente que aquí no exceptúa a ningún creyente, que lo que a veces sucede es que uno no descubre o no usa sus dones. ¿Cómo da el Espíritu Santo los dones? (Como él designa) Comente que no es arbitrario. Cómo los reparte es el resultado de su divina sabiduría, sabe qué dones hacen falta en qué circunstancias, en qué iglesias.

3. *El ejemplo del cuerpo humano.* Recuerde a los alumnos que Pablo ya en capítulos anteriores ha ilustrado con buenos ejemplos, las verdades que quería enseñar y que, en los vv. 12-14 comienza a dar un claro ejemplo para enseñar algo muy importante. Pida que lean en silencio dichos versículos y luego digan de qué se trata.

4. *Cada uno es importante.* Diga que el ejemplo sigue en los versículos 15 al 20. Distintos alumnos vayan leyéndolos en voz alta, versículo por versículo. Coméntelos brevemente valiéndose de la explicación de cada uno en este libro y en el del alumno. Permita que los alumnos aporten sus pensamientos al respecto. Deben captar bien la importancia de la unión, el uso coordinado de los miembros y el respeto por los dones que el Espíritu Santo da a otros.

APLICACIONES DEL ESTUDIO

1. Pregunte: ¿Por qué necesitamos una variedad de dones? Si su don procede de Dios, ¿en qué sentido se convierte en un aporte para toda la iglesia? ¿Qué relación hay entre dones e iglesia? **2.** Si es posible vaya diciendo los nombres de cada uno y preguntando: ¿Qué don o dones tiene este hermano? ¿Qué les hace pensar que lo (o los) tiene? Será significativo ir reconociendo los dones de cada uno. Si el grupo no se conoce bien, pida que cada uno piense (y diga, si lo desea) en el don que Dios le ha dado.

PRUEBA

1. En parejas, escriban lo que pide el primer inciso de esta sección. Compartan con toda la clase lo que escribieron. **2.** Individualmente contesten las preguntas del inciso 2. Si algunos no están seguros de sus dones, ínstelos a orar pidiendo que el Señor les dé la percepción de lo que él requiere de ellos como miembros y obreros en su congregación.

Lo más importante

Contexto: 1 Corintios 13:1-13
Texto básico: 1 Corintios 13:1-13
Versículo clave: 1 Corintios 13:13
Verdad central: La enseñanza del apóstol Pablo a los corintios acerca del amor nos enseña que los dones espirituales de nada sirven si no se practican con amor.
Metas de enseñanza-aprendizaje: Que el alumno demuestre su: (1) conocimiento de la importancia del amor al practicar los dones espirituales, (2) actitud de amor al ejercer su don o dones espirituales.

─────────── Estudio panorámico del contexto ───────────

A. Fondo histórico:

La iglesia en Corinto se componía de muchos miembros. No sabemos el número exacto, pero parece que en los seis años de su existencia, cuando Pablo les escribe esta epístola, habían experimentado un crecimiento impresionante. Habían tenido el privilegio de desarrollarse bajo líderes capaces y eran recipientes de las bendiciones que resultan de ser un centro metropolitano.También la iglesia tenía la bendición de tener a miembros con dones diversos. Aunque esta realidad puede crear ciertos problemas, como ya vimos en el capítulo anterior, también ofrece la oportunidad para un ministerio multifacético que puede atraer a personas distintas y ministrarlas en formas diversas. Pero hace falta un elemento que es imprescindible. Pablo alude a este elemento al terminar el capítulo 12 con la declaración: "Y ahora os mostraré un camino todavía más excelente." Entonces nos da el capítulo sobre el amor más bonito y más conocido de toda la Biblia y de todos los escritos literarios en todo tiempo: 1 Corintios 13.

El amor es tema céntrico en la Biblia. Todos podemos citar de memoria Juan 3:16, donde nos dice que el amor de Dios es el origen de la salvación en Cristo. Pablo comienza su lista de los frutos del Espíritu con el amor. En las epístolas de Juan éste apela a los hijitos para practicar el amor en las relaciones humanas. Pedro amonesta a tener el amor ferviente entre hermanos, porque el amor cubre una multitud de pecados (1 Ped. 4:8). Por eso podemos considerar que el amor es el don potencialmente universal y que todo cristiano necesita buscar aumentar este don en su ministerio.

B. Énfasis:

Lo más importante, 13:1-3. Pablo en el capítulo anterior acaba de enumerar los dones, y entre ellos están el don de lenguas, de interpretación de lenguas y la profecía. En este pasaje añade los dones de conocimiento, fe, beneficiencia social y hasta el martirio. Pero dice que si no hay amor, entonces el ejercicio de estos dones no tiene la eficacia que tendría si lo hubiera. El amor es el elemento que hace que los otros dones tengan un impacto poderoso para extender el reino de Dios en la tierra.

Cómo es el amor cristiano, 13:4-7. En este pasaje Pablo menciona catorce características del amor, y las presenta en pares para tener un efecto más dramático sobre el oyente. Es interesante medir la vida y el ministerio de Cristo, Pablo y los demás apóstoles con estas reglas figurativas. Cristo es la manifestación suprema del amor de Dios y su vida es el ejemplo sobresaliente de la manera en que hemos de vivir.

Amor por sobre todas las cosas, 13:8-13. El amor nunca deja de ser porque es eterno por naturaleza (1 Jn. 4:16), no como los dones que pertenecen a la vida presente. Este amor es más que la fe y la esperanza porque es el amor de Dios derramado en nuestros corazones (Rom. 5:5).

--------- **Estudio del texto básico** ---------

1 Sin amor nada sirve, 1 Corintios 13:1-3.

V. 1. El don de *lenguas* se consideraba el don supremo por parte de algunos de los miembros de la iglesia en Corinto. Pero la verdad que Pablo revela es que la práctica de cualquier don es vana si no va acompañada de amor. *Bronce que resuena o címbalo que retiñe* son ilustraciones gráficas muy conocidas por los corintios. Ellos estaban acostumbrados a estos sonidos que se producían en la adoración de los ídolos que abundaban en Corinto. Las ceremonias y festividades inmorales producían este ruido todos los días.

V. 2. El don de *profecía* incluía los elementos de poder entender los misterios divinos de lo que Dios odiaba y lo que quería, y la capacidad de transmitir mensaje de juicio o de bendición al pueblo. Sería imposible tener *todo conocimiento,* y Pablo habla en hipérbole para dar el impacto que quería para resaltar la importancia del amor. Tampoco puede uno poseer *toda la fe,* pero si fuera posible tenerla, sin amor no valdría nada.

V. 3. El repartir *todos* los *bienes* es la práctica de la filantropía y servicio social. Pablo no quiere menospreciar las manifestaciones y los logros de estos dones; simplemente quiere insistir en que el elemento del amor debe acompañarlos. En la adoración a Moloc sacrificaban a seres humanos en los brazos del ídolo, con un fuego que subía para consumir el cuerpo mientras todos danzaban alrededor del ídolo en éxtasis y gritos (Lev. 18:21). El Antiguo Testamento cita el caso de Manasés, rey malo sobre Judá, que sacrificó a su hijo en el fuego (2 Rey. 21:1-6). Cualquier sacrificio por impresionante que parezca no vale nada sin el ingrediente básico del amor.

2 Características del amor cristiano, 1 Corintios 13:4-7.

V. 4. El griego tiene cuatro palabras que significan *amor*: *Eros*, de donde se deriva la palabra erótica, se identifica con la pasión sexual. *Filos* es amor recíproco, más parecido a la amistad que se siente entre varias personas. *Storge*, palabra que no se encuentra en el Nuevo Testamento, se refiere al que se manifiesta entre los varios miembros de una familia. *Agape* es el amor racional que uno decide manifestar en forma volitiva hacia otra persona. Es el amor más semejante al amor de Dios. *Paciencia* y *bondad* son cualidades positivas del amor, y fueron ejemplificadas por nuestro Señor Jesucristo. *Celoso*, *ostentos*o y *arrogante* son cualidades negativas. Este pasaje nos refleja las muchas caras del amor, en sentido positivo tanto como negativo.

V. 5. Continúan las características negativas que no describen el amor, pero sí caracterizan a algunos cristianos a veces. El egoísmo, o *el buscarlo suyo propio*, es mal común entre cristianos, y forma uno de los problemas más serios que dividen nuestras congregaciones hoy. El llevar *cuentas del mal,* es la idea de apuntar en un libro todos los males que otros han hecho en contra nuestra, para justificar nuestro rechazo.

V. 6. Pablo hace notar un contraste, diciendo que el amor no se goza de la *injusticia*, sino de la *verdad*. *La verdad* es lo que el juez espera de los testigos que aparecen para testificar. Encamina a todos para vivir en paz y armonía, y es una de las virtudes cardinales que caracterizan al cristiano.

V. 7. *Todo lo sufre, todo lo cree,* puede indicar la capacidad de creer en otros en el sentido de tener confianza en ellos y esperar lo mejor de todos. *Todo lo espera,* aun cuando no hay mucha evidencia de que las esperanzas se realizarán. Grandes iglesias han podido resultar de los esfuerzos nacidos por la esperanza de parte de creyentes que no quisieron darse por vencidos. *Todo lo soporta,* abarca la dedicación fiel a la obra con paciencia, a pesar de la oposición.

3 Permanencia, integridad y supremacía del amor, 1 Corintios 13:8-13.

V. 8. *El amor* perdura; cuando las lenguas, profecías y conocimientos desaparecen, los efectos del amor todavía se sienten. *Nunca deja de ser* es traducido en otros idiomas como *nunca falla*, lo cual da sentido funcional a la virtud del amor.

V. 9. Las capacidades que tenemos en la actualidad no son perfectas ni completas. Todo es parcial, hasta ese día futuro cuando todo será consumado con la segunda venida de Cristo y el juicio final. Mientras tanto seguimos ejerciendo los dones de buscar conocimientos más completos de los misterios de Dios y de la profecía para declarar en forma clara a la humanidad lo que Dios nos revela y lo que espera de nosotros.

El conocimiento que tenemos de Dios actualmente es verdad, pero no lo tenemos en su forma final. Tenemos el desafío de seguir buscando las profundidades de las verdades espirituales que nos pueden hacer más efectivos en proclamar el evangelio.

V. 10. Lo *perfecto*, que esperamos en el futuro, quiere decir la madurez tanto como lo completo. Incluye el conocimiento maduro tanto como las profecías en sus formas completas. Pasarán los aspectos incompletos, lo que es *en parte*.

V. 11. Se usa este versículo para ilustrar que la vida tiene el elemento de progreso y desarrollo. Si observamos a los niños, quedamos impresionados con el progreso que hacen en comprender su entorno. Poco a poco adquieren la destreza necesaria para funcionar con muchas capacidades. El niño tiene capacidad de *hablar* en forma progresiva, de *pensar* en la forma más sencilla hasta la más compleja y de *razonar* de las ideas más elementales hasta llegar a entender las fórmulas más complicadas de la matemática y la física.

V. 12. *Ahora ...entonces* pone énfasis en el contraste entre nuestra capacidad de funcionar en el presente con las limitaciones de tiempo y espacio, con el futuro cuando todo será transformado y viviremos en la dimensión espiritual. *Vemos oscuramente* en el presente, pero la visión y la comprensión serán perfectas en la eternidad.

La ilustración de Pablo pone énfasis al contraste entre el espejo imperfecto de bronce bruñido de esa época con una representación más exacta en el futuro. *Cara a cara* nos recuerda del caso de Moisés que entró en la montaña y vio a Dios cara a cara, pero no dejó ver su rostro después de bajar de la presencia de Dios, porque su rostro resplandecía (Exo. 34:29-35).

El conocimiento en parte a que Pablo se refiere reconoce las limitaciones que todo creyente tiene porque somos imperfectos y vivimos en circunstancias que no son ideales. Pero sabemos que en un día futuro nuestros conocimientos serán perfectos porque no tendrán estas limitaciones. *Como fui conocido* se refiere a un conocimiento en un nivel más alto, el nivel del conocimiento tanto vivencial como teórico.

V. 13. En la conclusión de este capítulo Pablo elogia tres cualidades. No sabemos por qué elevó la fe y la esperanza a un nivel tan alto, pero tal vez es porque estos dos elementos son esenciales para poder realizar la consumación del plan de Dios para toda la humanidad. La fe viva nos mantiene trabajando para la realización de la esperanza futura que Dios tiene reservada para todos los creyentes de todas las edades. Es una esperanza viva y segura, reservada en los cielos (1 Ped. 1:3, 4).

─────────────── **Aplicaciones del estudio** ───────────────

1. Podemos tener una variedad de dones espirituales, pero el amor es un don que todos necesitamos tener. Cuanto más amor se manifiesta, tanto más amor se genera.

2. Debemos reconocer las muchas facetas del amor. Puede manifestarse no solamente en actos de servicio social, sino en tomar el tiempo necesario para testificar a nuestro vecino recién llegado a la comunidad.

3. El amor puede manifestarse en forma progresiva. A veces la entrega de una tarjeta o un gesto de amistad puede crear el ambiente para expresiones más amplias del amor, y posteriormente nos da la oportunidad de presentar el evangelio.

4. El amor es eterno. En el cielo vamos a reconocer a las muchas personas hacia las cuales manifestamos el amor en actos que nos parecían insignificantes en el momento.

--------------------- **Ayuda homilética** ---------------------

La supremacía del amor
1 Corintios 13:1-13

Introducción: Los cristianos en Corinto estaban tan divididos sobre la importancia relativa de los varios dones, que ignoraron el don supremo: el amor. Pablo les escribe para poner en perspectiva correcta el amor y los otros dones, y hace claro que el amor es supremo.

I. El amor es superior a los otros dones, vv. 1-3.
A. El amor es superior a las lenguas humanas y angélicas.
B. El amor es superior a la profecía y la ciencia.
C. El amor es superior a la fe que mueve montañas.
D. El amor es superior a la filantropía.

II. El amor es superior en sus manifestaciones, vv. 4-12.
A. El amor se manifiesta en cualidades positivas de paciencia, bondad, humildad, generosidad, perseverancia y justicia.
B. El amor se manifiesta en la ausencia de cualidades negativas, tales como celos, arrogancia, irritabilidad, disensiones y venganza.

III. El amor es superior en su duración, v. 13.
A. Los dones tan codiciados en Corinto van a pasar, pero el amor perdura.
B. El amor es la virtud cardinal más grande de entre la fe, la esperanza y el amor.

Conclusión: La gente recordará los actos de amor más que cualquier actuación talentosa. En toda la capacitación intelectual y técnica que podemos adquirir, no debemos descuidar el don supremo.

Lecturas bíblicas para el siguiente estudio

Lunes: 1 Corintios 14:1-7   **Jueves:** 1 Corintios 14:18-25
Martes: 1 Corintios 14:8-11   **Viernes:** 1 Corintios 14:26-31
Miércoles: 1 Corintios 14:12-17   **Sábado:** 1 Corintios 14:32-40

AGENDA DE CLASE

Antes de la clase
1. Lea 1 Corintios 13. Estudie bien, como siempre, todo el material explicativo que aparece en este libro y en el del alumno. **2.** Busque en un himnario himnos cuyo tema es el amor. **3.** Si los alumnos no tienen sus propios himnarios, consiga varios prestados para tener en clase. **4.** Prepare dos hojas de papel tamaño carta y dos lápices. En una hoja escriba el título SI ES... En la segunda, NO ES... **5.** Vea las preguntas que se sugieren para un reportaje, bajo *Estudio del texto básico*. Escriba las respuestas en su cuaderno. Determine la mejor manera de organizar el reportaje imaginario al apóstol Pablo. Por ejemplo, usted puede hacer de Pablo y un alumno el reportero que le hará las preguntas. O puede repartir preguntas a distintos alumnos para que se las hagan. O puede un alumno ser el reportero y otro el apóstol Pablo a quien usted le habrá dado las respuestas, aunque podrá agregar lo que quiera. **6.** Complete la primera sección bajo *Estudio del texto básico* en el libro del alumno.

Comprobación de respuestas
JOVENES: **1.** Don de lenguas, de conocimiento, de profecía, de fe, de compartir. Ingrediente del amor. Sin el amor no tienen valor. **2.** Elegir dos opciones sobre lo que el amor no es y dos sobre lo que el amor es, según los vv. 4-7. **3.** La respuesta es una opinión por lo que puede expresarse de diversas maneras.
ADULTOS: **1.** No sirve de nada. Tres cosas que no es el amor: pueden ser tres de las siguientes: celoso, ostentoso, arrogante, indecoroso, egoísta, impaciente, rencoroso, no se goza de la injusticia. **2.** Fe, experanza, amor, mayor, amor. 13.

Ya en la clase
DESPIERTE EL INTERES
Muestre un himnario y diga que el amor es uno de los temas favoritos de los autores de los himnos. Pida que mencionen algún himno favorito que habla del amor. Si les cuesta arrancar, reparta los himnarios que pudo conseguir o haga que busquen en los suyos. Escriba los títulos en el pizarrón o en una hoja grande. Diga que hoy enfocarán 1 Corintios 13, reconocido mundialmente como la prosa más sublime sobre el amor.

ESTUDIO PANORAMICO DEL CONTEXTO
1. Destaque que 1 Corintios 13 es uno de los capítulos más hermosos de la Biblia, es como un paréntesis, una pausa en medio de la exposición que Pablo hace de los dones espirituales. **2.** Que un alumno lea el título de este estudio. Comente que el amor es *lo más importante* porque sin éste, es imposible practicar realmente los dones espirituales.

ESTUDIO DEL TEXTO BASICO

1. Reportaje al apóstol Pablo. Hagan el reportaje de la manera que determinó hacerlo. Estas pueden ser las preguntas a usar. Agregue otras si lo cree conveniente. Preguntas: 1) Apóstol Pablo, ¿puede decirnos qué es el amor *agape* y cómo lo describiría usted? 2) ¿Qué otros tipos de amor conocían sus lectores? ¿Cómo los describiría usted? 3) ¿Qué dones espirituales enfocó usted en 1 Corintios 13:1-3 y qué valor les dio sin el ingrediente del amor? 4) ¿No cree que puede haber otras motivaciones nobles para hacer obras de caridad aparte del amor? 5) ¿Usted diría que el amor es un ingrediente de todos los dones espirituales o que es un don aparte? 6) ¿Cómo se compara el amor del que usted escribe con el amor de Cristo? 7) ¿Considera que amar es una opción o una obligación cristiana?

2. Características del amor cristiano. Divida a la clase en dos sectores, sin que se formen en grupos. A la primera persona de cada sector dele una hoja de papel y lápiz. El que recibió SI ES... tiene que buscar en 1 Corintios 13:4-7 una cosa que es el amor, escribirla en la hoja y enseguida pasarla al que está a su lado quien hará lo mismo hasta haber pasado por todos los alumnos de ese sector. El segundo sector procederá de la misma manera con la hoja titulada NO ES... Cuando hayan terminado, deben leer cada cosa y comentarla.

3. Permanencia, integridad y supremacía del amor. Escriba en el pizarrón *PERMANENCIA*. Los alumnos encuentren en los vv. 8-13 lo que Pablo dice sobre la permanencia del amor. Escriba enseguida *INTEGRIDAD* y proceda de la misma manera. Escriba luego *SUPREMACIA*. Recalque que el amor es la fuerza impulsora que hace posible tener fe y esperanza.

APLICACIONES DEL ESTUDIO

JOVENES: Continuando con los dos sectores, haga que uno lea las preguntas en esta sección en sus libros y el otro sector las contestaciones. Si desean hacer preguntas o comentarios, deles la libertad de hacerlos.

ADULTOS: Pida a un alumno que lea el inciso 1 en esta sección en su libro. Luego, otro alumno lea el inciso 2. Estimule el intercambio de ideas sobre cada afirmación.

TODOS: Vuelvan a enfocar su atención en los títulos de himnos que mencionaron al principio. Invite a algunos alumnos a recitar o cantar una estrofa de uno de ellos.

PRUEBA

1. Escriban las respuestas correspondientes a las preguntas del primer inciso en sus libros. Compruebe lo que escribieron. Corrija lo realizado en caso que sea necesario. Felicite a todos por una labor bien realizada. **2.** Hagan individualmente la segunda prueba en sus libros. Compartan con un compañero lo que escribieron. Desáfielos a pensar que ese compartir es asumir un compromiso a fomentar el amor *agape* en su iglesia. **3.** Lean en voz alta reflexivamente y al unísono todo 1 Corintios 13.

Unidad 4

El don de lenguas y la profecía

Contexto: 1 Corintios 14:1-40
Texto básico: 1 Corintios 14:1-17
Versículo clave: 1 Corintios 14:15
Verdad central: La exhortación de Pablo a los corintios a profetizar por sobre todas las cosas, nos enseña cuál debe ser la prioridad de la iglesia cristiana hoy y siempre: predicar.
Metas de enseñanza-aprendizaje: Que el alumno demuestre su: (1) conocimiento de la exhortación que hizo Pablo de profetizar por sobre todas las demás actividades de la iglesia, (2) actitud de valorizar la importancia de la predicación en la tarea de alcanzar a otros para Cristo.

──────────── **Estudio panorámico del contexto** ────────────

A. Fondo histórico:

El don de lenguas. Hay dos opiniones principales con relación al don de lenguas: Una dice que es la capacidad de hablar un idioma extranjero que uno no ha aprendido, y esta capacidad viene de fuentes sobrenaturales. La otra opinión es que representa declaraciones extáticas de sonidos incomprensibles, una forma de comunicación para la alabanza a Dios. Se dirige a Dios fundamentalmente. La interpretación de estos sonidos viene de fuentes sobrenaturales. Su utilidad relativa para la iglesia se daría si hubiera alguien que tuviera el don de interpretación de lenguas, que también es parte de la lista de dones espirituales. De hecho, el don de lenguas causó problemas en la iglesia y fue necesario corregir errores en cuanto a su uso.

La diferencia entre las lenguas en Corinto y en Jerusalén. En el día de Pentecostés, todos fueron llenos del Espíritu Santo y comenzaron a hablar en distintas lenguas. Todas las personas de las regiones distintas que escuchaban entendían en sus propias lenguas. Las lenguas de Pentecostés eran entendibles y acompañaron la manifestación del Espíritu Santo en forma milagrosa. En cambio, en Corinto las personas que oían no entendían lo que se decía y era necesario que alguien interpretara para saber cuál era el mensaje.

La profecía como don. La palabra profecía viene de dos palabras en griego: *pro* y *phemi*, las cuales significan "en lugar de" y "yo hablo" respectivamente. La profecía es el mensaje de Dios hablado por su vocero para el pueblo. El profeta interpreta el sentido de la revelación de Dios al pueblo.

B. Énfasis:

Una manera de dirigirse a Dios, 14:1, 2. Una distinción entre las lenguas de Pentecostés y las de Corinto era que las de Pentecostés las entendían las personas presentes de otros países y regiones, mientras las lenguas de Corinto eran para comunicarse con Dios y resultaban solamente en la edificación de la persona que las hablaba (14:2). Por eso, Pablo recalca que las lenguas como se hablaban en Corinto eran para fines personales y hasta egoístas, mientras que muchos se beneficiaron de las lenguas en Jerusalén.

Profecía para edificar, alentar y confortar, 14:3, 4. La predicación de la Palabra de Dios, que es la expresión contemporánea de la profecía, es lo que edifica a la iglesia. Nos alienta cuando nos damos cuenta de que Dios está consciente de nuestras circunstancias y quiere socorrernos. Nos consuela en los momentos de dolor, que vienen tarde o temprano en la vida.

La importancia de la profecía, 14:5. Pablo valora la profecía por encima de las lenguas. Esto es porque todos pueden beneficiarse del mensaje de Dios comunicado en forma comprensible para el pueblo, mientras solamente la persona que habla en lenguas se beneficia de este don. Esto da una ventaja para la predicación del evangelio hoy, y es la razón porque Dios bendice su Palabra predicada. Las vidas pueden ser cambiadas porque las personas escuchan el mensaje de Dios por medio de sus profetas de hoy.

Debe haber comprensión y edificación, 14:6-25. Pablo insiste en que las lenguas son como el sonido de la flauta, el arpa o la trompeta, cuyos sonidos, si se ejecutan sin armonía son desacordes e inciertos. Son desagradables para el oído y no edifican a nadie. Pablo insiste en que lo que se comprende es lo que edifica. Por eso, declara que la profecía tiene el fin de ayudar a las personas a entender mejor el propósito de Dios para poder hacer su voluntad.

Las limitaciones del ministerio libre, 14:26-30. La confusión en los cultos en Corinto que se derivaba del ejercicio de diferentes dones, en forma simultánea, contribuyó a la confusión y no a la edificación. Por eso, Pablo apela a los corintios para establecer orden en los cultos y permitir que una sola persona ejerza su don a la vez. Ya sea que uno quiera compartir una revelación, o una enseñanza, o hablar en lenguas, deben tomar su turno y buscar la edificación de toda la iglesia, ya que en última instancia, los dones son precisamente para eso.

Un resumen de principios, 14:31-33. Dios no es Dios de desorden, sino de paz. Esta declaración puede orientarnos y encaminarnos en nuestro servicio tanto para el Señor como en los cultos de adoración. Nos hace recordar que Elías buscaba a Dios en el viento fuerte, pero Dios no le contestó en esa forma. Después, buscó a Dios en el terremoto, pero Dios no estaba allí. Después vino el fuego, pero Dios no estaba en el fuego tampoco. Al fin vino un sonido apacible y delicado, y allí estaba Dios en ese sonido suave (1 Rey. 19:11-14). Necesitamos recordar que Dios obra en medio del orden y la paz.

La prudencia, es una parte importante del culto, 14:34-40. Pablo recomienda la prudencia por parte de las mujeres, y en el contexto cultural del primer siglo eso significaba guardar silencio en los cultos y preguntar al esposo cuando llegaban a la casa si tenía inquietudes en cuanto a las doctrinas y las actividades administrativas. El cristianismo ha aportado mucho para el movimiento de igualdad para las mujeres, pero en algunas partes todavía aplican las enseñanzas de Pablo en forma literal, lo cual sofoca la participación de las damas.

Pablo recomienda la prudencia también en dejar que los dones espirituales sean expresados en orden sucesivo y no en forma simultánea. Reconoce las lenguas como don legítimo del Espíritu Santo, pero eleva la profecía a un nivel superior. De todos modos, Pablo insiste en que se haga todo decentemente y con orden.

──────────────── **Estudio del texto básico** ────────────────

1 Lenguas para dirigirse a Dios, 1 Corintios 14:1, 2.

V. 1. El capítulo comienza con el tema del amor, que lo conecta con el capítulo 13. *Seguid* está en la forma verbal que pide una expresión continua del amor, como si uno estuviera persiguiendo una meta muy importante. Pablo pide una concentración sobre el amor simultáneamente mientras están expresando los otros dones espirituales. ¿Hasta qué punto es correcto desear un don espiritual? Aquí Pablo afirma que es justo anhelar los dones, pero no especifica que uno puede desear uno en especial, que era el problema en Corinto. Había un afán desmedido por poseer el don de lenguas, porque consideraban que entre los demás dones este era el de mayor importancia. En Romanos 12:6 Pablo insiste en que todos tienen dones distintos, "según la gracia que os es dada". Pablo anima a cada uno a ejercer el don que Dios le ha dado. Ahora, en 1 Corintios 14:1, eleva *la profecía* a un nivel especial, y dice que todos deben anhelar este don. La profecía consistía en la revelación de Dios, la cual todos deben anhelar recibir para poder comunicarla a los demás. El paralelo de la profecía en nuestra cultura sería el don de predicar e interpretar la Palabra de Dios en nuestro medio.

V. 2. En relación con las lenguas en Corinto Pablo dice que el que las habla *no* se dirige *a los hombres sino a Dios*. Es decir, su don era para edificarse a sí mismo. *Nadie le entiende* tiene el fin de colocar el don de lenguas en un nivel inferior y egoísta. Las iglesias que dan énfasis a hablar en lenguas corren el riesgo de ubicar este don como especial y las personas que lo poseen son de la élite espiritual. Los que hablan lenguas ni entienden lo que hablan, pues *en espíritu* (su propio espíritu) hablan misterios. La palabra *misterios* lleva la idea de información inaccesible a la razón.

2 Profecía para edificar, alentar y confortar, 1 Corintios 14:3, 4.

V. 3. En contraste con los misterios de las lenguas, la profecía era el vehículo de un mensaje comprensible para cada participante en el culto. La profecía logra tres fines: edificación, exhortación y consolación. La *edificación* abarca el desarrollo espiritual de los creyentes y produce una comunidad de valor que puede servir de levadura para traer cambios positivos en la comunidad. La *exhortación* abarca las advertencias que los recién convertidos necesitaban. La predicación de la Palabra hoy debe contener la amonestación, para que las personas entiendan plenamente lo que Dios espera de cada una. La *consolación* es palabra que comunica comprensión y ternura para las personas que están atravesando crisis en sus vidas. El que ejercita el don de profecía buscará los pasajes bíblicos que hablen a las personas en sus circunstancias particulares especiales.

V. 4. Pablo habla del valor relativo de los dones de lenguas y de profecía, enfocando los resultados producidos por estos dones. El beneficio del don de lenguas es completamente personal, edificando a la persona que habla. En cambio, el don de profecía edifica a todos los presentes en la asamblea. El utilitarismo, dicta que uno debe preferir lo que trae ayuda para el mayor número de personas. Lo que da mayor beneficio a la mayor cantidad de personas es una norma de comportamiento aceptada generalmente hoy en día.

3 Sobre todo la profecía, 1 Corintios 14:5.

V. 5. Pablo aclara que reconoce las lenguas como don espiritual legítimo, y dice que sería bueno que todo cristiano lo tuviera. Pero continúa insistiendo en que el don de profecía es de mayor importancia. La diferencia no se relaciona con el carácter del don, más bien con la utilidad de ese don. Después, califica su declaración, diciendo que si hay persona para interpretar las lenguas, entonces esto puede edificar también. Algunas iglesias intentan obedecer este requisito, pidiendo que alguien interprete el mensaje para la congregación cuando alguien ha hablado en lenguas, pero el que interpreta debe tener el don de interpretarlas.

4 Comprensión y edificación son correlativos, 1 Corintios 14:6-17.

Vv. 6-9. Pablo prefiere usar los dones que benefician a la mayoría como *revelación, conocimiento y profecía*. Pone como ejemplo el uso de instrumentos musicales y la necesidad de usarlos adecuadamente, respetando las leyes de la música para que puedan dar sonidos claros.

Vv. 10, 11. De nuevo, el Apóstol usa un ejemplo muy claro de la necesidad de buscar el provecho de la iglesia, en lugar del beneficio particular. Cita el caso de los *idiomas en el mundo* y lo compara con las lenguas que para los que no tienen el don de interpretarlas, sonarán como lenguas extranjeras.

Vv. 12-14. Si una persona en realidad busca la *edificación* de todo el conjunto de creyentes en la iglesia debe *procurar* los dones que cumplen ese cometido. Eso es en cuanto a lo que una persona anhela, pero no hay que olvidar que es el Espíritu Santo el que reparte los dones como él quiere.

Vv. 15-17. Hay dos elementos que son necesarios para adorar al Señor: *el espíritu y el entendimiento*. Esa fórmula, combinada en los actos de adoración ayudará a que el *indocto* sepa lo que se está *diciendo* y al final resulte edificado.

Aplicaciones del estudio

1. De todos los dones que podemos poseer, debemos anhelar el don del amor. El amor es virtud que todos pueden tener y manifestar en las relaciones interpersonales. Hará más que los otros dones y es posible poseerlo en cantidades crecientes. Esta debe ser nuestra meta.

2. El don de lenguas es bíblico, pero no es el don de mayor importancia. Las lenguas sirven para edificar a la persona que ejerce el don, pero no beneficia a la congregación en general. Si lo colocamos encima de otros en importancia el resultado es división como pasó en Corinto.

3. El don de profecía tiene la capacidad de edificar a todos los miembros de la iglesia. La profecía es la declaración de las verdades que vienen como resultado de la revelación divina.

Ayuda homilética

La profecía: el mejor don
1 Corintios 14:1-9

Introducción: En su esfuerzo de persuadir a los corintios de que el don de lenguas no era el más importante, Pablo dice que la profecía es superior. La profecía o proclamación es superior por tres razones:

I. Implica recibir una revelación divina, v. 6.
   A. Los profetas comunicaban la voz de Dios al pueblo.
   B. El profeta usaba diferentes elementos para hacer saber la voluntad de Dios para el pueblo.
   C. En cambio, las lenguas eran para un beneficio personal.

II. Abarca las funciones más útiles, vv. 6, 7.
   A. La edificación.
   B. La exhortación.
   C. La enseñanza.
   D. La consolación.

III. Contribuye a la estabilidad doctrinal y emocional, vv. 7-9.
   A. Promovía la armonía, en vez de la disonancia y división.
   B. Promovía la certidumbre en vez de dar sonidos inciertos.

Conclusión: Los cristianos no deben estar discutiendo el valor relativo de los dones; más bien debemos ejercerlos en un ambiente saturado de amor.

Lecturas bíblicas para el siguiente estudio

Lunes: 1 Corintios 15:1-11
Martes: 1 Corintios 15:12:19
Miércoles: 1 Corintios 15:20-34

Jueves: 1 Corintios 15:35-41
Viernes: 1 Corintios 15:42-50
Sábado: 1 Corintios 15:51-58

AGENDA DE CLASE

Antes de la clase
1. Lea 1 Corintios 14. En su cuaderno escriba cuántas veces aparecen las palabras *edificar* y *edificación*. También escriba la relación que tienen con los dones espirituales y la iglesia. **2.** Prepare un cartel que diga: *Dar a algo más importancia de la que realmente merece.* **3.** ADULTOS: Consiga o confeccione tarjetas de saludo y lleve a clase lápices o bolígrafos para los participantes (vea la sección PRUEBA en el libro del alumno). **4.** Conteste las preguntas en la primera sección bajo *Estudio del texto básico* en el libro del alumno.

Comprobación de respuestas
JOVENES: **1.** Use su Biblia para hacer esta primera actividad. **2.** Dios. A la iglesia. **3.** V. 12.
ADULTOS: **1.** a. V. 2. b. A sí mismo, a la iglesia. c. V. 12. **2.** (1) El espíritu. (2) El entendimiento.

Ya en la clase
DESPIERTE EL INTERES
Muestre y coloque en un lugar visible el cartel que dice: *Dar a algo más importancia de la que realmente tiene.* Presente un ejemplo de su propia experiencia. Lea en voz alta lo que dice el cartel y diga que bien podría ser el título de este estudio. ¿Por qué? Porque los cristianos en Corinto le estaban dando al don de lenguas más importancia de la que realmente tiene.

ESTUDIO PANORAMICO DEL CONTEXTO
1. Conecte este estudio con los dos anteriores en que, primero, Pablo habla de los diversos dones que el Espíritu Santo da según su divina voluntad y para qué los da. Luego, les escribe sobre la importancia de saturar los dones con el poder del amor. Ahora, en el capítulo 14, escribe sobre dos dones específicos, ofreciendo un contraste entre la utilidad de ambos para la iglesia. **2.** Explique el origen del don de lenguas en el Nuevo Testamento y la profecía como don (vea el fondo histórico en el estudio panorámico del material expositivo en este libro). Diga que es evidente que lo que escribe Pablo es por la importancia que daban al don de lenguas.

ESTUDIO DEL TEXTO BASICO
1. Lenguas para dirigirse a Dios. Pida que lean en silencio 1 Corintios 14:1 y encuentren tres consejos de Pablo a los hermanos en Corinto. A medida que vayan diciendo lo que encontraron, explique que "seguid el amor" es una conclusión y también un comienzo: conclusión de todo lo dicho en el capítulo 13 y comienzo de lo que les dirá en el capítulo 14 porque es importante que los dones de los cuales escribirá estén llenos de

amor. Explique que "anhelad los dones espirituales" equivale a, con amor, contar con la habilidad de servir eficazmente a la iglesia bajo la dirección del Señor. Haga notar que "que profeticéis" va precedido por la frase "sobre todo". Sobre todo, los creyentes debían anunciar el mensaje de las buenas nuevas de salvación, también que ese "sobre todo" tiene relación con el v. 2. Léanlo en silencio y encuentren el primer problema del don de lenguas usado como parte del culto (nadie lo entiende).

2. Profecía para edificar, alentar, confortar. Lean en silencio los vv. 3 y 4. Pregunte: ¿Cuál don beneficia más a la iglesia? ¿Por qué? ¿Cómo edifica la profecía? ¿Cómo alienta? ¿Cómo conforta? ¿Qué valor, dice Pablo, tiene el don de lenguas? (un valor personal, "se edifica a sí mismo").

3. Sobre todo la profecía. Lean en silencio el v.5. Un voluntario dígalo en sus propias palabras. Pregunte: ¿En qué sentido *es mayor* el que profetiza que el que habla en lenguas en la congregación? Comente que aquí Pablo da una *regla* para los que hablan en lenguas en la congregación. ¿Cuál es? (que haya quien interprete). ¿Por qué? (porque sólo así se puede beneficiar la iglesia)

4. Comprensión y edificación son correlativos. Mencione que en los vv. 6-11 Pablo ofrece, siguiendo su buena costumbre, ilustraciones para que sus lectores entiendan bien el porqué de lo que acaba de escribir. Un alumno lea en voz alta los vv. 6-11. Los demás deben prestar atención para descubrir cuatro ejemplos. Compartan lo que encontraron. (Los ejemplos son: v. 6, lo que pasaría si Pablo los visitara y hablara sólo en lenguas; v. 7, la distinción de tonos necesaria en la flauta y el arpa para producir un sonido armonioso, v. 8, la claridad que necesita el toque de trompeta si los soldados habrían de entender la orden que anunciaba, vv. 10 y 11, si a uno le hablan en un idioma que no entiende es imposible la comunicación.) Diga que de estas excelentes ilustraciones Pablo pasa a explicar la conexión inseparable entre "espíritu" y "entendimiento" en el culto de adoración a Dios. Un alumno lea en voz alta los vv. 12-17 mientras los demás escuchan para encontrar esa relación. Digan lo que encontraron. Haga notar que el v. 14 da otra carencia del don de lenguas, pregunte cuál (el entendimiento no aprovecha, por lo que no beneficia íntegramente a la propia persona).

APLICACIONES DEL ESTUDIO

Vuelva a enfocar la atención en el cartel. Mencione que todavía hoy, como sucedía en la iglesia en Corinto, hay quienes por tener el don de lenguas practican un "snobismo religioso", considerando inferiores espiritualmente a los que no tienen este don. Pregunte qué opinan de esto.

PRUEBA

Que los alumnos completen individualmente lo que se pide en esta sección.

La resurrección de Cristo

Contexto: 1 Corintios 15:1-58
Texto básico: 1 Corintios 15:3-8, 12-26, 51-55
Versículos clave: 1 Corintios 15:3, 4
Verdad central: La resurrección de Cristo es un hecho histórico que asegura la resurrección de toda la raza humana, unos para pasar a la vida eterna con Cristo y otros para ir a la perdición eterna.
Metas de enseñanza-aprendizaje: Que el alumno demuestre su: (1) conocimiento de las consecuencias de la resurrección de Cristo, (2) actitud de valorar la victoria de Cristo sobre la muerte y sus consecuencias.

─────────── Estudio panorámico del contexto ───────────

A. Fondo histórico:

La importancia de los testigos en el contexto del relato evangélico. La prueba más convincente de que Cristo resucitó es el testimonio ocular de las personas a quienes apareció. Todo lo demás de las enseñanzas de Cristo dependen de este hecho. Los testigos confirman que la resurrección fue un hecho.

La resurrección del cuerpo. Los corintios no negaban la resurrección de Cristo sino la del cuerpo de los creyentes. Su incredulidad probablemente se debía a la enseñanza griega que el cuerpo es malo, por ser cárcel del espíritu.

El trasfondo judío y griego. Entre los judíos estaban los saduceos que negaban que hubiera vida después de la muerte. Los judíos creían en la inmortalidad, pero no había doctrina elaborada sobre este tema. Los griegos creían en la inmortalidad del alma, pero no en la resurrección del cuerpo.

Los que se bautizaban "por los muertos", Una práctica desconocida. Probablemente ciertos cristianos se bautizaban en nombre de seres queridos que habían fallecido, creyendo así hacerles participantes de la resurrección. Pablo no defiende la práctica, sino que la usa sólo como un argumento en favor de la resurreccion.

B. Enfasis:

El evangelio de la resurrección, 15:1, 2. Pablo trata un tema de suma importancia para los cristianos: lo que pasará al final de la historia. No sabemos cuáles preguntas le habían hecho sobre la resurrección, pero parece que algunos de los corintios negaban la resurrección de los creyentes. Por los temas tratados sabemos más o menos cuáles son esas preguntas. Pablo afirma que si no se acepta el hecho de la resurrección, entonces su fe es en vano. *Un resumen de la obra redentora de Cristo, 15:3-7.* Pablo enfoca la muerte vicaria de nuestro Señor Jesucristo, su sepultura y resurrección, y sus apariciones para probar su resurrección.

La aparición de Cristo a Pablo, 15:8. Los Evangelios contienen los relatos de las apariciones de Cristo a los discípulos en varias ocasiones, pero naturalmente no mencionan el caso de Pablo. Pablo insiste en que él era de los privilegiados de ver al Cristo resucitado, aunque reconoce que fue "como a uno nacido fuera de tiempo". Reclama un privilegio que ningún otro cristiano que se convirtió después de la ascensión haya tenido.

Si Cristo no resucitó, no hay resurrección, 15:12-19. La resurrección de todos los cristianos depende de la resurrección de Cristo. Pablo está presentando su debate con la lógica a que estaban acostumbrados en el mundo griego. Diariamente escuchaban los debates sobre temas variados.

Cristo primicia de los que durmieron, 15:20. Las primicias eran los primeros frutos de la viña, o del árbol, o del rebaño. Tenía significado especial y por eso traían las primicias a Dios como arras que simbolizaban la promesa de que después traerían más frutos.

Muerte de Adán, vida en Cristo, 15:21-24. Pablo utiliza el caso de Adán para dar un paralelo de comparación o contraste. Como todos somos descendientes de Adán, todos somos condenados por el pecado. Pero Cristo vino para anular la condenación para los que creen en su obra redentora, de modo que en Cristo tenemos la seguridad de la vida eterna y no la condenación.

El enemigo final será vencido, 15:25-28. Este enemigo es identificado como la muerte. Otros pasajes identifican la muerte de los cristianos como algo precioso a los ojos de Dios.

Los que se bautizan por los muertos, 15:29-34. Tal vez algunos cristianos estaban preocupados por sus seres queridos que habían muerto sin tener la oportunidad de creer en Cristo y decidieron ser bautizados en su lugar. Esta es doctrina equivocada, y no se debe practicar. Pablo cita la práctica para afirmar que la resurrección es una creencia válida; de otra manera no habría sentido en lo que estaban haciendo los creyentes.

El cuerpo resucitado, 15:35-50. ¿Cuál es la naturaleza del cuerpo resucitado? Pablo utiliza la analogía de la semilla. Declara que el cuerpo resucitado será diferente, pero será transformado. Aunque vamos a reconocernos en la resurrección, no tendremos las limitaciones que nos caracterizan en la actualidad. Tendremos cuerpos parecidos al cuerpo resucitado de Cristo. Pablo usa el paralelo de las varias clases de carne y de los diferentes cuerpos celestiales para ilustrar la diferencia entre el cuerpo actual y el resucitado.

Victoria final sobre la muerte, 15:51-58. Este pasaje es el grito de victoria de Pablo y, por consiguiente, de todo cristiano. La seguridad de la resurrección nos motiva a servir con fidelidad, testificar a todos los que podamos y mantenernos puros en nuestra vida diaria.

1 La resurrección de Cristo conforme a las Escrituras, 1 Corintios 15:3-8.

V. 3. Pablo admite que ha recibido de otros lo que está enseñando. Para esta fecha ya se estaban elaborando declaraciones de la fe cristiana. La muerte de Cristo tuvo un significado distinto de la muerte de otros; *murió por nuestros pecados.* Decimos que fue una muerte vicaria (véase Isa. 53), porque en su muerte pagó las consecuencias de nuestros pecados. *Las Escrituras* a que Pablo se refiere seguramente eran los libros del Antiguo Testamento. Seguramente ya estaban en circulación relatos parciales de las enseñanzas de Cristo.

V. 4. Los relatos de la sepultura y la resurrección de Cristo serían para los cristianos del primer siglo como noticias de primera página. Varias citas del Antiguo Testamento se utilizaban para comprobar tales acontecimientos. "Con todo eso, Jehovah quiso quebrantarlo, y le hirió (Isa. 53:10). "Pues no dejarás mi alma en el Seol, ni permitirás que tu santo vea corrupción" (Sal. 16:10).

V. 5. En este pasaje no se menciona el caso de las mujeres que fueron a la tumba. La aparición a los doce sería sin la presencia de Judas. La referencia a *los doce* llegó a ser la manera oficial en que se refirieron a los apóstoles.

V. 6. Algunos todavía estaban vivos, de modo que seguramente ellos hablaron de su experiencia constantemente. Algunos ya habían muerto en el día de Pablo. No tenían todavía una comprensión plena de la condición de los que murieron, porque esperaban la segunda venida de Cristo en vida. Posteriormente entendieron que el retorno de Cristo iba a demorar. Hablaron de estar dormidos, eufemismo de la muerte.

Vv. 7, 8. Otras apariciones. A Jacobo, hermanastro de Cristo y el mismo Pablo. Había pasado tiempo desde la ascensión, de modo que Pablo se refiere a su experiencia como *uno nacido fuera de tiempo.* El requisito principal para ser apóstol era haber visto al Cristo resucitado, y Pablo tuvo esa experiencia en el camino a Damasco (Hech. 9:4, 5). La palabra "abortivo" aparece en algunas de las traducciones. La RVA clarifica el sentido, aclarando que Pablo se incluyó en el grupo, aunque actuó posteriormente a los eventos.

2 Consecuencias de la resurrección de Cristo, 1 Corintios 15:12-26.

V. 12. Cristo es el centro del mensaje en la iglesia cristiana. El hecho de resucitar era y es un evento extraordinario y el mensaje de una resurrección es revolucionario. Sabemos que los saduceos negaban que había resurrección. Tal vez negaban la resurrección del cuerpo, y sin embargo, creían en una resurrección espiritual; lo cual sería una idea más cercana a la griega, que concebía el cuerpo como la cárcel del espíritu y que la muerte representaba un escape de esa cárcel. La idea cristiana corrige este concepto equivocado de la naturaleza del cuerpo y asegura que el ser humano, incluyendo cuerpo y espíritu, resucitarán.

Vv. 13, 14. Pablo insiste en que la negación de esta doctrina equivaldría a la negación del hecho comprobado de la resurrección de Cristo. Continúa la hipótesis de que los muertos no resucitan, y si Cristo no resucitó, entonces la *predicación* es *vana* y, por consiguiente, también la *fe... es vana.*

V. 15. *Si... los muertos no resucitan,* entonces somos culpables de ser *falsos testigos.* Las palabras tienen el tono legal de un tribunal donde uno está testificando en contra de Dios y todo con el fin de afirmar el hecho que Cristo sí resucitó de la muerte y que los seres humanos vamos a resucitar un día.

Vv. 16-19. Pablo principia con la misma hipótesis, y esta vez llega a dos conclusiones pavorosas: *todavía estáis en vuestros pecados,* y *los que han dormido en Cristo han perecido.* Gracias a Dios las dos conclusiones están equivocadas. Pablo presenta la conclusión más triste posible si fuera cierto que tenemos esperanza solamente en esta vida: ¡Seríamos *los más miserables!* Pero, gracias a Dios, somos los más dichosos porque la resurreción de Cristo es un hecho comprobado y nuestra resurrección es segura.

Vv. 20-22. *Pero... Cristo sí ha resucitado.* La conjunción adversativa pero, da un sentido totalmente contrario a lo que se venía diciendo anteriormente. El Cristo en el que nosotros creemos no está muerto. Si la muerte como consecuencia del pecado había entrado por un hombre, ahora por Jesucristo quien se levantó de entre los muertos, ha venido la vida. Esa es la esencia del mensaje de salvación porque *en Cristo todos serán vivificados.*

Vv. 23, 26. Cristo fue el primero en resucitar, las primicias, y nosotros resucitaremos cuando él venga otra vez. 1 Tesalonicenses 4:16-18 declara este orden también. El fin vendrá después que Cristo haya tenido la victoria final sobre Satanás y su ejército. La muerte es el último enemigo que será destruido. En la eternidad no habrá más muerte.

3 Victoria final sobre la muerte, 1 Corintios 15:51-55.

Vv. 51, 53. *No todos dormiremos;* no todos los cristianos vamos a morir, y parece que Pablo pensaba que estaría entre los que permanecerían hasta la segunda venida de Cristo. La transformación para los cristianos será el cambio de un cuerpo mortal a uno glorificado a la semejanza del cuerpo de Cristo. Pablo describe tres acontecimientos milagrosos y maravillosos: *sonará la trompeta, los muertos serán resucitados sin corrupción y seremos transformados.* El cuerpo actual que sufre un proceso de debilitamiento tiene que ser transformado a algo incorruptible, el aspecto mortal tiene que ser vestido de lo inmortal.

Vv. 54, 55. El pecado es el *aguijón* o arma de la muerte. Pablo utiliza la analogía de la ley, que servía para convencer al ser humano de su pecado (Rom. 7:7-25). Pablo brota en acción de gracias a Dios, que nos da la victoria. El trabajo constante no deja lugar para la especulación y la polémica, y llama a los corintios a la actividad en lugar de la reflexión pasiva. Esto tiene su pertinencia para nosotros. Si nos mantenemos activos en nuestro servicio para el Señor, no nos metemos en divisiones religiosas ni controversias. Para el cristiano la muerte sobre la tierra es el inicio de la vida eterna con Cristo.

1. La resurrección corporal del ser humano es inminente. La fe cristiana nos ha dado el distintivo de la seguridad de que resucitaremos.

2. La resurrección de Cristo es una prueba positiva de que seremos resucitados. Hay evidencias abundantes y convincentes de que Cristo resucitó. Sus apariciones en varias ocasiones no dan lugar para la duda.

3. Los que mueren en Cristo comienzan a disfrutar de las bendiciones celestiales. Aunque nos duele la ausencia de nuestros seres queridos, tenemos tranquilidad porque sabemos que están descansando en el Señor.

4. La seguridad de nuestra resurrección nos motiva a mantenernos firmes y activos en testificar a otros. El cristiano vive su vida con seguridad y tranquilidad, y sabe que su servicio para el Señor traerá su recompensa.

————— **Ayuda homilética** —————

Si Cristo no ha resucitado
1 Corintios 15:12-19

Introducción: Pablo declara que si Cristo no ha resucitado, esto sería el mayor engaño para el cristianismo. Veamos los argumentos del Apóstol.

I. **Si Cristo no ha resucitado, vana es la predicación, v. 14.**
II. **Si Cristo no ha resucitado, vana es nuestra fe, v. 14.**
III. **Si Cristo no ha resucitado, somos hallados falsos testigos de Dios, v. 15.**
IV. **Si Cristo no ha resucitado, todavía estamos en nuestros pecados, v. 17.**
V. **Si Cristo no ha resucitado, los muertos quedan sin esperanza, v. 18.**
VI. **Si Cristo no ha resucitado, somos de todos los hombres los más miserables, v. 19.**

Conclusión: ¡La gloriosa verdad es que Cristo resucitó! Por consiguiente, podemos afirmar el lado positivo de todo lo negativo que menciona Pablo en este pasaje. El cristiano puede ir y proclamar el mensaje más glorioso que se haya escrito jamás. La resurrección de Cristo ha cambiado el curso de la historia. Nos da esperanza en esta vida y en la vida futura.

Lecturas bíblicas para el siguiente estudio

Lunes: 1 Corintios 16:1-4   **Jueves:** 1 Corintios 16:13-16
Martes: 1 Corintios 16:5-9   **Viernes:** 1 Corintios 16:17-20
Miércoles: 1 Corintios 16:10-12 **Sábado:** 1 Corintios 16:21-24

AGENDA DE CLASE

Antes de la clase
1. Lea lo que dice la sección *Estudio panorámico del contexto* en el libro del alumno antes de leer 1 Corintios 15. Escriba en su cuaderno lo que pide el inciso 2 bajo la sección *Prueba* en ese mismo libro. **2.** JOVENES: Prepare hojas de papel y lápiz para que todos los alumnos puedan escribir lo que pide el inciso 2 de la sección *Prueba* en el libro del alumno. **3.** Resuelva el ejercicio que aparece en la primera sección bajo *Estudio del texto básico* en el libro del alumno.

Comprobación de respuestas
JOVENES: **1.** Porque afirman que Jesús murió, fue sepultado y resucitó tal como lo anunciaran las Escrituras. **2.** A Pedro, a los doce, a más de 500 seguidores, a Jacobo, a todos los apóstoles, a Pablo. **3.** Los más miserables de todos los hombres.
ADULTOS: **1.** Cristo murió, fue sepultado y resucitó al tercer día. **2.** Pedro, los doce, a más de 500 fieles, a Jacobo, a todos los apóstoles, a Pablo. **3.** Nuestra predicación y fe serían vanas, seríamos falsos testigos, los muertos tampoco resucitarán, todavía estaríamos en nuestros pecados.

Ya en la clase
DESPIERTE EL INTERES
Escriba en el pizarrón o en una hoja grande de papel *La muerte es...* Tenga una "lluvia de ideas" pidiendo a los alumnos que den distintas respuestas de no más de dos palabras para completar la frase. (Por ejemplo: el final, tristeza, separación, cruel, implacable, etc.) Luego mencione que en 1 Corintios 15 que ahora estudiarán, Pablo describe magistralmente la esperanza del creyente frente a su propia muerte.

ESTUDIO PANORAMICO DEL CONTEXTO
Use el material del estudio panorámico que aparece en este libro y en el del alumno para preparar una explicación del contexto que hizo necesario que Pablo argumentara a favor de la resurrección. Debajo de *La muerte es...* escriba *La resurección es...* y pida que completen de distintas maneras la frase con no más de tres palabras. Dé los antecedentes que motivaron a Pablo a escribir este hermosísimo capítulo sobre la esperanza cristiana.

ESTUDIO DEL TEXTO BASICO
1. La resurrección de Cristo conforme a las Escrituras. Mencione que según la ley judía, el testimonio de dos testigos se aceptaba como prueba de la veracidad de un hecho. Agregue que en 1 Corintios 15:3-8, Pablo presenta dos testimonios de la resurreción de Cristo. Un alumno lea en voz alta los vv. 3, 4. Pregunte: ¿Qué testimonio encontramos aquí? (El testimonio

de las Escrituras.) Busquen y lean Isaías 53:10 y Salmo 16:10 para ver ejemplos de dicho testimonio. Haga notar que este testimonio era del pasado. Diga que encuentren otro testimonio mientras otro alumno lee en voz alta los vv. 5-8. Pregunte luego qué testimonio es (de testigos oculares). Cierren sus Biblias y vean cuántos testigos pueden recordar. Que un alumno los vaya anotando y después cotejen con el pasaje para ver si les faltó alguno. Haga notar que el testimonio de testigos oculares era un testimonio del presente.

2. Consecuencias de la resurrección de Cristo. Diga que en el Nuevo Testamento, la resurrección de Cristo era siempre el tema culminante de la predicación del evangelio, pero que en esta oportunidad, Pablo quiere ir más allá y aclarar muy bien las consecuencias de la resurrección para todos los que aceptaban a Jesucristo como su salvador personal. Mencione que el pasaje que ahora enfocarán nació de un error que algunos enseñaban. Lean en silencio el v. 12 para encontrarlo. Divida a la clase en dos sectores o grupos. Unos que encuentren en los vv. 13-19 qué pasaría con el evangelio de Cristo si éste no hubiera resucitado. Los otros deben encontrar en los vv. 20-26 lo que sí sucederá a los creyentes porque Cristo sí resucitó de los muertos. Vean entre todos lo que cada sector o grupo encontró. Agregue otros datos según lo crea necesario.

3. Victoria final sobre la muerte. Haga notar el destino final de la muerte según el v. 26 y diga que en los vv. 51-55 Pablo describe detalles de lo que pasará con los creyentes en ese momento de victoria final. Un sector encuentre en dichos versículos lo que sucederá a los muertos y, el otro sector, encuentre lo que pasará con los que todavía viven, los contemporáneos del fin del mundo. Describan lo que encontraron. Diga que este evento histórico del futuro también concuerda con el testimonio de las Escrituras. Vean Isaías 25:8 y Oseas 13:14.

APLICACIONES DEL ESTUDIO

De tiempo en tiempo aparecen grupos que pretenden profetizar el día exacto del fin del mundo. Venden sus propiedades y dejan sus trabajos, y se juntan con los brazos cruzados esperando el gran evento. Cuando no sucede, quedan en ridículo y ponen en ridículo el mensaje bíblico. El día del Señor vendrá como ladrón en la noche (1 Tes. 5:2). Nadie sabe cuando viene un ladrón, ni cuándo viene el Señor. Diga que parte importante del vivir en esperanza de la victoria final es qué hacemos mientras tanto. Lean todos juntos en voz alta el v. 58 como una resolución en ese sentido.

PRUEBA

1. Que contesten oralmente el inciso 1 y luego escriban las respuestas. **2.** JOVENES: Reparta las hojas de papel y lápiz para que hagan la actividad bajo el inciso 2. ADULTOS: Haga las tres primeras preguntas bajo el inciso 2. Cada uno lea en silencio la última pregunta y escriban sus respuestas. TODOS: Será interesante escuchar lo que cada uno redactó.

Unidad 5

Servicio amoroso a los necesitados

Contexto: 1 Corintios 16:1-24
Texto básico: 1 Corintios 16:1-12
Versículos clave: 1 Corintios 16:1, 2
Verdad central: Las instrucciones de Pablo acerca de la ofrenda para los pobres de Jerusalén nos enseña que es responsabilidad cristiana servir por amor a los necesitados.
Metas de enseñanza-aprendizaje: Que el alumno demuestre su: (1) conocimiento de las instrucciones de Pablo a los corintios acerca de la ofrenda para los pobres de Jerusalén, (2) actitud de generosidad al ofrendar.

A. Fondo histórico:

Los pobres de Jerusalén. No sabemos mucho de las circunstancias de los pobres en Jerusalén. Tal vez las dificultades se debían a las condiciones políticas o religiosas, tales como la persecución prolongada de los cristianos.

Ofrendas generosas después de cumplir con el diezmo. El diezmo es el mínimo para dar, porque esa norma fue establecida en el Antiguo Testamento (Lev. 27:30; Mal. 3:10). Los judíos en el Antiguo Testamento daban un diezmo para los sacerdotes, otro para el gobierno y una ofrenda extra por las bendiciones especiales que Dios les había dado.

Al parecer, la ofrenda tenía un doble propósito: (1) Ayudar a los cristianos judíos de Jerusalén. (2) Eliminar el alejamiento existente entre cristianos judíos y gentiles. Este proyecto de ofrendar para los de Jerusalén, Pablo lo ha propuesto a otras iglesias, según se menciona en Gálatas 2:10, Romanos 15:25, Hechos 24:17. Pablo dio instrucciones precisas acerca de cómo organizar la ofrenda, dejando así la enseñanza de que la ofrenda del cristiano debe ser hecha regular y proporcionalmente. En cuanto a la distribución de la ofrenda, Pablo trató de evitar cualquier sospecha sobre malos manejos de esos fondos, demostrando una vez más que todo debe ser hecho "decentemente y con orden".

B. Enfasis:

La necesidad de los santos en Jerusalén, 16:1. Cualquier persona puede caer en tiempos difíciles y necesitar una mano extendida de parte de otros. Tal vez algunos que habían vendido sus propiedades ahora estaban en crisis y necesitaban que les brindaran ayuda. Parece que la necesidad era bastante aguda, porque habían apelado a todas las iglesias de Galacia para ayudarles.

Ofrenda en proporción a las bendiciones, 16:2. Si damos en proporción a las bendiciones, entonces vamos a estar dando con una actitud de gratitud y no de obligación. Dios ama al dador alegre. Cuanto más damos, tanto más será nuestra felicidad.

Organización para llevar la ofrenda, 16:3, 4. Cada iglesia necesita un sistema bien organizado para promover la mayordomía, recolectar la ofrenda, hacer los gastos en forma correcta, llevar la contabilidad e informar a los miembros del movimiento económico. Pablo sabía de la importancia de una buena administración de las ofrendas y por eso se organizó debidamente.

Planes y viajes de Pablo, 16:5-9. Pablo era una persona que siempre hacía planes para el futuro. Siempre pensaba en extender el evangelio a otras regiones, y anhelaba llegar hasta Roma con el mensaje de la salvación. Estaba dispuesto para hacer los viajes, visitar las iglesias ya establecidas, aconsejar cuando había problemas, escribir cartas para animar y corregir, y hasta viajar para atender las necesidades.

Los colaboradores de Pablo, 16:10-18. Pablo tenía la dicha de poder contar con colaboradores que le asistían en muchas maneras en la obra misionera. Ninguno puede hacer el trabajo solo. Pablo, Timoteo y Apolos formaban un trío de mucha eficacia en el trabajo misionero. Pablo los recomienda a los hermanos de Corinto.

Exhortaciones y saludos finales, 16:19-24. Las cartas de Pablo siempre llevan saludos de los hermanos que colaboraban con él. Aquilas y Priscila eran un matrimonio que había sido de mucha bendición para la obra y para el Apóstol. El beso santo era saludo común entre los cristianos para esta época, y todavía es en algunas partes del mundo.

──────── **Estudio del texto básico** ────────

1 Sirviendo por amor a la iglesia en Jerusalén, 1 Corintios 16:1-4.

V. 1. Posiblemente los corintios habían oído de las necesidades de los cristianos en Jerusalén, ya que la noticia se estaba esparciendo en las regiones de Galacia. Es maravilloso cuando los cristianos tienen interés en los demás y averiguan las maneras en que pueden ayudar. Pablo había animado a las otras iglesias a ir recolectando la ofrenda, para tenerla lista cuando pasaran para llevarla a Jerusalén.

V. 2. Es interesante notar que ya Pablo está hablando de algunos principios para entregar las ofrendas. De entre estos principios encontramos lo siguiente: un día determinado, *cada primer día de la semana;* una cantidad definida, *guarde algo en su casa;* una cantidad proporcional, *en proporción a cómo esté prosperando;* sin necesidad de levantar más ofrendas, *...no haya que levantar ofrendas.*

V. 3. Pablo esperaba llegar pronto a Corinto. Sabemos que por algún motivo no logró hacer este viaje que tenía planificado, y por consiguiente, hubo necesidad de escribir la segunda carta para defender su apostolado.

Sugiere que personas nombradas por los mismos hermanos podrían llevar las ofrendas a Jerusalén. Se daba cuenta de la importancia del manejo responsable de los donativos que se dan a la iglesia. A través de los años han surgido algunos problemas debido al mal manejo de los fondos.

V. 4. Pablo está dispuesto a acompañar a los responsables de llevar las ofrendas en el viaje a Jerusalén. No quiso ser el único que llevara la ofrenda. Como sabemos del relato del buen samaritano, había ladrones en abundancia esperando en los caminos para robar a los viajeros. Además, Pablo no quería exponerse a la posibilidad de crítica con relación a los fondos. Esto da buen ejemplo para la sabia administración de los fondos de las iglesias.

2 Planes de servicio misionero, 1 Corintios 16:5-9.

V. 5. Pablo solía visitar las iglesias donde había predicado anteriormente. Esta clase de visita tenía y tiene mucho valor, porque estimula a los hermanos para seguir adelante en su servicio para el Señor. Siempre es motivo de gozo saludar a la persona que Dios utilizó para introducirnos al evangelio. Pablo sugiere que su llegada puede demorar un tiempo, puesto que Macedonia es área grande y había varias iglesias para visitar en el itinerario.

V. 6. Es impresionante leer los detalles personales relacionados con los planes de Pablo. Podemos preguntarnos: ¿Qué valor tienen estas palabras para nosotros hoy? Indican que Pablo era persona no complicada; estaba dispuesto a escuchar los consejos de los demás en cuanto a su itinerario. Es un buen ejemplo para los que son compulsivos y rígidos en su modo de hacer la obra del Señor.

V. 7. Pablo explica que no quería hacer un viaje ligero a Corinto, porque esperaba permanecer allí durante un tiempo más largo, tal vez todo el invierno. Aquí se nota que Pablo reconocía la necesidad de dedicar tiempo a los recién convertidos y de desarrollar a los creyentes ya bautizados. El cultivo de una iglesia poderosa requiere tiempo. Pero todo plan estaba sujeto a la soberanía de Dios, y Pablo deja lugar para la intervención divina que podría cambiar sus planes.

V. 8. La de Pentecostés es fiesta que se celebra cincuenta días después de la Pascua, que es paralelo a nuestra Semana Santa. Esta declaración se utiliza para establecer el tiempo del año cuando se escribió la carta. Tal vez era el tiempo provechoso para estar en Corinto también.

V. 9. En Efeso Pablo había experimentado una respuesta maravillosa al evangelio, y quería aprovechar este terreno fértil. Hay regiones que responden rápidamente al evangelio y otras donde la resistencia es tremenda. Pablo sabía aprovechar las puertas mientras estaban abiertas, porque podían cerrarse rápidamente. *Los adversarios* siempre abundan. En este caso pueden haber sido judíos o gentiles paganos. Una lectura del libro de Los Hechos nos indica que siempre había adversarios a la predicación, y Pablo estaba acostumbrado al mal trato. Su determinación era predicar el evangelio y estaba listo para sufrir por la causa de Cristo. Pablo resalta la paradoja que existe en casi todo lugar: ¡Puertas abiertas y adversarios en abundancia!

3 Colaboradores en el servicio, 1 Corintios 16:10-12.

V. 10. Pablo había comisionado a Timoteo para que fuera a Corinto (Hech. 19:21, 22), pero no había los medios modernos de comunicación, y por eso Pablo no sabía si había llegado. Estaba seguro de que Timoteo o estaba allí o estaba por llegar. No sabemos por qué Timoteo tendría temor al estar entre los hermanos en Corinto. Tal vez era su juventud y su falta de experiencia. Pero Pablo animó a los hermanos de Corinto a recibir a Timoteo y atenderle de tal manera que se sintiera cómodo. Es bueno animar a los jóvenes y prepararles el camino, para que no haya choques fuertes en los lugares donde vayan a ministrar. Cada joven como Timoteo necesita de un pastor maduro como Pablo para aconsejarlo, animarlo y corregirlo. Timoteo era muy trabajador en la obra. Muchas veces los jóvenes tienen más energía y pueden suplementar el ministerio de los de mayor edad. Trabajando juntos, adultos y jóvenes forman un buen equipo.

V. 11. Nadie debe menospreciar a los jóvenes; tienen sus dones y pueden hacer mucho para avanzar la obra. En muchas iglesias los jóvenes participan en forma activa en el programa de evangelismo, y en muchas iglesias los jóvenes son la chispa principal para el crecimiento. Dichoso es el pastor que sabe aprovechar los dones y las energías de la juventud para el avance de la obra. Parece que Pablo pensaba esperar la llegada de Timoteo antes de emprender su viaje para Corinto. Por eso, les pide que lo encaminen con paz.

V. 12. Parece que Apolos era más difícil de guiar. Aunque Pablo había intentado influir en su vida para presionarlo a ir a Corinto, él insistía en quedarse donde estaba. Tal vez Apolos no quería tratar con las divisiones en la iglesia, sabiendo que había una división sobre su liderazgo. Tal vez estaba teniendo tanto éxito en la predicación que no quiso abandonar "la puerta abierta", como Pablo tampoco quería hacerlo. Sus planes eran ir a Corinto y visitar en un futuro, cuando hubiera la oportunidad.

Aplicaciones del estudio

1. Debemos estar despiertos a las necesidades de otros en nuestro mundo. Es necesario recordar de vez en cuando que como iglesias no somos entidades aisladas del resto del mundo. Una buena manera de hacerlo sería mirando en nuestro derredor con atención por si hubiera iglesias hermanas menos afortunadas con necesidades que nosotros pudiéramos ayudar a resolver.

2. La mejor manera de responder a una necesidad es tener fondos en reserva. Pablo animaba a los hermanos a ir recolectando el dinero poco a poco. Hay organizaciones que están en estado de "alerta" para responder inmediatamente cuando surja una crisis.

3. El apoyo económico de la iglesia debe hacerse en forma sistemática, lo cual abarca el dar regularmente el diezmo y las ofrendas extras que podamos. De esta manera la iglesia sabrá con qué fondos puede contar para los gastos, y puede proyectar sus planes en bases firmes.

Normas para ofrendar en la obra del Señor
1 Corintios 16:1-8

Introducción: Después de haber tocado las doctrinas más profundas, como los dones espirituales y la resurrección del cuerpo, Pablo llega al asunto práctico de las necesidades de los santos en Jerusalén. Exhorta a los cristianos en Corinto que preparen una ofrenda para llevarles. Dentro del contexto de esta necesidad nos da normas para guiarnos en nuestras ofrendas y diezmos.

I. Debemos dar personalmente: "cada uno de vosotros".
  A. Cada cristiano debe dar, y así ayudará en el sostenimiento de la iglesia.
  B. Los padres deben enseñar a sus hijos a dar, haciéndoles ver la importancia de participar como miembros de la familia.

II. Debemos dar periódicamente: "cada primer día de la semana".
  A. El acto de dar semanalmente nos ayuda a administrar bien el resto del dinero.
  B. La familia puede repartir sus ingresos en sobres identificados con los gastos presupuestales de la familia, para asegurar que hay para todo gasto.

III. Debemos dar proporcionalmente: "en proporción a cómo esté prosperando".
  A. El método de dar proporcionalmente es justo para todos. El que gana millones se queda con abundante dinero al dar el diezmo, mientras que el que gana poco, al dar el diezmo, todavía tiene poco para cubrir los gastos del hogar.
  B. Dios promete bendecir a la persona que le honra con sus bienes.

IV. Debemos dar preventivamente: "Para que cuando yo llegue no haya que levantar ofrendas."
  A. Un plan sistemático de apartar y dar a la iglesia dará resultados positivos, porque habrá fondos en la iglesia cuando se necesiten.
  B. Si las personas aceptan el privilegio de ser buenos mayordomos de los bienes que Dios les ha encomendado, evitarán usar el dinero de Dios para emergencias personales.

Conclusión: Si cumplimos con estas normas, la iglesia tendrá los recursos materiales necesarios para extender su ministerio mucho más allá de lo que estamos haciendo. Habría fondos para las necesidades locales tanto como las actividades misioneras.

Lecturas bíblicas para el siguiente estudio

Lunes: Amós 1:1-12   **Jueves:** Amós 2:6-8
Martes: Amós 1:13-15   **Viernes:** Amós 2:9-12
Miércoles: Amós 2:1-5   **Sábado:** Amós 2:13-16

AGENDA DE CLASE

Antes de la clase
1. Lea 1 Corintios 16. Con esto, habrá completado su lectura de toda la epístola. En su cuaderno, escriba *Soy* _____ *al ofrendar.* Llene el espacio en blanco con los adjetivos que mejor lo describen. **2.** Consiga para cada participante un sobre de ofrendas que usa su iglesia o pida prestado uno de los utensilios que usan para levantarlas (platillo, charola, etc.). **3.** Consiga y coloque en el aula un mapa grande de los viajes misioneros de Pablo. **4.** Complete la primera sección bajo *Estudio del texto básico* en el libro del alumno.

Comprobación de respuestas
JOVENES: **1.** Respuestas equivocadas: a, c, d. **2.** Timoteo, Apolos. Timoteo. Apolos.
ADULTOS: **1.** a. Guardar algún dinero en proporción a lo que tenían. b. Para enviar como ofrenda a los pobres de la iglesia en Jerusalén. c. La iglesia en Corinto determinaría a quiénes enviar. **2.** F. V. F. V. F.

Ya en la clase
DESPIERTE EL INTERES
Muestre y reparta los sobres para ofrendas. Comenten lo que los sobres llevan impreso que sugiere un dar metódico, de buena voluntad, etc. O muestre el platillo para la ofrenda y guíe una conversación para recalcar que se usa para un ofrendar metódico y qué pasa luego con la ofrenda recogida (la cuentan, la guardan en el banco para luego usarla para...). Diga que la primera parte de este estudio enfoca una ofrenda muy distinta en algunos sentidos y muy parecida en otros.

ESTUDIO PANORAMICO DEL CONTEXTO
Repasar la carta de 1 Corintios, recordando las prinicipales exhortaciones, enseñanzas e ilustraciones del apóstol Pablo. Deténganse en el capítulo 16 y haga notar lo que parece un brusco cambio de tema pues pasa del sublime tema de la esperanza cristiana eterna a uno netamente material, práctico y actual. Enfatice dos cosas: (1) Todos los capítulos anteriores trataban los problemas, inquietudes y preguntas de la iglesia en Corinto. En el último capítulo, Pablo los lleva a pensar en los problemas de otra congregación que ellos pueden ayudar a resolver. (2) Sugerirles la ofrenda, era darles a los cristianos en Corinto una oportunidad de poner en práctica lo que les insta a hacer en 15:58. Presente un breve resumen del resto del capítulo 16.

ESTUDIO DEL TEXTO BASICO
1. Sirviendo por amor a la iglesia en Jerusalén. Lea el v. 1 y luego Romanos 15:26 que explica de qué "santos" se trata. En los vv. 2-4 encon-

trarán los pasos que Pablo sugiere desde el de decidir cuánto dar hasta cómo despachar la ofrenda a sus destinatarios. Lean en parejas dichos versículos. Cada una debe encontrar los distintos pasos (1) Para quién. (2) Con qué frecuencia. (3) Factor determinante de cuánto darían cada semana (4) La ventaja de hacerlo así. (5) Qué harían para mandar la ofrenda cuando Pablo llegara a Corinto. Pregunte: Aunque esta era una ofrenda especial, distinta de los diezmos, ¿cuáles de los pasos siguen siendo una buena idea en la actualidad?

2. Planes de servicio misionero. Diga que en los vv. 5-12 comienza lo que podríamos considerar como la conclusión de esta primera carta a los Corintios que nos ha sido de tanta bendición. Noten el subtítulo en sus Biblias: *Planes de Pablo y sus compañeros.* Diga que verán primero los planes de Pablo. En el mapa, señale Efeso donde estaba el Apóstol cuando escribió 1 Corintios y la ubicación de Corinto en relación con ella. Al leer un alumno el v. 5 señale en el mapa a Macedonia y entre todos determinen el itinerario que planeaba Pablo para su viaje. Mencione que en la provincia de Macedonia había varias iglesias que seguramente visitaría. Pida que lean en parejas los vv. 6 y 7 y encuentren cuánto tiempo pensaba quedarse en Corinto y deduzcan qué planearía hacer allí durante tanto tiempo. Compartan luego con toda la clase sus opiniones (seguramente pensaba dedicarse a la predicación y enseñanza trabajando en la iglesia). Lean de la misma manera los vv. 8 y 9 y encuentren por qué pensaba quedarse en Efeso por un tiempo.

3. Colaboradores en el servicio. Diga que Pablo, en los vv. 10-12, sigue hablando de planes de viaje, esta vez de dos de sus colaboradores más cercanos. Un sector de la clase note en los vv. 10, 11 los planes de Timoteo y el pedido que les hace en cuanto a él. Comente el porqué. Haga notar la expresión "encaminadlo en paz" y explique la costumbre de acompañar un trecho a los viajeros. El otro sector vea en el v. 12 los planes de Apolos. Encuentren en sus libros la posible razón de no querer ir a Corinto.

APLICACIONES DEL ESTUDIO

Escriba en el pizarrón u hoja de papel grande: *Cuándo, Cuánto, Cómo.* Inste a los alumnos a determinar cuándo, cuánto y cómo ofrendar siguiendo las pautas sugeridas por Pablo. Usando las tres palabras en el pizarrón, comenten cuándo, cuánto y cómo pueden colaborar en otros aspectos en su congregación.

PRUEBA

1. Completen la actividad correspondiente al primer inciso. Un alumno lea lo que hizo y vayan corrigiendo según sea necesario. **2.** Individualmente hagan la segunda actividad. Si le parece prudente, pida que cada uno comparta lo que escribió con la persona con quien formó pareja.

PLAN DE ESTUDIOS
AMOS, OSEAS, JONAS

Escriba antes del número de cada estudio, la fecha en que lo usará

Fecha   **Unidad 6: El profeta Amós**
_____ 14. Dios demanda acciones justas
_____ 15. Dios demanda fidelidad
_____ 16. Dios demanda autenticidad
_____ 17. Dios demanda liderazgo responsable
_____ 18. Dios demanda atención y obediencia
_____ 19. Dios ofrece restauración

Unidad 7: El profeta Oseas
_____ 20. Amor que perdona
_____ 21. Llamado a la consagración
_____ 22. Consecuencias de la corrupción
_____ 23. El amor paternal de Dios
_____ 24. Amor que perdona y restaura

Unidad 8: El profeta Jonás
_____ 25. Jonás y el plan de Dios
_____ 26. Jonás: misión cumplida

OSEAS: Profeta de la reconciliación
F. M. Wood. Núm. 04022, CBP
Antes de la predicación de Oseas, el miedo era el motivo principal que movía a los hombres a la adoración. Dios era una persona de supremo poder. La adoración a Dios debía hacerse sin preguntas.
Oseas enseñó que la esencia de la verdadera religión es conocer a Dios como persona. Oseas se examinaba interiormente para saber de su conocimiento de Dios. Esta verdad enseñada una vez más por el profeta, estuvo siempre presente entre los mejores pensadores de Israel. Oseas describe a Dios como un ser que sufre profundamente por amor a su pueblo.

EL ANTIGUO TESTAMENTO ...Un Comentario sobre Su Historia y Literature. Carrol Gillis. Núm. 03080, CBP

Juego de cinco tomos. Un material valioso para el estudiante del Antiguo Testamento. Son como tres comentarios en uno por:
(1) sus amplias introducciones a los períodos históricos y a cada libro estudiado;
(2) sus bosquejos detallados para cada uno de los 39 libros del Antiguo Testamento;
(3) sus notas explicativas;
(4) su amplia bibliografía y su acucioso índice temático.

Amós, Oseas, Jonás
Una introducción

Profecía de Amós

El contexto histórico. El profeta Amós fue uno de los llamados "profetas menores". Su actuación la ubicamos durante el reinado de Jeroboam II quien reinó en Israel (desde el año 786 al 746 a. de J.C). Fue en este tiempo que el reino del norte de Israel alcanzó su más alto nivel de prosperidad y paz. Los triunfos militares de Jeroboam II corrieron a la par con el desarrollo de la economía del país. El problema en medio de esta situación fue que los ricos se volvían más ricos y los pobres más pobres. Aparejada a la situación económica y social aparece la decadencia de la religión de Israel. Los líderes religiosos establecieron un sincretismo religioso; mezclaron el culto a Jehovah con las prácticas cúlticas de Canaán. Es ese momento histórico en el que se enmarca el llamado de Jehovah a Amós.

El profeta. En el momento en que fue llamado, Amós vivía en el desértico país del sur de Judá, en la región de Tecoa. El mismo declara cuáles eran sus ocupaciones (7:14). Su nombre significa "carga".

El mensaje. Denunció con energía la injusticia social. La prosperidad económica no era acompañada con la justa distribución de la riqueza. La propuesta del mensaje es simple pero terminante: El día del Señor que tanto esperaban para culminar sus sueños de supremacía se tornará en un día de juicio, a menos que haya cambios. Las violaciones de los derechos humanos y el adulterio espiritual no se pueden remediar con liturgia sino con un profundo arrepentimiento.

Profecía de Oseas

Oseas predicó alrededor de 753 a. de J.C. Su nombre significa "salvación". Obviamente él cumplió una tarea similar a la de Amós, pero dramatizando y viviendo en carne propia los estragos de la infidelidad.

El mensaje. Aparte de la agonía de su propia experiencia, Oseas podía ver el corazón quebrantado de Dios por la prostitución de Israel, que le abandonó para ir en pos de dioses ajenos. Este es el tema que se repite a través de la profecía. Es la revelación de un Dios amoroso que está dispuesto a perdonar a su pueblo si éste se arrepiente de su pecado.

Profecía de Jonás

Al igual que Amós y Oseas, Jonás vivió durante el reinado de Jeroboam II. El profetizó algunos años antes que Amós. Su nombre significa "paloma".

El mensaje. Los triunfos políticos y militares que caracterizaron el período del reinado de Jeroboam II propiciaron un marcado exclusivismo religioso. Esto trajo aparejado que Israel rechazara a las naciones gentiles. Jonás fue llamado a neutralizar ese concepto y a llevar las buenas nuevas precisamente a una nación gentil que en ese momento estaba sumida en graves pecados. Allí estaba Jonás para profetizar, muy a su pesar, que el amor de Dios es universal.

Dios demanda acciones justas

Contexto: Amós 1:1 a 2:16
Texto básico: Amós 1:1-5; 2:4-8, 11-16
Versículo clave: Amós 1:2
Verdad central: El mensaje de juicio del profeta Amós demuestra que Dios demanda que sus hijos actúen con justicia.
Metas de enseñanza-aprendizaje: Que el alumno demuestre su: (1) conocimiento del mensaje de juicio del profeta Amós para Israel y los que habitaban alrededor, (2) actitud de justicia en sus acciones pues Dios lo hace responsable.

──────────── **Estudio panorámico del contexto** ────────────

A. Fondo histórico:

El profeta Amós predicó entre los años 760-750 a. de J.C. Israel se dividió en dos reinos después de la muerte de Salomón, unos 230 años antes del ministerio de Amós. En los dos pequeños reinos los ricos gozaron de prosperidad, sin embargo, muchos pobres sufrían opresión social y falta de justicia en los tribunales. Amós denunció a los ricos indolentes porque oprimían a los pobres, y a todos por practicar una religión superficial de cultos huecos y paganos, y llamó al pueblo entero a volver a Dios.

B. Enfasis:

El mensaje del profeta Amós, su predicación contra Damasco por su crueldad contra los prisioneros de guerra, 1:1-5. Probablemente Amós viajaba con frecuencia de sus tierras cerca del mar Muerto hasta Samaria para vender ovejas, higos y lana. Quedó indignado al ver el pecado del pueblo de Israel y se sintió motivado a anunciar que Dios iba a rugir como león y la población y la tierra iban a experimentar su ira.

Anunció que Dios castigaría al viejo opresor de Israel, Damasco, por torturar con trillos de hierro a los prisioneros de guerra. El número cuatro es simbólico y se refiere a la repetición de un pecado (1:3-5).

El mensaje contra los filisteos por maltratar a los esclavos; contra Tiro por olvidar el pacto; contra Edom por su falta de compasión, 1:6-12. Los filisteos, habitantes de Gaza, Asdod y Ecrón e invasores de Canaán, establecieron su poder sobre el país por vender como esclava a la población indígena (1:6-8). En la época de Salomón el pueblo de Tiro mantuvo buenas relaciones con los hebreos por medio de un pacto de "hermanos", por ser ambos pueblos semíticos. También negociaron con el pueblo de Edom, descendiente de Esaú, en un abominable tráfico de esclavos (1:9, 10). El pueblo de Edom vivía en el desierto al sureste de Israel. Los edomitas guardaban rencor contra los judíos desde la separación definitiva entre Jacob y Esaú. Aprovecharon cada oportunidad para atacar sin compasión a los hebreos (1:11, 12).

El mensaje contra los amonitas por la crueldad de sus gobernantes, 1:13-15. Amón, un pueblo que vivía al este del mar Muerto, es condenado por su enorme crueldad y falta de respeto por los derechos humanos más elementales.

El mensaje contra Moab por su implacable maldad, 2:1-3. El mensaje contra Moab es interesante porque no atacaron a Israel sino al enemigo de Israel, Edom. No obstante, por su falta de respeto a los muertos, Dios iba a quitarles sus jueces y magistrados.

El mensaje contra Judá por su desprecio a la Ley de Jehovah, 2:4, 5. Este mensaje demuestra que Judá no había aprendido nada desde la muerte de Salomón y seguían a los ídolos que no eran más que "mentiras".

El mensaje contra Israel por su mala conducta contra Jehovah, 2:6-16. El mensaje contra Israel destaca su falta total de justicia según los mandamientos de Moisés. Practicaban el soborno abiertamente y sin misericordia les quitaban sus propiedades a los pobres. No había justicia en los tribunales y la práctica de la inmoralidad era abierta en sus cultos mezclados con idolatría evidente a todos. Peor aún, Dios les había dado líderes civiles y religiosos a través de su historia y no habían prestado atención a ninguno de ellos. Por lo tanto el juicio de Dios era inevitable sobre la nación pecaminosa.

———————————— **Estudio del texto básico** ————————————

1 El mensaje del profeta Amós, Amós 1:1, 2.

V. 1. *Amós* era un agricultor y ganadero que vivía cerca del pueblo de *Tecoa* en las montañas cerca del mar Muerto. No era un profeta por vocación o preparación.

Predicó entre los años 760-750 a. de J.C. La época de los reyes mencionados fue de mucha prosperidad para los dos pequeños reinos de Israel que existieron después de la muerte del rey Salomón. Su extensión territorial llegaba casi a los límites del reinado de David. Sin embargo, había mucha diferencia entre las clases sociales y una abierta opresión de los ricos contra los pobres.

V. 2. Al llevar sus animales y fruta al mercado Amós se dio cuenta de que los pecados sociales del pueblo iban a traer la ruina sobre la nación. Como predicador laico anunció que Dios había rugido como un león desde su santuario para anunciar un juicio sobre todo el territorio nacional desde el sur hasta el norte.

2 El mensaje contra Damasco por su crueldad con los prisioneros de guerra, Amós 1:3-5.

Vv. 3-5. Como ejemplo se presentan los pecados de *Damasco*. Además de Judá e Israel, Amós condenó a seis naciones vecinas por su desprecio a las normas universales y elementales de humanidad y moralidad. Esos pueblos no tuvieron el privilegio de recibir la revelación directa de Dios como sucedió con Israel desde los días de Moisés. No se les juzga por su desobediencia a la ley de Dios, sino por su falta de respeto a los seres humanos creados a imagen y semejanza de Dios. El profeta sabía que Dios había revelado lo más elemental en cuanto al respeto por los derechos humanos a todos los pueblos y que cada comunidad tenía la luz de su conciencia (note su enfoque en 1:3-15).

3 El mensaje contra Judá por despreciar la ley de Jehovah, Amós 2:4, 5.

Vv. 4, 5. Antes de señalar los pecados de sus oyentes, Amós mencionó los pecados de los habitantes de su tierra natal, Judá. Dijo que sus compatriotas no habían sido fieles a la *Ley de Jehovah* y sus ordenanzas que se guardaban y se enseñaban en el templo de Jerusalén construido por Salomón hacía doscientos años.

El pueblo de Judá no tenía excusa alguna. Desde la época de David los sacerdotes enseñaban la ley de Dios. En su afán de ganar dinero y disfrutar los placeres de la vida la gente había dejado de asistir a las reuniones de enseñanza. Peor aún, había seguido a los ídolos de Canaán porque estos les prometían cosechas abundantes, la multiplicación del ganado y las riquezas de una gran prosperidad económica. Amós y otros profetas decían que los ídolos eran "mentiras", es decir, que todas sus promesas eran falsas. Es Dios quien envía la lluvia y da la bendición a los rebaños. El pueblo seguía las mentiras porque era más fácil y exigían menos que los mandamientos morales de Dios. Amós destacó que el pecado de Judá era más grave que el pecado de los países vecinos porque no pecaron por ignorancia sino con pleno conocimiento de la ley de Dios.

4 El mensaje contra Israel por su mala conducta, Amós 2:6-8, 11-16.

V. 6. Amós fue el primer profeta mencionado en la Biblia que tenía una conciencia afinada para percibir los abusos sociales. En su época las clases sociales aparecían claramente marcadas. Los ricos abusaban cruelmente de los pobres pagándoles poco por su trabajo y pagándoles muy poco por sus productos. En contraste los ricos vivían en la opulencia haciendo caso omiso de las necesidades básicas de los que les rodeaban. Practicaban su religión como pura ceremonia ritual.

Es imposible saber con certeza si se refiere a la venta de un hombre como esclavo o de contratar sus servicios por el valor de un *par de zapatos*. Lo último mo es lo más probable. Es más, se podía comprar una propiedad hipotecada por una cantidad insignificante. El libro de Rut indica que el calzado tenía el valor de un instrumento probatorio "para dar vigencia a cualquier asunto" (Rut 4:7).

V. 7. Este versículo señala las prácticas corruptas de los tribunales de codiciar aun los bienes más insignificantes de los pobres y fallar a favor de los ricos. Es evidente que por medio de un soborno se compraba al juez para pisotear el derecho de los humildes, de tal modo que no recibían nada después de recurrir al juez, al contrario, quedaban peor perdiendo lo poco que tenían. También se hace referencia a la inmoralidad abierta en Israel. Muchos practicaban la religión de Canaán como una variante del culto a Dios. Tal culto abominable consistía, en parte, en la prostitución ritual. También las relaciones sexuales de padres e hijos con una misma mujer no eran desconocidas.

V. 8. Aquí se describe con más claridad el culto degenerado del baalismo, religión nativa de Canaán. El pecado era peor porque los ricos a veces prestaban dinero a los pobres recibiendo una prenda como garantía de la devolución del dinero. Según la ley dicha ropa tenía que ser devuelta al atardecer para que el pobre tuviera con qué abrigarse por la noche (Exo. 22:26, 27). Parece que las multas religiosas se pagaban a veces con vino y los oficiales tenían que darlo a los pobres (Exo. 21:22 y Deut. 22:19 tal vez hacen referencia a esto). De todos modos, los versículos se refieren al abuso de los poderosos en contra de los indefensos.

V. 11. Dios en muchas ocasiones levantó *profetas* para advertir a su pueblo de su pecado. Asimismo levantó *nazareos* para darles el ejemplo de una vida pura y consagrada a Dios. El voto de nazareo consistía en evitar todo lo que pudiera contaminar a la persona y así dedicarse completamente al servicio de Dios (Núm. 6:1-21).

V. 12. El pueblo procuraba tentar a los consagrados a abandonar su voto de fidelidad a Dios, y prohibían a los profetas que hablaran acerca de sus pecados. Más tarde a Amós también se le prohibió predicar en Betel (Amós 7:10-13).

V. 13. Amós no explicó con claridad la naturaleza del castigo futuro, pero la idea es que Israel se hundiría bajo el peso aplastante de sus propios pecados.

Vv. 14-16. Probablemente se refiere a un terremoto, quizás el de Amós 1:1. Nadie podría escapar, ni el más *fuerte*, ni el más *veloz*, ni el más *valiente*. Amós no señaló a Asiria como instrumento del juicio de Dios en este primer sermón, pero sabía con toda seguridad que nadie podría escapar del juicio de Dios sobre Israel.

――――――――――**Aplicaciones del estudio**――――――――――

1. Dios puede llamar a quien quiera para ser profeta. Uno no tiene que escoger la profesión eclesiástica y prepararse para una vida religiosa desde la niñez. Dios puede llamar a cualquier persona a anunciar su voluntad a los hombres.

2. Es relativamente fácil saber que ciertos hechos son pecados graves. El ser humano sabe que no puede tratar a su semejante como animal en el matadero. Hay que respetar la dignidad de la persona. Es abominable aun a los no religiosos vender a otra persona como esclava o tratarle como tal.

3. El despreciar y abusar de los derechos de una persona es un pecado grave. El desprecio de otra persona es algo indigno del creyente.

———————————— **Ayuda homilética** ————————————

Dos ofensas graves
Amós 2:4-7

Introducción: Cuando una persona es acusada de un crimen muy rara vez se le acusa de una sola cosa. Por regla general los cargos en su contra son varios y múltiples. Dios acusó a las naciones vecinas de Israel de muchos crímenes, pero todo procedía de la falta de respeto para la vida humana. No mostraron comprensión de la dignidad de la persona; abusaron de sus derechos humanos.

I. Los pecados de Judá.
   A. Menospreciaron la Palabra de Dios.
   B. Anduvieron tras la mentira de la idolatría.
   C. ¿Cómo nos comparamos hoy con esos pecados?
   Hemos conocido al cristianismo en una forma u otra por siglos. No obstante, somos seguidores de las mentiras de la sociedad de consumo. Adoramos la cultura secular del materialismo.

II. Los pecados de Israel.
   A. La falta de amor al prójimo.
   B. Tráfico de esclavos.
   C. Pecados sexuales.
   D. Injusticia.

III. ¿Cómo actuamos nosotros hoy en día?

Conclusión: Urge dar al mundo un ejemplo de una correcta conducta cristiana. Jesús nos dijo que los demás van a saber quiénes somos por nuestro amor los unos por los otros. El mundo se puede destruir a causa de sus pecados sociales. Dejemos nuestro egoísmo y aprendamos a ser hermanos basados en que tenemos a Cristo como nuestro Salvador y Señor.

Lecturas bíblicas para el siguiente estudio

Lunes: Amós 3:1-8
Martes: Amós 3:9-15
Miércoles: Amós 4:1-3

Jueves: Amós 4:4, 5
Viernes: Amós 4:6-11
Sábado: Amós 4:12, 13

AGENDA DE CLASE

Antes de la clase
1. Consiga un mapa de los tiempos de los profetas para indicar la ubicación de los pueblos mencionados en el texto. **2.** Lea el texto completo del estudio. Estudie con cuidado cada oráculo o mensaje de juicio dado por Amós como portavoz de Dios para entender mejor su sentido de juicio. **3.** Busque en el diccionario las definiciones de las palabras "juicio" y "responsable". **4.** Recorte dos tiras de papel, en una escriba "Eran responsables" y en la otra "Somos responsables". **5.** Traiga unos recortes de fotografías o artículos del periódicos que demuestran la falta de responsabilidad y solidaridad en la actualidad. **6.** Responda a la sección *Lea su Biblia y responda,* del libro del alumno.

Comprobación de respuestas
JOVENES: **1.** Tecoa. **2.** Uzías, Jeroboam. **3.** Destrucción. Los campos de los pastores se enlutarán, y se secará la cumbre del Carmelo. **4.** "Así ha dicho Jehová". **5.** Menospreciaron la ley de Jehová, y no guardaron sus ordenanzas. **6.** Vendieron por dinero al justo; codician el polvo de la tierra de las cabezas de los desvalidos; tuercen el camino de los humildes.
ADULTOS: **1.** El rugido del león. **2.** Destrucción: se enluta la tierra, se seca la tierra más fértil, Carmelo. **3.** El maltrato de los enemigos, trillaron a Galaad con trillos de hierro. **4.** Dejaron y menospreciaron la Ley de Dios. **5.** a. Por dinero. b. Por un par de zapatos. c. El polvo de la tierra que está en las cabezas de los pobres. d. Camino de la gente humilde. e. La misma joven... mi santo nombre. f. Retenidas en prenda... recuestan... cualquier altar. g. Multados... sus dioses. **6.** Destrucción completa, caerán como frente a una carreta pesada y serán apretados; nadie podrá escapar.

Ya en la clase
DESPIERTE EL INTERES
1. Muestre los recortes de periódicos y hablen brevemente de la falta de responsabilidad que haya en su alrededor. ¿Quién es responsable?
2. Defina la palabra "responsable". ¿Cuáles son los resultados de esas situaciones irresponsables? Dios nos hace responsables por nuestras acciones; nos ha dado su Palabra y su Espíritu Santo para guiarnos. En este estudio vamos a saber de personas que cometían actos crueles contra sus prójimos, y otras que dejaban la ley de Dios. En cada caso Dios las hizo responsables y les anunció su juicio por la manera en que habían vivido y actuado como nación o individualmente.

ESTUDIO PANORAMICO DEL CONTEXTO

1. Hable de quién era Amós y su razón por llegar a Betel como el vocero de Dios. No era israelita aunque conocía a Israel y a las otras naciones a su alrededor por sus ventas o actividades en sus mercados. **2.** Noten el formato que usa para presentar los oráculos o distintos juicios contra los pueblos (1:3, 6, 9, 11, 13; 2:1, 4, 6). Amós sabía llamar la atención. **3.** Usando el mapa indique dónde están los pueblos mencionados y su relación con Israel. **4.** Enfatice que Amós sólo es el mensajero, es Dios quien da el juicio. El es el "vocero de Dios".

ESTUDIO DEL TEXTO BASICO

1. Dé oportunidad para leer el Texto básico y completar la sección *Lea su Biblia y responda.* Confirmen sus respuestas.

2. Hablen del mensaje inicial que trae Amós en el v. 2. ¿Por qué usa la idea del león rugiente? Hable del resultado del juicio que traerá. Comparta la definición de juicio para que el término sea entendido.

3. Explique que el juicio contra Damasco es el ejemplo de los otros juicios mencionados en este estudio. Enfatice la crueldad de Damasco con sus prisioneros, y el juicio de Dios que venía como resultado de esas acciones. Presente la tira "Eran Responsables", y enfatice esta verdad. Dios hizo responsables a todos por sus actitudes y sus actos.

4. El juicio contra Judá, 2:4, 5. ¿Cuál es la diferencia de las expectaciones de Dios para con Judá? ¿Cuál será su juicio? Subraye que aunque ellos habían tenido la Ley de Dios no la habían seguido. Llame la atención otra vez a las palabras "Eran Responsables".

5. El juicio contra Israel, 2:6-8. Hablen de los siete pecados que demuestran un desprecio total por el pobre. Después de cada uno enfatice "Eran Responsables".

6. Hablen del pecado de querer frustrar a los llamados por Dios para servirle, desanimándoles y haciéndoles quebrar sus votos, 2:11, 12.

7. Resalte el juicio para tan horribles crímenes, y llame la atención a la imposibilidad de escapar a este justo juicio: "Eran responsables".

APLICACIONES DEL ESTUDIO

1. Pida a los alumnos que lean en voz alta las aplicaciones del estudio y los comenten. **2.** Termine usando la tira "Somos Responsables". Preséntela como una pregunta en primer lugar, y entonces como afirmación. ¿Cómo, entonces, deben ser nuestra actitud y nuestros hechos?

PRUEBA

Dirija al grupo a leer y completar las actividades de esta sección en el libro de alumnos. Que compartan lo que han escrito en la segunda parte. Afirme cada decisión tomada y termine con una oración por estas personas y sus decisiones para vivir como seres responsables.

Unidad 6

Dios demanda fidelidad

Contexto: Amós 3:1 a 4:13
Texto básico: Amós 3:1-8; 4:1-13
Versículo clave: Amós 4:12
Verdad central: El castigo que la infidelidad de Israel trajo sobre toda la nación nos enseña que Dios nos hace responsables por ser fieles a él en todo.
Metas de enseñanza-aprendizaje: Que el alumno demuestre su: (1) conocimiento de los resultados que trajo la infidelidad de Israel sobre toda la nación, (2) actitud de fidelidad hacia Dios en cualquier circunstancia.

Estudio panorámico del contexto

A. Fondo histórico:
Los israelitas creían que habían sido elegidos por Dios para gozar de privilegios que ningún otro pueblo disfrutaba, y que Dios estaba obligado a protegerles. Amós les anunció que la manera de pensar y actuar de Dios era totalmente distinta, y que él no podía hacer otra cosa que castigarles por su pecado. Tal como en el mundo natural un efecto sigue a una causa, en el mundo moral el castigo sigue al pecado. Ni una nación tan próspera y privilegiada como Israel pudo burlarse de las leyes morales de Dios. La misión especial del profeta Amós era la de anunciarles el castigo inevitable y cierto.

B. Énfasis:
Privilegios y responsabilidades, 3:1, 2. La liberación maravillosa del pueblo de la esclavitud en Egipto fue algo único; Dios no había hecho algo semejante con ningún otro pueblo. Al gozar de un privilegio tan grande tenían que ser muy responsables sirviendo y obedeciendo a Dios.
Amós defiende el llamado profético, 3:3-8. Hay una reacción previsible a ciertos acontecimientos. Todo el mundo sabe que los ejemplos citados por Amós son verídicos. Dios no enviaría ningún castigo sobre su pueblo desobediente sin avisarles de antemano acerca de su condición por medio de sus profetas.
Profecía de la venida del enemigo, 3:9-15. Amós invita a las naciones vecinas a ser testigos de los muchos pecados de un pueblo que no sabe hacer

lo recto. Anuncia que un enemigo vendrá a destruir todas las riquezas que han acumulado por la opresión de los pobres. Solamente unos pocos se salvarán del holocausto.

Castigo para la indolencia, 4:1-3. La maldad tan horrible de las mujeres que se mencionan es que ellas presionaron a sus maridos para que oprimieran a los pobres para tener dinero para gastar en forma frívola y egoísta. Por la dureza de corazón ellas y sus hijas serán vendidas al enemigo como esclavas y prostitutas.

Los castigos que no corrigieron a Israel, 4:4-11. El gran error de todos los tiempos es creer que al cumplir ciertos ritos y ceremonias uno puede asegurarse de las bendiciones de Dios. ¡No es así! Por medio de desastres naturales y nacionales Dios advirtió al pueblo de Israel del peligro inminente que esa falsa confianza acarrearía, pero no quisieron volverse a Dios en verdadero arrepentimiento y humildad.

Un encuentro inevitable, 4:12, 13. Al no prestar atención a los avisos de Dios el castigo es inevitable. El profeta les anuncia que tendrán que comparecer ante el trono de Dios para recibir su sentencia. El juez que les condenará es nada menos que el Creador de los cielos y la tierra, quien sabe todo lo que el ser humano piensa, siente y hace. Conoce sus motivaciones y sus acciones.

──────────── **Estudio del texto básico** ────────────

1 La elección implica privilegios, pero también responsabilidades, Amós 3:1, 2.

V. 1. *Oíd esta palabra.* Con esta frase comienza Amós cuatro de sus mensajes (vea 4:1; 5:1 y 8:4). Probablemente sabía que sus oyentes no creían que Dios iba a castigar a su pueblo amado y escogido.

También dudaban de la autoridad de un agricultor de otra región como profeta de la Palabra de Dios. Amós, el valiente boyero, anunció que Dios habló en contra del pueblo que salvó de la esclavitud, y su denuncia es aún más grave porque su relación con ellos es personal y más íntima que la que tiene con otras naciones. No era fácil para Amós enfrentar al pueblo con la verdad de su infidelidad y las consecuencias que muy pronto vendrían.

V. 2. No son solamente un pueblo rescatado sino un pueblo escogido. Dios les ha *conocido* con la misma intimidad que un hombre conoce a su esposa (Gén. 4:1), pero también ha "escogido" a este pueblo como escogió a Abraham para mandarle que su descendencia anduviera en el camino del Señor (Gén. 18:19).

Puesto que las obras de este pueblo no han sido de obediencia, el castigo era inevitable. Amós 5:24; 6:7 y 6:12 indican que Dios esperó de ellos lo mismo que esperaba de Abraham (Gén. 18:19). En lugar de obediencia al "Pacto de Sinaí" han obrado "maldades". Su falta de responsabilidad era enorme, iban a perder los grandes privilegios que tenían desde los días de Moisés (Exo. 19:5, 6).

2 La palabra profética es firme y segura, Amós 3:3-8.

V. 3. Con este versículo Amós comienza a declarar cual era su autoridad para decir cosas tan duras. Amós experimentó oposición a su ministerio. La gente preguntaba quién era él para decirles tales cosas, y Amós les dirigió siete preguntas rápidas a sus oyentes, sabiendo que la respuesta a cada una era "no". **Vv. 4-7.** Continúa el argumento de la ley de causa y efecto que opera no solamente en el mundo de la naturaleza sino también en el mundo moral de la historia y la sociedad. Una reacción a una acción es tan automática como el resultado de una causa. En el v. 6 el profeta afirma que Dios está presente y activo en el castigo que recibirán por *calamidades.* **V. 8.** Aquí está la nota climática. *¡El león ruge* y la persona queda presa del miedo! ¡Dios ha hablado con todo su poder y aun el agricultor tiene que anunciar lo que Dios dice a su pueblo ingrato! El profeta no inventó su mensaje sino que habló movido por una compulsión divina irresistible (2 Ped. 1:20, 21). La voz de Amós era la voz del rugido del león en la noche.

3 Mensaje contra las mujeres indolentes, Amós 4:1-3.

V. 1. Al segundo sermón que comienza con las mismas palabras de 3:1; se le podría dar el título: "Las advertencias no atendidas." El profeta dirige con brusquedad sus primeras palabras a las mujeres de la alta sociedad, indolentes y consentidas que incitaban a sus maridos a explotar a los pobres para obtener dinero para gastar en sus lujos. Las compara a las vacas gordas de la región al norte de la capital, Basán, porque en esa planicie el ganado comía más que lo necesario y era robusto y pesado. Ellas son culpables de la opresión de los pobres por sus demandas excesivas sobre sus maridos. A veces la opresión de obreros no es el deseo directo del jefe sino es motivado por los que quieren enormes ganancias de la empresa para gastarlas en cosas frívolas. **Vv. 2, 3.** Como vacas en camino al matadero saldrán por las brechas en las murallas de Samaria después de la destrucción de la ciudad por un ejército enemigo. Las que estaban acostumbradas a vivir en palacios aprenderán a vivir en las chozas de esclavas y prostitutas.

4 El castigo contra dos pecados, Amós 4:4-11.

Vv. 4, 5. Estos versículos describen en forma gráfica la religión de ceremonia sin sentido. En los santuarios del norte de Israel se celebraban más cultos que en el templo de Jerusalén. El rey y sus sacerdotes dieron toda clase de facilidades al pueblo para adorar y ofrecer sacrificios para eliminar la necesidad de ir a Jerusalén. Amós se burla de ese celo religioso excesivo y les invita a traer sus diezmos cada tres días en lugar de cada tres años como exigía la Ley (Deut. 14:28).

El profeta reconoce que la gente halla satisfacción en los ritos y les encanta hacerlos, ... *ya que es eso lo que os gusta, oh hijos de Israel.* La ceremonia religiosa puede llegar a ser un narcótico a la conciencia. Dios desea mucho más que ritos y ceremonias por bonitas que éstas sean.

Vv. 6-11. Se presenta aquí lo esencial del sermón. El profeta anunció que Dios ha empleado siete calamidades para castigar a su pueblo y hacerles comprender que deben volver a él y cumplir las obligaciones de la Ley. Quizás no entendieron que era el Señor del universo quien les advertía con esos desastres, y pensaban que eran fenómenos de la naturaleza o catástrofes nacionales que ocurren circunstancialmente.

En estos versículos el profeta en nombre de Dios le recuerda a los "devotos" que Dios les ha llamado a volver a él y que ellos por su terquedad no han reconocido la voz del Señor. Han experimentado hambre, sequía, plagas, epidemias, guerras y terremotos pero no han visto nunca la mano de Dios en todo aquello. Después de describir cada desastre Dios repite el triste refrán: *Pero no os volvisteis a mí, dice Jehovah.* Era necesario que reconocieran que todo lo que estaba pasando eran azotes de Dios, pero a pesar de su religiosidad excesiva no se humillaron en verdadero arrepentimiento y lealtad personal a Dios.

5 La advertencia a Israel: *Prepárate para venir al encuentro de tu Dios*, Amós 4:12, 13.

V. 12. La paciencia de Dios llegó a su fin. Puesto que no prestaron atención a tantas advertencias, el día de juicio tuvo que llegar. Lo único que les esperaba era la destrucción completa como nación y el destierro inevitable. Tenían que sufrir las consecuencias de sus pecados. No quisieron volver al Padre amante y por eso tendrán que comparecer ante el Juez justo. Vivían muy tranquilos en sus palacios tomando el vino comprado por la opresión de sus compatriotas, pero ahora saldrán cautivos y esclavos para morir en tierra extraña.

V. 13. Es un himno escrito por Amós o citado por él, que les advierte que no es nadie menos que el Soberano de los cielos y la tierra quien dicta sentencia sobre ellos. El ha establecido la ley de causa y efecto tanto en el mundo moral como en el mundo natural. El Rey de reyes *revela* de antemano *al hombre su pensamiento* y sus intenciones por medio de sus siervos, los profetas, por lo tanto no les queda excusa alguna por no haberle obedecido.

─────────── **Aplicaciones del estudio** ───────────

1. Ser parte del pueblo elegido es una experiencia sin igual. Salvos de nuestros pecados y librados de la esclavitud del vicio y la ignorancia es la experiencia más grande que el ser humano puede tener. Pero implica aceptar y cumplir las responsabilidades de una persona redimida. Hemos sido elegidos por Dios para servirle el resto de nuestra vida en la tierra.

2. Dios revela sus intenciones para la humanidad por medio de sus siervos. Nos conviene escucharles con mucha atención porque la voluntad de Dios se hará en la tierra como en el cielo. La voz profética de la actualidad son los predicadores, los maestros intérpretes de las Escrituras, todos aquellos que de una manera u otra hablan a los hombres de la voluntad de Dios.

3. A la persona que no presta atención a las advertencias de Dios le espera el juicio y la condenación. Dios no envía a nadie al infierno, pero nos embarcamos nosotros mismos en ese destino por nuestra desobediencia. La historia de la salvación nos muestra que Dios no condena a nadie, que son los mismos hombres quienes no ponen atención al mensaje de salvación los que se condenan.

4. La invitación de Dios a través de toda la Biblia es: "Venid a mí". Si la aceptamos, vamos a gozar de vida abundante y eterna.

Ayuda homilética

La urgente necesidad de predicar
Amós 3:1-8

Introducción: Dios es activo en la salvación y demanda que nosotros lo seamos también al predicar las buenas nuevas con un sentido de urgencia.

I. **Es urgente predicar la salvación, Amós 3:1, 2.**
  A. Dios nos salvó, por eso somos responsables ante él.
  B. El quiere y puede salvar a otros que escuchen el mensaje a través de los cristianos.
II. **Es urgente reconocer la ley de causa y efecto, Amós 3:4-6.**
  A. Nada ocurre sin la voluntad de Dios.
  B. Lo que el hombre siembra eso cosechará.
III. **Es urgente citar los hechos históricos, Amós 3:7, 8.**
  A. Dios es el Dios de la historia, nada escapa a su control.
  B. Dios, que ha hablado y habla aún hoy por sus portentosos hechos redentores, nos demanda que con urgencia hagamos conocer su obrar divino.
IV. **Es urgente predicar el mensaje de Dios al mundo de hoy.**
  A. No el mensaje de los hombres.
  B. El hombre moderno se debe encontrar con Dios.

Conclusión: Nuestro sentido de urgencia como siervos de Dios y profetas para la civilización de hoy es la clave para lograr la evangelización en el mundo moderno.

Lecturas bíblicas para el siguiente estudio

Lunes: Amós 5:1-3
Martes: Amós 5:4-9
Miércoles: Amós 5:10-13

Jueves: Amós 5:14-20
Viernes: Amós 5:21-24
Sábado: Amós 5:25-27

AGENDA DE CLASE

Antes de la clase
1. Estudie con tiempo los pasajes bíblicos, tanto del *Contexto y Texto básico* como las *Lecturas bíblicas para el siguiente estudio*. **2.** Haga un cartelón con las palabras "Fidelidad = responsabilidad en...", y otro con el *Versículo clave* (Amós 4:12). **3.** Conteste la sección *Lea su Biblia y responda*.

Comprobación de respuestas
JOVENES: **1.** a. Dos juntos - acuerdo; b. Rugido - presa; c. Ave caída-cazador. **2.** El león. **3.** "Por tanto, de esta manera te haré a ti, oh Israel; y porque te he de hacer esto, prepárate para venir al encuentro de tu Dios, oh Israel."
ADULTOS: **1.** a. Era su pueblo. b. Sus maldades. **2.** Palabra que Jehovah ha hablado. Si habla el Señor Jehovah. **3.** Oprimieron a los pobres e hicieron que sus maridos les oprimieran más para conseguir más dinero. **4.** Serían desterradas como esclavas, las llevarían con ganchos y serían arrojadas a los montes. **5.** Hambre, falta de pan; sequía y en otras partes lluvia; plagas y destrucción de sus cultivos; guerra y muerte de los jóvenes; trastorno de las ciudades. **6.** Nada. "no os volvisteis a mí". **7.** Prepárate... encuentro.

Ya en la clase
DESPIERTE EL INTERES
1. Mencione la definición de la palabra responsabilidad que se usó en el estudio anterior. **2.** Dé dos ejemplos de casos de estudio: a. Una persona hereda una finca con una huerta de árboles frutales, pero con la condición de mantenerla funcionando como negocio. b. Una persona recibe una beca para sus estudios universitarios, pero con la condición de obtener un promedio alto en sus calificaciones (puede especificar la cifra apropiada en su país). Divida la clase en grupos de tres dando a cada grupo uno de estos casos. La tarea es de anotar rápidamente cuatro acciones por las cuales la persona demostraría ser responsable a las condiciones de lo que recibió. **3.** Compartan las ideas de cada grupo enfatizando las acciones responsables que demuestran fidelidad a las condiciones del regalo recibido.

ESTUDIO PANORAMICO DEL CONTEXTO
1. Llame la atención al título del estudio "Dios demanda fidelidad" y diga que esto era el problema tan horrible que Amós encontró en Israel: no habían sido fieles a Jehovah. Dios está llamándoles a juicio por su falta de responsabilidad y fidelidad a él como su pueblo escogido.

2. Presente algunos hechos escogidos de la sección *Estudio panorámico del contexto* que encontrará en este libro al comienzo de este estudio.

ESTUDIO DEL TEXTO BASICO

1. Dé oportunidad para leer el Texto básico y responder a la sección *Lea su Biblia y responda* en el libro del alumno. Aclare cualquier punto.

2. Pida que alguien lea 3:1, 2 en voz alta y hablen sobre las razones por este mensaje tan fuerte de Dios. ¿Qué esperaba Dios de su pueblo? Recuerde las maldades que él había anunciado (véase 2:6-8). ¿Había una muestra de fidelidad en el pueblo?

3. Mencione la manera en que Amós les declara su autoridad para llevarles el mensaje de Dios. Demuestre el impacto que debían haber causado estas siete preguntas (3:3-6). Cómo cada una recibió un "no" como respuesta. En la última (3:8) confirmó su autoridad y su fidelidad al llamado de Dios para anunciar su juicio sobre el pueblo. Hablen de la necesidad de ser fieles a los llamados que Dios nos hace, y a las razones por los regalos o dones que nos da.

4. Lean 4:1-3 y destaque los dos grandes pecados de las mujeres ricas. Era tan abominable a Dios esta falta de lealtad a sus enseñanzas de cuidado y respeto por todos, especialmente por los pobres, que su castigo iba a ser terrible.

5. Lea 4:4, 5 y aclare que aquí el profeta habla con sarcasmo. Al pueblo le gustaban mucho los cultos y ritos suntuosos; a Dios, no. Hablen de los cultos actuales. ¿Agradan a Dios? ¿Son fieles a su palabra? ¿Dan énfasis primordial a la presentación de la Palabra del Señor?

6. La acción de Dios para corregirles no fue aceptada ni reconocida por el pueblo. Subraye la repetición de las palabras "y no volvisteis a mí". Así llega la palabra final de Dios. Muestre el cartelón con el versículo clave (4:12) para leerlo todos juntos. Dios esperaba fidelidad, pero ellos no cumplieron. Tendrán ahora un encuentro con él, pero como juez.

7. Presente el cartelón "Fidelidad = Responsabilidad en..." y pida que los alumnos llenen esta frase con las cosas que Dios esperaba de su pueblo (ejemplos: culto sincero, trato cuidadoso y ayuda para los pobres y necesitados; lealtad del pueblo por ser escogido por él).

APLICACIONES DEL ESTUDIO

1. Lean juntos las aplicaciones impresas en el libro del alumno y coméntenlas. **2.** Use el cartelón "Fidelidad = Responsabilidad en..." comente algunas de las áreas de la vida donde la persona debe mostrar su fidelidad siendo responsable.

PRUEBA

Dé tiempo para hacer las dos actividades de prueba que se requieren en el libro del alumno. Pida que compartan las respuestas voluntariamente.

Dios demanda autenticidad

Contexto: Amós 5:1-27
Texto básico: Amós 5:4-9, 14-24
Versículo clave: Amós 5:14
Verdad central: Las demandas de arrepentimiento, justicia y adoración genuina que Dios hace a Israel nos enseñan que Dios espera que hagamos lo mismo el día de hoy.

Metas de enseñanza-aprendizaje: Que el alumno demuestre su: (1) conocimiento de las demandas de arrepentimiento, justicia y adoración genuina que Dios hace a Israel, (2) actitud de responder adecuadamente a estas tres demandas del Señor.

———————Estudio panorámico del contexto ———————

A. Fondo histórico:

Este mensaje fue predicado por Amós después del año 760 a. de J. C., tal vez en la plaza principal de Samaria. Como visitante del sur, el profeta vio que la prosperidad de muchos se debía a la opresión de los obreros y a la falta de justicia en los tribunales. Observó que los cultos en los santuarios de Betel, Gilgal y otros sitios eran muy elaborados y muy concurridos. Se indignó con la situación socio/religiosa y anunció que el esperado "Día de Jehová" lejos de ser un día de triunfo para Israel iba a ser una derrota a manos de las potencias de Damasco y Asiria. El pueblo iba a sufrir las consecuencias de sus pecados. La única esperanza que les quedaba era volver a Dios y buscar el bien y no el mal (Amós 5:14).

B. Enfasis:

Lamento por la ruina de Israel, 5:1-3. Empleando la melodía de una endecha o elegía el profeta describe a la nación como una señorita que murió joven sin tener la oportunidad de casarse y ver sus propios hijos. Seguramente esta figura les pareció muy rara a los gobernantes cuando el país estaba en la cúspide de la prosperidad y no tenían ninguna señal de que un desastre se acercaba. Aún más, Amós profetizó que el noventa por ciento del ejército de Israel sería destruido por el enemigo.

Buscar a Dios... encontrar la vida, 5:4-9. Tres veces el profeta llama al pueblo a buscar a Dios y encontrar la vida. Les advierte sobre el peligro de asistir a santuarios pensando que con su presencia iban a obtener grandes bendiciones de Dios. Pero el profeta les dice que los santuarios serán destruidos totalmente. El problema es de inmoralidad y de falta de justicia en sus acciones. Deben buscar al Creador de las estrellas, al que permite que sus enemigos tengan éxito sobre ellos, para que él tenga compasión de su pueblo.

Aborrecer lo malo... amar lo bueno, 5:10-20. Israel sabe muy bien lo que debe hacer: tienen la Ley de Dios para orientarles. Deben aborrecer lo malo y amar lo bueno. El problema radica en sus pecados; han afligido a los pobres y torcido la justicia en los tribunales. Para la nación entera no hay esperanza, tal vez un remanente se salvará para servir a Dios. Ante todo deben desengañarse sobre el significado del Día de Jehovah: será un día de juicio sobre Israel y no de exaltación como ellos imaginan.

Rechazo al culto extraño y vacío, 5:21-27. Las fiestas religiosas y las ceremonias lujosas de Israel son una abominación a Dios. Son repugnantes porque el corazón del pueblo está lejos de su Dios. El profeta les dice que deben suprimir los cultos huecos y hacer una sola cosa: "Más bien, corra el derecho como agua, y la justicia como arroyo permanente" (v. 24). Dios desea que la justicia y la rectitud personal penetren cada nivel social, cada aspecto de la vida diaria. Los sacrificios y ritos sin la conducta recta no sirven para nada. Lo que les espera es un largo y horrible viaje al cautiverio más allá de la ciudad de Damasco.

--------------------- **Estudio del texto básico** ---------------------

1 Llamado al arrepentimiento, Amós 5:4-9.

Vv. 4-9. Estos versículos contienen el mensaje básico de Amós en este sermón. Dios es el que puede darles vida y vida en abundancia. La nación va a perecer debido a su pecado y egoísmo. La única esperanza que les queda es buscar a Dios. El verbo "buscar" a veces se emplea con la idea de buscar la respuesta a una pregunta que nos inquieta (Exo. 18:15). Amós le da un significado aún más profundo; es buscar la presencia de Dios con el fin de gozarse de su compañía y conocer su voluntad. No es buscar favores de Dios sino a él mismo (Deut. 4:29 y Jer. 29:13). El peligro de ir de santuario en santuario es que la persona piensa que con su mucho movimiento y su presencia en un lugar determinado va a conseguir la bendición de Dios. Podemos estar ocupados en la "cosas" de Dios y no conocer al Dios de las cosas. Un día todo santuario construido con manos humanas va a desaparecer. Solamente permanecerá Dios que creó las estrellas y el universo.

El reino del norte llegó a conocerse como *la casa de José* (v. 6), puesto que las dos tribus formadas por las familias de los hijos de José, Manasés y Efraín, eran las más numerosas de la pequeña nación.

2 Llamado a la justicia, Amós 5:14-20.

V. 14. Cuatro veces en el capítulo cinco Amós dice que el secreto de la vida feliz y abundante es buscar el bien y no el mal. Esto se refiere a las relaciones interpersonales igual que a meditar en la Palabra de Dios (Sal. 1).

V. 15. El *mal* o lo malo es la falta de justicia en la sociedad. Los hebreos tenían un buen sistema para administrar la justicia. Además de los jueces nombrados por el rey, los ancianos de cada pueblo o ciudad formaban un tribunal que se reunía con frecuencia en la puerta de la ciudad para escuchar los pleitos de los ciudadanos. Si eran buenas personas como debían, los ancianos dictaban sus juicios decidiendo de forma imparcial no favoreciendo ni a los ricos ni a los pobres (vea Exo. 18:13-27 para ubicar el comienzo de la práctica de tener hombres de virtud que aborrezcan la avaricia para decidir los asuntos de los ciudadanos).

V. 16. Un castigo es inminente sobre la nación tan pecaminosa. Tal como Dios juzgó al pueblo de Egipto por la opresión de los hebreos ahora ellos mismos serán juzgados por la opresión de sus compatriotas.

V. 17. Vea en Exodo 11 el anuncio de que Dios iba a pasar por Egipto tal como este versículo anuncia que ahora pasará en medio de su pueblo desobediente.

V. 18. ... *el día de Jehovah* se refiere a la tradición en Israel de desear el gran día cuando Dios iba a derrotar a todos sus enemigos y elevarles a ser el pueblo supremo de la tierra. Amós les anunció que el juicio no será sobre los enemigos de Israel sino sobre ellos mismos por su desobediencia a la voluntad de Dios.

V. 19. De forma gráfica y casi con burla el profeta dice que nadie puede salvarse del castigo de Dios; si logra huir de un peligro, otro peor le va a alcanzar.

V. 20. Lejos de ser luz y gloria para Israel el *Día de Jehovah* va a ser de llanto y tinieblas al recibir su pueblo el castigo bien merecido por sus pecados.

3 Llamado a la adoración genuina, Amós 5:21-24.

Los poderosos de Samaria y Betel se sentían muy seguros porque pensaban que Dios estaba muy contento con la religiosidad que practicaban. Amós les dijo que no y como en 4:4, 5 les expresó el desprecio de Dios a la religión divorciada de la justicia.

Vv. 21-23. Se emplean palabras fuertes para manifestar el desagrado de Dios: *aborrezco, rechazo,* estas ceremonias sin sentido. No va a aceptar los sacrificios y ofrendas que estos injustos le brindan. Ni la música es aceptada cuando sale de labios que dan falso testimonio para torcer la justicia en contra de los pobres.

V. 24. Después de decirles siete cosas que Dios no desea, el profeta anuncia lo que Dios sí desea: Que *la justicia* y la conducta recta corran por toda la tierra como un río limpio y abundante. Que penetren cada clase social y afecten la actuación de todos, desde los más humildes hasta el rey mismo. La injusticia, la inmoralidad y la opresión juntamente con las ceremonias religiosas habían formado una represa artificial que impedía la libre circulación de la justicia tal como la Ley de Dios mandaba.

Amós lanzó al mundo un nuevo concepto de la justicia. No es la justicia legal, externa que hace lo mínimo que exige Dios, sino la justicia interna, moralizada que va mucho más allá de lo mínimo. Amós, tal como su contemporáneo Miqueas, lo dijo claramente: Hay que "hacer justicia" (Miq. 6:8). El cristiano tiene que ser activo en la causa de la justicia; hay que ayudar a la viuda, al huérfano, al pobre; hay que servir a los marginados y a los que carecen de poder o recursos para aliviar su sufrimiento.

Isaías más tarde describió lo que el creyente debe dejar de hacer y lo que debe evitar cuando dice: "... Dejad de hacer el mal. Aprended a hacer el bien, buscad el derecho, reprended al opresor, defended al huérfano, amparad a la viuda" (Isa. 1:16, 17). Es digno de notar que casi siempre Pablo en sus cartas da una exposición de la doctrina básica del evangelio seguida inmediatamente del imperativo de poner en práctica cada día las características del evangelio. Vea por ejemplo, Efesios 1 a 3, la doctrina de Cristo y Efesios 4 a 6, los imperativos de la doctrina.

──────── Aplicaciones del estudio ────────

1. No hay sustitutos para la consagración. El asistir a los cultos y participar en ritos no es un sustituto a la vida devocional personal.

2. La persona que busca a Dios goza de vida abundante. Los demás solamente existen de día a día sin verdaderos motivos que le produzcan satisfacción genuina.

3. El creyente debe aprender a distinguir entre lo malo y lo bueno. Debe aborrecer lo malo en pornografía, falta de honradez, mentiras, enojo y otras cosas y también aprender a amar lo bueno cultivando buenos hábitos, empleando bien su tiempo, cuidando su salud física y mental y sobre todo sirviendo a su Señor ayudando a los indefensos.

4. El creyente debe ser activo promoviendo la justicia y la rectitud. En todos los niveles y clases de la sociedad en la cual vive el cristiano debe ser un agente de cambio. La justicia va a penetrar cada rincón del mundo si la propiciamos allí personalmente.

El peligro de un culto muy hermoso
Amós 5: 14, 15, 21-24

Introducción: Estamos acostumbrados a programas de alta calidad: televisión, cine, videos, etc. Pensamos que el culto también se debe realizar en un salón cómodo, con música excelente, asientos cómodos, escenario hermoso, predicador elocuente y bien vestido y un sistema de sonido de óptima calidad. ¿Qué es lo que Dios piensa?

I. El fracaso del culto elegante.
A. Un culto "hermoso" no garantiza la santidad. Miles de personas asisten a cultos muy hermosos cada domingo, no obstante la violencia aumenta, hay más crimen entre la juventud, más corrupción en todas las esferas.
B. Dios quiere un cambio interior. Como en la época de Amós, multitudes van a los santuarios pero sus acciones no demuestran los cambios que Dios desea.

II. El verdadero culto se da en la justicia y la rectitud.
A. Dios pide una conducta recta y una vida noble. Dios desea que la justicia y la rectitud penetren a cada nivel de la sociedad, como el agua deben llegar a cada rincón de la sociedad.
B. El verdadero culto busca agradar a Dios, no a los demás. No importa lo que hagan los demás, el cristiano debe practicar la justicia en sus relaciones comerciales y la rectitud en sus relaciones interpersonales.

III. El secreto de la vida cristiana eficaz.
A. Adoración en espíritu y en verdad. Es fácil engañarnos y creer que al asistir a "cultos elegantes" podemos adorar a Dios. Es un autoengaño.
B. Dependencia del Señor. Lo que Dios quiere es una vida de compromiso. Esto es posible cuando confiamos en Cristo y su presencia en nuestras vidas, Juan 15:4, 5. Sin Cristo no podemos hacer nada.

Conclusión: El verdadero culto a Dios no depende del ritual o los elementos de culto que calificamos como "excelentes", sino del espíritu del adorador.

Lecturas bíblicas para el siguiente estudio

Lunes: Amós 6:1
Martes: Amós 6:2
Miércoles: Amós 6:3-7

Jueves: Amós 6:8-11
Viernes: Amós 6:12, 13
Sábado: Amós 6:14

AGENDA DE CLASE

Antes de la clase
1. Lea en un diccionario bíblico sobre el "Día de Jehovah", el "arrepentimiento", la "justicia", la "adoración" y la "endecha". Use esta información para aclarar ideas equivocadas de lo que son estos conceptos. **2.** Lea con cuidado todo el material impreso tanto en éste, su libro de Maestros, como en el libro del alumno. **3.** Reúna fotografías, imágenes y otros signos de adoración que indican formas corruptas de adorar. **4.** ¿Qué de su propia iglesia? Anote en un orden de culto el tiempo utilizado en cada parte de él. ¿Lo que el Señor busca es el creciente énfasis en la "alabanza"? (Medite sobre 5:21-24.) ¿Qué es lo que Dios demanda de nuestra alabanza? **5.** Complete en el libro del alumno la sección: *Lea su Biblia y responda.*

Comprobación de respuestas
JOVENES: **1.** Vivirán. **2.** a. Afligían al justo; b. Recibían soborno. **3.** Buscad lo bueno. **4.** La hipocresía religiosa.
ADULTOS: **1.** Buscad a Jehovah, y a él solamente. **2.** Habían convertido el derecho en ajenjo y echado por tierra la justicia. **3.** Tener vida. **4.** Pensaban que sería día de luz. **5.** Tinieblas, terror, muerte. **6.** Las aborrece, y las rechaza, no aceptará sus ofrendas, ni escuchará su música. **7.** Derecho... justicia... arroyo permanente.

Ya en la clase
DESPIERTE EL INTERES
Se puede presentar brevemente uno o los tres casos que se dan a continuación para demostrar llamados que pueden llegarnos a nosotros hoy.
1. En momentos de emergencia nacional o local se hace un llamado a la gente para que ayude: que responda con ropa, comida y asistencia de toda índole. Comenten entre todos casos de estas emergencias que han ocurrido en su país, cómo han respondido y cual fue el resultado de tal ayuda. **2.** Hablen de una emergencia familiar donde hay un llamado a ayudar en una situación específica y cuál ha sido el resultado. **3.** Hablen de un caso de enfermedad donde el médico pone una dieta y régimen específicos (como para un diabético) y la persona tiene que decidir colaborar y seguirlo, o hacer caso omiso desobedeciendo. **4.** Cada llamado puede producir una respuesta positiva o puede ser rechazado y dejado a un lado. Puede también ser ignorado. Así fue el caso de Israel al llamado de Dios al arrepentimiento, a la justicia y a la adoración verdadera.

ESTUDIO PANORAMICO DEL CONTEXTO

1. Lean al unísono la *Verdad central.* Pida a un alumno que lea la endecha en Amós 5:1-3. **2.** Explique lo que es una endecha. ¿Por qué usa esta forma Amós para presentar su mensaje? ¿La gente respondía? ¿Por qué no? **3.** Que un alumno lea Amós 5:10-13. Enfatice el v. 12 donde Dios declara que él conoce todos los pecados y rebeliones de su pueblo. Después de estas formas dramáticas de llamar la atención a su situación tan peligrosa, Amós presenta tres llamados a Israel que estudiaremos hoy.

ESTUDIO DEL TEXTO BASICO

1. Que tres alumnos lean los tres llamados a Israel en voz alta (5:4-9, 14-20, 21-24), y que los demás sigan la lectura en sus Biblias.

2. Contesten la sección: Lea su Biblia y responda y que compartan brevemente las respuestas.

3. Escriba en el pizarrón "Llamado al arrepentimiento" y vuelva a leer 5:4-9. Pregunte qué es el arrepentimiento. ¿Por qué enfatiza que "buscar a Dios" nos da vida? ¿Qué había sustituido a Dios? ¿Por qué tenían que arrepentirse? ¿Por quién hemos nosotros sustituido a Dios?

4. Escriba en el pizarrón "Llamado a la justicia", y que alguien lea 5:14-20. Aclare la idea de "justicia" en la Biblia. Enfatice las demandas de Dios en 5:14, 15. Este llamado es a la vida recta.

5. Hable de lo que es el "Día de Jehovah", resaltando la idea equivocada que tranquilizaba al pueblo (5:19, 20). El llamado de Dios es a arrepentirse, buscar lo bueno, amar el bien, establecer la justicia.

6. Escriba en el pizarrón "Llamado a la verdadera adoración". Lean 5:21-24 y aclare qué es "adoración verdadera". Muestre las fotografías, imágenes y/o signos que evidencian la "adoración popular o equivocada". Mencione razones que obstaculizan una verdadera adoración a Dios. Considere los cultos en el templo. ¿Es aceptable nuestra adoración? ¿Qué quiere Dios? ¿Cuál debe ser el enfoque de nuestra adoración?

7. Repase los tres llamados que Dios hizo a Israel, tres advertencias del rechazo del pueblo por su falta de arrepentimiento, por no practicar la justicia, por divorciar la alabanza de la rectitud de la vida. ¿Estaría nuestro país, nuestra comunidad en las mismas condiciones?

APLICACIONES DEL ESTUDIO

1. Leer con cuidado en el libro de alumnos las *Aplicaciones del estudio.* **2.** Presente las que figuran en este libro de Maestros y pregunte: ¿Cómo podemos hoy responder a estos tres llamados de Dios? **3.** Hablen de formas concretas de responder a ellos en la vida diaria.

PRUEBA

Completar en los libros de alumnos y compartir las respuestas. Que un alumno comparta un testimonio de cómo fue fiel al llamado de Dios en cierta circunstancia y cómo Dios le ha bendecido por esa fidelidad.

Unidad 6

Dios demanda liderazgo responsable

Contexto: Amós 6:1-14
Texto básico: Amós 6:1-14
Versículo clave: Amós 6:12
Verdad central: El mensaje de Amós contra la arrogancia y el orgullo de los dirigentes de Israel nos enseña que Dios nos hace responsables por la posición de liderazgo que ocupamos.
Metas de enseñanza-aprendizaje: Que el alumno demuestre su: (1) conocimiento de cómo los dirigentes de Israel en los días de Amós pusieron en peligro a la nación, (2) actitud de responsabilidad por la posición de liderazgo que él ocupa.

Estudio panorámico del contexto

A. Fondo histórico:

Las ciudades capitales, Jerusalén de Judá y Samaria de Israel, estaban situadas sobre montañas no muy elevadas pero con suficiente altura como para poder observar el avance de un ejército enemigo y rechazar un ataque. Ambas ciudades resistieron por más de dos años ser sitiadas por ejércitos enemigos que utilizaban la tecnología más avanzada de la época. Durante la vida de Amós los dirigentes de Israel pensaban que no caerían nunca en manos de una potencia hostil.

B. Énfasis:

Una vida ociosa, 6:1-7. Amós describe la mentalidad de los que creen que aunque pasen desastres y conquistas en otras partes del mundo nunca les va a pasar a ellos tal cosa. Pasan su tiempo disfrutando de los supuestos placeres de una vida ociosa. Gastan su dinero en productos de recreo y belleza sin preocuparse en lo más mínimo de los que no tienen ni siquiera para comer. Tal conducta despreocupada e irresponsable obliga a Dios a actuar. Estos que han sido los primeros en gastar dinero para sus placeres comprando lujos innecesarios, serán los primeros en caer como prisioneros de guerra.

Juicio por la arrogancia y el orgullo, 6:8-11. La indignación de Dios se expresa contra los practicantes del materialismo secular. Todos sus palacios y negocios serán destruidos por un ejército invasor. La destrucción será tan completa que no quedará nadie para enterrar a los muertos y tendrán que quemar los cadáveres. Es más, un terremoto va a destruir lo poco que quede de la ciudad. ¡Tal es el juicio de Dios sobre la arrogancia y el orgullo! *Derrota final, 6:12-14.* Frente al poder de Dios todo poder humano es insignificante. Por su conducta insensata y absurda han convertido lo noble y lo correcto en veneno y amargura. Su orgullo sufrirá una derrota total. La invasión de su territorio por el ejército de Asiria no será un revés político sino el juicio de Dios sobre una nación desobediente.

Estudio del texto básico

1 Mensaje contra los dirigentes indolentes, Amós 6:1-7.

Amós vio que el juicio de la nación pecaminosa era inevitable. Su enfermedad era mortal. En 1:2 comienza su libro hablando del luto; los primeros versículos del capítulo cinco son un llamado a sus oyentes a lamentar la muerte prematura de una joven (5:1-3). El libro termina hablando del llanto de todos los habitantes de la tierra (9:5). El capítulo 6 comienza con la palabra usada para anunciar la muerte de un ser querido: *¡Ay...* La muerte era bien merecida como castigo por pecados bien identificados y señalados por Dios a través del profeta. Este capítulo es un sermón poderoso que se podría titular "El juicio de los tranquilos".

El profeta describe el fin de los confiados. Ellos no se preocupan por nada: sus defensas son adecuadas, sus negocios prosperan y viven rodeados de lujos. La posesión de dinero siempre da una sensación falsa de seguridad. Esta gente vivía con arrogancia y orgullo, totalmente insensible al sufrimiento de los pobres que les rodeaban.

V. 1. Aquí se describe cómo les encantaba a los de Israel consultar a los ricos y a los gobernantes de otras naciones sobre la mejor manera de manejar sus negocios.

V. 2. *¿Acaso sois mejores que aquellos reinos?* El profeta se burla de la arrogancia de Israel cuando refiriéndose al territorio externo que ellos poseían, decían ser tan importantes como los asirios en la política internacional. Amós, conocedor de la política internacional les invitó a medir su prosperidad con la de otras naciones, ya que pronto iban a caer bajo el yugo del agresor: Asiria.

V. 3. Por su conducta despreocupada vivían como los que piensan que ninguna guerra o epidemia les va a tocar. ¡Más pronto de lo que pensaban les esperaba una gran sorpresa!

Vv. 4-6. Estos versículos describen el estilo de vida de los líderes de Israel. Con el uso de siete verbos diferentes el profeta describe el estilo de vida de la sociedad decadente de Israel. Descansan sobre costosas camas, comen sus banquetes al son de la música popular del día. En el versículo seis el profeta pone su dedo en la llaga: *no os afligís por la ruina de José,* o sea de sus compatriotas. Su grave pecado es que no les importa nada de lo que les pasa a los pobres y a los obreros de la nación.

V. 7. Haciendo burla de la búsqueda de prestigio en la alta sociedad el profeta dice que los que están en la cúspide de la opulencia serán los primeros en ir a la esclavitud del cautiverio. Ellos querían ocupar siempre el primer lugar y efectivamente serán los primeros prisioneros de guerra.

2 Mensaje contra el orgullo y la jactancia de los dirigentes, Amós 6:8-11.

V. 8. En 4:2 Dios juró por su santidad castigar el orgullo y la opresión que practicaban las mujeres de la alta sociedad, y ahora en este texto jura enviar el juicio sobre la clase dominante de Israel. No es una amenaza; el *Dios de los Ejércitos* de ángeles tiene perfectamente el poder para destruir a la pequeña nación arrogante. En un lenguaje fuerte dice que Dios "abomina" la grandeza de los políticos que consideran que su seguridad consiste en su posición social y en las riquezas que han acumulado. Dios "detesta" los palacios que son templos de la cultura secular donde los grandes viven en la opulencia con el dinero robado oprimiendo a los pobres.

Se menciona aquí el primer instrumento de juicio: la guerra, una invasión por un ejército extranjero que va a saquear la ciudad. Y es más, Dios no va a levantar un solo dedo para defender esa "grandeza" que es el resultado de la violencia y la injusticia.

Vv. 9, 10. El profeta anuncia otro elemento al castigo de Dios por el orgullo y la arrogancia de los dirigentes: además de la guerra el pueblo recibirá otro mal, por el cual aún los sobrevivientes morirían. La referencia a *su pariente lo tomará para incinerarlo,* se refiere a la costumbre de honrar a los muertos quemando especias. Por lo terrible del castigo recibido tendrían que evitar mencionar el nombre de Jehovah para que no les pasara algo peor (Sofo. 1:7).

V. 11. Después vendrá un terremoto y las paredes de las casas grandes y pequeñas se cuartearán y caerán. Efectivamente, el Día de Jehovah ha llegado y nadie puede escapar al juicio de Dios.

3 Mensaje contra la perversión del derecho y la justicia, Amós 6:12-14.

La conclusión del breve mensaje es que es absurdo hacer caso omiso de las leyes morales de Dios. La justicia de Dios permanecerá y el orgullo del hombre desaparecerá.

V. 12. Ningún agricultor sería tan insensato para abusar de sus *caballos y bueyes* haciéndoles algo dañino e imprudente, pero los dirigentes se han burlado de las leyes morales de Dios. El comportamiento de los ricos ha vuelto la justicia de los tribunales en amargura y *veneno*. Nos hace recordar la parábola de Isaías 5:1-7 que relata cómo Dios esperaba justicia y llegó a sus oídos el clamor de los oprimidos; esperaba juicio y descubrió vileza por parte de los líderes de Israel.

V. 13. Aún peor, en lugar de dar gracias a Dios por sus bendiciones los líderes se jactan diciendo algo como esto: "Todo lo que tengo lo he ganado con mis dos manos. Nadie me ha dado nada."

V. 14. La única opción que le quedó a Dios ante semejante arrogancia e insensibilidad fue la de quitarles todo. Se jactaban de que habían colocado de nuevo las fronteras de Israel donde David las tenía (2 Rey. 14:25). Amós anuncia una invasión terrible y devastadora. Un ejército enemigo ocupará cada centímetro de la tierra desde la frontera con Damasco en el norte hasta el río Arabá que era la frontera con Egipto. De toda su riqueza no les quedará nada, ni un metro cuadrado será considerado como suyo. Las leyes de Dios no pueden ser burladas; los que no las tomen en cuenta sentirán todo el peso de su propia maldad.

Aplicaciones del estudio

1. Los líderes son responsables por su propia conducta. Su conducta irresponsable y despreocupada obliga a Dios a actuar. Dios no está cada día buscando castigar la maldad, pero un día cuando el transgresor menos lo espera caerá el juicio de Dios.

2. El dinero es un buen siervo pero muy mal amo. Los que sólo usan su dinero para divertirse y comprar lujos, un día van a descubrir que no tienen lo que el dinero no puede comprar: amigos leales, paz en el corazón y la seguridad de tener una casa en los cielos no hecha con manos humanas. La raíz de todos los males es amar demasiado el dinero. Hay muchas formas loables de usar los bienes materiales. La verdadera riqueza de una persona consiste en su capacidad de usar sus bienes en beneficio de los menos afortunados.

3. La justicia de Dios prevalecerá y el poder humano desaparecerá. ¡Frente al enorme poder de Dios todo poder humano es insignificante! La destrucción del territorio y los bienes de los arrogantes será completa: ¡no les quedará nada! No es motivo de jactancia decir que el Señor ejecutará juicio contra los aparentemente poderosos que usan su posición para oprimir a los demás.

La prosperidad que no produce felicidad
Amós 6: 12-14

Introducción: El gozar de prosperidad económica y de un alto nivel de comodidad en la vida no nos garantiza la felicidad actual ni un futuro halagüeño. Cuando los bienes materiales se convierten en el centro de atención y ocupan el primer lugar en la vida de las personas, entonces dejan de ser una bendición. Es necesario poner en orden nuestros valores.

I. Una sociedad con los valores invertidos.
   A. Piensa que los bienes materiales traen la felicidad.
   B. Hace cosas deshonestas para conseguir bienes.
   D. Da muy poco valor a la honradez, la pureza sexual, la seriedad en los compromisos personales. Solo da valor a los objetos materiales.

II. El egoísmo del ser humano.
   A. El ser humano piensa que no le debe nada a nadie. "Yo he conseguido todo lo que tengo con estas dos manos y mi inteligencia. Nadie jamás me ha dado nada." Es el refrán de la persona moderna.
   B. Centra en sí mismo todas sus actividades.

III. Dios tiene la última palabra.
   A. Los objetos pierden su valor.
   B. La salud se quebranta.
   C. La fama social desaparece.
   D. Dios va a llevar a cabo sus propósitos.

Conclusión: Seamos respetuosos de Dios, reconozcamos que somos mortales. Solamente lo que uno hace en el servicio de Dios tiene valor eterno y trae la felicidad. Dios tiene la facultad de dar y quitar la salud, de él son todos los bienes materiales. El tiene un plan que llevará adelante a pesar de que el hombre ha invertido sus valores. Vale la pena someterse al plan soberano de Dios para tener una vida abundante y feliz.

Lecturas bíblicas para el siguiente estudio

Lunes: Amós 7:1-3   **Jueves:** Amós 7:10, 11
Martes: Amós 7:4-6   **Viernes:** Amós 7:12-17
Miércoles: Amós 7:7-9   **Sábado:** Amós 8:1-3

AGENDA DE CLASE

Antes de la clase
1. Estudie con anticipación el texto bíblico, tanto en el libro de Maestros como en el del alumno. **2.** Fije su atención en la soberbia de los líderes de Israel frente a las responsabilidades que Dios les había dado. **3.** Si hay situaciones de corrupción en su propio país (en la política, el comercio, en los mercados, etc.) podría pensar en formas en las cuales podrían hablar de alguna de estas situaciones contemporáneas, procurando ser lo más objetivos posible. Sin embargo, hay que reconocer que la situación de Israel no es muy distinta a las situaciones de nuestros países "cristianos" hoy día. Pida a Dios su dirección para escoger una situación paralela a la de Israel para resaltar la necesidad de rectitud y honestidad en la vida, tanto de los líderes como del pueblo. **4.** Complete en el libro del alumno la sección: *Lea su Biblia y responda.*

Comprobación de respuestas
JOVENES: **1.** Líderes. **2.** a. Duermen en camas de marfil; b. Comen los corderos de rebaño; c. Inventan instrumentos musicales. **3.** F, F, V.
ADULTOS: **1.** Dormir en camas de marfil; glotonería; ociosidad (cantar e inventar música); borrachera; extravagancia. **2.** a. Les llevará a la cabeza de los cautivos, acabará el banquete de los holgazanes. b. entrará el enemigo en la ciudad. c. Dios levantará una nación contra ellos que los oprimirá. **3.** La soberbia. **4.** Derecho - veneno - fruto - justicia - ajenjo.

Ya en la clase
DESPIERTE EL INTERES
Basándose en su reflexión de problemas que existen en la actualidad de líderes que no son responsables frente a su deber, pregunte:
1. ¿Qué queremos en un líder público: sus cualidades, su forma de ser, su forma de llevar a cabo su responsabilidad? **2.** ¿Hay diferencias entre lo prometido en una campaña política y cómo desempeñan su puesto? ¿Por qué? ¿Cuál sería la responsabilidad de quienes les han elegido? ¿Tienen también responsabilidad de vigilar las acciones de los elegidos? **3.** ¿Es fácil o difícil ser honesto y responsable en tiempos de abundancia o de estrechez económica? ¿Qué pasó en Israel?

ESTUDIO PANORAMICO DEL CONTEXTO
1. Presente la información del *Fondo histórico* que se presenta al inicio de este estudio. **2.** Mencione que la palabra "Ay" es un formato especial usado por los profetas para expresar el dolor y la tristeza que van a experimentar. Aquí enfatiza que el dolor vendrá aun a los confiados y tranquilos, que piensan que por su posición no tienen que ser responsables.

ESTUDIO DEL TEXTO BASICO

1. Pida a cada alumno que responda a la sección: *Lea su Biblia y responda.* Si hay dudas en cuanto a las respuestas aclare con ellos la respuesta indicada.

2. Lea Amós 6:1-7 y haga notar que todo el capítulo puede ser llamado "El juicio de los tranquilos".

3. Resalte la confianza falsa de Israel y Judá. Mencione las señales de la opulencia del pueblo. Hable de estos pecados frente a la responsabilidad de los líderes de proveer dirección y ejemplo para todos. Termine con el juicio de Dios en el v. 7.

4. Lean Amós 6:8-11 y resalten la soberbia y la opulencia de los líderes. ¿Cuál será su fin? (vv. 8 y 11). Guíe el estudio de la clase a los vv. 9, 10 que demuestran la superstición de las personas frente a la muerte. Dios podría haberles ayudado en ese momento de pánico, pero, ¿por qué no podría hacerlo? Enfatice el hecho de que la relación con Dios tiene que ser constante y sincera. El no es un Dios "bombero" a quien uno puede acudir solamente en momentos de crisis y olvidarse de él en todo el resto de su vida.

5. Lean Amós 6:12-14 y explique que es absurdo hacer caso omiso de las leyes morales de Dios. Aclare los vv. 12, 13 usando los datos dados en los materiales para la clase en los libros de maestros y alumnos.

6. Termine con la decisión de Dios de castigarles por medio de una nación que les va a oprimir. Sabemos que esto es lo que pasó en el año 722 a. de J. C. cuando Asiria derrotó a Israel destruyendo por completo a Samaria y llevándoles a un cautiverio cruel. Los líderes, tan orgullosos e irresponsables para enseñar la rectitud que Dios les había mandado, fueron la causa principal de la corrupción del pueblo.

APLICACIONES DEL ESTUDIO

1. Escriban en el pizarrón una lista de no menos de 10 características que debe poseer un buen líder. **2.** Discutan las aplicaciones que presentan los libros de maestros y alumnos. Hagan un detalle de la responsabilidad de un líder, y de las personas que son parte del grupo que lidera, apuntando las respuestas en dos listas en el pizarrón. ¿Se puede "lavar las manos" de su responsabilidad personal quien forma parte de un grupo sin ser líder? ¿Por qué?

PRUEBA

Completar en el libro del alumno las dos actividades en la sección: *Prueba.* Pida a Dios que ayude a cada persona a serle fiel en las responsabilidades que tiene.

133

Dios demanda atención y obediencia

Contexto: Amós 7:1 a 8:3
Texto básico: Amós 7:1-17; 8:1-3
Versículo clave: Amós 7:8
Verdad central: Las cuatro visiones del castigo que Dios daría a Israel nos enseñan lo que pasa cuando ignoramos la voz del Señor.
Metas de enseñanza-aprendizaje: Que el alumno demuestre su: (1) conocimiento de las cuatro visiones del castigo que Dios daría a Israel, (2) actitud de obedecer y no ignorar la palabra del Señor.

Estudio panorámico del contexto

A. Fondo histórico:

La segunda parte del libro de Amós comienza con el capítulo siete. Los capítulos uno al seis son una colección de los mensajes que Amós predicó durante su breve ministerio en el norte. Los capítulos siete al nueve describen las visiones que inspiraron al profeta a predicar mensajes tan definitivos del juicio venidero sobre Israel.

Es imposible saber cuándo y cómo llegaron las visiones a Amós. Seguramente después de ver las condiciones inhumanas de opresión en el norte y de comprobar cómo los líderes eran totalmente indiferentes al sufrimiento del pueblo, comprendió que Dios no iba a tolerar eso por mucho tiempo. Las visiones de Amós se refieren a acontecimientos de la historia de la comunidad y las lecciones que se pueden aprender de ellos.

Todos sabían lo que era una plaga de langostas o el fuego en el bosque. También habían visto una canasta de fruta a punto de echarse a perder por estar muy madura. De tales cosas comunes y corrientes de la vida eran las visiones de Amós.

B. Énfasis:

La primera visión, 7:1-3. Amós percató algo que lamentablemente los hebreos vieron muchas veces: una plaga de langostas que devoró la cosecha de la primavera. Esta cosecha pertenecía al pueblo después de pagar los impuestos correspondientes al rey. El profeta intercede por el pueblo reconociendo que a pesar de toda su prosperidad Israel es muy pequeño delante del poder de Dios.

La segunda visión, 7:4-6. Nada inspira tanto miedo al agricultor como el fuego en sus campos. Lo destruye todo y no hay nada que se pueda hacer para detenerlo. El fuego llegaba como juicio de Dios sobre el pueblo pecaminoso. Una vez más Amós intercede por el pueblo. Dios no se arrepiente como un pecador, sino desiste de su propósito de destruir a Israel como respuesta a la oración de su siervo.

Tercera visión, 7:7-9. La próxima visión no admite intercesión. La muralla de rectitud, de honradez del pueblo está tan torcida, tan pervertida por sus pecados que Amós no halla motivo para interceder por ellos. La plomada y la línea que Dios pone al lado de ellos significa su voluntad revelada en sus mandamientos. Se han inclinado hacia la desobediencia total. Dios no puede tolerar más, el juicio por medio de una invasión extranjera es inevitable.

Reacción de Amasías, 7:10-17. El sumo sacerdote que tiene la responsabilidad de asegurar al pueblo que todo marcha bien no puede aguantar las palabras de Amós. Lo acusa de ser agitador profesional y lo expulsa del territorio. Amós afirma que nadie le paga para dar sus mensajes; Dios le ha llamado a esa difícil tarea. Y es más, el mismo sacerdote y su familia van a sufrir los efectos del juicio de Dios que resultará en el destierro del pueblo.

La cuarta visión, 8:1-3. En una cuarta visión Amós ve una canasta de fruta muy madura casi a punto de dañarse. Reconoce que el pueblo está a punto de sufrir el juicio de Dios y después de dicha catástrofe tan horrible quedará sólo silencio en la tierra.

─────────────── **Estudio del texto básico** ───────────────

1 La visión de las langostas, Amós 7:1-3.

No se sabe por qué las visiones aparecen después de los mensajes en el libro de Amós, ni si son esas visiones las que inspiraron al profeta a predicar contra la injusticia reinante en Israel. Tal vez las visiones constituyeron el llamamiento de Amós a su ministerio y las colocó después como una manera de autenticar sus mensajes. Así es en el relato de Isaías que aparece en el capítulo seis después de cinco capítulos de mensajes. Todas las visiones están relacionadas con asuntos de la vida diaria; otra persona pudiera haber visto algo semejante sin darle mucha importancia, pero Amós vio en esos acontecimientos la mano de Dios obrando en la historia del pueblo de Israel.

En cada caso el profeta dice que la experiencia que va a relatar no es algo que él buscó sino que *Así le mostró Jehovah el Señor* (Amós 7:1, 4, 7; 8:1). Dios le capacitó con una "mirada profética" para ver algo que la persona común y corriente no podía ver.

Vv. 1, 2. La plaga de langostas, saltamontes en muchos lugares, ocurrió después de la primera siega del trigo de invierno. Después de las lluvias tardías de marzo y abril llegó la "cosecha de primavera" que es la mejor explicación de la frase *heno tardío* que ocurre únicamente en este versículo en toda la Biblia. La gente había pagado sus impuestos al rey (1 Sam. 8:15-17); y ahora podían cosechar el trigo para su propio uso. En ese momento los insectos se lo comieron todo. Amós intercedió ante Dios alegando que una nación tan pequeña no podía resistir un golpe tan fuerte.

V. 3. El arrepentimiento de Dios no es como el del hombre, sino es el cambio de parecer por parte de Dios al desistir del propósito que había planeado antes. En este caso Dios escuchó la oración de su siervo. Como en Génesis 6:6 es la manifestación de un dolor agudo en el corazón de Dios.

2 La visión del fuego, Amós 7:4-6.

Vv. 4-6. La segunda visión es la de un enorme fuego que destruye gran parte de la tierra cultivable y deja al pueblo sin comida y sin vivienda. Podría ser el resultado de la sequía de un intenso verano, pero de cualquier manera fue la actuación directa de Dios. Amós apela a Dios diciendo que Jacob, o sea el pueblo de los hijos de Jacob, es una nación tan pequeña que no podría resistir un golpe tan fuerte. Una vez más Dios manifestó su misericordia y su paciencia.

3 La visión de la plomada, Amós 7:7-9.

Tal como Amós dijo en su sermón del capítulo cuatro, la gente no se ha vuelto a Dios a pesar de pasar por circunstancias muy difíciles. La tercera visión demuestra claramente a Amós el porqué Dios ha decretado el castigo sobre su pueblo.

V. 7. El profeta veía que Dios estaba midiendo el ángulo de inclinación de un muro que representaba a Israel. La construcción no estaba "a plomo", sino que se inclinaba de forma peligrosa. Los mandamientos de Dios son rectos; la Ley de Dios es perfecta (Sal. 19:7-9). Usando esta base Dios construyó a Israel recto, conforme a las leyes de la justicia establecidas por él.

V. 8. Amós ve claramente que el muro está a punto de caer y Dios mismo le advierte que no puede "tolerar" tanta variación en las normas de justicia ya establecidas. El muro está por venirse abajo; hay que destruirlo como en 2 Reyes 21:13 e Isaías 34:11. Dios reconoce que esto pasa a su pueblo y como dueño, él tiene una responsabilidad especial para corregir la situación.

V. 9. *Los altares de Isaac* se refieren a los santuarios de los dioses paganos que habían construido para fingir que estaban manteniendo la tradición de cultos al aire libre que Isaac practicó antes de tener el templo en Jerusalén.

136

4 Amasías confronta a Amós, Amós 7:10-17.

Vv. 10, 11. Cuando Amós anunció el contenido de la tercera visión provocó una reacción fuerte de *Amasías*, sumo sacerdote del santuario oficial del rey *Jeroboam*. *Amasías* reconoció en seguida el peligro de la predicación de Amós. No era simplemente propaganda contra el régimen, era la palabra de Dios anunciada por un profeta. Para el hebreo la palabra profética tenía una existencia propia, como una flecha lanzada no podía ser detenida. Amós era culpable de echar una maldición sobre la nación y eso podría traer consecuencias graves.

Vv. 12, 13. El sacerdote le acusa de ser uno de los "profetas profesionales" que recorrían al país pronunciando oráculos dramáticos esperando recibir un pago por decir algo que sus oyentes querían oír, pero que no era mensaje de Dios. Por su acento sabía que Amós era del sur. De forma despectiva le llama *vidente* implicando que es uno que adivina el futuro a quienes le pagan por ello. El sacerdote le insinúa que debe ir a su pueblo, Judá, para que le paguen por sus oráculos.

Vv. 14-17. Como hombre independiente que era, Amós respondió con energía al sacerdote. Le dijo que no era y nunca había sido miembro del sindicato de profetas profesionales. No tenía que hacer esto para comer; era ganadero y obtenía sus ganancias con su trabajo honrado. Para él era una sorpresa que Dios le sacó de lo que estaba haciendo y le envió al norte a predicar. No era por su deseo, sino por iniciativa de Dios que Amós estaba predicando en Betel. Al leer esta palabras somos testigos de un fenómeno peculiar de la historia; por razones que nadie sabe Dios llama a personas a ser sus voceras en la tierra. No llama siempre a los que tienen don de palabra o a los más preparados académicamente. Llama a quien quiere ser su portavoz en la tierra. La persona que depende de Dios en oración y mantiene una vida limpia, es a la que Dios, en el momento indicado, le va a dar su Palabra para que la predique. El profeta verdaderamente sabía que cuando comenzó su mensaje con la frase: *así dice Jehovah* ya no eran palabras suyas las que pronunciaba sino un mensaje directo del corazón de Dios. La entrevista terminó con una descripción gráfica del sufrimiento que esperaba a la familia del sacerdote, y una profecía de la invasión de la tierra de Israel y su caída ante una potencia extranjera.

5 La visión de una cesta con frutas de verano, Amós 8:1-3.

Vv. 1, 2. La cuarta visión indicó a Amós que el tiempo de juicio estaba por llegar. En el mercado público vio una *cesta con fruta* madura conocida por el nombre *kayits* en hebreo. En seguida vino a su mente la palabra "fin", *kets* en hebreo y muy semejante al nombre de la fruta. De forma instantánea supo que el "fin" se acercaba para el pueblo a causa de su injusticia, opresión e inmoralidad. Una vez mas oyó la voz de Dios diciendo: *¡No lo soportaré más!*

V. 3. Después viene el silencio de la muerte por toda la tierra, el fin había llegado.

Aplicaciones del estudio

1. Lecciones de la vida diaria. Los hechos cotidianos nos enseñan grandes lecciones espirituales y morales. Hemos de tener cuidado de no sacar conclusiones indebidas de ellos. **2. El verdadero líder intercede por su pueblo.** Reconoce que a pesar de su pecado Dios obra con la posibilidad de cambiarlos y concederles otra oportunidad de arrepentirse. **3. Dios no tolera la inclinación moral.** Debemos vivir de forma recta dispuestos a que se nos ponga la plomada del divino arquitecto.

Ayuda homilética

Por los frutos somos conocidos
Amós 8:1-6

Introducción: Es difícil saber escoger bien la fruta en el mercado, así como las cosas más valiosas en la vida. Fácilmente podemos escoger mal y los resultados llegan a ser graves.

I. El creyente debe observar con cuidado la vida.
   A. Vivimos en un mundo donde todo parece muy bonito o bueno.
   B. Amós vio la fruta a punto de estropearse, casi podrida.
   C. El cristiano debe mirar con cuidado su propia vida.

II. Los signos de una sociedad decadente.
   A. El abuso de los pobres, la injusticia a los obreros, la falta de compasión para la viuda y el huérfano.
   B. La corrupción en los tribunales.
   C. Las consecuencias lógicas. Dios no puede tolerar más; el fin ha llegado para una sociedad pecaminosa.

III. La urgencia de la hora actual.
   A. Dios nos llama al arrepentimiento.
   B. Dios nos urge a hacer lo correcto no importa lo que hagan los demás.

Conclusión: El pueblo de Dios debe vivir un vida de honradez y rectitud. Jesús nos advirtió que el árbol se conoce por su fruto. La gente nos conocerá por nuestros frutos en la vida diaria.

Lecturas bíblicas para el siguiente estudio

Lunes: Amós 8:4-6   **Jueves:** Amós 9:1-6
Martes: Amós 8:7-10   **Viernes:** Amós 9:7-10
Miércoles: Amós 8:11-14   **Sábado:** Amós 9:11-15

AGENDA DE CLASE

Antes de la clase
1. Lea con cuidado el pasaje bíblico y los comentarios en los libros de Maestros y alumnos. Las visiones que Amós tenía se basaban en experiencias que él y sus oyentes habían conocido en la vida diaria. Así que no existía la posibilidad de perder su significado para el pueblo. **2.** Si es posible traiga diferentes materiales para ilustrar (o un dibujo) estas cuatro visiones: a. Una hoja de una planta comida por un insecto, o una fotografía de un campo invadido por una plaga de insectos. b. Un cuadro de un campo o una casa totalmente quemada por un incendio. c. Una plomada de albañil y una fotografía de una pared mal construida. d. Una fruta madura a punto de estropearse. Reflexione antes de ir a la clase en el significado de su mensaje. **3.** Responda en el libro del alumno a la sección: *Lea su Biblia y responda.*

Comprobación de respuestas
JOVENES: **1.** a. Langostas; b. Fuego. **2.** Profeta, cultivador, recojo higos silvestres. **3.** La destrucción será completa.
ADULTOS: **1.** Un enjambre de langostas para comer la cosecha y un gran fuego para consumir todo. **2.** Una plomada de albañil. **3.** Uno que conspira contra Israel... Vidente..., se vaya a su tierra y no profetice más en Betel. **4.** Jehovah me tomó para profetizar. **5.** Cesta de fruta madura, ha llegado el fin del pueblo.

Ya en la clase
DESPIERTE EL INTERES
1. Muestre los elementos que ilustran las cuatro visiones que ha traído y hablen del mensaje de Dios a su pueblo, del juicio que venía por su desobediencia y por ignorar su palabra y el mensaje del profeta. **2.** Haga las siguientes preguntas: ¿Por qué no escuchaba o se arrepentía la gente? ¿Cree que usted hubiera escuchado la voz de amenaza de Amós frente a estas visiones con sus mensajes tan claros? ¿Escucha hoy cuando el mensajero de Dios le da una advertencia así? ¿Cuál es su reacción?

ESTUDIO PANORAMICO DEL CONTEXTO
1. Presente a la clase un repaso de este contexto usando la *Verdad central* de cada estudio anterior, 14 al 17. Que un alumno las escriba en el pizarrón. **2.** Comparta la información del *Fondo histórico* que usted puede consultar en la parte inicial de este estudio bajo el título *Estudio panorámico del contexto.*

ESTUDIO DEL TEXTO BASICO

1. Lean el Texto básico y completen, en forma individual, la sección: *Lea su Biblia y responda* del libro del alumno.

2. Pregunte ¿quién le dio las cuatro visiones a Amós? Resalte que las palabras con las que inicia cada visión le dan una fuerza mayor porque vienen del Señor. Amós siempre subraya que él es el vocero de Dios; el mensaje es de Dios, él solamente es el instrumento.

3. Lean de nuevo 7:1-3 y aclaren el punto de la segunda cosecha, enfatizando el hecho de que esta cosecha era le que ellos tendría para comer. Perderla significaría una hambruna terrible. Noten la petición de Amós, con una ternura poco característica de un profeta tan brusco. A su petición tan sentida Dios desiste de su plan del castigo tan fuerte.

4. Lean 7:4-6. La visión del fuego era tan devastadora que no solamente quema todo la hierba y los edificios, sino que termina con todas las fuentes del agua. Otra vez vemos la intercesión de Amós y Dios desiste. ¿Qué significa "tan pequeño"?

5. Lean 7:7-9. La plomada del albañil era usada por Dios para medir la rectitud del pueblo. ¿Cuál fue el resultado? ¿Cómo nos mide Dios a nosotros? Cuidado con ignorar las demandas de Dios en nuestras vidas.

6. Lean 7:10-17 y hablen del porqué de la preocupación de Amasías por la predicación de Amós. ¿A quién daba su lealtad el sacerdote Amasías? ¿Cómo iban a ser castigados él y su familia?

7. Lean 8:1-3, la última visión en este pasaje. Muestre la fruta estropeada que usted trajo y pregunte si se puede hacer algo para que esta fruta vuelva a estar bien. Si una persona ha pecado constantemente a pesar de escuchar las advertencias que Dios le ha dado, llega un momento cuando ya es demasiado tarde. La destrucción tocará toda la vida del pueblo de Israel, el sitio del culto, las familias, TODO. El fin será total.

APLICACIONES DEL ESTUDIO

1. Presente la *Verdad central* de este estudio y analicen la realidad de lo que pasa cuando ignoramos las advertencias de Dios.

2. Lean con cuidado en los libros de Maestros y alumnos estas aplicaciones. Que en grupos pequeños los alumnos hablen de las señales que el Señor nos da de nuestro estado espiritual y de la importancia de escuchar su advertencia y ser leales a nuestro Dios, obedeciéndole en todo.

PRUEBA

Reunidos en los mismos grupos pequeños de la actividad anterior, que cada alumno complete en su libro las actividades de Prueba y comparta sus respuestas. ¿Hay cambios que debe hacer en su vida como respuesta a las enseñanzas de este estudio? ¿Qué hará?

Unidad 6

Dios ofrece restauración

Contexto: Amós 8:4 a 9:15
Texto básico: Amós 8:4-10; 9:2-4, 11-15
Versículo clave: Amós 9:15
Verdad central: El castigo y la restauración de Israel nos enseñan que Dios castiga a los que le desobedecen con el propósito de llamarlos a la obediencia y así restaurarlos.
Metas de enseñanza-aprendizaje: Que el alumno demuestre su: (1) conocimiento de cómo Dios castigó la desobediencia y luego restauró a Israel, (2) actitud de obediencia a Dios para ser restaurado por el Señor.

─────── **Estudio panorámico del contexto** ───────

A. Fondo histórico:

En este estudio vemos cómo el libro de Amós termina con una descripción gráfica de los últimos días del reino del norte antes de su derrota total por los ejércitos de Asiria en 722 a. de J.C. Reinó la anarquía total y al fin ninguno de los palacios y templos lujosos quedaron en pie.

No obstante, Amós vio más allá de la tragedia y contempló el gran día cuando Dios iba a unir la nación dividida bajo un hijo de David y proveerles una prosperidad desconocida por toda nación del medio oriente.

B. Enfasis:

Medidas y pesas falsas, 8:4-6. Estos versículos representan el comienzo del sexto mensaje en el libro. Amós se dirige a los que están explotando a sus obreros y a los campesinos que venden sus cultivos en el mercado. Es una infracción a la Ley de Dios usar medidas y pesas falsas. Pagan salarios ínfimos a los pobres. Son intermediarios entre el agricultor y el consumidor: al que trabajó la tierra le han pagado precios insignificantes, al consumidor le cargan precios astronómicos.

Terremoto, oscuridad y duelo, 8:7-10. Puesto que trabajan en alianza con las autoridades religiosas y civiles no tienen nada que temer de ellas. Pero Dios no va a pasar por alto su pecado. Parece que va a enviar su castigo en la forma de un terremoto peor que los ya conocidos.

Hambre y sed de Dios, 8:11-14. Lo más terrible para esta gente no será la pérdida de sus bienes y el cambio drástico en su estilo de vida, sino su desorientación total. No sabrán qué deben hacer, no tendrán propósito en la vida. Muchos tal vez tendrán recursos para edificar de nuevo sus casas y sus comercios después del terremoto, pero no tendrán ganas de hacerlo.

No se puede huir de la presencia de Dios, 9:1-6. La quinta visión llegó a Amós mientras observaba a la gente celebrando la fiesta de la cosecha. Comprendió que el juicio iba a comenzar en la casa de su Dios. Sus santuarios tan bien construidos y tan bien amueblados no les van a servir como lugares de refugio. La tradición era que un fugitivo podría salvarse al agarrarse de los cuernos del altar (1 Rey. 1:50). Amós dice que el templo se vendrá abajo sobre sus cabezas; nadie podrá salvarse.

Parece que Amós conocía bien el Salmo 139 porque de igual manera anunció que no hay lugar en la tierra, ni debajo de la tierra, ni en los cielos donde uno pueda esconderse de la presencia de Dios. Al contrario, el Creador de las estrellas y los cielos tocará a la tierra y sus habitantes con su vara de juicio.

Israel no escapará del juicio divino, 9:7-10. Estos versículos son de suma importancia. Amós comprendió que Dios no solamente gobierna en los asuntos de Israel, sino que obra en la historia de todos los pueblos de la tierra. Ellos piensan que están tomando las decisiones que determinan su destino en el mundo, pero Dios es quien gobierna todo lo que pasa en este mundo. Por eso en lugar de jactarse por sus privilegios, Israel debe reconocer que tiene mayor responsabilidad ante Dios, sobre todo en asuntos morales y espirituales. Israel no fue escogido por sus méritos sino por el amor de Dios (Deut. 7:7-9), y por eso no debiera nunca emplear su relación especial con Dios como motivo de orgullo o autojustificación.

El profeta comprendió que Dios no iba a destruir del todo a su pueblo escogido, sino que dejaría un remanente purificado. Con éste Dios podría continuar su obra de salvación en la tierra. Pero a los pecadores de su pueblo, los que decían: "no nos alcanzará el mal", pensando que eran esenciales a Dios para hacer su obra, el mensaje llega con toda claridad: morirán por su pecado. No debemos nunca olvidar que Dios no depende de nosotros; ¡nosotros sí dependemos de Dios!

Dios restaura, 9:11-15. Tal como Isaías (2:2) y Miqueas (4:1), Amós esperaba con ilusión la llegada del día glorioso cuando los propósitos de Dios al fin se realizaran y su Reino se estableciera en la tierra. De nuevo el pueblo será unido bajo un solo rey de la familia de David. Gozarán de una prosperidad antes desconocida, pero lo más importante es que habitarán para siempre en la tierra prometida. Nunca más serán desalojados de la tierra que Dios mismo les dio.

1 Mensaje contra la injusticia social, Amós 8:4-6.

Vv. 4-6. Después de la cuarta visión Amós predicó otro mensaje sobre el Día del Señor. Es el sexto mensaje del libro y toca temas que el profeta ha mencionado antes en los capítulos 2, 4 y 5. Amós se dirige a los que explotan a los obreros y los campesinos y les advierte que Dios no está ciego a sus prácticas comerciales. Debido a su avaricia estaban muy impacientes durante las fiestas religiosas porque no podían ganar dinero en esos días. Hacían sus negocios falsificando las pesas y medidas. Es interesante que de todos los códigos legales del antiguo medio oriente solamente la ley religiosa de los hebreos prohibía el uso de medidas fraudulentas (Deut. 25:13-16; Lev. 19:35-37). Un pueblo santo y consagrado no debe practicar la injusticia en sus relaciones interpersonales. Pero el problema existía; Oseas (12:7) y Miqueas (6:9-11) también lo mencionan.

Probablemente debido a la carestía de la ropa y los alimentos muchos pobres se endeudaban con los comerciantes. Al no poder pagar tenían que entregar sus tierras y hasta venderse como esclavos (Lev. 25:39, 40). Hasta pudiera haber sido un plan premeditado por los comerciantes para acabar con los campesinos y formar enormes latifundios para explotar en el comercio internacional. En verdad la fruta de maldad estaba muy "madura" en Israel.

2 Mensaje de la inminencia del castigo, Amós 8:7-10.

V. 7. El lenguaje de este mensaje es muy fuerte. "Para grandes males, grandes remedios." Para mostrar la gravedad de la situación en 4:2 el Señor juró por su "santidad". En 6:8 juró por "su alma" y en este texto jura *por la gloria de Jacob,* él mismo es la gloria de Israel, o sea su único motivo de orgullo. Se nos advierte contra un concepto inadecuado de Dios; no es el "abuelito" que perdona todo y no se acuerda de lo malo que hacen sus nietos. Todos tendremos que comparecer ante Dios en el día del juicio (Rom. 14:10-12).

Vv. 8-10. Siete verbos describen un desastre de proporciones cósmicas. Amós de nuevo anuncia que el instrumento de juicio será un terremoto (2:13-16). Toda la sociedad será afectada por el pecado de los que por "el amor al dinero" (1 Tim. 6:10) se han aprovechado de los pobres, las viudas y los huérfanos. Ahora es Dios mismo que no puede hacer caso omiso de tales pecados y por eso toda la tierra va a sufrir. Una vez más la tierra se viste de luto y se oye el son de la elegía.

Aunque no forman parte del texto básico el maestro debe enseñar el significado de 8:11-14. En la actualidad muchos buscan una palabra de Dios por medio de la astrología, el espiritismo, los horóscopos, parasicólogos y nuevos movimientos religiosos, pero nunca quedan satisfechos. Van de grupo en grupo en una búsqueda frenética de una palabra definitiva para resolver sus problemas. Van por el camino equivocado, Dios ya ha tomado la iniciativa de buscarnos a nosotros. Dios estaba en Cristo ofreciendo la reconciliación y vida nueva. Solamente tenemos que depositar nuestras vidas en sus manos y no tendremos que buscar más.

3 Vanos recursos para escapar de Dios, Amós 9:2-4.

Vv. 2-4. En la quinta y última visión, el profeta ve que el juicio va a comenzar en la casa de Dios en Betel. En lugar de ser un refugio y santuario para los que con tanta complacencia han traído sus ofrendas y cantado himnos, será el lugar que Dios va a tocar primero. El juicio es un terremoto y una matanza sin piedad. El autor del Salmo 139 también comprendió que no había lugar donde uno pudiera esconderse de la presencia de Dios, pero esa idea le llevó a confiar más en Dios. Tal vez Amós había leído el Salmo. Es bien evidente en su libro que pasó muchas horas de noche mirando las estrellas (Amós 4:13; 5:8, 9 y 9:5, 6), se quedó maravillado de la grandeza de Dios y plenamente convencido de que nadie podría esconderse del que dirigía los destinos de las naciones y las estrellas. Al contrario, los que gozaban de tantas bendiciones de Dios tenían que ser aún más responsables para servirle (9:7, 8).

4 Promesa de restauración de Judá y de Israel, Amós 9:11-15.

V. 11-13. La última palabra de Amós no es una de pesimismo sino de optimismo. Desde su montaña en Tecoa el profeta mira lejos hacia el futuro, y comienza el versículo 11 con las frases que tradicionalmente emplean los profetas para referirse a la edad mesiánica o a la edad dorada del futuro: *En aquel día.* Será el día glorioso cuando los propósitos de Dios al fin se realizarán en la tierra y el reino de Dios será una realidad. Al paso del tiempo conquistarán a *Edom* y a *todos los pueblos* que invoquen el *nombre de Jehovah.*

Vv. 14, 15. Dios restaurará a su pueblo, ellos vivirán en paz y podrán disfrutar de abundancia; la frustración y la inseguridad que la guerra produce serán cosas del pasado. Podrán construir sus casas, y aun ciudades para vivir en ellas. Beberán y comerán disfrutando del fruto de sus manos. Dios plantará sobre su tierra al pueblo, aunque habían sido arrancados, nunca más lo serán. La tierra será para siempre habitada por ellos. *Jehovah ...Dios* que antes los juzgó y castigó, ahora es Dios de esperanza. El mismo Dios de antes es quien siempre será su Dios.

Estos versículos finales nos muestran cómo al final el propósito de Dios al crear la tierra, será cumplido. Este propósito incluye la completa restauración de las relaciones rotas entre el hombre y los demás hombres, pero especialmente con Dios.

Aplicaciones del estudio

1. Los parámetros de Dios no son los del hombre. Lo que algunos comerciantes llaman astucia y buen negocio es deshonesto. El creyente no debe nunca manejar medidas tramposas o pesas falsas. **2. El poder del hombre es muy poca cosa al lado del poder de Dios.** Mucho antes de la invención de la bomba atómica o las corporaciones multinacionales, Dios ha empleado su poder para castigar a los pecadores. **3. Un día el creyente va a ser ciudadano permanente del reino de Dios.** No habrá más llanto ni más dolor. Las bendiciones de Dios serán abundantes y continuas. Gozaremos para toda la eternidad en la casa de Dios.

Ayuda homilética

El cristianismo superficial
Amós 8:4-10

Introducción: Los comerciantes y usureros estaban esperando el tiempo en que terminaran sus compromisos religiosos para dedicarse a sus actividades seculares. Hoy en día, ¿qué nos pasa al salir del culto? ¿Qué hacemos en la semana para dar testimonio de nuestra fe en Cristo?

  I. El religioso superficial dice: negocio es negocio.
  A. Para él ser inteligente es saber ganar dinero.
  B. En su ética personal cabe la posibilidad de engañar, la meta es hacer negocio, no importa qué tenga que hacer para lograrlo.
  C. Su religión es el trabajo.
  II. El religioso superficial viola los derechos humanos.
  A. Es muy fácil no pagar lo que debemos pagar o engañar en el peso de la venta de un producto.
  B. Aun es válido para ellos violar los derechos humanos con tal de obtener ganancias.
  III. El religioso superficial se olvida del juicio de Dios.
  A. Dice: Dios no hace balance de libros cada semana.
  B. Pero vendrá un día cuando tenga que rendir cuentas al Creador.

Conclusión: Dios sabe muy bien lo que hacemos semana tras semana. Es fácil decir que otros hacen peores cosas. Nuestra relación con el Señor no debe ser superficial.

Lecturas bíblicas para el siguiente estudio

Lunes: Oseas 1:1-5   **Jueves:** Oseas 2:2-13
Martes: Oseas 1:6-9   **Viernes:** Oseas 2:14-23
Miércoles: Oseas 1:10 a 2:1   **Sábado:** Oseas 3:1-5

AGENDA DE CLASE

Antes de la clase
1. Antes de leer los textos bíblicos de este estudio, repase brevemente los estudios anteriores para ver la progresión de la profecía de Amós. Escriba un resumen breve para usarlo en la clase. **2.** Lea el material del contexto bíblico y responda a la sección: *Lea su Biblia y responda* del libro del alumno. **3.** Prepare dos cartelones, uno titulado "Causas que Producen el Castigo de Dios", y el otro "El Resultado del Castigo de Dios" y abajo "Negativo" – "Positivo". **4.** Lleve a la clase un diccionario de sinónimos y antónimos.

Comprobación de respuestas
JOVENES: **1.** a. Achicaban las medidas. b. Subían el precio. **2.** No olvidará jamás todas sus obras. **3.** Aunque cavasen hasta el Seol, subieren hasta el cielo, en la cumbre del Carmelo, en lo profundo del mar, en cautiverio frente a sus enemigos. **4.** Pues los plantaré sobre su tierra, y nunca más serán arrancados de la tierra que yo les di.
ADULTOS: **1.** Pisoteaban a los necesitados, usaban pesas y medidas falsas, compraban la gente por dinero, y vendían productos adulterados. **2.** Destrucciones en la naturaleza y habrá luto por la muerte y destrucción. **3.** Levantará el tabernáculo caído de David; gran productividad agrícola; restauración de la cautividad y reconstrucción de las ciudades.

Ya en la clase
DESPIERTE EL INTERES
1. Si consiguió un diccionario de sinónimos y antónimos úselo ubicando las palabras que los alumnos presenten, sean sinónimos (significan lo mismo) o sean antónimos (significan lo opuesto). **2.** Si no tiene el diccionario escriba en el pizarrón antónimos y sinónimos, haciendo una descripción de cada palabra que se va escribiendo. **3.** Amós también usaba estos términos para enfatizar el resultado del castigo de Dios a su pueblo. Hoy vamos a ver lo negativo y lo positivo o lo malo y lo bueno, o el presente y el futuro del castigo que Dios daba a su pueblo Israel.

ESTUDIO PANORAMICO DEL CONTEXTO
1. Haga un breve repaso de la labor profética de Amós: quién era, por qué llegó a Israel, cuál era su mensaje, cuál el resultado. **2.** ¿Cuáles eran las razones por las cuales el pueblo no creía su mensaje? Al pasar el tiempo la predicación de Amós fue cada vez más específica en cuanto a la destrucción del pueblo por causa de su pecado y falta de respuesta al mensaje de Dios. **3.** Que todos lean Amós 9:5, 6 y que los alumnos expresen qué título le pondrían a este pasaje. **4.** Que un alumno lea Amós

9:7-10 y señale la expresión que muestra el actuar amoroso y justo de Dios.

ESTUDIO DEL TEXTO BASICO

1. Lean el Texto básico y completen en el libro del alumno la sección: *Lea su Biblia y responda.*

2. Lean todos juntos Amós 8:4-6 y hablen de este desprecio total del prójimo. Apunte en el cartel "Causas que Producen el Castigo de Dios" los pecados que en este pasaje se mencionan. ¿Hay violaciones en el trato humano en nuestras días que debemos rechazar? Apunte en el cartel respuestas de pecados sociales contemporáneos.

3. Lea Amós 8:7-10 y pregunte qué pasó por la falta de humanidad por parte del pueblo. Anote en el segundo cartelón "El Resultado del Castigo de Dios" los castigos que Dios daría a su pueblo. Estos deben estar en la parte titulada Negativo.

4. Llame la atención al pasaje de Amós 8:11-14, aunque no esté en el Texto básico. Dios castiga al pueblo por su pecado. El pueblo buscaba la dirección pero no hubo quién les enseñara.

5. Analicen Amós 9:2-4. Hablen de los esfuerzos vanos para escapar del castigo merecido. ¿Se puede huir de Dios, esconderse de él? Anote en la lista los castigos que Dios dará.

6. Lea Amós 9:11-15. ¿El castigo es la palabra final? Para algunos sí, pero Dios siempre da la esperanza para un remanente. Aclare lo que es "aquel día" y "vienen días". ¿Cómo van a ser las bendiciones? Anote las bendiciones que Dios dará a su pueblo en la era mesiánica en la lista bajo "Positivos" del cartel dos. ¿Cuál es la promesa final (v. 15)? Miren todos juntos las dos listas que han hecho en el cartelón "El Resultado del Castigo de Dios". Pregunte: ¿Qué es más fuerte, lo negativo o lo positivo? Con Dios siempre hay esperanza de un mañana mejor. Terminen leyendo todos juntos el versículo clave como la "última palabra" de Dios para su pueblo que va a ser castigado, Amós 9:15.

APLICACIONES DEL ESTUDIO

1. Presente de su libro de Maestros las aplicaciones que sean más pertinentes a los alumnos. **2.** Que reunidos en grupos de dos comenten entre sí las aplicaciones del libro de alumnos. **3.** Los que hemos conocido a Jesús como Salvador, tenemos bendiciones reales en nuestra vida diaria. Mencionen algunas de ellas. ¿Qué nos demanda nuestro Salvador para dar evidencia de nuestra relación con él?

PRUEBA

Complete, en el libro de alumnos, las dos actividades de *Prueba.* Que alumnos voluntarios compartan sus respuestas y el significado del libro de Amós a su vida.

Amor que perdona

Contexto: Oseas 1:1 a 3:5
Texto básico: Oseas 1:1-3, 6-9; 2:19-23; 3:1-5
Versículos clave: Oseas 2:19, 20
Verdad central: El mensaje de amor que Dios envió a Israel por medio del matrimonio de Oseas nos enseña que Dios salva a quienes aceptan su amor.
Metas de enseñanza-aprendizaje: Que el alumno demuestre su: (1) conocimiento de las experiencias de Oseas y su matrimonio, (2) actitud de aceptar el amor de Dios con un compromiso de lealtad y fidelidad.

———————— **Estudio panorámico del contexto** ————————

A. Fondo histórico:

Oseas, que comenzó a predicar unos diez años después de la conclusión de la obra de Amós, vio la anarquía que se posesionó de Israel después de la muerte del gran rey Jeroboam II. En el espacio de 14 años cuatro reyes fueron asesinados y el gran imperio de Asiria se levantó de nuevo con sus movimientos expansionistas hacia el occidente. Puesto que Oseas no hace referencia a la caída y destrucción de Samaria, probablemente profetizó entre los años 750 y 725 a. de J.C.

Algunos han pensado que Oseas era un sacerdote y otros que era panadero debido a las ilustraciones que emplea en su libro, pero nadie sabe a ciencia cierta lo que él hacía cuando fue llamado por Dios.

El tema de su libro es el amor permanente de Dios. A pesar de la infidelidad de su pueblo, Dios no les abandona. El libro no tiene divisiones marcadas pero de manera general se puede ver lo siguiente: *El Amor Inquebrantable de Dios, Cap. 1 a 3; El Pueblo Infiel, Cap. 4 a 6; El Reino Inestable, Cap. 7 a 9; Los Hijos Perdidos, Cap. 10 a 12; Juicio y Renovación, Cap. 13 y 14.*

B. Enfasis:

Llamamiento de Oseas, 1:1. Como los otros profetas, Oseas no escogió su profesión; Dios le llamó de otro estilo de vida y le dio la palabra que tenía que anunciar a sus compatriotas. El hecho que se mencionan los reyes del Sur aunque su ministerio se llevó a cabo en el Norte, es una indicación de que el libro se recopiló en Jerusalén.

Gomer, mujer prostituta, 1:2 a 2:1. Es sumamente difícil entender el mandamiento de Dios a su siervo de que tomara una "mujer fornicaria". Algunos estudiosos dicen que era una visión, una alegoría o una parábola, aunque otros afirman que Dios ordenó a Oseas que se casara realmente con una prostituta. La expresión en hebreo es que era "una mujer de prostituciones" que no es la frase que se usaba para una prostituta. También es probable es que se refería a una mujer representativa de una nación entera que había sido infiel a Dios, aunque ella no era necesariamente adúltera.

El primer hijo era de Oseas y Gomer. No está muy clara la paternidad de los otros dos. Los nombres dan un mensaje y el mensaje es que Dios no puede aceptar a un pueblo que le ha abandonado.

Castigo por la infidelidad, 2:2-13. Esta porción comienza con la afirmación que la mujer ya no es esposa y el hombre ya no es marido. Parece que el profeta Oseas meditaba sobre un posible castigo que Dios impondría sobre quienes le habían abandonado para adorar a los dioses de la fertilidad propios del pueblo indígena de Canaán. Se les va a quitar la comida, la bebida, la ropa y la vivienda, quizás al reducirlos a la pobreza absoluta volverán a Dios reconociendo que la situación en aquel entonces era mejor que ahora. Pero no sucedió así.

Un nuevo pacto, 2:14-23. El Señor decide amar de nuevo a su pueblo rebelde y tomarle otra vez como esposa en una ceremonia nupcial. Dios hará un nuevo pacto con su pueblo en "justicia, juicio, benignidad y misericordia". Tendrá misericordia sobre ellos y los tomará de nuevo como su pueblo, pero ellos tendrán que reconocerle como su único Dios.

Amor que perdona, 3:1-5. Dios mandó de nuevo a Oseas que tomara una mujer adúltera; se sobrentiende que es su esposa Gomer. Pagó el precio de una esclava aunque no le fue fácil reunir todo el dinero. Le aplicó una disciplina que enseña que Dios también va a disciplinar a su pueblo rebelde. Los tres primeros capítuos de Oseas terminan enseñando que el pueblo de Israel se volverá a Dios.

─────────── **Estudio del texto básico** ───────────

1 Dios llama a Oseas, Oseas 1:1.

El nombre Oseas significa "salvación" y es la misma palabra que se usa en el hebreo para Josué o Jesús. A diferencia de Amós, quien le precedió unos diez años, Oseas proclama que Dios quiere salvar a su pueblo infiel y rebelde. Todo el libro se caracteriza por la frase *la palabra de Jehovah.* Oseas no recibió palabras sueltas, sin sentido, sino un mensaje claro de parte de Dios. La palabra no le llegó al oído sino a toda su personalidad a través de las experiencias duras de su vida. Su vida y las decisiones que tomó son un testimonio de la revelación que recibió. Nada se sabe de la vida cotidiana del profeta; unos dicen que era panadero por las expresiones que utilizó. Otros dicen que era sacerdote. Pero lo que sí sabemos con certeza es que Dios lo llamó al ministerio profético y lo usó en esa tarea.

Es extraño que se menciona solamente el nombre de un rey del norte ya que su ministerio se efectuó únicamente en esa región. El ministerio de Oseas duró aproximadamente desde el año 752 hasta el 725 a. de J.C. Fue una época horrible en la historia de Israel. El sabio rey y administrador Jeroboam II hijo de Joás murió en el año 750 a. de J.C., y en los siguientes 14 años cuatro reyes fueron asesinados y una época de anarquía e intriga dominó la nación. El imperio de Asiria despertó y comenzó su marcha hacia el Mediterráneo. Hubo luchas entre Israel y Judá y terrorismo en el campo. A Oseas le tocó vivir esta época de violencia y muerte. Los ricos se aprovecharon cada día más de los pobres y todos abandonaron su fe para ir en pos del materialismo secular.

2 La tragedia de la infidelidad, Oseas 1:2, 3, 6-9.

V. 2. La orden que Dios le dio a *Oseas* es un gran misterio; ¿cómo podría el Dios santo pedir a su siervo que se casara con una prostituta? Algunos intérpretes dicen que el relato es una alegoría, una parábola o una novela. Otros dicen que la mujer del capítulo tres no es Gomer. La solución podría estar en las palabras hebreas: "Ve, tómate una mujer de prostituciones", esta no es la expresión para referirse a una prostituta. El tema del libro es que la nación toda ha sido infiel a Dios y han rendido culto a la diosa prostituta de los cananeos. En ese sentido se puede interpretar que Gomer era miembro de una sociedad de "prostituciones", una muchacha sin creencias definidas. Tal vez Oseas pensaba que al casarse, ella iba a asisitir con él al culto que se rendía a Dios y luego convertirse en una fiel creyente. Esta explicación (mujer de prostituciones) concuerda con la segunda parte de versículo 2: "la tierra se ha dado enteramente a la prostitución".

V. 3. El primer hijo era del profeta y de su esposa.

V. 6. Israel es advertido de que será sujeto a la frustración de fallar en el intento de satisfacer sus deseos, con la esperanza de que esa frustración le haga volver a Dios. Es una reacción de Dios ante las acciones rebeldes de sus hijos.

V. 7. Durante la vida de Oseas el pequeño reino de *Judá* intentó salvarse haciendo alianzas militares con Asiria y otras naciones vecinas. Dios les advierte que los va a salvar por su poder, no por medio de la armas. En efecto, Jerusalén sobrevivió más de 136 años después de la caída de Samaria.

Vv. 8, 9. Unos tres años después Gomer tuvo otro hijo, y ahora el mandamiento de Dios es aún más tajante. Le ordena ponerle por nombre *Lo-ammí* ("no mi pueblo") indicando así que tal como el pueblo ha renunciado a Dios como su padre celestial, el hijo tampoco es de Oseas. ¿Podemos imaginar el sufrimiento de Oseas ante la infidelidad de su esposa?

3 Jehovah restaurará a su pueblo, Oseas 2:19, 20, 23.

Para entender bien los versículos que vamos a estudiar es necesario analizar todo el capítulo dos. Primero, por medio de castigo y privaciones Dios procura que el pueblo reconozca que es él, y no un ídolo, quien les da la comida, la ropa y la vivienda. El cambio en la actitud de Dios ocurre en el v. 14 cuando toma la determinación de llevar a su pueblo de nuevo por un desierto a la tierra prometida. En lugar de castigarles les dice: *hablaré a su corazón*. La frase en hebreo significa hablar tanto a la mente como a las emociones. Tal como en los días antes de entrar a la tierra prometida, el pueblo va a amar y seguir a Dios.

Vv. 19, 20. Se describen las nuevas nupcias entre el pueblo y Dios. Dios promete "justicia, juicio, benignidad, misericordia y fidelidad" a su pueblo. Se debe señalar el significado de cada una de estas palabras que son la base de todo matrimonio duradero y que significan mucho más en la relación con Dios; de esta manera el pueblo va a "conocer" a Dios personal e íntimamente y su fidelidad se debe al amor mutuo que se deben profesar.

V. 23. Este hermoso capítulo termina cambiando la figura de marido a padre. Dios va a establecer a su pueblo en su tierra y va a tener compasión de ellos. Tal como en los días difíciles en Egipto los va a adoptar como su pueblo y ellos van a tenerle como su único y exclusivo Dios.

4 Amor de Oseas por su mujer infiel, Oseas 3:1-5.

V. 1. Tal vez Oseas por su propia cuenta no hubiera buscado a su esposa infiel. Para que la profecía tenga un mensaje aún más claro para nosotros, es Dios quien ordena a Oseas que busque de nuevo a su mujer. Algunos intérpretes dicen que se trata de otra mujer, pero no hay evidencia que apoye tal afirmación.

El mandamiento indica claramente que hay que amar a una persona infiel tal como Dios ama a su pueblo aunque le ha abandonado para adorar a ídolos muertos. Probablemente *las tortas de pasas* era una comida lujosa o tal vez ofrendas a otros dioses como las tortas ofrecidas a la "Reina del Cielo" (Jer. 7:18).

V. 2. Oseas pagó por su esposa el precio de un esclavo (Exo. 21:32), como el que recibieron los hermanos de José al venderlo (Gén. 37:28). Parece que el profeta tuvo dificultad en reunir tal cantidad y pagó una parte con grano.

Vv. 3, 4. El período de prueba fue para ver si ella era capaz de ser fiel a su marido o iba a buscar otras aventuras. De la misma manera Israel quedaría en cautiverio, sin líderes religiosos ni civiles, sería una prueba de la validez de su religión y su lealtad a Dios.

V. 5. Es muy importante notar que el capítulo termina con la certeza de que el pueblo va a volver a Dios. Muchas veces, a través del libro, Oseas invita al pueblo a volver a Dios (6:1; 12:6; 14:1) tal como Amós había hecho diez años o más antes. Ambos profetas sabían que el pueblo probablemente no iba a hacerlo, pero confiaban en que después de un período de cautiverio y sufrimiento lo harían. La nota dominante de estos tres capítulos es "el amor que nunca deja de ser".

El amor de Dios persiste después del rechazo y la infidelidad. El amor busca al que ofende para ofrecerle una nueva oportunidad. "En esto consiste el amor: no en que nosotros hayamos amado a Dios, sino en que él nos amó a nosotros, y envió a su Hijo..." (1 Juan 4:7-12). Nuestra misión en la tierra es presentar esta clase de amor a la humanidad.

1. La palabra de Dios puede llegar a nosotros por medio de experiencias difíciles. En lugar de lamentar nuestra situación hay que estar atentos a la voz de Dios.

2. A veces no vamos a entender lo que Dios nos manda a hacer. Hay que obedecer y después sabremos el porqué y para qué de las cosas.

3. Hay gente difícil en el mundo. Hay que amarlas y buscar lo mejor para ellas, y sobre todo hacer todo lo posible para que acepten a Cristo como su Salvador y Señor.

──────── **Ayuda homilética** ────────

Amor que perdona
Oseas 2:14-16, 19-23

Introducción: La infidelidad entre esposos es muy común en nuestra sociedad. Pero esto no la hace aceptable ante los ojos de Dios. Sobre todo los hijos son los que sufren las consecuencias del pecado de sus padres.

I. Oseas abandonado por su esposa.
  A. El profeta sintió enojo y confusión.
  B. Lo difícil de ser padre y madre a la vez.
II. Una meditación sobre el amor de Dios.
  A. El amor de Dios es persuasivo (2:14).
  B. El amor de Dios hace que su pueblo responda (2:15).
  C. El amor de Dios estimula una relación superior.
III. Dios habla a su pueblo.
  A. Dios desea que la gente reconozca su pecado y todo lo que Dios ha hecho por ella.
  B. El castigo no siempre produce resultados; la persona tiene que volver a Dios por su propia cuenta.
  C. Dios invitó a su pueblo a amarle de nuevo.
IV. El gozo de ser pueblo de Dios.
  A. Dios toma de nuevo al pueblo como su novia y esposa.
  B. El nuevo matrimonio resultó en una relación maravillosa.
  C. Dios perdona por amor a su pueblo y lo recibe de nuevo.

Conclusión: El amor de Dios es un amor que perdona, sólo espera que sus hijos vengan arrepentidos a gozar de ese perdón.

Lecturas bíblicas para el siguiente estudio

Lunes: Oseas 4:1-3   **Jueves:** Oseas 5:1-15
Martes: Oseas 4:4-10   **Viernes:** Oseas 6:1-6
Miércoles: Oseas 4:11-19   **Sábado:** Oseas 6:7 a 7:2

AGENDA DE CLASE

Antes de la clase
1. Lea con cuidado el texto bíblico y los comentarios en los libros del maestro y del alumno. **2.** Consiga y ponga en la pared de su sala un mapa en que se note claramente la división del reino del Norte y del Sur, marque los lugares geográficos que son mencionados en el libro. **3.** Prepare un cartelón con una relación de los reinos y los reyes mencionados en Oseas 1:1. **4.** Consiga fotos o recortes de parejas casadas muy conocidas y péguelas, individualmente en cartulina. Ej: Adán y Eva, su pastor y esposa, el presidente de su país y esposa, la reina Isabel y el príncipe Felipe, algunos artistas de su país, y diferentes miembros de su iglesia. **5.** Responda a la sección: *Lea su Biblia y responda* del estudio de hoy.

Comprobación de respuestas
JOVENES:**1.** Gomer. **2.** Una mujer dada a la prostitución. **3.** a. Dios siembra. b. No compadecida. c. No mi pueblo. **4.** Para siempre... justicia y derecho... lealtad y compasión.
ADULTOS: **1.** "Se ha dado enteramente a la prostitución... apartándose de Jehovah." **2.** a. Dios siembra. b. No compadecida. c. No mi pueblo. **3.** a. Para siempre, justicia y derecho... lealtad y compasión. b. Fidelidad... Jehovah. c. Compasión... pueblo mío, eres. ¡Dios mío! **4.** V. 4. Rey, gobernantes, sacrificio, piedras, rituales, efod, ídolos domésticos. V. 5. Volverán, buscarán, acudirán a Dios.

Ya en la clase
DESPIERTE EL INTERES
1. Entregue a cada alumno un pedazo de papel y un lápiz. Muestre por 15 segundos cada una de las fotos de parejas que preparó. Pídales que anoten en el papel el nombre de cada una de ellas. El objetivo de este juego es hacer a los alumnos pensar en la relación de pareja. Debe ser rápido. **2.** Si no consiguió fotos, escriba en el pizarrón los nombres de las parejas. Sería interesante incluir, si fuera posible, a algunos de sus alumnos.

ESTUDIO PANORAMICO DEL CONTEXTO
1. Presente al profeta Oseas a la clase. Refiérase sumariamente a su relación de pareja. Resalte que el matrimonio de Oseas tenía muchas dificultades. **2.** Identifique en el mapa los reinos y presente el cartel con la relación de los reyes de la época. **3.** Refiérase brevemente al propósito del libro de Oseas, incluyendo su tema principal y estructura.

ESTUDIO DEL TEXTO BASICO

1. Reunidos en parejas dé tiempo para que contesten la sección: *Lea su Biblia y responda* del libro de alumnos. Revisen las respuestas.

2. Pida que alguien lea Oseas 1:1. Explique el significado de la expresión "Palabra de Jehovah". Identifique al profeta en su marco familiar e histórico.

3. Pida que alguien lea Oseas 1:2, 3. Presente el significado de la expresión "fornicar" y explique por qué esta acción es rechazada por Dios. Refiérase al libro del maestro. Examine cómo el profeta obedeció a Jehovah, aun sabiendo que al hacerlo traería a su vida sufrimiento.

4. Pida a cuatro diferentes personas que lean Oseas 1:6-9, un versículo cada una. ADULTOS, contesten la segunda pregunta, JOVENES, la pregunta tres. Refiérase al significado de los nombres de los hijos de Oseas. Explique las consecuencias de la infidelidad. Hable de la infidelidad del pueblo escogido.

5. Refiérase al significado del compromiso matrimonial. Lean juntos los vv. 19, 20 del capítulo 2. Explique el valor que tienen las prendas que entregara Dios en prueba de su amor. Lean nuevamente los vv. 19, 20 al unísono. Mencione las expresiones de amor del v. 23 y refiérase especialmente al adjetivo posesivo mencionado.

6. Lean los vv. 1-5 del capítulo 3. Guíe a la clase a una reflexión sobre el verdadero amor, que perdona bajo cualquier circunstancia. Diga que ese amor triunfa aun cuando las circunstancias sean adversas.

7. Refiérase también al amor que disciplina (v. 3). Compárelo al del padre que ama a su hijo y lo disciplina.

Compare estas circunstancias con el amor de Dios a su pueblo, quien a pesar de su infidelidad lo sigue amando. Concluya hablando de lo importante que es que compartamos de ese amor de Dios con todos los hombres. Lean juntos 1 Juan 4:7-12.

APLICACIONES DEL ESTUDIO

1. Pida a dos alumnos que presenten un breve diálogo que muestre cómo Dios transforma las adversidades en bendiciones. **2.** Termine esta parte resumiendo los puntos que se encuentran en el libro de Maestros y de alumnos.

PRUEBA

Conceda unos minutos para que cada alumno, en silencio, conteste la primera pregunta y luego comparen las respuestas. Permita que los alumnos respondan la segunda pregunta y guíelos a reflexionar sobre lo que contestaron. Termine con una oración solicitando a Dios que les perdone la falta de lealtad y les permita poner en práctica la resolución tomada.

Unidad 7

Llamado a la consagración

Contexto: Oseas 4:1 a 7:2
Texto básico: Oseas 4:1, 2, 6-10; 6:1-6
Versículo clave: Oseas 6:6
Verdad central: El castigo a Israel por su corrupción moral nos enseña que Dios castiga la corrupción moral del pueblo y especialmente de sus dirigentes religiosos.
Metas de enseñanza-aprendizaje: Que el alumno demuestre su: (1) conocimiento de la corrupción moral que había en Israel y cómo Dios los castigó, (2) actitud por evitar o corregir en él tal corrupción.

─────────── **Estudio panorámico del contexto** ───────────

A. Fondo histórico:

A Oseas le tocó vivir durante la época de la anarquía y corrupción que causó en gran parte la caída y destrucción del reino del norte, Israel. Esta parte del pueblo de Dios que se separó después de la muerte de Salomón también fue conocida con el nombre de Efraín, debido a que era la tribu más grande de las diez. Los pasajes que se estudiarán bajo el tema "Llamado a la consagración" hablan en términos generales de la infidelidad del pueblo. Es difícil hacer un bosquejo más preciso debido al hecho que Oseas dio mensajes muy breves y conmovedores sobre este problema que le "partió el corazón".

B. Enfasis:

Falta de conocimiento de Dios, 4:1-3. Muy semejante a Amós el profeta comienza su mensaje usando el lenguaje jurídico. La frase: "Jehovah contiende con los moradores de la tierra"; expresión que se usaba cuando un ciudadano presentaba una queja contra otro ante el tribunal de ancianos, quienes eran los jueces del pueblo-ciudad.

En este caso es Dios quien presenta el pleito que se puede resumir así: debido a la falta de conocimiento íntimo personal de Dios por parte del pueblo, la violencia se ha apoderado de Israel. Nadie puede vivir con seguridad y aun los animales están de luto por la situación social.

El peligro de olvidar la ley de Dios, 4:4-10. El profeta afirma que toda la sociedad se ha corrompido. Desde los líderes civiles y religiosos hasta los ciudadanos más simples. La razón es muy sencilla: la gente no conoce a Dios ni su voluntad porque los sacerdotes que tenían la misión de enseñarles han faltado a su compromiso. Como la Biblia lo declara, tendrán que sufrir las consecuencias de su pecado y Dios les va a pagar según sus "obras" o falta de ellas.

Dios condena la prostitución espiritual, 4:11-19. La Biblia prohíbe la adoración a otros dioses y la fabricación de imágenes. Pero esto es exactamente lo que ha hecho el pueblo de Israel; aún peor, ha procurado combinar la adoración del Dios verdadero con el culto a los ídolos que prometen la fertilidad del campo, cayendo en el error del sincretismo religioso. Oseas reconoce que la práctica está tan arraigada en ellos que difícilmente la van a abandonar.

Contra los sacerdotes y los dirigentes, 5:1-15. La tarea de los sacerdotes no consistía solamente en ofrecer sacrificios, además eran los guardianes de la ley de Dios. Tenían que enseñar al pueblo a obedecer esta ley en la vida diaria. No lo hicieron y un espíritu de orgullo entró en el corazón de los dirigentes del pueblo. La administración de la nación se hizo sin tomar en cuenta la voluntad de Dios. Consecuentemente, Dios va a ser como polilla y carcoma a la nación infiel. Será como león listo a destruirles totalmente.

Misericordia y no sacrificios, 6:1-6. Estos versículos muestran la actitud superficial del pueblo en cuanto a sus pecados y la tristeza de Dios al ver en ellos tanta falsa piedad.

Pecados pasados y actuales de Israel, 6:7 a 7:2. Desde el comienzo de su vida como nación, Dios ha visto violencia y desobediencia al pacto de Sinaí. Este pecado se ha manifestado como infidelidad a Dios por parte de todo el pueblo. Por lo tanto lo único que les espera es un cautiverio como el que sufrieron en Egipto.

───────── **Estudio del texto básico** ─────────

1 Las razones del pleito de Jehovah, Oseas 4:1, 2.

Los profetas eran maestros en el uso de figuras e ilustraciones para que la gente les prestara atención. Oseas describe un tribunal de ancianos. Dios presenta su pleito contra los habitantes de la tierra. La querella comienza con tres acusaciones negativas: *No hay en la tierra verdad;* esta gente es totalmente distinta a la que ayudó a Moisés en la administración, "varones de verdad, que aborrecían la avaricia" (Exo. 18:21). Los compatriotas de Oseas no sabían decir la verdad. Tampoco había *lealtad* en la tierra. La palabra hebrea *hesed* no admite traducción, pero la idea es "amor leal"; que se expresa en *lealtad* incondicional a Dios, o el amor a una persona que se expresa en hechos concretos (2 Crón. 32:32; Neh. 13:14). Por último, no hay *conocimiento de Dios* en la tierra. Este es un tema de suma importancia para Oseas; lo trata muchas veces en el libro. Es el conocimiento acerca de Dios que el sacerdote debe compartir en su enseñanza de la Ley; pero es también el conocimiento personal de Dios que se manifiesta en lealtad incondicional sólo a él. Si Israel no conoce a Dios entonces un ídolo, el dios pagano Baal, u otro llegan a ser el objeto de su lealtad (5:4; 11:2, 3). Lo correcto es no conocer a otro dios (13:4) y ser fiel a Jehová como la esposa es leal a su marido (2:20).

V. 2. Después de las tres quejas de: *no hay* en el v. 1, se presentan aquí otras acusaciones. Todas tienen que ver con crímenes contra el prójimo. Las dos primeras son las más comunes; tienen que ver con el mal uso de palabras; y las otras tienen que ver con los Diez Mandamientos. El país está lleno de homicidios, robos, adulterios y otros. Son los mismos pecados que Jeremías menciona en su sermón en el templo de Jerusalén (Jer. 7:9). De forma gráfica, el hebreo dice que un charco de sangre alcanza a otro en la calle.

El fracaso del pueblo es tanto sociológico como teológico. El pecado contra Dios se manifiesta siempre en pecados contra los seres creados a su imagen. Para Oseas todos han hecho mal; "no hay quien haga lo bueno, no hay ni siquiera uno" (Rom. 3:12).

2 Corrupción del pueblo y sus sacerdotes, Oseas 4:6-10.

Vv. 6-8. El profeta proclamó que los crímenes se debieron a la falta de conocimiento de Dios. Los sacerdotes fracasaron en su misión primordial de enseñar al pueblo los mandamientos de Dios; consecuentemente Dios les quitaría la bendición de ser sacerdotes. La otrora grandeza de Israel se convertiría en afrenta, todo el orgullo que sentían por su sistema de gobierno, por sus edificaciones impresionantes se iba a convertir en cenizas. Es interesante la razón que da Dios para esa destrucción: *porque carece de conocimiento.* Nadie se imaginaría que la ignorancia es causa de destrucción. No sólo serán afectadas las posiciones de los sacerdotes, sino que también los *hijos* sufrirán las consecuencias.

Vv. 9, 10. Es una verdad en cualquier cultura que el pueblo no va a superar nunca la moralidad de sus líderes espirituales: *Como es el pueblo, así es el sacerdote.* Los sacerdotes han dejado un ejemplo pésimo al pueblo y van a perder sus privilegios; serán destruidos. La razón de su castigo es sencilla, *dejaron de escuchar a Jehová.*

3 Llamado a la auténtica consagración, Oseas 6:1-6.

Al final del capítulo 5 y al principio del capítulo 6 Oseas nos muestra cómo la gente intentó resolver sus problemas. Primero buscaron ayuda económica y militar de otra nación (5:13), después en su angustia clamaron a Dios (5:15 a 6:3).

Vv. 1, 2. Esta es una oración superficial y liviana. Como el agnóstico que decidió morir en el templo dijo: "Claro que Dios me perdonará, ese es su negocio." Hay que tener mucho cuidado con la exposición de estos versículos. Algunos los han utilizado para enseñar la resurrección de Cristo, pero el versículo 4 indica claramente que son dichos superficiales que expresan una religión superficial e inconsistente.

V. 3. El gran error de la religión de los de Israel es considerar a Dios como el sol que sale cada mañana y la lluvia que refresca la tierra. Precisamente

157

esas eran las características del dios pagano Baal. Era el dios de la lluvia; la gente creía que moría cada otoño cuando dejaba de llover, y luego resucitaba en primavera al caer las lluvias tempranas. Estaban tratando a Dios como si fuera uno de los ídolos de las naciones paganas. **Vv. 4, 5.** El Señor está ejecutando una acción legal contra Israel en general y contra el sacerdocio en particular por su falta de lealtad al pacto. Debido a que los líderes religiosos, los sacerdotes, fueron negligentes en cumplir sus funciones de enseñar el verdadero conocimiento de Dios y su ley, ellos y el pueblo perecerán. **V. 6.** Este es tal vez el versículo más importante del libro de Oseas. Jesús lo cita dos veces en su ministerio. Se puede leer así: "Porque yo deseo continuamente amor leal, y no sacrificio material, el conocimiento personal de Dios más que ofrendas quemadas sobre un altar" (traducción del escritor). Para entender este versículo uno debe leer de 5:8 a 7:16; y así se ve que Israel enfrentaba el grave peligro de una invasión por un ejército hostil. De forma desesperada buscaban la seguridad nacional por medio de alianzas comerciales y militares. En cuanto a Dios, querían llegar a él con una oración en la que solo reflejaban el sincretismo religioso en el que vivían según la deslealtad que le profesaban.

Se equivocaron; lo que Dios deseaba era *hesed*. "Amor leal e incondicional" es el verdadero significado de esa palabra hebrea que se traduce "lealtad" en 4:1. Dios tenía para el pueblo tal amor leal (2:19); es el amor que un creyente debe sentir hacia otro creyente (4:1) y sobre todo el amor que el creyente debe sentir para Dios.

La acusación contra el sacerdocio es grave; Dios declara a través del profeta Oseas que por culpa de los sacerdotes el pueblo carece del conocimiento de Dios. Por tal motivo el privilegio de ser transmisores de ese conocimiento se acabará. La deselaltad de los sacerdotes tenía consecuencias graves aun para sus hijos.

──────────── **Aplicaciones del estudio** ────────────

1. **Cada cristiano debe enseñar a otros el conocimiento de Dios.** El estudio nos habla de esa responsabilidad que va más allá de lo que comúnmente hacemos. A los sacerdotes del tiempo de Oseas se les culpó de la falta de conocimiento entre el pueblo.

Es bueno aprovechar cada oportunidad para compartir el conocimiento que tenemos de Dios.

2. **Debemos tomar la firme decisión de ser líderes nobles y sinceros.** Esto incluye rechazar la más mínima participación en la corrupción política y económica que se da en la mayoría de las sociedades modernas.

3. **El creyente debe amar a Dios con una lealtad incondicional y fiel hasta la muerte.** Ninguna ofrenda o participación en una actividad de la iglesia puede ser un sustituto de la lealtad a Dios que se manifiesta cada día y en las decisiones de la vida cotidiana.

4. Debemos dar a las cosas que Dios nos da su lugar correcto. El pueblo de Dios pensaba que al alcanzar cierta gloria terrenal ya podía prescindir de su dependencia de Dios. El Señor les condenó a cambiar esa gloria pasajera en afrenta. No debemos olvidarnos de que somos mayordomos de lo que el Señor ha puesto en nuestras manos. El todavía sigue siendo el dueño.

───────────── **Ayuda homilética** ─────────────

Piedad provisional
Oseas 6:4-6

Introducción: Lamentablemente para mucha gente la religión se expresa por medio de sentimientos emocionales. Manifiestan su fervor y su devoción a Dios por la música, la oración, las lenguas desconocidas, viajes a pie a santuarios y hasta danzas religiosas. Es importante expresar nuestro amor a Dios con fervor, pero al mismo tiempo manifestarle nuestra lealtad por medio de los hechos de la vida diaria.

I. La piedad pasajera de Israel.
A. Los santuarios de Israel eran lujosos.
B. El culto era muy elaborado.
C. La gente pensaba que por medio de la liturgia podía cumplir con todas sus obligaciones religiosas.
D. Su devoción duró muy poco. Muy pronto volvieron a las actividades diarias olvidando por completo sus promesas al Señor.

II. Lo que Dios desea de su pueblo.
A. Amor leal a Dios y al prójimo.
B. El conocimiento de Dios, íntimo y personal. Mucha gente sabe mucho acerca de Dios, pero no le conocen de forma personal.
C. Cada creyente debe preocuparse de su crecimiento espiritual y de cultivar una vida que manifieste lealtad a Dios siempre.
D. Que enseñemos a otros nuestro conocimiento de él.

Conclusión: No hay experiencia más enriquecedora que participar en un culto que glorifique el nombre de Dios. Sin embargo, debemos trasladar esas experiencias al campo de nuestra vida diaria.

Lecturas bíblicas para el siguiente estudio

Lunes: Oseas 7:3-7
Martes: Oseas 7:8-16
Miércoles: Oseas 8:1-14

Jueves: Oseas 9:1-9
Viernes: Oseas 9:10-17
Sábado: Oseas 10:1-15

AGENDA DE CLASE

Antes de la clase
1. Lea con cuidado el texto bíblico y los comentarios en los libros del maestro y alumno. **2.** Prepare un cartelón con palabras remarcadas de Oseas 6:6. **3.** Consiga y traiga a la clase revistas con láminas o fotos en colores, hojas de papel, tijeras y pegamento. **4.** Prepare un cartelón con dos divisiones y las palabras "profeta" y "sacerdote" escritas arriba de cada una de ellas. **5.** Conteste del libro del alumno, la sección: *Lea su Biblia y responda.*

Comprobación de respuestas
JOVENES: **1. a.** No hay en la tierra verdad. **b.** No hay misericordia. **c.** No hay conocimiento de Dios. **2.** Le faltó conocimiento. **3.** Con la nube de la mañana y como el rocío de la madrugada que se desvanece. **4.** Misericordia, sacrificio, conocimiento de Dios, holocaustos.
ADULTOS: **1.** No hay en la tierra verdad, ni lealtad, ni conocimiento de Dios. **2.** Carece de conocimiento, lo ha rechazado, y se ha olvidado de la ley de Dios. **3.** No conocerle personalmente, no obedecer sus leyes. **4. a.** El arrebató, pero no sanará. **b.** Nos dará vida después de dos días. **c.** Segura como el alba será su salida. **d.** Vendrá a nosotros como la lluvia. **5.** A la nube de la mañana, al rocío que muy temprano se desvanece. **6.** Misericordia, y no sacrificios; conocimiento de Dios, más que holocaustos.

Ya en la clase

DESPIERTE EL INTERES
1. Comience la clase dando la bienvenida a todos los presentes y separándolos en grupos de tres o cuatro personas. **2.** Entregue a cada grupo una revista, papel, tijeras y pegamento. Pídales que busquen láminas que tengan que ver con situaciones morales que puedan producir corrupción o que muestran corrupción y que preparen un *collage*. No debe tomar más de cinco minutos. **3.** Una vez que los *collages* estén terminados, pida a un representante por grupo que explique la lámina preparada. El objetivo de esta actividad es pensar en actitudes de índole moral que producen corrupción en la vida del ser humano.

ESTUDIO PANORAMICO DEL CONTEXTO.
1. Haga un breve repaso del estudio anterior. Especialmente resalte la relación de pareja del profeta y el paralelo de ésta con la historia del pueblo escogido. **2.** Presente el cartel que preparó con las palabras "profeta" y "sacerdote" y guíe a la clase a pensar en las diferencias entre cada una de estas funciones y anótelas donde corresponda. **3.** Resalte la expre-

sión profética con que empieza el capítulo 4 "Jehovah tiene pleito con los moradores de..." (4:1). Refiérase al comentario en el libro de Maestros y alumnos.

ESTUDIO DEL TEXTO BASICO

1. Presente los pasajes correspondientes al Texto básico. Solicite a tres diferentes personas que lean los versículos de acuerdo a como están divididos en su libro de alumnos. Dé tiempo para que contesten la sección: *Lea su Biblia y responda.*

2. Revisen las respuestas según los pasajes bíblicos y lo expuesto en la sección "Comprobación de respuestas" de esta Agenda. Considere las respuestas según las diferentes versiones de la Biblia que los alumnos están usando.

3. Describa la situación en que vivía el pueblo. Mencione las tres acusaciones negativas (4:1, 2). Especialmente refiérase al concepto "no hay conocimiento de Dios en la tierra". Mencione las siete acusaciones positivas, ponga énfasis en el hecho a que se refieren a crímenes contra el prójimo. Consulte el comentario del libro de Maestros y de alumnos.

4. Utilice de nuevo el cartelón con las diferencias entre sacerdotes y profetas según Oseas 4:6-10. Refiérase a las actitudes de los sacerdotes. Especialmente explique cómo ellos guiaban al pueblo a la corrupción.

5. Lea bien el comentario del libro de Maestros y de alumnos (6:1-6). Resalte el llamado de Dios a la verdadera adoración y lo que Dios desea para su pueblo.

6. Pegue en la pared el letrero con el texto de Oseas 6:6 que preparó de antemano. Guíe a la clase a llenar los blancos y memorizar el versículo. Procure que sus alumnos internalicen la importancia de amar a Dios con un amor profundo, leal e incondicional.

APLICACIONES DEL ESTUDIO

1. Motive a los alumnos para que saquen sus propias conclusiones y tomen decisiones prácticas en las que apliquen lo aprendido. **2.** Lean las aplicaciones del estudio que aparecen en el libro de Maestros y de alumnos. **3.** Divida a la clase en grupos pequeños y asigne a cada grupo una de las aplicaciones para analizar y aplicarla a una situación real de la vida diaria.

PRUEBA

Conceda unos minutos para que cada alumno, en silencio, conteste la parte 1 y luego comparen las respuestas. ADULTOS: Permita que los alumnos contesten la parte 2 y guíelos a reflexionar sobre lo contestado. JOVENES: Que conversen sobre la actividad sugerida e incentívelos a realizarla. Termine la clase con una oración.

Consecuencias de la corrupción

Contexto: Oseas 7:3 a 10:15
Texto básico: Oseas 7:8-12; 8:4-8; 10:5, 6, 9-12
Versículo clave: Oseas 10:12
Verdad central: El castigo a Israel por su corrupción política y religiosa nos enseña que Dios demanda fidelidad a su Palabra para ser una influencia positiva en nuestra comunidad.
Metas de enseñanza-aprendizaje: Que el alumno demuestre su: (1) conocimiento del estado de corrupción política y religiosa en Israel durante los días de Oseas, (2) actitud por demostrar fidelidad a Dios y ser una influencia positiva en la comunidad.

Estudio panorámico del contexto

A. Fondo histórico:
Los capítulos que forman parte de este estudio proceden de la época de confusión y anarquía que reinaba en Israel antes de su caída en manos del imperio de Asiria. Nadie representaba autoridad en Israel; cuatro de sus reyes fueron asesinados en un lapso de trece años. Había corrupción abierta en las altas esferas de la sociedad. La nación tenía apenas diez años más de vida y parece que solamente Oseas lo sabía.

B. Enfasis:
La corrupción en el palacio de gobierno, 7:3-7. La intriga y los complots contra la autoridad habían calentado a la sociedad como "un horno". Los nobles hacían que el rey se embriagara el día de su cumpleaño, no para felicitarle sino para usurpar el poder. Querían manipularlo todo, y Dios al mirar la vergonzosa escena dice: "no hay entre ellos quien me invoque".

Pérdida de identidad, 7:8-16. La política externa de Israel es un vano esfuerzo por hacer suyas las costumbres y modas de otros pueblos. Adoptan la moda de Asiria y escuchan la música de Egipto. Se han olvidado por completo de Dios quien les formó como nación y les enseñó el camino recto. Pensaron mal de Dios y como consecuencia de su soberbia caerán ante la espada del invasor.

Olvido de su Hacedor, 8:1-14. El pueblo pretende estar en buenas relaciones con Dios pero ha traspasado los mandamientos de Dios. Dios les dio su primer rey y prometió bendiciones a la familia de David, pero el pueblo ha actuado sin consultar a Dios. El becerro de oro ha llegado a sustituir al Dios verdadero e invisible a quien no se adora por medio de ninguna imagen. En otras palabras, se han olvidado de su Hacedor y han construido templos a dioses que no existen.

Advertencia sobre el castigo inmediato, 9:1-9. A pesar de su prosperidad económica Israel no tiene motivos para saltar de alegría. Han hecho templos muy hermosos y hacen fiestas muy alegres pero se han alejado de Dios. Han dicho que el predicador de la Palabra de Dios es necio e insensato. Llegaron hasta lo más bajo en su corrupción y el Juez de toda la tierra ha visto su iniquidad y les va a castigar por su pecado.

Consecuencias del pecado en Gilgal, 9:10-17. Es una nota triste reconocer que la gloria de Israel desaparecerá para siempre. Debido al pecado todo desapareció; los poderosos edificios y el hermoso santuario de Gilgal, cerca del río Jordán. El pueblo se desvió en pos de la religión de los paganos y sufrieron la suerte de los paganos. Aun peor, al desechar a Dios fueron condenados a andar "errantes entre las naciones".

Confianza equivocada, 10:1-15. Israel era una vid exuberante, gozaba de muchas bendiciones, pero no supo agradecer al Señor quien les dio todas esas bendiciones. La religión falsa les llevó a la ruina. "Han arado impiedad" y van a cosechar el fruto de su iniquidad y mentira. El profeta les advierte que ya es hora de buscar a Dios y sembrar la justicia para más tarde cosechar la misericordia de Dios. La tierra espiritual ha quedado mucho tiempo sin cultivar; tienen que hacer algo rápido o será demasiado tarde.

──────── **Estudio del texto básico** ────────

1 Acusación de la corrupción política, Oseas 7:8-12.

Vv. 8, 9. El profeta usa tres figuras para enseñar que Israel ha perdido su identidad como pueblo escogido por Dios. (1) Se ha mezclado con la gente del mundo; no tienen ninguna cualidad moral que les distinga de los paganos. Tienen los mismos vicios, usan la misma ropa, usan las mismas palabras sucias, escuchan la misma música. (2) Son como *una torta* no volteada: quemada por un lado y cruda por el otro. Han dado mucho énfasis a las cosas materiales, y no han cultivado la práctica de la vida espiritual, ni la vida moral de un pueblo santo que no se conforma al mundo pagano. (3) No se dan cuenta de sus *canas.* Ya no son jóvenes, los años han pasado.

Un día tendrán que rendir cuentas ante Dios por sus hechos. Ya no son el real sacerdocio, el pueblo de Dios que le sirve y honra con su conducta. Han pasado muchos años en el pecado y no han cumplido la misión de Dios en la tierra.

V. 10. No hay nada peor que *la soberbia* porque la persona orgullosa no reconoce su necesidad de la salvación y el perdón de sus pecados. Israel ha buscado alianzas políticas, primero con Asiria luego con Egipto, pero estas no les van a salvar. Su pecado es que no han vuelto a *su* Dios sino han buscado una solución política a un problema espiritual.

Vv. 11, 12. No hay un ave más incauta que la *paloma*. Es una criatura de hábitos; no es capaz de inventar nuevos métodos para solucionar sus problemas. *Efraín* (Israel) *ha sido como una paloma, incauto y sin entendimiento*. La nación ha sido inestable en su política exterior. Un día buscan ayuda de Asiria, el otro de Egipto. Dios les advierte que sus propias palabras serán como redes donde caerán cautivos. Las imágenes que se crean al escuchar estas palabras son muy impresionantes. El cazador está listo para extender sus redes y hacer que la paloma que volaba libre en el vasto firmamento ahora caiga presa y quede cautiva. Puesto que los sacerdotes predicaron una cosa pero hicieron algo totalmente distinto, en las congregaciones la gente está totalmente confundida. Por su falta de lealtad a Dios irán sin remedio a la esclavitud.

2 Acusación de la corrupción religiosa, Oseas 8:4-8.

Vv. 4, 5. Desde el comienzo del capítulo 8 hasta el final del 10 el profeta describe cómo la gente no está dispuesta a enfrentar su realidad. Vive en un mundo de sueños. El pueblo piensa que Dios le ha dado sus gobernantes, cuando en realidad ellos mismos están manejando los asuntos de la nación sin pensar en Dios.

Las intrigas y complots para instalar a *reyes* y príncipes no procedieron de la voluntad de Dios sino de la arrogancia humana. Dios no reconoce a esos gobernantes como legítimos. El problema básico es que no han consultado al Dios vivo sino a un becerro de oro hecho por manos de hombres. En vez de aprovechar todo lo que Dios les había ofrecido en el pacto, estaban buscando en los lugares equivocados.

V. 6. Oseas no puede creer que un pueblo que tiene los Diez Mandamientos adore un ídolo hecho por *un escultor*. Tal objeto no es Dios y en la invasión venidera será destruido igual como otros objetos materiales.

V. 7. La persona que siembra el *viento* de una vida sin freno un día segará un huracán. El pecado destruye al pecador. Dios no envía a nadie al infierno; el hombre mismo se encarga de ir a la condenación al decidir vivir de acuerdo con las características de los paganos.

V. 8. A un tarro viejo que no sirve para nada se le echa a la basura. Así será la suerte terrible de la nación que se jactaba de sus riquezas y palacios lujosos, pero que estaba alejada de Dios.

3 El final de una sociedad corrupta, Oseas 10:5, 6, 9-12.

V. 5. Este pasaje describe el final de la nación orgullosa. No han escuchado a Dios y ahora Dios los desechará. Los invasores asirios llevarán cautivos sus dos objetos de autoridad: al rey y al ídolo.

La frase *el becerro de Bet-avén* muestra el desprecio que Oseas siente por las diferentes imágenes de toros que se han colocado en distintos lugares del país. Había muchos santuarios en Israel; la gente podía escoger el sitio que más les agradara. No había un solo templo como el de Jerusalén. La falta de comunión con Dios propició la corrupción de toda una sociedad.

V. 6. El rey era Jareb (ver RV 60), seguramente un nombre popular para el emperador de Asiria, y que significa "el rey contencioso" o sea el rey que no iba a quedar satisfecho hasta anexar a todo Israel como provincia a su imperio. Y así ocurrió.

V. 9. Irán al cautiverio por los pecados de *Gabaa.* ¿Cuál era esa *doble iniquidad?* Sin duda se refiere a los hechos descritos en Jueces 19 a 21; el crimen sexual y la guerra que resultó de esto dejaron un precedente de conducta inmoral que se prolongó hasta el día de Oseas. Su generación no era mejor que la de los que practicaban la idolatría de Micaías, de ellos también se puede decir: "cada uno hacía lo que le parecía recto ante sus propios ojos" (Jue. 17:6; 21:25). La idolatría y el pecado sexual constituyen una doble iniquidad que destruye a cualquier nación.

Vv. 10, 11. *Yo vendré y los castigaré.* El mismo Dios que había elegido al pueblo para usarlo en su plan universal de salvación, ahora viene para castigarlo. *Los pueblos* que estaban destinados a recibir bendición a través de Israel, se convertirán en sus jueces y verdugos. Todo ello *por su doble iniquidad.* La gente cautiva perderá su libertad, como *la vaquilla domada a la que le gustaba trillar* ya no puede hacer lo que desea sino que pasará el resto de su vida trabajando bajo el yugo de sus captores.

V. 12. Es una última invitación de Dios para que cambien su estilo de vida. Deben sembrar hechos de conducta recta y noble mostrado su amor leal a Dios que es la verdadera misericordia. La tierra de conducta noble se ha convertido en barbecho, es decir, sin trabajar. Es la última hora del reino pero aún no es demasiado tarde; todavía pueden buscar al Dios verdadero y él les enseñará cómo hacer justicia en la vida diaria. Si no, como el resto del capítulo nos enseña, van a cosechar el fruto de su maldad.

─────────── **Aplicaciones del estudio** ───────────

1. El cristiano no puede practicar las costumbres de los que no conocen a Dios (Oseas 7:8). Dios nos ha transformado para ser santos en un mundo incrédulo, totalmente consagrados a él. Podemos disfrutar de los deportes y las diversiones sanas, pero no hemos de comprometernos haciendo todo lo que hacen los no-creyentes.

2. Cuando el hombre no toma en cuenta a Dios en su vida, sienta las bases de su destrucción (Oseas 8:4). Cuando sucede lo contrario, Dios está listo para hacer de la vida de sus hijos una experiencia positiva, enriquecedora, con propósito.

3. La paga del pecado no es en proporción al pecado (Oseas 8:7). La persona que siembra la brisa del pecado será destruida por el huracán del pecado. Solamente se da cuenta de eso cuando ya es tarde para cambiar.

4. Es urgente cultivar de nuevo la tierra que fue dañada. Se requiere esfuerzo para sembrar en justicia, practicar el amor leal a Dios y mostrar misericordia a nuestro prójimo, pero es la única manera de cultivar una vida cristiana sana y feliz.

La torta no volteada y la paloma necia
Oseas 7:8-12

Introducción: El mundo sigue la moda, lo novedoso. Todos quieren llevar la ropa "in"; quieren escuchar las últimas canciones que han salido, ver la película de estreno. Se halla muy poca diferencia entre las películas que se ven en una nación y otra. Es peligroso; estamos a punto de perder nuestra identidad nacional. Los valores se han mezclado en forma peligrosa. Hace 2.750 años Oseas vio este problema en Israel.

I. **La torta no volteada: señal de una vida desequilibrada.**
   A. En nuestra vida falta equilibrio, proporción, perspectiva.
   B. Tenemos muchos medios de comunicación y casi nada para decir.
   C. Tenemos muchas maneras de viajar muy rápido y no tenemos ni rumbo ni destino fijos.
   D. Muchos tenemos más dinero que antes, pero nos falta lo que no se puede comprar con dinero.
II. **Gente con canas: el mal uso del tiempo.**
   A. Los años pasan volando. No nos damos cuenta de la gravedad de nuestra situación. Nos ponemos viejos.
   B. Muy pronto tendremos que rendir cuenta a Dios de la vida.
   C. Hay que meditar sobre 1 Pedro 4:17-19.
III. **La paloma necia: la vida indecisa.**
   A. No sabemos escoger el mejor rumbo de la vida.
   B. Tenemos conocimiento sin sabiduría.
   C. Probamos todo y no nos decidimos por nada.
IV. **La verdadera sabiduría: hacer a Cristo Señor de la vida.**
   A. Con Cristo como el eje de la vida vamos bien.
   B. Si confiamos en nuestra inteligencia y sabiduría vamos a hacer cosas necias.
   C. Solamente Cristo puede darnos una vida nueva, vida abundante y vida eterna.
   D. Hay que confiar nuestra vida a sus manos y dejarle guiarnos a escoger nuestras prioridades y nuestra actuación diaria.

Conclusión: El desequilibrio de nuestra vida frente a las dificultades, el mal uso del tiempo, las indecisiones en la vida y nuestra falta de conocimiento son realidades que pueden ser transformadas si vamos al Señor pidiéndole que sea él quien se haga cargo de nosotros.

Lecturas bíblicas para el siguiente estudio

Lunes: Oseas 11:1-4   **Jueves:** Oseas 12:2-6
Martes: Oseas 11:5-11   **Viernes:** Oseas 12:7-9
Miércoles: Oseas 11:12 a 12:1   **Sábado:** Oseas 12:10-14

AGENDA DE CLASE

Antes de la clase
1. Estudie con cuidado el *Texto básico* y los comentarios en los libros de Maestros y de Alumnos. **2.** Consiga o haga una lámina del becerro de oro que adoraba el pueblo. **3.** Identifique los nombres de los líderes políticos en el mundo. **4.** Consiga y ponga en su salón un mapa del mundo en los tiempos de Oseas. **5.** Responda la sección: *Lea su Biblia y responda* del estudio de hoy.

Comprobación de respuestas
JOVENES: **1. a.** Una torta no dada vuelta. **b.** Una paloma incauta y sin entendimiento. **2.** Soberbia, se ha vuelto a Jehovah, lo ha buscado. **3.** ¿Hasta cuando...? **4.** Será hecho pedazos. **5.** Será tragado entre las naciones. **6.** Sembrad, justicia, lealtad, surcos, buscar a Jehovah hasta que venga y haga llover justicia para nosotros.
ADULTOS: **1.** Una torta a la cual no se le ha dado la vuelta, una paloma incauta y sin entendimiento. **2.** Soberbia... se ha vuelto a Jehovah su Dios... lo ha buscado. **3.** ¿Hasta cuándo serán incapaces de lograr purificación? **4.** Será hecho pedazos. **5.** Será tragado, serán entre las naciones como un objeto que nadie aprecia. **6.** Sembrad... lealtad... surcos... buscar a Jehovah.

Ya en la clase
DESPIERTE EL INTERES
1. Comience la clase dando la bienvenida a todos los presentes, reconociendo en forma especial a las visitas. **2.** Dirija al grupo en su totalidad a discutir informalmente, problemas que consideran como corrupción política en el mundo. Permita la libre expresión de ideas, pero trate de que se apunte a hechos y no a ideas de tal manera que no se hieran susceptibilidades.

ESTUDIO PANORAMICO DEL CONTEXTO
1. Use el mapa del mundo en los tiempos de Oseas. Muestre el territorio de Asiria y su relación con Israel. Ubique Samaria y Egipto. También muestre Bet-avén en Samaria, el lugar en que estaba el becerro de oro. **2.** Presente la lámina del becerro de oro y explique a la clase cómo los israelitas se habían corrompido religiosamente adorando a dioses falsos. **3.** Explique brevemente cómo el pueblo se había corrompido políticamente. Refiérase al comentario dado en el libro de Maestros y de alumnos, en la sección *Estudio panorámico del contexto*.

ESTUDIO DEL TEXTO BASICO

1. Lean los pasajes del Texto básico. Dé tiempo para que los alumnos contesten la sección: *Lea su Biblia y responda.*

2. Revise las respuestas dando oportunidad para que varios alumnos compartan el resultado de su investigación.

3. Solicite a alguien que lea Oseas 7:8-12. Destaque cómo el pueblo escogido se ha mezclado con los demás pueblos paganos y cuáles consecuencias trajo esto en la forma de vida de ellos. Refiérase a los comentarios en el libro de Maestros y de alumnos. Mencione los nombres de gobernadores de su país, e inste a su clase a orar por ellos sin importar si están de acuerdo o no con sus ideas o su actuación.

4. Lea Oseas 8:4-8. Refiérase a los comentarios en el libro de Maestros y alumnos. Haga hincapié en el tipo de dios que ellos habían creado y un paralelo con los ídolos creados por los hombres que ahora existen y cómo ellos ocupan en las vidas de las personas, el lugar que sólo le corresponde al verdadero Dios.

5. Pida a un alumno que lea Oseas 10:5, 6. Comente brevemente, siguiendo el comentario del libro de Maestros y de alumnos. Lean los vv. 9-12, ponga especial énfasis en el v. 12 y en la invitación al arrepentimiento que Dios hace al pueblo, invitación que es permanente.

APLICACIONES DEL ESTUDIO.

1. Permita que los alumnos participen activamente en el comentario de las aplicaciones prácticas que puedan leer del libro de alumnos y refuerce con las aplicaciones que aparecen en el libro de Maestros. **2.** Estimule a aquellos que quieran aportar otras aplicaciones que ellos consideran pertinentes a las diferentes situaciones en el diario vivir. **3.** Lleve a la clase especialmente a pensar en la aplicación que menciona la importancia de no mezclarse con el mundo. Que escriban en el pizarrón una lista de por lo menos cinco ejemplos prácticos que demuestran en qué no debe existir tal mezcla.

PRUEBA

Permita que los alumnos contesten las actividades en sus libros de trabajo y luego comenten las respuestas. Enseguida, guíe a la clase en un tiempo de compromiso con la decisión tomada. Termine con un momento de oración solicitando al Señor fortaleza para poner en práctica tal decisión.

El amor paternal de Dios

Contexto: Oseas 11:1 a 12:14
Texto básico: Oseas 11:1-4, 8, 9; 12:2-14
Versículo clave: Oseas 11:4
Verdad central: El amor de Dios a pesar de la desobediencia de Israel nos enseña que él aborrece el pecado, pero ama al pecador.
Metas de enseñanza-aprendizaje: Que el alumno demuestre su: (1) conocimiento del amor de Dios por Israel a pesar de su desobediencia, (2) actitud de aceptar, por medio de la obediencia, el amor que Dios le demuestra en muchas maneras.

———————— **Estudio panorámico del contexto** ————————

A. Fondo histórico:

Los mensajes de Oseas están llegando a su fin. El capítulo 11 es el más conmovedor del libro y representa lo más profundo de lo que el profeta aprendió de su experiencia tan difícil con su esposa infiel. Probablemente se predicaron cerca del año 725 a. de J.C. Oseas reconoció que Dios es un padre sumamente paciente con sus hijos pródigos. En el capítulo 12 enseña cómo el padre de la nación, Jacob, aprendió que el engaño no trae buenos resultados y volvió a Dios arrepentido.

B. Enfasis:

Como un padre amante, 11:1-4. El profeta habla en nombre de Dios y describe cómo Dios tomó a Israel como un niño abandonado, le sacó de la esclavitud y le enseñó a caminar. Con amor le disciplinó pero aun desde muy niño Israel comenzó a alejarse del amor de Dios.

Obstinada rebelión, 11:5-11. Dios reconoció desde el comienzo que Israel era propenso a rebelarse contra su amor y su disciplina. Contrario a lo que se cree, Israel no demostró aptitudes para la religión; el pueblo desde el principio no quiso una religión de moralidad elevada y no practicó una consagración profunda a Dios.

Estos versículos presentan a Dios como el padre del hijo perdido en la parábola de Jesús. No puede dejar de pensar en su hijo rebelde, su corazón se conmueve con amor, no puede castigar al hijo errante. Abriga siempre la esperanza de que el hijo va a volver al amor del hogar. De la misma manera Dios espera que los hebreos volverán a servirle y obedecerle.

El amor de Dios no tolera el pecado, 11:12 a 12:1. Después de la parábola el profeta reconoce que Israel le ha mentido y le ha engañado. En lugar de confiar en la roca de la eternidad han confiado en el viento de las promesas falsas de dos grandes naciones: Asiria y Egipto.

No se debe imitar el mal ejemplo, 12:2-9. Oseas recuerda cómo Jacob engañó a su hermano Esaú, a su padre Isaac y a su suegro Labán. Vivió del engaño hasta que tuvo una experiencia con Dios que cambió su vida. Fue cuando luchó con un angel. La nación igual como Jacob cree que ha obtenido su riqueza por su propia inteligencia.

Un retribución justa, 12:10-14. Por medio de sus siervos los profetas, Dios ha hablado a su pueblo rebelde. Pero ellos han sido atraídos a los cultos suntuosos de los santuarios de Gilgal y Betel. No han escuchado a los profetas que Dios les ha enviado desde los días de Moisés. Con justicia Dios va a permitir caer sobre ellos las consecuencias de todo su pecado. Les va a pagar según su pecado.

─────────── **Estudio del texto básico** ───────────

1 El amor paternal de Dios, Oseas 11:1-4.

Este es el capítulo más hermoso y profundo del libro de Oseas. Presenta un anticipo de la parábola del hijo perdido que se halla en Lucas 15:11-32. Oseas no cierra nunca los ojos a la realidad del pecado ni a sus efectos, pero sabe por experiencia que el amor es más poderoso que el pecado. Empleando la historia del éxodo de Egipto Oseas describe cómo Dios amó al pequeño pueblo de Israel y les tomó como hijos.

V. 1. Los hebreos habían perdido todo conocimiento de Dios durante los muchos años de esclavitud. Moisés tuvo que enseñarles hasta el nombre de Dios, quien les llamó de las tinieblas de esclavitud a la luz de la libertad.

V. 2. Desde sus inicios este pueblo evidenció una tendencia a extraviarse en pos de los ídolos que le ofrecían prosperidad material y bendiciones inmediatas. El hebreo no era religioso por naturaleza; al contrario buscó siempre el camino que le prometía riquezas y una vida cómoda.

V. 3. El *yo* es enfático. A pesar de la infidelidad Dios continuó mostrando que era su buen padre enseñándoles a *caminar*. Como bebés no sabían realmente quién era el que les cuidaba tanto, *no reconocieron que yo los sanaba*.

V. 4. Dios levanta al bebé a la altura de su mejilla y se inclina sobre él para alimentarle. No es por negligencia o descuido que Israel se ha extraviado de Dios sino por no reconocer el amor de la persona que le cuidó desde su infancia.

2 El amor de Dios promete restauración, Oseas 11:8, 9.

Los versículos 5 al 7 anuncian la decisión del padre adolorido. A causa de su rebelión constante el pueblo volverá a la esclavitud, esta vez no a Egipto sino a Asiria, la superpotencia de la época.

Vv. 8, 9. Estos versículos permiten ver dentro del corazón de Dios. Alguien ha dicho que estos dos versículos son "el Getsemaní del Antiguo Testamento", porque se ve claramente el conflicto entre el amor de Dios y su justicia. Tal como lo hizo en la cruz, Dios manifiesta aquí su gran amor por los hijos rebeldes. No puede entregar a Israel al exterminio como hizo con las ciudades de Sodoma, Gomorra, Adma y Zeboím que fueron destruidas por su pecado, y sus ruinas cubiertas por las aguas del mar Muerto (Gén. 19). La destrucción fue completa, sin esperanza de nueva vida (vea Deut. 29:23). El fin del reino del norte no será el fin del pueblo de Dios puesto que no es un hombre que toma represalias y guarda rencor. El es amor: sus propósitos son firmes y su capacidad para cumplirlos es infinita. Dios es Santo, totalmente diferente del ser humano. Obra con otros criterios: sus planes son para la eternidad, no por unos pocos años. Los pensamientos de Dios son elevados, no piensa en la venganza.

3 El amor de Dios corrige, Oseas 12:2-9.

Con estos versículos el profeta vuelve a la historia e invita a sus oyentes a mirar hacia atrás aun antes de la esclavitud de Egipto.

V. 2. *Jehovah tiene pleito con Judá...* porque su conducta es como la de su padre *Jacob* en los primeros años de su vida. Tal como el hombre que engañó fue engañado, así el pueblo va a sufrir conforme a sus obras.

Vv. 3, 4. Desde antes de nacer hasta su adultez, Jacob luchó para mejorar su posición en una manera que no respetó a Dios ni a su hermano. Sin embargo, en Betel Dios buscó a Jacob y comenzó a hablarle, y por medio de esa experiencia nos habla a nosotros.

Vv. 5, 6. Las palabras clave en estos versículos son: *vuélvete, lealtad* y *espera*. El v. 5 hace una declaración muy importante, debido a que las alianzas militares que Israel hizo con los pueblos paganos como Asiria y Egipto fracasaron. Esa fue evidencia suficiente para demostrar la superioridad de ¡*Jehovah, Dios de los Ejércitos!* Se repite dos veces su nombre para subrayar la importancia y trascendencia de Jehovah, en contraste con los ejércitos de los hombres.

El v. 6 se puede parafrasear así: Puesto que Jehovah, Dios de los Ejércitos ha demostrado su poder y su disposición para llevar adelante a su pueblo, entonces lo que corresponde al pueblo es volverse a Dios (arrepentirse), y demostrar su lealtad al único Dios practicando el derecho. Como corolario, deberá esperar *siempre en su Dios*.

Vv. 7, 8. El pueblo no respondió favorablemente al mensaje de Oseas y el profeta usó otra ilustración de la vida de Jacob. Israel como Jacob pensó que era autosuficiente, pero no fue así. La palabra *mercader* significa también "cananeo", el nombre del pueblo indígena de la tierra. El pueblo de Dios, igual que los pueblos paganos, es engañador y opresor en los negocios. Se ha enriquecido por sus propios medios, mas todos sus esfuerzos no serán suficientes para borrar el pecado (12:8b).

V. 9. Esta es la sentencia, el mismo Dios quien les sacó de Egipto va a condenarles a dejar las casas lujosas de Samaria y Betel y morar en las *tiendas* pobres de nómadas. No serán las tiendas de fiesta que aún hoy día los judíos usan para celebrar la fiesta de tabernáculos, sino los refugios humildes de los prisioneros de guerra.

4 El amor de Dios advierte del peligro, Oseas 12:10-14.
V. 10. En su tercera advertencia, Oseas habló del matrimonio de Jacob. Es muy interesante señalar algo de los métodos que usaron los profetas del Antiguo Testamento. Fueron los precursores de los predicadores de hoy en día. Un seminario debe ser una "escuela de profetas". En 9:7 Oseas dijo que la gente decía que el profeta era un "loco" e insensato. A través de los años, muchos han dicho lo mismo, pero los hechos de la historia demuestran que los profetas tenían razón y que no la tenían sus acusadores. El profeta Natán fue uno de los primeros en usar una parábola para acusar al rey de sus pecados (2 Sam. 12:1-15).
V. 11. Cuando en lo religioso el ritual y la ceremonia están divorciados de la vida recta, no sirven para nada. Al contrario, son repugnantes a Dios. Otros profetas dicen esto: "Hastiado estoy... No traigáis más ofrendas vanas... ¡No puedo soportar iniquidad!", Isaías 1:11-13. "Aborrezco, rechazo vuestras festividades, y no me huelen bien vuestras asambleas festivas", Amós 5:21.
V. 12. Jacob huyó de su familia y se sometió a las costumbres de una tierra pagana. Para adquirir a su esposa se acomodó a las circunstancias. Aun con su familia y sus riquezas no halló la felicidad.
V. 13. Por otro lado Dios por medio de un profeta y una ruptura completa con las costumbres de la tierra de Egipto salvó a su pueblo. La lección es clara: debemos escuchar la voz de Dios y no adaptarnos a las costumbres de la cultura que nos rodea.
V. 14. *Efraín,* Israel, *ha provocado a Dios con amargura,* por lo tanto Dios va a dejar caer sobre su pueblo la culpa de sangre, esto es por sus asesinatos e intrigas políticas. Dios le va a retribuir *su deshonra.* No es que el Dios del Antiguo Testamento es el Dios de la justicia y el Dios del Nuevo Testamento es el Dios del amor. En ambos Testamentos el principio es bien claro: Lo que el ser humano siembra es eso precisamente y no otra cosa lo que va a cosechar. La vida de pecado trae su propio castigo.

———————— **Aplicaciones del estudio** ————————

1. El más grande amor que el mundo jamás ha conocido es el amor de Dios. Por abnegado que sea el amor humano, de madre, padre o hermanos, nunca es tan sacrificial como el amor de Dios (Ose. 11:1, 3, 4).
2. El ser humano es egoísta por naturaleza. Desde la época de Adán y Eva pensamos que sabemos más que Dios sobre cómo organizar nuestra vida. La rebelión contra Dios no es una guerra armada, sino tomar nuestras propias decisiones sin tener en cuenta la revelación de Dios y su Palabra que nos llegan constantemente (Ose. 11:2, 5, 7).

3. Dios no es como el hombre. No busca el desquite, no toma represalias, no guarda odio buscando la oportunidad de vengarse. El es amor y justicia perfectos; estas dos cualidades solamente se expresan con perfección en la cruz (Ose. 11:8, 9).

─────────────── **Ayuda homilética** ───────────────

El amor paternal de Dios
Oseas 11: 1-11

Introducción: Dios no es sólo el Ser Supremo, el Gran Creador de todo, como muchos grupos no comprometidos con un Dios personal enseñan. La Biblia nos enseña que es nuestro Padre quien nos ama y desea lo mejor para cada persona.

I. El cuidado del padre.
   A. Dios nos ama desde el momento de nacer.
   B. Nos enseña a caminar.
   C. Su disciplina se aplica con "cuerdas de amor" con el deseo de enseñarnos a aprovechar la vida hasta el máximo.
II. La naturaleza rebelde del ser humano.
   A. Cada persona quiere ir por su propio camino.
   B. Cada uno cree que sabe mejor que nadie cómo sacar provecho de la vida.
   C. Todos somos "hijos perdidos".
III. La naturaleza de Dios.
   A. No nos abandona a nuestra suerte.
   B. Tiene una paciencia enorme con sus hijos.
   C. El ser humano tiene un límite a su paciencia, Dios no es así. Espera nuestro regreso de la "tierra lejana" del egoísmo y el orgullo.
IV. Debemos dar a Dios nuestro amor y lealtad incondicional.
   A. Debemos volver a Dios.
   B. El nos perdonará y nos dará una vida nueva y segura.
   C. Aun el cristiano a veces es rebelde y se extravía del camino del Señor.
   D. Debemos aceptar la disciplina de las "cuerdas de amor" y vivir con lealtad absoluta a Dios.

Conclusión: Nuestra relación con Dios puede ser diferente si lo concebimos como un Dios personal que siempre está listo a tratarnos como Padre amante.

Lecturas bíblicas para el siguiente estudio

Lunes: Oseas 13:1-3   **Jueves:** Oseas 14:1-3
Martes: Oseas 13:4-8   **Viernes:** Oseas 14:4-8
Miércoles: Oseas 13:9-16   **Sábado:** Oseas 14:9

AGENDA DE CLASE

Antes de la clase
1. Lea con cuidado y atención el texto bíblico y los comentarios en los libros de Maestros y de alumnos. **2.** Consiga y ponga en la sala de clase un mapa de los tiempos de Oseas. **3.** Tenga preparado un pizarrón. Si no puede, tenga un papel grande donde pueda escribir. **4.** Responda a la sección: *Lea su Biblia y responda* del estudio de hoy.

Comprobación de respuestas
JOVENES: **1.** a. Hijo. b. Cuerdas de amor. **2.** Jehovah.
ADULTOS: **1** a. De Egipto lo llamó. b. Le enseñó a caminar. c. Lo tomó en los brazos. d. Lo sanaba. e. Con cuerdas humanas los atraje. **2.** Se revuelve... compasión. **3.** "Porque soy Dios, y no hombre". **4.** "El Santo en medio de ti". **5.** a. Vuélvete a tu Dios. b. Practica la lealtad y el derecho. c. Espera siempre en tu Dios.

Ya en la clase
DESPIERTE EL INTERES
1. Guíe a la clase para que a través de una lluvia de ideas mencionen acciones de Dios en las cuales se puede ver reflejado su amor paternal. **2.** Escríbalas en el pizarrón, a medida que van siendo mencionadas. **3.** Que alumnos voluntarios compartan experiencias por las cuales comprobaron el gran amor de Dios hacia ellos.

ESTUDIO PANORAMICO DEL CONTEXTO
1. Reflexione brevemente sobre el inmenso amor de Dios que aborrece el pecado, pero ama al pecador. Fortalezca el concepto de Dios como Padre más que como Juez o Rey. Muestre en el mapa lo que incluía la tierra de Canaán en los días del profeta Oseas. **2.** Refiérase a la descripción de Jehovah como: "el Santo en medio de ti", "El Santo quien es fiel" (11:9, 12).

ESTUDIO DEL TEXTO BASICO
1. En forma individual lean los pasajes del Texto básico. Dé tiempo para que los alumnos respondan a las preguntas de la sección: *Lee tu Biblia y responde.*

2. Revisen las respuestas y al compartirlas presente repetidamente la *Verdad central* de este estudio: "El amor de Dios, a pesar de la desobediencia de Israel, nos enseña que él aborrece el pecado, pero ama al pecador."

3. Solicite a algunos padres que compartan unas breves reflexiones sobre los sentimientos que les ha producido el hecho de ser padre.

4. Lean al unísono los vv. 1-4 del cap. 11. Mencionen las características paternales de Dios reflejadas en estos versículos. Refiérase especialmente al versículo 4 que nos sugiere que Dios se basa en el amor para disciplinar a sus hijos.

5. Forme grupos pequeños para leer los vv. 8, 9 del capítulo 11. Guíe a sus alumnos a meditar en el incondicional amor de Dios, especialmente el amor que restaura.

6. Examine en el comentario del Texto básico en su libro de Maestros la sección *"el amor de Dios corrige".* Pida que alguien lea Oseas 12:2-9. Ponga énfasis en la figura de un juicio que Dios realizará contra su pueblo. Cuente la historia de Jacob, pero pidiéndole a los alumnos que mencionen los hechos que recuerden de la vida de este Patriarca. Guíe a la clase a reflexionar en que así como Jacob vuelve a Dios, el pecador también puede hacerlo cuando existe genuino arrepentimiento. Compare el viaje por el desierto de los días del escape de Egipto, con el futuro que le espera al pueblo con su desobediencia.

7. Examine la sección "El amor de Dios advierte del peligro". Pida que alguien lea Oseas 12:10-14. Reflexione sobre el hecho de que el pueblo no había escuchado a los profetas, y cómo en la actualidad el mundo tampoco escucha el mensaje cristiano.

APLICACIONES DEL ESTUDIO

1. Guíe a la clase a reflexionar sobre el inmenso amor de Dios. Use Oseas 11:4 que es el *Versículo clave* de este estudio. **2.** Lean las aplicaciones propuestas en los libros de Maestros y de alumnos. **3.** Permita que los alumnos agreguen nuevas aplicaciones que respondan a situaciones a las que se enfrentan cada día.

PRUEBA

Conceda un tiempo corto para que cada alumno conteste las dos preguntas que se encuentran en su libro de trabajo. Guíelos a tomar resoluciones que signifiquen cambios en su vida personal. Termine con una oración pidiendo que el Señor les fortalezca en hacer efectiva la resolución tomada.

Amor que perdona y restaura

Contexto: Oseas 13:1 a 14:9
Texto básico: Oseas 13:1-3, 9-16; 14:1-9
Versículos clave: Oseas 14:1, 2
Verdad central: El llamamiento hecho a Israel para que se arrepienta y comience el proceso de restauración nos enseña que Dios perdona y restablece a la persona que se arrepiente de sus pecados y se acerca a él.
Metas de enseñanza-aprendizaje: Que el alumno demuestre su: (1) conocimiento de las condiciones del llamado de Dios a Israel para que se arrepienta, (2) actitud de dar los pasos necesarios para recibir el perdón de Dios.

─────────── Estudio panorámico del contexto ───────────

A. Fondo histórico:
Estos dos capítulos contienen los últimos mensajes del profeta proclamados un poco antes del año 722 a. de J.C. En ellos se ve la creatividad de Oseas para utilizar figuras e ilustraciones. Hace una dura crítica del gobierno monárquico. Han pasado casi 280 años desde la instalación del rey Saúl y sobre todo en el norte del país este tipo de gobierno ha dejado de funcionar.

B. Enfasis:
Un reinado que se desvanece, 13:1-3. Israel tenía una relación especial con Jehovah desde el éxodo. Pero ahora ha sido infiel a Dios y ha optado por Baal el dios de Canaán que promete prosperidad en la agricultura. En épocas pasadas la tribu de Efraín era la más poderosa y respetada de las tribus del norte, pero al comenzar su relación con el dios pagano también comenzó la pérdida de su prestigio. Se dedicó a la fabricación de ídolos; por lo tanto su grandeza va a desaparecer como la neblina o el humo.
El peligro de olvidarse de Dios, 13:4-8. El profeta hablando en nombre de Dios hace recordar a la gente que en su salida de Egipto no adoraron a otro dios y que ningún otro dios ha sido su Salvador. El problema es que al llegar a la tierra de Canaán tuvieron que convertirse en agricultores; la tentación de adorar al dios de la agricultura era grande. Y así sucedió, se olvidaron de su Salvador. Por eso Dios los va a castigar con la furia de un león o una osa a la que le han robado sus cachorros.
Consecuencias de la torpeza, 13:9-16. Con ironía Dios hace burla del

pueblo desobediente. Han perdido el camino como nación. Ante su insistencia, Dios les permitió tener reyes. Ahora sólo les pregunta qué han hecho esos reyes y los que les siguieron. Aprendieron a atar su futuro al engaño y la maldad. Vendrá una época de sufrimiento y muerte; Dios no tendrá compasión del pueblo rebelde. Sus campos no darán la cosecha esperada; el dios de la agricultura no podrá salvarles. No llegará la lluvia y faltará el riego. La sentencia de muerte se cumplirá sobre *Samaria,* la ciudad y sus habitantes.

Dios llama al arrepentimiento, 14:1-3. El último capítulo es una invitación a volver a Dios y gozarse de las bendiciones que solamente él pueda darles. Los sacrificios de animales no sirven para nada; hay que humillarse ante Dios con arrepentimiento. El pueblo va a reconocer que de nada sirve adorar a los objetos hechos por manos humanas. Deben volver a Dios con palabras de súplica reconociendo que él es el único que tiene misericordia sobre la gente indefensa.

Arrepentimiento y restauración, 14:4-9. El libro termina con una doctrina básica de la Biblia: Dios nos perdona y nos salva "por pura gracia". En una manera totalmente desconocida a la mente humana Dios va a perdonar la rebelión de su pueblo y restaurarle a su tierra. Gozarán de prosperidad material y bendiciones espirituales innumerables. Su conversión será completa; van a renunciar la adoración de ídolos y disfrutar una vida nueva que sólo Dios puede darles. El libro termina con una exhortación a entender bien la voz de Dios y andar por sus caminos.

---------------------------- **Estudio del texto básico** ----------------------------

1 Lo alienante de la adoración a otros dioses, Oseas 13:1-3.

El capítulo 13 contiene cuatro discursos del profeta que proclaman el fin de la relación especial que existía entre Israel y Jehovah. Al optar por la adoración del ídolo, *Baal,* Israel perdió toda autoridad moral ante otros pueblos. Al principio la tribu de Efraín ocupó un lugar de honor entre las 12 tribus de Israel (Gén. 48:12-20; Jue. 8:1-4), pero en el año 733 a. de J.C., perdió mucho de su territorio y toda su influencia a manos de los invasores asirios. El profeta dice que esto se debió a su adoración del dios de la agricultura, *Baal.* En el culto de Betel se empleó la imagen de un *becerro* y parte de la adoración consistía en besar la imagen (1 Rey. 19:18). Con elocuencia el profeta dice que puesto que han adorado al dios de la naturaleza serán como cuatro aspectos de la naturaleza que pronto desaparecen: la neblina, el rocío, el tamo y el humo. Estos desaparecen para siempre; así le pasará a Israel, desaparecerá de la faz de la tierra.

El Dios de Israel no es el dios de la naturaleza, es el Dios de la historia. Ordena los movimientos de la naciones y sus propósitos se cumplirán. Su voluntad se hará en toda la tierra y los cielos. Tal como usó cuatro figuras de la naturaleza para describir a los que adoran a Baal, Oseas describe ahora a Dios con cuatro figuras del mundo animal en su castigo del pueblo desobediente. Como leopardo, león, osa o un animal del campo Dios va a destruir la sociedad rebelde. Amós 3:12 y Proverbios 17:12 describen así el juicio de Dios a su pueblo: Y todo eso ocurrirá porque "se olvidaron" del Dios que tanto hizo por ellos.

2 No habrá socorro para Israel, Oseas 13:9-16.

En estos versículos el profeta responde a los que no quieren creer las palabras de un predicador. Ellos creen que la nación no será destruida; que un nuevo rey y una nueva administración pueden arreglarlo todo. Dios responde con palabras ásperas. Han perdido todo porque solamente en Dios había ayuda y ellos han depositado toda su confianza en la política.

Vv. 10, 11. Se describe aquí la situación reinante en Israel durante los últimos tres años de su existencia como nación. El rey Oseas (nada de relación con el profeta) ya estaba cautivo en Asiria (2 Rey. 17:3-5) y la anarquía reinaba en la pequeña nación. Lamentablemente desde su comienzo la monarquía desafiaba el señorío de Dios como verdadera cabeza del pueblo. Como dice 1 Samuel capítulos 8 a 10, Dios dio a Israel un rey como expresión de su furor y por último les quitó su rey por su ira. Ante semejante poder ¿qué pueden hacer los políticos para superar esta situación?

V. 12. *Atada está la maldad...* El pecado es un hábito, y un hábito no corregido llega a formar parte del carácter de una persona. *Efraín* ya es esclavo del pecado, atado con cadenas a su maldad. No tiene la menor intención de cambiar su conducta.

V. 13. La madre esperaba que naciera un niño sano, pero Israel es un hijo torpe; no hace ni produce las obras de un ser humano normal.

V. 14. A estas alturas, Dios ha escondido su compasión; la oportunidad citada en el capítulo 11 se perdió. Dios invoca a la *Muerte y Seol* que vengan a hacer su obra en Israel. El *Seol* para el hebreo era el lugar de tinieblas, morada de los muertos. Nadie podría alabar a Dios en el Seol; sólo quedaron las sombras de personas que antes gozaban de vida (Job 17:13-16).

V. 15. Aunque la nación prospere por unos años más, el fin se acerca de forma inevitable. El viento caluroso secará todo y todo su poderío económico desaparecerá.

V. 16. Aquí aparece la sentencia de pena capital sobre la nación rebelde. Israel se rebeló contra su Dios quien va a utilizar a Asiria como el instrumento de castigo. Nada pudo detener la destrucción completa de Samaria. Los fuertes y los débiles caerán a espada; niños y mujeres morirán. El pueblo buscó vida y fertilidad por medio del culto a Baal; lo que encontró fue la muerte. Tal como comenzó el capítulo 13 así termina, anunciando la muerte de Efraín porque ha dejado de servir al Dios verdadero para seguir al ídolo Baal.

3 Dios llama al arrepentimiento, Oseas 14:1-3.

El capítulo 14 es una conclusión maravillosa del libro. En los vv. 1-3 el profeta invita al pueblo a confesar su pecado, y los vv. 4-8 presentan la respuesta de Dios al pueblo si ellos hacían suya dicha confesión.

V. 1. Se basa en el cuadro de una persona que ha caído debido a su pecado. Oseas dice que el pueblo tenía que volver a Dios al que han abandonado. Por eso han tropezado (5:5); como el hijo perdido tienen que levantarse en un acto auténtico de arrepentimiento y acercarse a Dios.

V. 2. Tienen que ser palabras sinceras suplicando la misericordia de Dios, nada de la ceremonia y ritual de los santuarios paganos. (Luc. 18: 9-14. Un ejemplo de la oración que sirve.) Al fin la gente comprenderá que no se puede comprar a Dios. De nada sirven los sacrificios costosos de animales, lo que Dios desea es el sacrificio de labios que confiesen su pecado. Probablemente el significado mejor de la frase hebrea sería: "Quita toda iniquidad, y aceptaremos lo que es bueno."

V. 3. Es de suma importancia reconocer que ni la política ni peregrinaciones a santuarios con imágenes famosas pueden salvar. Hay que ir directa y personalmente a Dios *porque en él, el huérfano alcanzará misericordia...* El puede bendecir y perdonar. Tal como dijo en 11:1 Dios es el que puede tomar a un huérfano y hacerle hijo propio. El Rey del universo se preocupa de la persona más pequeña e indefensa.

4 Dios promete restauración a los arrepentidos, Oseas 14:4-9.

V. 4. Con este versículo Dios comienza una serie de promesas a su pueblo arrepentido. Como en el Salmo 103 promete sanarlos y como Pablo menciona en Efesios 2:4-10, Dios va a hacerlo todo "de pura gracia". Será una salvación inmerecida, y esta acción responde a que apartó su ira de su pueblo.

Vv. 5, 6. Se dan tres figuras de la vida sana. Dios será como el *rocío* suave sobre la tierra, Salmo 133:3; Isaías 18:4 y Deuteronomio 32:2. Será el contraste total de su ira como Proverbios 19:12 lo expresa de forma hermosa: "Su favor es como el rocío sobre la hierba." Así el pueblo va a florecer como el *lirio, el olivo* y el magnífico cedro del monte *Líbano*. El lirio blanco de Galilea simbolizaba la belleza y la fertilidad; el cedro del *Líbano* simbolizó poder y permanencia y el *olivo* que puede producir fruto por mil años es símbolo tanto de fertilidad como de permanencia. Dios va a dar todo esto y más al nuevo Israel.

V. 7. Dios nos protege del sol y de la tempestad (Isa. 25:4; Sal. 121:5). Nunca más buscarán la sombra de los santuarios de Baal (Ose. 4:13); Dios será su refugio siempre.

V. 8. El *ciprés verde* es el arbol nativo de las montañas de Israel y Judá. Israel no tendrá que pensar que el ídolo de Canaán produce bendiciones; Dios mismo va a dar fruto para ellos. Note bien que después que Efraín renuncie a su trato con ídolos, Dios anuncia que va a oír la oraciones del pueblo y considerar su situación para ayudarles. Dios se preocupa por su pueblo, él es la fuente de vida para ellos.

V. 9. En la conclusión de este libro se invita al lector-oyente a poner en práctica su mensaje. El libro es la palabra de Dios que muestra los caminos rectos del Señor, no sólo a Israel sino a todos los que lo lean con fe. Si una persona entiende la profecía de Oseas, cambiará su actitud y sus acciones.

1. **El pecado destruye el buen nombre de una persona.** Una persona puede gozar de prestigio y respeto y perderlo todo por el pecado (Ose. 13:1).
2. **Es necio confiar en la riqueza y posición.** Los que lo hacen, basan su vida en algo tan inestable como la neblina o el humo (Ose. 13:3).
3. **¿Quién puede ayudarnos?** Ningún gobierno, ni sistema político puede ayudarnos a resolver los problemas trascendentes de la vida. La respuesta sigue siendo Dios (Ose. 13:9).

Ayuda homilética

Cómo nacer de nuevo
Oseas 14:1-7

Introducción: Muchas personas quisieran comenzar la vida de nuevo, eso es imposible. Ya han pasado por muchas experiencias. Solamente Dios nos ofrece la posibilidad de nacer de nuevo.

I. El pecado nos envejece.
   A. El pecador pierde su inocencia, se cubre de vergüenza y pena.
   B. Ya no tiene ilusiones. La vida va de derrota en derrota.
   C. No puede sentirse limpio de nuevo.

II. Debemos emplear "palabras de súplica".
   A. Dios ha hecho todo lo que él puede hacer para salvarnos; ahora nos toca a nosotros suplicar su perdón por nuestro pecado.
   B. Tenemos que estar dispuestos a abandonar el pecado y seguir a Dios con todo el corazón o las palabras son vanas.

III. Soluciones inadecuadas al pecado.
   A. Idolos, la obra de nuestras manos.
   B. Las buenas obras no pueden obtener perdón del pecado. Las buenas obras son el producto de una vida nueva, no viceversa.
   C. Dios nos perdona por su gracia y su amor.

IV. El perdón es el resultado de la gracia de Dios.
   A. El nos ama. No desea ver a nadie caminando hacia el infierno.
   B. Dio a su hijo para abrirnos el camino de salvación.

V. La nueva vida.
   A. Hay gran gozo y paz al sentirse perdonado.
   B. Solamente Dios puede darnos este nuevo nacimiento.

Conclusión: Dios ya hizo su parte, nos toca a nosotros tomar una decisión.

Lecturas bíblicas para el siguiente estudio

Lunes: Jonás 1:1-3   **Jueves:** Jonás 1:17
Martes: Jonás 1:4-10   **Viernes:** Jonás 2:1-9
Miércoles: Jonás 1:11-16   **Sábado:** Jonás 2:10

AGENDA DE CLASE

Antes de la clase
1. Estudie cuidadosamente el texto bíblico y el material de los comentarios en los libros de Maestros y de alumnos. **2.** Tenga preparado un pizarrón o un papel grande donde pueda escribir. **3.** Solicite anticipadamente a dos personas que acostumbran evangelizar, que preparen un diálogo presentando el plan de salvación. El diálogo puede ser espontáneo, memorizado o diseñado especialmente al efecto. **4.** Provea de una hoja de papel y lápiz para cada alumno. **5.** Consiga una imagen de Baal para mostrar a la clase. **6.** Complete la sección: *Lea su Biblia y responda* correspondiente al estudio de hoy.

Comprobación de respuestas
JOVENES: **1.** Pecó porque adoró a Baal. **2.** Hacían nuevos ídolos, les ofrecían sacrificios, los besaban. **3.** Su ayuda. **4.** Amor. **5.** Florecerá como lirio y extenderá sus raíces como el Líbano. **6.** Son rectos y los justos andan por ellos.
ADULTOS: **1.** Baal, murió. **2.** a. Han hecho ídolos. b. Han ofrecido sacrificios a ellos. c. Han besado el ídolo del becerro. **3.** Serán como niebla de la mañana, el rocío del amanecer, el tamo que es arrebatado y el humo que sale. **4.** Ejemplo: Vuelva ahora a Dios, usted se ha alejado de él por su propio pecado. Ore a él pidiéndole que quite todo su pecado y que le acepte con amor y gracia. Hágale la promesa de su compromiso. **5.** Rocío... lirio y echará sus raíces como el Líbano. **6.** El ciprés verde... será hallado fruto en ti.

Ya en la clase
DESPIERTE EL INTERES
1. Dé la bienvenida a todos los presentes destacando la presencia de visitas. **2.** Comente que el estudio de hoy versará sobre el llamamiento de Dios al arrepentimiento y la restauración que ofrece a quien se arrepiente y se acerca a él. **3.** Pida que cada alumno mencione el nombre de una persona que necesita escuchar este mensaje. **4.** Que cada uno anote todos los nombres en la hoja que usted proveyó y oren por esas personas. Hagan un compromiso de oración por ellos. Recuérdeles en la próxima clase este compromiso. **5.** Dé la oportunidad para que actúen las dos personas a las que solicitó con anticipación presentar el diálogo simulado de cómo presentar el plan de salvación.

ESTUDIO PANORAMICO DEL CONTEXTO
Por tratarse del último estudio en el libro de Oseas: **1.** Haga un rápido repaso de los estudios anteriores. Dé especial atención a recordar las Metas de enseñanza-aprendizaje en cada estudio. **2.** Refiérase a la

situación política y religiosa de los tiempos en que Oseas ejerció su ministerio profético. Consulte los comentarios del libro de Maestros y de alumnos, al respecto. **3.** Muestre el capítulo 13 de Oseas como el resumen del mensaje total del profeta, y el 14 como el de condena al pecado y el llamado al arrepentimiento, pero especialmente la restauración que Dios produce cuando hay arrepentimiento genuino.

ESTUDIO DEL TEXTO BASICO

1. Pida que lean el Texto básico de acuerdo con las cuatro divisiones que presenta el estudio: (1) 13:1-3. (2) 13:9-16. (3) 14:1-3. (4) 14:4-9.

2. Conceda tiempo para contestar la sección: *Lee tu Biblia y responde.* Revisen juntos las respuestas.

3. Presente la sección: "Lo alienante de la adoración a otros dioses." Muestre a la clase la figura de Baal. Refiérase a los pecados de la vida de Israel, precisamente por adorar imágenes. Guíe a la clase a pensar en ídolos modernos que toman el lugar de Dios.

4. Resuma la sección: "No habrá socorro para Israel." Utilice el comentario expuesto del libro de Maestros y de alumnos.

5. Presente la sección: "Dios llama al arrepentimiento." Refiérase especialmente a la expresión "vuelve" y su significado. Haga una invitación al arrepentimiento, especialmente si hay inconversos.

6. Refiérase a la cuarta sección: "Dios promete restauración a los arrepentidos." Solicite que se lea Oseas 14:4-9, un versículo por alumno. Presente con mucho regocijo la verdad de que el Señor nos da la salvación por gracia, no la merecemos. Refiérase al comentario del libro de Maestros para la identificación de las expresiones poéticas del pasaje.

APLICACIONES DEL ESTUDIO

1. Permita a la clase leer las aplicaciones del estudio. **2.** Compartan apreciaciones del estudio, quizás conceptos que ahora se entienden mejor. Guíelos a encontrar nuevas aplicaciones. **3.** Escriba en el pizarrón o en un papel grande la *Verdad central* de este estudio. "El llamamiento hecho a Israel para que se arrepienta y comience así el proceso de restauración nos enseña que Dios perdona y restablece a la persona que se arrepiente de sus pecados y se acerca a él." **4.** Que alumnos voluntarios compartan experiencias de arrepentimiento y restauración.

PRUEBA

De un tiempo para contestar las preguntas de la sección Prueba en el libro de alumnos. Guíelos a reflexionar sobre el mensaje de Oseas, especialmente al responder a la segunda pregunta.

Unidad 8

Jonás y el plan de Dios

Contexto: Jonás 1:1 a 2:10
Texto básico: Jonás 1:1-5, 9-17; 2:1-3, 9, 10
Versículo clave: Jonás 2:9
Verdad central: La reacción de Dios ante la huida de su misión por parte de Jonás nos enseña que Dios desea y actúa para que la gente conozca su mensaje.
Metas de enseñanza-aprendizaje: Que el alumno demuestre su: (1) conocimiento de la reacción de Dios ante la huida de Jonás, (2) actitud de participar en el cumplimiento del deseo de Dios de que otros conozcan su mensaje.

───────────── Estudio panorámico del contexto ─────────────

A. Fondo histórico:

Escritor y fecha del libro de Jonás. No hay evidencia clara que le conceda al propio Jonás la paternidad de su libro. En todo caso, él debe haber sido la principal fuente de información. Jonás es el profeta que se menciona en 2 Reyes 14:25 como el que anunció a Jeroboam II sus triunfos y la consecuente extensión territorial a favor del pueblo de Dios. Ubicamos el ministerio de Jonás durante el reinado de Jeroboam II (793-753).

Propósito del libro. Este momento está marcado como de gran antagonismo entre judíos y gentiles y un exclusivismo religioso de parte de los judíos que se apropiaban del privilegio de la salvación, haciendo a un lado a todas las demás naciones. Así aparece el libro de Jonás para contarrrestar esta tendencia y hacer volver al pueblo de Dios a su llamamiento original: ser bendición a todas las naciones de la tierra (Gén. 12:1-3). Jonás al oponerse a la salvación de los ninivitas, representa al exclusivismo judío. Las consecuencias trágicas de su actitud hablan al pueblo de lo equivocado de su postura nacionalista, puesto que la gracia de Dios es para todos los hombres.

Nínive. Es una de las ciudades más grandes de Mesopotamia, ubicada al este del Tigris. En sus mejores tiempos (siglo VIII a. de J.C.) llegó a ser la capital del imperio de Asiria. Senaquerib la hizo la capital del imperio que en ese momento era el más extenso y famoso. Jonás le atribuyó una población aproximada de 120,000 habitantes. En el Nuevo Testamento Jesús menciona a la gente de Nínive (Mat. 12:41; Luc. 11:30, 32) para hablar de la importancia del arrepentimiento.

B. Enfasis:
El mandato de Dios, Jonás 1:1, 2.
Una actitud rebelde, Jonás 1:3.
El reclamo divino, Jonás 1:4-10.
La angustia de los marineros, Jonás 1:11-14.
La paga de la culpa, Jonás 1:15-17.
Desechado, Jonás 2:1-4.
Restauración y segunda oportunidad, Jonás 2:5-10.

──────────── **Estudio del texto básico** ────────────

1 Dios llama a Jonás, Jonás 1:1, 2.

V. 1. Frente a la actitud nacionalista del pueblo de Dios, que concebía la salvación como privilegio exclusivo de los judíos, Dios interviene para levantar una voz profética que saque del error a sus hijos. Para el efecto, llama a *Jonás,* cuyo nombre significa "paloma". Jonás ya había ejercido un importante trabajo profético cuando anunció a Jeroboam II que en su reinado serían restauradas "las fronteras de Israel" (2 Rey. 14:25).

V. 2. El llamado de Dios es tajante: *"Levántate y vé a Nínive..."* La ciudad era ampliamente conocida como un centro de culto a la fertilidad, y por su crueldad con los prisioneros de guerra. Dios la describe diciendo: *"Su maldad ha subido a mi presencia."* Aquí se conjugan providencialmente dos factores: Por un lado, hace falta que el pueblo de Dios recuerde que fue llamado a ser bendición a todas las naciones de la tierra, y por otro Nínive necesita con urgencia el mensaje de la salvación.

2 Rebeldía de Jonás, Jonás 1:3-5.

V. 3. En ese momento histórico, nadie en Israel pensaba en llevar un mensaje de bendición a otra parte. Además, Nínive pertenecía a un imperio enemigo. Ante el llamado de Dios, el profeta prefirió *huir a Tarsis.* Es difícil identificar la ciudad de Tarsis que llegó a ser símbolo de tierra distante e ideal. Si Jonás se embarcó en Jope y quería ir lejos, entonces es de suponer que Tarsis era un puerto en el Mediterráneo, muy alejado de Palestina.

Lo que resulta inverosímil es la actitud de un profeta de Dios que había participado en anunciar la recuperación de las fronteras de Israel. Ahora pretende huir *de la presencia de Jehovah.*

Vv. 4, 5. Es imposible ir en contra de los designios de Dios y tener éxito. Haciendo uso de su poder sobre los elementos naturales, *Jehovah lanzó un gran viento sobre el mar.* Jonás había olvidado el poder de Dios que tantas veces se demostró. El barco quedó a merced de las grandes olas del mar y estaba *a punto de romperse.* Como es común en casos de desastre, los marineros comenzaron a clamar a sus respectivos dioses al mismo tiempo que aligeraban la carga echando al mar el cargamento que llevaban. Entre tanto, Jonás gozaba de un profundo sueño en el *fondo del barco.*

3 Jonás reconoce su rebeldía, Jonás 1:9-17.

Vv. 9, 10. Frente a la terrible tempestad y el riesgo de perder la vida, los marineros echaron suertes para tratar de encontrar un culpable de su desgracia. La suerte cayó sobre Jonás, quien al ser interrogado reconoce su condición. Una parte importante de su confesión es su honestidad: *Soy hebreo y temo a Jehovah.* Además, ubica a Dios como creador de los *cielos, ...el mar y la tierra.* Tal testimonio produjo temor en sus compañeros de viaje quienes no alcanzaban a comprender cómo alguien que reconoce tales atributos en la divinidad, se atrevió a ponerlo en evidencia.

La pregunta clave aquí es:—*¿Por qué has hecho esto?* Los viajeros, compañeros de Jonás tenían un alto sentido de lo religioso, evidenciado cuando clamaron a sus respectivos dioses. Por eso es difícil para ellos entender la actitud de Jonás. En favor de Jonás podemos decir que se atrevió a testificar de un solo Dios sobre toda la tierra. Para él, Jehovah es el Dios trascendente de los cielos, creador y soberano del mar y la tierra. Frente a su pretendido exclusivismo, Jonás tuvo que reconocer que Dios y sus bendiciones van más allá de una estrecha franja de tierra y a un sinfín de naciones.

Vv. 11, 12. Ya que Jonás mismo había confesado, los marinos solo atinaron a pensar que algo había que hacer con el culpable porque *el mar se embravecía más y más.* Si Jonás dijo que Dios es creador del mar, entonces puede someterlo a su señorío. El profeta, en un acto temerario dice: *echadme al mar.* Una de las características del verdadero arrepentimiento es aceptar la responsabilidad y estar dispuesto a pagar las consecuencias del pecado. Jonás no evadió su realidad, reconoció que Dios no quería hacer daño a los marineros y decidió enfrentar su culpa.

Vv. 13, 14. Hay un contraste interesante entre la actitud de los que no conocían a Dios y la de Jonás. Mientras ellos daban evidencias de su religiosidad al tratar de preservar la vida del profeta, Jonás había tratado de huir de la presencia de Dios. Por otro lado, vemos a los mismos hombres remando desesperadamente *para hacer volver el barco a tierra,* sin querer estaban yendo en contra del plan de Dios, por eso *el mar se embravecía cada vez más.*

Uno de los resultados inmediatos de la nueva actitud de Jonás fue el clamor de aquellos hombres: *—¡Oh Jehovah..!* Antes no sabían nada acerca del Dios único, ahora reconocen que pueden dirigirse a él con una petición: *no perezcamos.* Reconocieron que el Señor estaba llevando adelante un plan y que estaba actuando en base a su soberanía: *has hecho como has querido.*

Vv. 15, 16. Conforme a la petición anterior (v. 12) echaron a Jonás *al mar.* Eso fue suficiente para que las cosas cambiaran. ¡Cuántas lecciones surgen de estos versículos! El poder de Dios sobre la naturaleza; la soberanía de Dios; la vida transformada de Jonás y de los que no conocían al verdadero Dios; las consecuencias del pecado, etc., etc. Uno de los resultados inmediatos frente al arrepentimiento de Jonás fue que sus compañeros *ofrecieron un sacrificio* a Jehovah *e hicieron votos.*

V. 17. El *gran pez* (gr. *ketos* = gran monstruo marino) ha sido motivo de muchas especulaciones, pero no para nosotros, puesto que el Señor mismo lo citó en Mateo 12:40, enfatizando la tumba simbólica más que la propia criatura marítima. Lo que sobresale en este versículo es la disposición de Dios de llevar adelante su plan salvífico. Todavía no terminaba sus tratos con Jonás, había muchas cosas por hacer.

4 Dios escucha la oración de Jonás, Jonás 2:1-3, 9, 10.

Vv. 1-3. Cuando estaba en el barco, y la tempestad rugía con furia, Jonás estaba profundamente dormido, mientras los marineros paganos clamaban a sus respectivos dioses. Ese era otro Jonás, el que no quería saber nada de la oportunidad que Dios quería darles a otros pueblos de conocerlo. Ahora levanta una sentida oración *a Jehovah su Dios*. En esta oración muestra su quebrantamiento y sumisión a la voluntad de Dios. *Desde el vientre/seno del Seol*, lugar de muerte, el profeta clamó y Dios lo escuchó. Hay gran similitud de estas palabras con el Salmo 88:5.

Vv. 9, 10. El verdadero sacrificio no es un intento de apagar la ira de Dios (como lo hacían los paganos), sino un canto de *alabanza*. Es decir, el espíritu del sacrificio es buscar la honra de Dios. El nuevo Jonás hace promesas a Dios y declara su disposición de cumplirlas cuando dice: *lo cumpliré*.

Lo más sobresaliente de esta oración es cuando Jonás exclama: *¡La salvación pertenece a Jehovah!* Es un reconocimiento de lo equivocado de su anterior postura. Es una declaración de fe de la soberanía de Dios. A él le pertenece la salvación y por ende puede darla a quienes él quiere, no solamente a los judíos.

Finalmente, una vez que Jonás ha abierto su corazón a Dios, el Señor habla al *pez, y éste vomitó a Jonás en tierra*. Jonás ahora sabía en su interior que efectivamente Dios salva. Esa realidad había dejado de ser una idea obsesiva, o una teoría que servía de tema a los profetas. Ahora se había convertido en una experiencia personal. Ahora el siervo de Dios se halla en tierra firme, listo a cumplir el mandato de abrir las fronteras de la salvación a otros que no eran de su propia raza.

—————————Aplicaciones del estudio —————————

1. El amor de Dios es para todos. La salvación no es exclusiva de un pueblo, es la provisión completa de Dios para un mal universal: el pecado. Es el privilegio del pueblo cristiano proclamar en todas partes este mensaje.

2. Es urgente cumplir con la gran comisión. Una mirada a nuestro mundo de hoy nos puede hacer oír la voz de Dios acusándolo de que su maldad ha llegado hasta el cielo mismo. Los cristianos tenemos un mensaje que puede transformar al hombre, pero ese mensaje necesita ser revestido de un sentido de urgencia. Es cuestión de vida o muerte.

3. No es posible esconderse de Dios. El Espíritu de Dios escudriña los pensamientos y el corazón de los hombres y es imposible tratar de evadir esa realidad. Necesitamos enfrentarnos al Dios que está dispuesto a perdonar al pecador que se arrepiente.

4. Dios está dispuesto a darnos una segunda oportunidad. Jonás tuvo el privilegio de cumplir la tarea una vez que se arrepintió y estuvo dispuesto a cumplir el plan de Dios para su vida. Nunca es demasiado tarde para ponerse a las órdenes de Dios dejándolo que él haga su voluntad. **5. Servir a Dios es la mejor profesión en la tierra.** Se puede tener la profesión más lucrativa, la más altruista desde el punto de vista humano, pero la que es superior en todos los sentidos es la de servir como instrumento de Dios para llevar adelante su plan de salvación.

───────────── **Ayuda homilética** ─────────────

La actitud frente al llamamiento
Jonás 1:1-17

Introducción: Dios llama a algunas personas para llevar adelante su plan de salvar a todo el mundo de la condenación del pecado. Frente a ese llamamiento se pueden adoptar diferentes actitudes. La actitud de Jonás al ser llamado por Dios puede calificarse como equivocada.

I. Un llamamiento santo.
  A. El llamamiento a predicar la salvación viene de Dios.
  B. El llamamiento a predicar es un imperativo: levántate y vé.
  C. El llamamiento a predicar está sustentado por Dios.

II. Una actitud equivocada.
  A. Trata de evadir el llamamiento de Dios.
  B. Concibe la salvación en términos nacionalistas.
  C. No se preocupa verdaderamente por los perdidos.

III. Una actitud correcta.
  A. Obedece gozoso el llamamiento.
  B. Reconoce la universalidad de la salvación.
  C. Tiene pasión por los perdidos.

Conclusión: Dios sigue hoy llamando a sus siervos para que vayan a anunciar el mensaje de salvación. Lo ideal es que la persona llamada responda gozosa, reconociendo que la salvación es para todos y con una profunda pasión por los que están perdidos.

Lecturas bíblicas para el siguiente estudio

Lunes: Jonás 3:1, 2   **Jueves:** Jonás 3:10
Martes: Jonás 3:3, 4   **Viernes:** Jonás 4:1-4
Miércoles: Jonás 3:5-9   **Sábado:** Jonás 4:5-11

AGENDA DE CLASE

Antes de la clase
1. Lea todo el libro de Jonás. **2.** Lea el comentario en los libros de Maestros y de alumnos. **3.** Si tiene una Biblia de Estudio lea el artículo introductorio también. **4.** Busque un mapa del período que indica los lugares de Jope, Nínive y Tarsis. **5.** Si su convención tiene misioneros haga tarjetas para cada alumno con el nombre de un misionero, sitio donde trabaja y una petición especial por él/ella o por su labor. **6.** Responda la sección: *Lea su Biblia y responda.*

Comprobación de respuestas
JOVENES: **1.** Respuesta personal. **2.** a. Levantó un gran viento en el mar, b. Tuvieron miedo; c. Porque así lo pidió él; d. El mar se aquietó. **3.** a. Un gran pez; b. El profeta resume su experiencia y promete cambiar. ADULTOS: **1.** Jonás... Nínive... ciudad. **2.** Porque la maldad de los ninivitas era mucha. **3.** Trató de huir a Tarsis. **4.** Tuvieron miedo; oraron a sus dioses. **5.** Soy hebreo y temo a Jehovah. **6.** Respuesta personal. **7.** ¡La salvación pertenece a Jehovah!

Ya en la clase
DESPIERTE EL INTERES
¿Se acuerda de cuando era niño que uno quería huir de sus padres cuando tenía que hacer una tarea no deseada? Por regla general no daba resultados, pero hay algo en la persona que le hace huir de lo que le molesta o lo que no le gusta. Vamos a estudiar de un hombre de Israel que creía que se podía huir de Dios, que podía frustrar los planes de Dios. El mensaje de todo el libro nos dice en voz alta que NO se puede hacer esto. Además, nos da uno de los más insistentes mensajes del amor de Dios para todas las personas, aun sus enemigos y los enemigos de su pueblo.

ESTUDIO PANORAMICO DEL CONTEXTO
1. Asiria era un país excepcionalmente cruel con las naciones dominadas. Eran temidos y odiados. **2.** Lean Jonás 1:1-3 y muestre en el mapa los sitios mencionados. Llame la atención al hecho que Jonás va al otro extremo del mundo conocido en este entonces, lo más lejos de Nínive que fuera posible.

ESTUDIO DEL TEXTO BASICO

1. Pida a los alumnos que respondan a: Lea su Biblia y responda.

2. Lean de nuevo Jonás 1:1, 2 y enfatice el plan de Dios de predicar contra Nínive por su maldad.

3. Lean Jonás 1:3-5. Note que Dios es el actor, el agente de la acción. No fue que se levantó una tormenta, sino "Jehovah lanzó un gran viento sobre el mar". Noten la actitud de Jonás que se fue a dormir mientras los marineros exponían su vida por su culpa. Haga notar la actitud religiosa de los marineros que oraron a sus dioses.

4. Lean Jonás 1:9-17. Jonás reconoce que es por culpa de él que ha venido este gran peligro a los marineros y piensa que la única solución es su muerte. ¿Qué tal si se hubiera arrepentido y pedido el perdón de Dios en este momento? El propósito de Dios era que Jonás fuera a Nínive para compartir su mensaje. El es Dios, y así preparó (dispuso) un gran pez que tragase a Jonás en las aguas tan tormentosas. Procure evitar la pérdida de tiempo en discusiones de si era posible o no. Con Dios, todo es posible. El punto de esta narración es el mensaje misionero, no el pez. Dios quiere llevar su mensaje de castigo, arrepentimiento y perdón aun a las personas más crueles. Su propósito siempre es su salvación.

5. Lean Jonás 2:1-3. Hablen de la oración del angustiado y cómo es oído por Dios. Al sentirse en "el vientre de Seol" Jonás consideraba que estaba ya en el sitio de "sombra" de muerte. Lean el resto de la oración, porque es una hermosa expresión de lo que se siente en la depresión o la angustia. La última línea "¡La salvación pertenece a Jehovah!" es una gran expresión de fe.

6. Lean Jonás 2:9, 10. Otra vez Jehovah actúa y el pez especial, por la palabra de Jehovah, vomita a Jonás en la tierra. Seguramente no era el mismo que había huido de Dios. Su experiencia ha sido muy dura, pero en todo momento Dios ha estado con él.

APLICACIONES DEL ESTUDIO

1. Lean con cuidado las aplicaciones y hablen de si nuestros prejuicios son los que causan que huyamos de la voz de Dios cuando nos indica que debemos compartir con otros el evangelio.

2. Entregue a cada persona una tarjeta con el nombre del misionero y un motivo de oración. Hablen de la necesidad de apoyarles por medio de nuestra preocupación, nuestras oraciones, nuestras cartas, y nuestras ofrendas.

PRUEBA

Que completen las dos actividades y compartan sus respuestas, especialmente de cómo ser portadores del mensaje de Dios.

Jonás: misión cumplida

Contexto: Jonás 3:1 a 4:11
Texto básico: Jonás 3:1-10; 4:1-11
Versículo clave: Jonás 3:10
Verdad central: La compasión que Dios demostró hacia los habitantes de Nínive nos enseña que el Señor se compadece de quienes se arrepienten y lo invocan.
Metas de enseñanza-aprendizaje: Que el alumno demuestre su: (1) conocimiento de cómo Dios tuvo compasión de los habitantes de Nínive a pesar del desagrado de Jonás, (2) actitud de aceptación de la compasión del Señor por medio del arrepentimiento e invocación de su nombre.

Estudio panorámico del contexto

A. Fondo histórico:

La ciudad de Nínive estaba ubicada en lo que hoy día es Iraq, al lado del río Tigris y había existido por muchos siglos. La más antigua mención de Nínive la encontramos en Génesis 10:11, 12, formando parte de la lista de ciudades fundadas por Nimrod. Llegó a ser la capital de Asiria durante la vida de Amós y Oseas; tenía la biblioteca más famosa del mundo antiguo. Fue destruida en 612 a. de J.C. por los medos y los babilonios; su destrucción fue tan devastadora que nadie sabía exactamente dónde estaba, hasta que un arqueólogo la descubrió 2.200 años más tarde. Durante el siglo de los profetas tenía fama por su violencia y terrorismo. El profeta Nahúm la describe en el capítulo 3 de su libro. Era símbolo de los que se opusieron a Dios y a su pueblo. Todas esas cualidades hacían que la tarea de Jonás no fuera tan sencilla. Nuestro juicio del profeta se hace más misericordioso cuando lo vemos a la luz de su momento histórico.

B. Enfasis:

Una nueva oportunidad, Jonás 3:1, 2.
Un mensaje escalofriante, Jonás 3:3, 4.
El comienzo de un gran avivamiento, Jonás 3:5-9.
La compasión de Dios, Jonás 3:10.
De nuevo Jonás cambia su actitud, Jonás 4:1-4.
La compasión es indispensable, Jonás 4:5-11.

1 Dios llama por segunda vez a Jonás, Jonás 3:1, 2.

Vv. 1, 2. Una vez que fue restaurado, Jonás recibió la misma comisión *por segunda vez.* Dios no cambió sus planes para evitar que el profeta fuera expuesto a la misma situación anterior. Por el contrario, le dijo exactamente las mismas palabras: *levántate y vé.* El Señor le dice a Jonás que él no tiene que hablar de su propio acervo como profeta, sino que *el mensaje* será dado por Dios. Jonás sabía desde el principio que debía predicar el mensaje de Dios, fue desobediente, pero nunca cayó en la tentación de convertirse en un falso profeta.

2 Jonás predica en Nínive, Jonás 3:3, 4.

V. 3. Ante la segunda oportunidad, Jonás actúa *conforme a la palabra de Jehovah.* Su actitud es diferente ahora, las difíciles experiencias que tuvo durante su osadía al tratar de eludir el llamado de Dios le enseñaron una gran lección: vale más estar al lado de Dios que contra él. Dios no le escondió nunca el grado de dificultad que implicaba su tarea profética, por eso volvió a definir a Nínive como *una ciudad grande, de tres días de camino.*

V. 4. Algunos historiadores creen que la distancia de un circuito alrededor de las murallas de Nínive era más o menos de 110 kilómetros y uno tardaría *tres días* en recorrerlo. Por otro lado, excavaciones de la zona muestran una ciudad llena de calles angostas y torcidas; una persona tardaría *tres días* en cruzar la ciudad. Durante todo un día de camino Jonás fue proclamando su mensaje tajante: A la ciudad y a sus habitantes sólo le quedaban *cuarenta días* de vida. El mensaje tan dramático proclamado por una persona extraña, vestida diferente y con una manera de hablar diferente, sin duda produjo su efecto en los oyentes.

3 La respuesta de Nínive al mensaje, Jonás 3:5-9.

V. 5. La respuesta del pueblo no se hizo esperar, *los hombres de Nínive creyeron a Dios.* Hasta los más pequeños comprendieron la importancia del mensaje de Jonás y decidieron, inclusive, ayunar y se cubrieron de cilicio. Se entiende por cilicio la ropa áspera de tela oscura tejida toscamente con pelo de cabra o camello. Usaban esa ropa los que estaban de duelo o en actitud de penitencia por causa del pecado (Gén. 37:34).

Vv. 6-9. Lógicamente, el representante de la autoridad de la ciudad muy pronto se enteró de lo que estaba sucediendo. Hizo una serie de manifestaciones tales como despojarse *de su manto,* cubrirse *de cilicio* y sentarse *sobre ceniza.* Todo ello simbolizando profundo dolor y reconociendo que el hombre no es nada frente al grave peligro del exterminio.

Para los occidentales el decreto del rey parece un tanto descabellado por el hecho de incluir a los animales en el ayuno. Para los ninivitas eso era simplemente la expresión de que la naturaleza toda se unía en la humillación y petición. Una súplica eficaz incluye el clamor de los animales acompañando el dolor de los hombres.

El decreto oficial hacía un llamado dramático al pueblo: *Invoquen a Dios con todas sus fuerzas.* Lo que harán es pedir la misericordia de Dios, no reclamar por el plan de destruir la ciudad como era el mensaje de Jonás. Es muy significativo el hecho que el gobernante haga un llamado al arrepentimiento. Es evidente que el mensaje de Jonás fue claro y halló eco en la mente y el corazón aun de las autoridades. Si alguna vez dijimos que Nínive era conocida por su crueldad, el arrepentimiento incluye reconocer *la violencia que hay en sus manos.* Si el castigo de Dios viene a consecuencia del pecado y la maldad de los ninivitas, entonces es válido pensar que Dios puede desistir del mal que pensaba hacer. Según el rey, cabe esa posibilidad y tiene la esperanza de evitar la tragedia reconociendo su pecado y volviéndose a Jehovah. Esto nos recuerda el pasaje de Romanos 6:23.

La expresión: *así no pereceremos* significa que el hecho mismo del anuncio de la catástrofe que vendría ya había comenzado un proceso de muerte. Por otro lado, cuando se habla del arrepentimiento de Dios, no se incluye el dolor por el pecado, porque Dios es perfecto, se trata más bien de la decisión de parte de Dios de cambiar su método de tratar con sus criaturas.

4 Dios enseña compasión a Jonás, Jonás 3:10; 4:1-11.

3:10. Las expectativas del rey tenían buena base, Dios no permaneció indiferente a la reacción de los ninivitas, *vio lo que hicieron.* Pero este ver implica mucho más que una simple observación, es escudriñar la mente y el corazón de los penitentes. Las promesas de salvación y misericordia de Dios tienen precedencia por encima de sus amenazas. Dios es lento para la ira y grande en misericordia. Su ira llama al hombre al arrepentimiento, pero su amor es eterno. Nuestro Señor reconoció la nobleza y sinceridad de la gente de Nínive en contraste con la incredulidad de los de su generación (vea Luc. 11:32).

4:1. Jonás vuelve a dar cabida al viejo hombre. Obedeció a Dios al predicar su mensaje de aniquilación, pero cuando el Señor desistió de su plan original se *enojó.* Cuántas cosas vienen a la mente cuando vemos a Jonás como un niño caprichoso que mira al padre tener misericordia de otros. Parece que la memoria de Jonás no recordaba todas las veces que Israel había recibido el perdón de Jehovah. La máxima ironía surge cuando recordamos que Jonás, apenas unos días antes había recibido una segunda oportunidad. Literalmente, Jonás había sido librado de la muerte. Pero todo eso se borró de su mente y la ira opacó la obra de misericordia de Jehovah.

V. 2. ¿Cuál era el verdadero motivo del enojo de Jonás? La declaración de Jonás es muy reveladora. Había huido a Tarsis no porque tenía miedo de los ninivitas, sino porque no quería que fueran salvos. El sabía que Dios es *clemente y compasivo,* un Dios siempre dispuesto a ayudar a los que sufren y a responder a su clamor (Sal. 6:2; 25:16; 4:1; 9:13). *Lento para la ira* es una cualidad noble en un humano (Prov. 14:29; 15:18) pero característico de

Dios. Solamente Dios se distingue por ser *grande en misericordia;* o sea el amor leal que no conoce límites (Sal. 136) y es lo que Dios da y espera de su pueblo (Ose. 6:4-6). Jonás descubrió que ese amor no fue reservado únicamente para Israel. De nada valieron los intentos de tener una religión exclusiva de Israel, cerrada para todos los demás, si al final de cuentas Dios está buscando a todos para salvarlos.

V. 3. Todo esto se convirtió en un problema para Jonás. Así no es posible seguir viviendo, es mejor concluir su carrera de profeta en ese preciso momento. El clamor de Jonás es extremo: *méjor sería mi muerte que mi vida.*

V. 4. Con la misma paciencia que ha mostrado a la gente de Nínive Dios pregunta a su profeta rebelde si el enojo es la mejor reacción a una manifestación tan clara del amor universal de Dios.

V. 5. Conocedor de la naturaleza humana y de su propia experiencia, Jonás pensaba que el arrepentimiento de los ninivitas era superficial. Todavía lleno de dudas y enojo se apartó de la ciudad, con la esperanza de ver que finalmente la ciudad fuera destruida. Bajo una improvisada *enramada* se sentó como espectador de una posible catástrofe.

V. 6. Pero Dios tenía un plan para hacer al profeta entender que todo pecador debe tener la oportunidad de arrepentirse, y que ese arrepentimiento es la base para entrar en una nueva relación con Dios. Además de la enramada que se había hecho Jonás, Dios mismo hizo *crecer una planta de ricino* para dos propósitos: (1) que protegiera a Jonás de una *insolación* (2) para dar una lección objetiva a Jonás acerca de la misericordia de Dios. Ese día fue motivo de mucha alegría para el profeta.

Vv. 7, 8. Pero el siguiente día fue desastroso para Jonás, la frondosa *planta de ricino* fue atacada por *un gusano* al grado que *se secó.* Y eso no fue todo, Dios envió un sofocante *viento oriental* que hizo estragos en Jonás, de tal manera que *anhelaba morirse.* Es allí, bajo esas circunstancias que Dios hace la aplicación de todo lo que está pasando.

Vv. 9-11. Dios establece un corto diálogo con Jonás para dar oportunidad de que éste se exprese. Desde la perspectiva de Jonás a él le parece que su enojo está justificado. Jonás estaba tan preocupado por la *planta de ricino* que se olvidó del asunto más importante: la salvación de los ninivitas. Se quedó trabado en sus razonamientos acerca de una planta cuya vida fue tan efímera y no se preocupaba de las *120.000 personas* que ignoraban las verdades espirituales más elementales.

Pero Dios sí tenía preocupación *por Nínive.* Esa fue la lección objetiva que el Señor enseñó a Jonás. De allí en adelante la historia tenía que cambiar, el profeta de Dios debía extender su visión del plan de salvación. Dios quiere salvar a todos los hombres en todo lugar.

El interés de Dios no es exclusivo para los judíos, va más allá. La pregunta final de Dios es un llamado a la conciencia de los cristianos de todos los tiempos. Si Dios tiene misericordia de los perdidos, ¿cuál debiera ser nuestra posición frente a los millones de personas que hoy están sin Dios y sin esperanza?

Aplicaciones del estudio

1. **El siervo-predicador debe anunciar con claridad el mensaje que ha recibido de Dios.** Sus oyentes sacarán sus propias conclusiones. Dios nos llama a ser luz a las naciones.
2. **Todos los pueblos del mundo aun los más crueles son amados por Dios.** El cristiano, aunque haya sufrido junto con su familia la agresión o la opresión de algunos, debe llevarles el mensaje de Dios. El error fundamental de Jonás fue su concepto nacionalista de que la muerte era preferible a contemplar la posibilidad de que Dios pudiera perdonar a los enemigos tan crueles de su pueblo.
3. **Dios no desea la muerte del pecador.** El mensaje de la Biblia es claro, no deja lugar a dudas, Dios es amor y no quiere la muerte del impío.

Ayuda homilética

El gozo de Dios por el pecador que se arrepiente
Jonás 4:1-11

Introducción: En Lucas 15 los versículos 7 y 10 nos dicen que Dios tiene mucho gozo al saber del pecador que se arrepiente y le busca.

I. El mensaje de Dios al mundo es claro.
   A. La paga del pecado es la muerte.
   B. El pecado destruye al pecador.
   C. Vamos a cosechar las consecuencias de nuestro pecado.
II. La única solución es el verdadero arrepentimiento.
   A. El pecador reconoce que ha pecado y el juicio se aproxima.
   B. Abandonar al pecado y buscar la ayuda de Dios.
III. El amor maravilloso de Dios.
   A. Dios ama al pecador. No puede tolerar el pecado pero ama a la persona que peca.
   B. Está siempre dispuesto a perdonarla y darle una nueva oportunidad cuando se arrepiente y quiere seguir sus enseñanzas.

Conclusión: A nosotros como cristianos no nos corresponde juzgar a los demás, sino anunciarles el mensaje de la salvación universal de Dios. Cuando las personas se arrepienten de sus pecados y buscan a Dios el cristiano debe experimentar un gran gozo por los pecadores que llegan a ser salvos.

Lecturas bíblicas para el siguiente estudio

Lunes: 2 Corintios 1:1, 2   **Jueves:** 2 Corintios 1:8-10
Martes: 2 Corintios 1:3-5   **Viernes:** 2 Corintios 1:11, 12
Miércoles: 2 Corintios 1:6, 7   **Sábado:** 2 Corintios 1:13-15

AGENDA DE CLASE

Antes de la clase
1. Lea con anticipación los capítulos 3 y 4 de Jonás y todo el comentario en los libros de Maestros y de alumnos. **2.** Si tiene un atlas de la Biblia o un libro de geografía bíblica, busque información sobre Nínive. **3.** Busque un mapa de su propia ciudad o de la capital de su país. ¿Todos los habitantes son creyentes? ¿Dios quiere que se conviertan? **4.** Responda la sección *Lea su Biblia y responda.*

Comprobación de respuestas
JOVENES: **1.** a. F; b. F; c. V; d. F; e. V; f. V. **2.** a. Se enojó; b. Su enojo contra Dios; c. Una calabacera y un gusano que hirió la calabacera; d. Dios tiene siempre paciencia y compasión.
ADULTOS: **1.** Que fuera a Nínive y diera el mensaje de Dios. Se levantó y fue a Nínive. **2.** Creyeron el mensaje, proclamaron ayuno y se cubrieron de cilicio. **3.** Que Dios desistiera y cambiara de parecer y se apartara del furor de su ira. **4.** Desistió del mal que había determinado hacerles, y no lo hizo. **5.** Se desagradó grandemente, lo enojó. **6.** Un Dios clemente y compasivo, lento para la ira, grande en misericordia, y que desistes de hacer el mal. **7.** ¿Y no he de preocuparme yo por Nínive... donde hay mucha gente que no distinguen su mano derecha de su mano izquierda, y muchos animales?

Ya en la clase
DESPIERTE EL INTERES
1. Reflexionen juntos sobre las siguientes preguntas: ¿Quién es un misionero? ¿Cuál es su responsabilidad? Jonás era un misionero rebelde, y cuando cumplió su tarea misionera lo hizo porque Dios había "ganado", pero lo hizo de mala gana. **2.** ¿Quién es Dios? ¿Cómo es su amor por la gente? ¿Ama a buenos y a malos? ¿Quiere la salvación para todos? **3.** Repitan todos Juan 3:16, entonces ponga su nombre en lugar de "al mundo" y repítalo, entonces ponga el nombre de una persona o un grupo que no le agrada en el lugar de "al mundo" y repítalo. Pida en oración que podamos creerlo y hacer nuestra parte de ser mensajeros de Dios a esta persona o grupo.

ESTUDIO PANORAMICO DEL CONTEXTO
Use los materiales y la información que ha conseguido en cuanto a Nínive, el clima, y otros datos.

ESTUDIO DEL TEXTO BASICO

1. Lean los pasajes del texto básico y completen la sección: *Lea su Biblia y responda.*

2. Lean Jonás 3:1, 2. Dios tenía un propósito primordial. Otra vez llamaba a Jonás a ir a Nínive. Aunque Nínive era una gran ciudad en aquel entonces, no era tan grande como las grandes metrópolis de nuestra era. De todas formas, era una ciudad tan mala que Dios quiso darles una mensaje de castigo y una oportunidad de arrepentirse. Dios le promete a Jonás darle el mensaje que tiene que compartir.

3. Lean Jonás 3:3, 4. Esta vez Jonás va "conforme a la palabra de Jehovah". Su mensaje es muy suscinto, solamente cinco palabras en el hebreo. Hablan del impacto que este misionero rebelde debe haber causado en el pueblo.

4. Lean Jonás 3:5-9. La reacción de todos al oír a Jonás es de aceptar el mensaje. Demuestren su arrepentimiento sincero por las maldades cometidas, desde el ciudadano común hasta el rey y sus consejeros. Lea de nuevo los vv. 8 y 9 y resalte la preocupación del rey por su pueblo. Aunque reconoce su maldad, tiene aún esperanza en la misericordia del Dios de toda la tierra.

5. Lean Jonás 3:10; 4:1-11. Esta escena revela el corazón de Dios y el de Jonás. A Dios le interesa salvar al pueblo cuando se arrepienta. Jonás tiene los ojos tan cegados por el prejuicio que no puede concebir que Dios perdonara a esta gente tan cruel. Note cómo Dios procura hacerle reflexionar, como un padre con su hijo. "Y ¿no he de preocuparme?" por la gente que no le conoce. ¿Podemos hacer menos?

APLICACIONES DEL ESTUDIO

1. Lean con cuidado las aplicaciones y piensen en formas en las cuales pueden llevar el amor de Dios a otros. **2.** Saque el mapa local y miren sus calles. ¿Todos los que viven allí son creyentes? ¿Dios les ama? ¿Quiere que llevemos su mensaje? ¿Qué haremos?

PRUEBA

Haga las actividades de la *Prueba* y procure tener tiempo para hablar del amor de Dios que ha experimentado cuando se ha arrepentido y pedido su perdón, y cómo puede continuar experimentándolo.

PLAN DE ESTUDIOS
2 CORINTIOS, FILEMON

Escriba antes del número de cada estudio, la fecha en que lo usará.

Fecha   **Unidad 9: Llamamiento a la consolación**
_____ 27. Acción de gracias en la tribulación
_____ 28. Amor y cuidado en la iglesia
_____ 29. Triunfantes en Cristo

Unidad 10: Llamamiento al ministerio apostólico
_____ 30. El ministerio del nuevo pacto
_____ 31. La perseverancia en el ministerio
_____ 32. Esperanza y misión
_____ 33. Las credenciales del ministerio

Unidad 11: Llamamiento a la generosidad cristiana
_____ 34. El ejemplo de Cristo
_____ 35. La generosidad cristiana

Unidad 12: Llamamiento a la defensa del evangelio
_____ 36. En defensa del ministerio
_____ 37. Falsos profetas = falsas doctrinas
_____ 38. Pureza moral y espiritual
_____ 39. Una carta de recomendación

2 CORINTIOS: Comisionados para servir
Brian Harbour. Núm 04367 CBP
Este libro nos descubre mucho de lo que era y vivía una iglesia típica
del primer siglo... Pero en medio de todo esto, la segunda carta a los
corintios es una invitación al servicio cristiano. Aun cuando Pablo
trata asuntos negativos que se habían
desarrollado en la iglesia de Corinto,
estimula a sus hermanos creyentes a comprometerse más con el Señor y con su
obra.

FILEMON, 2 PEDRO, JUDAS:
Cuadros de la experiencia cristiana
Arnoldo Canclini. Núm. 04366
La experiencia cristiana a veces puede llegar a convertirse en una
carga pesada con una sucesión constante de derrotas y frustraciones
espirituales. Lo que sin duda, es una tragedia que podemos atribuir
a una falta de conocimiento y profundización del verdadero significado de la vida cristiana.

2 Corintios, Filemón
Una introducción

2 Corintios

Pablo partió de Efeso y se dirigió a Troas donde esperaba encontrar a Tito, a quien había enviado a Corinto. Su amigo y colaborador traería noticias de las condiciones en Corinto y de la reacción de parte de los hermanos de allá a la primera carta de Pablo.

Motivado por los informes recibidos por parte de Tito, Pablo escribió la segunda carta en Filipos, alrededor de los años 54 a 55 d. de J.C. Pablo expresa su gozo por los cambios que se observaron en la conducta de los miembros de la iglesia. Pero también había malas noticias. Un grupo seguía menospreciando la autoridad del Apóstol, acusándole de no cumplir su palabra de visitarles, y de adoptar un estilo autoritario en su carta que no tenía cuando estaba en persona.

Contenido de la carta. Después de los respectivos saludos y la aclaración de la naturaleza de su ministerio, el Apóstol explica el cambio de planes en relación con una visita a Corinto que nunca realizó.

Hablando de su ministerio aclara lo siguiente:

Su ministerio señala a la administración del nuevo pacto.

Ser ministro de ese pacto implica serias responsabilidades.

Su ministerio debe efectuarse a la luz del juicio de Cristo.

Debe haber congruencia entre lo que se dice y la manera de vivir; sus lectores son exhortados a limpiarse de toda inmundicia, ya que la rectitud y la maldad no pueden coexistir.

Finalmente, Pablo hace una reseña de su encuentro gozoso con Tito en Macedonia.

La ofrenda para los santos. De manera brusca, pasa a tratar el asunto de la colecta para los necesitados en Jerusalén.

Retoma la defensa de su apostolado denunciando a sus detractores. Señala que tiene las más altas calificaciones para desarrollar su ministerio.

Filemón

Escritor. Pablo se identifica como el escritor de esta carta e incluye a su consiervo Timoteo en los saludos tradicionales.

Remitente. Filemón parece haber sido una persona de buena posición económica; en su casa se reunía la congregación de Colosas.

Asunto. Uno de los esclavos de Filemón, Onésimo, le había robado escapándose de la casa. Onésimo se encuentra con Pablo en Roma y bajo su guía se convierte al cristianismo. Pablo, quien conoce a Filemón, escribe la carta para recomendar al amo ofendido que perdone a Onésimo quien de ahora en adelante pasa a ser hermano de su señor. Parece contradictoria la postura de un amo cristiano siendo dueño "de un hermano en Cristo Jesús" (v. 16), sin embargo, la esclavitud era una práctica de ese tiempo. Sobresale la mentalidad de que a pesar de las diferencias que había entre Filemón y Onésimo, Pablo les animó a relacionarse como hermanos en Cristo.

Unidad 9

Acción de gracias en la tribulación

Contexto: 2 Corintios 1:1-14
Texto básico: 2 Corintios 1:3-11
Versículos clave: 2 Corintios 1:3, 4
Verdad central: La declaración de Pablo respecto a la gratitud que él sentía hacia el Señor por el consuelo recibido en las tribulaciones, nos muestra la disposición de Dios para dar consolación en los momentos difíciles del ministerio, y la necesidad de dar gracias aun en la tribulación.

Metas de enseñanza-aprendizaje: Que el alumno demuestre su: (1) conocimiento de las enseñanzas de Pablo en relación con la consolación de Dios en la tribulación, (2) actitud de gratitud al Señor en medio de las tribulaciones.

─────────── **Estudio panorámico del contexto** ───────────

A. Fondo histórico:

La segunda epístola a los corintios es una parte de la literatura del Nuevo Testamento que tiene que ver con problemas de iglesias que crecen. Cuando nuevos creyentes llegan de un ambiente mundano a la iglesia de Cristo, traen arrastrando mucho del mundo. Esto se veía en 1 Corintios y se ve también en esta segunda carta de Pablo. El Apóstol escribe a santos (1:1), pero santos en el sentido de apartados o consagrados al Señor.

Corinto era un importante puerto marítimo en el sur de Grecia. La antigua ciudad fue destruida en una lucha vana contra lo invasores romanos. Pasaron cien años antes de que se volviera a edificar, como ciudad romana. Pero cuando Pablo llegó allí un siglo después, la cultura griega había resurgido. El ambiente era pagano, salvo una pequeña luz de Dios en la sinagoga judía, en la cual Pablo empezó su testimonio cristiano; pero luego tuvo que trasladar su enseñanza a una casa cercana a la sinagoga (Hech. 18:1-6). Después de un año y medio de estar allí el Apóstol tuvo a bien continuar sus viajes misioneros. La iglesia fundada allí tuvo problemas graves que, unos tres años después, Pablo trató en 1 Corintios.

Parece que algunas dificultades se arreglaron, pero otras se agravaron. Los sucesos no son del todo claros. Posiblemente Pablo escribió otra carta, ahora desconocida (algunos creen que en esencia es lo que se incluye en esta carta como capítulos 10-13), y envió a Tito y a otro hermano para aconsejar a la iglesia. Pablo dejó Efeso esperando ver a Tito en el camino. Encontrándole en Filipos u otro lugar de Macedonia, el informe que recibió Pablo fue en parte muy favorable, pero los hermanos corintios necesitaban estímulo, orientación y enseñanza sobre la naturaleza del ministerio, sobre lo cual el Apóstol les escribe en esta segunda carta. También, quería animarles a reunir la ofrenda planeada para los hermanos pobres de Judea, a la vez que se veía en la necesidad de defender su apostolado. Así surgió 2 Corintios, escrita alrededor del año 56 d. de J.C., algo más de un año después de 1 Corintios.

B. Enfasis:

Salutación cristiana, 1:1, 2. Pablo sigue el formato de las cartas de su época indicando al comienzo el remitente y los destinatarios, junto con un saludo. Como suele hacerlo en sus cartas, se identifica como apóstol, misionero enviado por Cristo según la voluntad de Dios, no porque él mismo escogiera hacerlo. Dirige la carta a quienes, a pesar de sus deficiencias, son la iglesia de Dios en Corinto. Los santos, a quienes se refiere no son personas perfectas, sino creyentes, apartados por la gracia de Dios y la fe en Cristo. La palabra "santo" se refiere más a la condición de separados o elegidos que a su superioridad moral. Pablo se asocia con Timoteo, joven compañero de labores y quizás quien llevara la carta. El saludo es una oración que incluye la gracia, una variación cristiana del saludo griego común, y la paz (*shalom*), tan característica del saludo judío.

Consolados para consolar, 1:3-5. Pablo tiene fuertes razones para desanimarse: la multitud de gente sin Cristo y sin esperanza, la persecución a la iglesia, las fallas de los propios discípulos corintios y la obstinada oposición que ha encontrado en su obra. Sin embargo, el Apóstol empieza su carta con una expresión de acción de gracias a Dios.

Una firme esperanza, 1:6, 7. El ejemplo de la valentía de Pablo en las dificultades es una inspiración que debe animar a los hermanos en Corinto a que también sean valientes. A la vez, la fidelidad de ellos estimula al Apóstol a proseguir siempre adelante.

Depender de Dios en la tribulación produce consuelo, 1:8-11. Posiblemente Pablo está pensando en el alboroto dirigido por los plateros en Efeso (Hech. 19:23 a 20:1), una situación que ponía en peligro su vida, el que no había desaparecido del todo. Pero Dios había usado a amigos del Apóstol para ponerlo a salvo, en respuesta a las oraciones de los hermanos. El salvarse de un peligro fortalece la fe para enfrentar el siguiente obstáculo y así sucesivamente.

La sinceridad de Pablo, 1:12-14. Algunos miembros de la iglesia en Corinto habían cuestionado los motivos del Apóstol en relación con su ministerio. Aquí inicia un tema recurrente: Pablo hace una defensa de su apostolado. No ha actuado con doble ánimo, pretendiendo ser lo que no es, para ganarse simpatizantes con fines egoístas. En ese sentido su conciencia está limpia, e incluso, la conversión de ellos es testimonio de su arduo trabajo en el Señor. Si hubiera querido ganar adeptos para sus ideas, entonces les hubiera hablado de él, no de Cristo.

1 Acción de gracias en la tribulación, 2 Corintios 1:3-5.

V. 3. Los hombres son bienaventurados, pero Dios es bendito; los hombres reciben beneficios, pero Dios recibe alabanzas. En casi todas sus cartas Pablo empieza dando gracias y loando a Dios. La seguridad de la benevolente presencia divina está por encima de los sinsabores de la realidad humana, y da esperanza. Esa presencia poderosa es *el Dios y Padre de nuestro Señor Jesucristo,* quien había dicho: "Yo subo a mi Padre y a vuestro Padre, a mi Dios y a vuestro Dios" (Juan 20:17). Cristo, nuestro Hermano mayor (Heb. 2:11, 12, 17), reconocía a su Padre; cuánto más debemos hacerlo nosotros. El es autor de las *misericordias* que nosotros necesitamos y sólo las podemos recibir de Dios. Aquí Pablo empieza un juego de palabras con la voz *consolación.* En el idioma griego en que escribe es *paráklesis,* que significa "llamado a estar al lado". Se puede "estar al lado" para consolar, enseñar, proteger, corregir, rogar, exhortar, abogar, representar: en fin, para ayudar. En 1 Juan 2:1 se dice que Jesús es "abogado" (*parákletos*), y Jesús en Juan 14:16, 26; 15:26 y 16:7 dice que el Espíritu Santo es otro "Consolador" (*parákletos,* la misma voz); es decir, son llamados a estar al lado para nuestro bien, siempre que les llamemos.

V. 4. El Dios y Padre *nos consuela* (*parakalón*), siempre al lado en *tribulaciones.* Pablo tenía problemas profundos, pero la consolación recibida lo capacitó para *consolar* (*parakaléin*) a los que *están en... tribulación.* La ayuda que Dios nos da es para nosotros y, a la vez, por medio de nosotros para otros.

V. 5. Nuestra relación con Cristo no es siempre andar sobre un camino de rosas. Cristo padeció mucho a nuestro favor, y bien puede que nos acontezca lo mismo. En verdad, Pablo ha de escribir a los filipenses (Fil. 3:10): "Anhelo... participar en sus padecimientos, para ser semejante a él." Y a los romanos (Rom. 8:17) les recuerda: "Si somos hijos... padecemos juntamente con él, para que juntamente con él seamos glorificados." En nuestro pasaje también se destaca la relación entre las *aflicciones* y nuestra *consolación* (*paráklesis*), todo por medio de Cristo. Como lo expresa el apóstol Pedro en 1 Pedro 4:13: "Gozaos a medida que participáis de las aflicciones de Cristo, para que también en la revelación de su gloria os gocéis con regocijo."

2 Compañeros en la tribulación, 2 Corintios 1:6, 7.

V. 6. Muchas veces podemos aguantar cuando somos atribulados fuertemente, si creemos que va a resultar algo bueno. Pablo prevé ese algo bueno, pues es *para vuestro consuelo* (*paráklesis,* igual que en el v. 5) *y salvación.* Tal como una buena madre está dispuesta a sufrir por un hijo, así el Apóstol y Timoteo aceptan la tribulación. Asimismo, aceptan *ser consolados* (*parakaleo*) —la ayuda que viene del Señor—, pues los dos son para el bien de los fieles, es decir, *para vuestra consolación* (*paráklesis*). Aquí *consuelo* y *consolación* son la misma voz en griego. Luego, al ver los hermanos el sufrimiento y la consolación de su mentor, *resulta* que ellos también estarán dispuestos a enfrentar las dificultades con perseverancia, sin rebelarse o reprochar a Dios y sin ceder ante la presión de la adversidad.

V. 7. A pesar de los problemas Pablo tiene una *esperanza... firme* en sus lectores cristianos. En parte por la fe en Dios y en parte por la medida de fidelidad de los corintios, puede decir *sabemos*. La iglesia ha tenido problemas internos y provenientes del exterior, ¡y todavía no han terminado! Pero junto con las aflicciones viene la consolación.

3 Tribulación para recibir consuelo, 2 Corintios 1:8-11.

V. 8. Pablo recién ha salido de Efeso, capital de la provincia de Asia, que estaba en la parte occidental de lo que hoy es Turquía. Ciertamente, el alboroto relacionado con los plateros (Hech. 19:23-41) no fue el único peligro que enfrentó allí, como podemos suponer por las dificultades habidas en otras partes y descritas en Hechos. También, en 1 Corintios 15:32 Pablo dice: "Como hombre batallé en Efeso contra las fieras" (probablemente fieras humanas), y en 16:8, 9: "en Efeso... hay muchos adversarios". No hay que olvidar que la falta de madurez cristiana y la oposición al Apóstol en Corinto mismo, vistas en la primera epístola y después en ésta, pesaban sobre él; si bien aquí no trata este asunto.

Vv. 9, 10. La *sentencia* (o veredicto) de muerte indica la gravedad de la situación vivida por el Apóstol. Luego, explica que el Señor tiene un propósito en todo ello, que no confiáramos en nosotros mismos sino en Dios, el que mostró su poder aun sobre la muerte levantando a Jesús. Así, Dios lo *libró* y continúa librando *de tan terrible muerte*. Vivir temiendo a la muerte a menudo es peor que la muerte misma. En todo caso, tal cual Pablo, *nuestra esperanza* está en nuestro Libertador.

V. 11. El Apóstol confía en la fidelidad de los hermanos para orar por él. La oración intercesora es una parte vital de ministerio. El fin de la oración ha de ser que muchos tengan razón para dar gracias por el don que habían recibido por intermedio de la persona por quien oraron. El don, o carisma (*karisma* en griego), aquí es el evangelio mismo; es el "resultado de la gracia", como el origen de "carisma" significa.

──────────── **Aplicaciones del estudio** ────────────

1. Alabemos al Padre por su ayuda, 2 Corintios 1:4. Como dijera el salmista: "Es nuestro pronto auxilio en las tribulaciones", Salmo 46:1.

2. El haber salido bien después de sufrir, da confianza a otros que sufren, 2 Corintios 1:7. Puede condolerse mejor el que se ha dolido primero.

3. ¿Hasta qué punto somos nosotros llamados a ser fieles? 2 Corintios 1:9. Pablo lo ve como extendiéndose hasta una sentencia de muerte.

4. Podemos cooperar con los dirigentes de nuestras iglesias. Orando por ellos y esforzándonos por vivir de acuerdo con las enseñanzas bíblicas.

Superando las dificultades en el camino cristiano
2 Corintios 1:3-11

Introducción: Una expresión favorita para llamar a los creyentes en el libro de Los Hechos es "los del Camino" (18:25, etc.) El camino comienza con el nuevo nacimiento (Juan 3:3), a base de la fe en aquel que es el Camino (Juan 14:6).

I. A menudo el camino es áspero (vv. 4-6).
  A. Lo fue para Cristo (v. 5).
  B. Lo fue para Pablo (y Timoteo) (v. 4).
  C. Lo fue para los corintios (v. 6): problemas de crecimiento, de moral interna, de persecuciones.
  D. Lo es y será para nosotros y nuestras iglesias.

II. Un aliciente poderoso en las dificultades: la consolación (vv. 7-9).
  A. Pocas personas buscan un remedio hasta ser agobiadas con dificultades. La necesidad nos fuerza a "llamar a otro para estar a nuestro lado." Nadie grita: "Sálvame" (Mat. 14:30) hasta verse en peligro de perderse (v. 9).
  B. El estar al lado, o consolación en este pasaje, no es meramente una expresión de solidaridad en la tristeza. La voz "consolar" básicamente significa "estar con el que está solo". El llamado para estar al lado es para ayudar, y puede tomar varias formas: reconfortar, proteger, defender, enseñar, guiar, corregir, rogar, exhortar, abogar, aun la de reprender con el fin de enmendar.

III. El haber pasado con éxito por las dificultades acredita para poder "estar al lado de" otros que tienen problemas semejantes (vv. 8-11).
  A. La fidelidad de los que iniciaron la obra del Señor, en medio de graves problemas, en nuestro país debe estimular nuestra fidelidad (vv. 8-10).
  B. La amplia cooperación y la oración por los dirigentes son elementos poderosos en el avance del evangelio (v. 11).

Conclusión: No perdamos de vista la meta: la extensión de la buena nueva con que, mediante la ayuda del Señor, se pueden superar muchas de las dificultades. Perseveremos (v. 6).

Lecturas bíblicas para el siguiente estudio

Lunes: 2 Corintios 1:15, 16
Martes: 2 Corintios 1:17, 18
Miércoles: 2 Corintios 1:19

Jueves: 2 Corintios 1:20
Viernes: 2 Corintios 1:21, 22
Sábado: 2 Corintios 1:23, 24

AGENDA DE CLASE

Antes de la clase
1. Lea 2 Corintios 1:1-14. **2.** Después de estudiar todo el material expositivo, repase la sección *Estudio panorámico del contexto* correspondiente a los dos primeros estudios sobre 1 Corintios. **3.** Fíjese en el "caso" bajo *Despierte el interés*. Si puede elaborar otro caso que sea más adecuado a las circunstancias de sus alumnos, úselo, reemplazando al otro o agregándole. **4.** En tiras de papel escriba las citas bíblicas y las preguntas relacionadas con ellas que aparecen a continuación bajo *Estudio del texto básico*. JOVENES: Antes de la clase adhiera las tiras debajo de los asientos donde se sentarán los alumnos. ADULTOS: Tenga a mano las tiras para repartir al comienzo del *Estudio del texto básico*. **5.** Prepárese para leer, recitar o cantar el himno 236 del Himnario Bautista o Himnario de Alabanza Evangélica. Copie el coro en una cartulina. **6.** Consiga un mapa de la época de Pablo en que figure Corinto. **7.** Complete la primera sección bajo *Estudio del texto básico* en el libro del alumno.

Comprobación de respuestas
JOVENES: **1.** Compruebe con su Biblia si completó bien los versículos. **2.** a. De que así como son compañeros en las aflicciones, lo sean también en la consolación. b. Se vio cara a cara con la muerte. c. Ruegos.
ADULTOS: **1.** (a) CONSOLADOS PARA CONSOLAR. (b) No hay una sola respuesta, pues es opinión del alumno. **2.** Firme. **3.** Que confiara en Dios, no en sí mismo.

Ya en la clase
DESPIERTE EL INTERES
Presente el siguiente caso: Teresa es una joven madre de tres hijos. Hace poco la abandonó su esposo. Aunque consiguió trabajo se siente fracasada. Vive deprimida y preocupada por sus hijos, especialmente por los dos que son adolescentes. Le da vergüenza lo que le pasó y, por eso, ha dejado de asistir a los cultos. Estimule el diálogo con preguntas como estas: ¿Qué podría hacer por ella nuestro grupo de estudio bíblico? ¿Cómo podríamos servirle a fin de ofrecerle ayuda y un verdadero consuelo?

ESTUDIO PANORAMICO DEL CONTEXTO
1. Usando la información del repaso que hizo, presente un resumen de cómo era la ciudad de Corinto en época de Pablo: su situación geográfica, económica, social y religiosa. **2.** Ubíquela en el mapa bíblico. **3.** Agregue información nueva que aparece en esta sección en este libro y en el del alumno, especialmente describa el estado de la iglesia cuando Pablo escribió 2 Corintios, qué había pasado con Pablo y su principal propósito al escribirla.

ESTUDIO DEL TEXTO BASICO

1. Acción de gracias en la tribulación. JOVENES: Busquen debajo de sus asientos las tiras de papel con indicaciones de lo que deben hacer. ADULTOS: Reparta las tiras. Los que las tienen deben leer en voz alta los versículos que les tocaron y la pregunta que deben también contestar conforme se va desarrollando el estudio. Tira 1: *2 Corintios 1:3. ¿Por qué tres cosas alaba Pablo a Dios?* Después de la respuesta, explique el significado de "consolación" de su estudio en este libro. Permita que los alumnos digan qué entienden por "consolación". Tira 2: *2 Corintios 1:4, 5. ¿Qué podemos hacer nosotros por el hecho de que Dios nos consuela?* Después que el alumno lea el versículo y conteste la pregunta, comente que Dios nos utiliza para consolar a otros. Pida que compongan una declaración sobre lo que en este versículo Pablo nos está enseñando.

2. Compañeros en la tribulación. Tira 3: *2 Corintios 1:6.* Pablo declara un propósito de su sufrimiento, ¿cuál es? Después que el alumno lea el versículo y conteste la pregunta, aclare que el hecho de que los hermanos en Corinto vieran cómo Dios consolaba y Pablo aceptaba esa consolación era un ejemplo para ellos. Tira 4: *2 Corintios 1:7. ¿Cuál es la base de la firme esperanza de Pablo con respecto a los creyentes en Corinto?* Después presente el himno "Cuando Combatido por la Adversidad", No. 236, Himnario Bautista o de Alabanza Evangélica.

3. Tribulación para recibir consuelo. Tira 5: *2 Corintios 1:8-10a. ¿Qué razón da Pablo por sus sufrimientos en Asia?* Después que el alumno termine su participación, recalque que NO todo sufrimiento viene de Dios, pero que Dios puede usarlo para bien de los creyentes y para ayudarles a crecer. Repitan todos juntos el v. 10a. Pida que lo subrayen en sus Biblias y nunca lo olviden. Tira 6: *2 Corintios 1:10b, 11. ¿Cómo colaboraban los hermanos corintios en el ministerio de Pablo?* Después explique a qué se refiere Pablo cuando dice "el don". Comente que la oración intercesora es imprescindible para el el éxito en el ministerio.

APLICACIONES DEL ESTUDIO

1. Dirija un diálogo que haga pensar en ocasiones cuando los presentes fueron consolados por alguien que pasó el mismo trance que ellos. Piensen también en algún sufrimiento o problema resuelto que los capacita a ellos en una forma especial para consolar a otros. **2.** Desafíe a cada uno a orar diariamente por los obreros en su iglesia.

PRUEBA

1. Hagan individualmente el inciso 1. Comparta cada uno su respuesta con un compañero. **2.** Procedan de la misma manera con el inciso 2. Si alguno quiere compartir con todos una experiencia personal de tribulación y cómo lo sacó adelante el Señor, deles oportunidad de hacerlo según el tiempo lo permita.

Amor y cuidado en la iglesia

Contexto: 2 Corintios 1:15-24
Texto básico: 2 Corintios 1:15-24
Versículo clave: 2 Corintios 1:20
Verdad central: La declaración de Pablo respecto a los motivos de su amor y cuidado por la iglesia de Corinto nos enseña que debemos preocuparnos por el bienestar de los hermanos y el avance de la obra.
Metas de enseñanza-aprendizaje: Que el alumno demuestre su: (1) conocimiento de los motivos de Pablo en relación con la iglesia de Corinto, (2) actitud de compromiso para buscar el bienestar físico y espiritual de los miembros de su iglesia.

─────────── Estudio panorámico del contexto ───────────

A. Fondo histórico:

Demasiadas veces los seres humanos tratan de combatir las ideas de un contrario mediante un ataque inmerecido a su integridad personal. Lamentablemente, algunos creyentes en Cristo también retienen algo de mundanalidad y ceden a la tentación de la misma desafortunada táctica, y aun hermanos más maduros, que deben comprender que es una nefasta forma de desacreditar a alguien. En Corinto Pablo sufre un ataque así. En la primera epístola vemos el partidismo entre "los de Pablo, los de Apolos, los de Pedro y los de Cristo" (1 Cor. 1:12), como también en otros sentidos. Pero parece que las diferencias de parecer no llegan a los extremos y, en general, los ánimos se tranquilizan. Sin embargo, un grupo, probablemente los judaizantes, que actúan bajo la supuesta bandera de Pedro (sin autorización de éste), insisten en que los gentiles cumplan la ley de Moisés. A través de esta segunda epístola veremos lo que suponemos que son las respuestas de Pablo a sus atacantes. Ya en el versículo 12 el Apóstol ha recalcado su *sencillez y la sinceridad* de sus acciones. En el pasaje que ahora tratamos defiende su integridad explicando las razones por un cambio en sus planes, las que sus denigrantes han tergiversado en una acusación calumniosa. Ellos lo atribuyen a la inconstancia e inestabilidad de Pablo.

Pablo quiere defender su buen nombre. Es cierto que el carácter es más importante que la reputación; pero ésta es lo que la gente percibe que somos, lo cual afecta nuestra influencia. El dramaturgo inglés Shakespeare hace decir a uno de sus personajes: "El que roba mi bolsa roba basura... pero el que hurta mi buen nombre me priva de aquello que a él no le enriquece y que a mí me hace verdaderamente pobre." En Proverbios 22:1 leemos: "Más vale el buen nombre que las muchas riquezas." Entonces, queremos vivir de manera que merezcamos un buen nombre y luego procurar, dentro de los límites prudentes, corregir impresiones falsas. Asimismo, los que con gusto llevamos el título de "cristiano" hemos de esforzarnos por llevarlo con dignidad, evitando denigrar el buen nombre de Cristo Jesús, nuestro Señor y Salvador.

B. Enfasis:
Pablo desea visitar a los corintios, 1:15-17. Su primera visita a Corinto había resultado en la salvación de muchos de ellos. Había pensado pasar por allí en camino de Efeso a Macedonia y de nuevo entre Macedonia y Judea, con el fin de compartir una nueva bendición o lo que llamamos confirmación, reafirmándoles en la fe. Sin embargo, al final no optó por ese plan y siguió de Efeso directamente a Macedonia, de donde escribe esta segunda epístola. Pero el cambio de fecha y del itinerario no se debía al miedo o a la ligereza de Pablo, como afirmaban sus acusadores.

El sí de Dios reflejado en los suyos, 1:18-20. La afirmación de Cristo asegura la fidelidad y la firmeza de verdaderos representantes como Pablo, Silas y Timoteo.

La garantía del Espíritu, 1:21, 22. Dios confirma nuestro puesto en él con el "pago de un anticipo", como para asegurar el negocio final, y ese anticipo es el Espíritu Santo dado a nosotros. Así quedamos sellados como posesión de él.

Pablo toma a Dios por testigo, 1:23, 24. Pablo explica que la razón del cambio en sus planes ha sido por consideración a ellos, no por su propia inestabilidad. Su propósito es colaborar, no enseñorearse; levantarlos, no hundirlos.

───────────── **Estudio del texto básico** ─────────────

1 El deseo de Pablo de visitar a los corintios, 2 Corintios 1:15-17.

V. 15. Pablo les hablaba sinceramente basando su *confianza* en lo que él expresa de los hermanos en Corinto en los vv. 12-14. Ellos ya lo conocen como ministro de Dios, leal y sincero. El Apóstol había tenido la *confianza* de que los hermanos, conociéndole y habiendo recibido el evangelio por su intermedio, aceptarían su explicación por el cambio de itinerario sin cuestionar su motivo, sin buscar un doble sentido en sus palabras. Pero donde hay fuerte oposición suele haber suspicacia. *Una segunda gracia* puede referirse a un feliz y provechoso encuentro entre él y ellos después de su visita anterior, o a una estadía planeada de ida y otra de venida de su proyectado viaje desde Efeso a Macedonia.

V. 16. Al salir de Corinto hacia Judea espera *ser encaminado* por ellos. El llevaría las ofrendas recogidas para los pobres de Judea (ofrenda anticipada en 1 Cor. 16:1-3 y tratada en más detalle en los capítulos 8 y 9 de 2 Cor.) y tal vez algo de ayuda para los gastos de su propia obra misionera. La expresión ser encaminado ya Pablo la usó en otros de sus escritos: 1 Corintios 16:6, 11, Romanos 15:24 y en 3 Juan 5-8. Esas son otras muestras de "encaminar" en el sentido que lo usa en este versículo.

V. 17. El cambio de planes de Pablo para ir directamente de Efeso a Macedonia (como menciona en 1 Cor. 16:5) no se debió al temor de enfrentarse con sus críticos en Corinto. No usó *de ligereza*, como algunos de ellos habían acusado o insinuado. No había vacilado con una actitud de *sí y no* (de decir "sí" cuando quiere decir "no" o de alternar porque no puede decidir). Su acción no fue una actuación carnal (no espiritual) de acomodamiento para evitar dificultades. No claudicó sus principios según la conveniencia.

2 El sí y no de los hombres y el sí de Dios en Jesucristo, 2 Corintios 1:18-22.

V. 18. La fidelidad de Dios es la base de la fidelidad de Pablo y sus acompañantes en el ministerio misionero. El Señor no escoge como sus mensajeros a personas que son ambiguas en su manera de hablar. Nuestro hablar ha de ser directo, sincero y confiable.

V. 19. Pablo, Silas y Timoteo habían predicado con certeza en Corinto "nada ... sino a Jesucristo, y a él crucificado" (1 Cor. 2:2). Cristo presentó su mensaje sin rodeos. Así también ahora ellos han presentado un mensaje positivo, un *sí en él* y jamás un *sí y no* claudicante.

V. 20. Dios hace promesas y las cumple *en él,* es decir, en Cristo. Asimismo, *por medio de él* (siempre es Cristo) actúan sus representantes. Cristo el origen, Cristo el agente. El es el *sí,* y nosotros tenemos que decir *amén,* una afirmación que quiere decir "así es" o "así sea". Cuando Dios dice *sí* y nosotros, *amén,* el convenio queda hecho. Nuestra honradez en el hablar debe ser *para su gloria.*

V. 21. El centro de todo ello es Dios: Nos hace firmes y *nos ungió* para su servicio. Es un temible privilegio y una pavorosa responsabilidad, especialmente ante quienes somos llamados a testificar, como Pablo lo es hacia los corintios. La voz "ungir" en griego se relaciona con "Cristo" el Ungido.

V. 22. El que nos *confirma* y nos ungió es también el que *nos ha sellado.* Un sello indica autoridad y autenticidad y, hasta cierto punto, pertenencia. Parece que el *nos* aquí incluye tanto a los misioneros como a los hermanos en Corinto.

La comprobación de nuestro alto puesto en él es la *garantía,* el anticipo o el "pie", en preparación para todo lo demás que Dios tiene para nosotros. "Ahora conozco en parte, pero entonces conoceré plenamente" (1 Cor. 13:12). Mientras tanto tenemos la *garantía,* el *Espíritu* Santo *en nuestros corazones.* ¡Qué garantía!

3 **El verdadero motivo de la tardanza, 2 Corintios 1:23, 24.**
V. 23. Después de haber respondido a las acusaciones de liviandad por sus cambios de planes, Pablo presenta la verdadera razón de la demora en su viaje hacia Corinto: *es por consideración a vosotros que no he pasado todavía.* El motivo, entonces, ha sido un asunto de estrategia, no de temor. En los primeros versículos del capítulo 2 explica por qué no fue: la esperanza de que una carta que podrían meditar, sin una confrontación inmediata cara a cara, evitaría la aspereza y un encuentro triste, resultando más bien en un gozo mutuo.

La primera carta había suavizado mucho la situación. ¿No podría hacerlo también una segunda? Vemos en otras cartas, como también en ésta, que Pablo es capaz de ir al grano; pero prefiere el camino de la diplomacia cuando cree que tiene una buena posibilidad de que todo resulte positivo. ¡Tomemos nota para nuestra propia actuación! Para respaldar su declaración de intención el Apóstol hace una afirmación solemne, casi un juramento: *invoco a Dios por testigo sobre mi alma;* significa: "Que Dios me destruya si no digo la verdad." Esta clase de afirmación enfática es relativamente común en las Escrituras. Por ejemplo, Romanos 1:9 dice: "Dios ...me es testigo." Hasta Dios mismo utiliza esta manera de enfatizar, como vemos en Hebreos 6:13-18.

V. 24. En la explicación casi parentética de este versículo Pablo desea dejar en claro que entiende que, al tratar con los hermanos en Corinto, su autoridad es moral, no legal. *No nos estamos enseñoreando de vuestra fe,* sino que él y sus compañeros son *colaboradores;* es decir, "laborando juntamente" con ellos. Tienen, más bien, influencia y no poder. No se les aconseja "desde arriba" como de patrón a peón, sino desde "un lado" como hermano mayor a hermanos menores. La *fe* se puede influir, pero no se puede forzar. Parece que la *fe* de ellos estaba firmemente puesta, aunque necesitaba refinamiento; pero no así el *gozo.* Un ambiente de controversia no es una buena base para desarrollar el gozo en el Señor.

──────────── **Aplicaciones del estudio** ────────────

1. **Además de tener buenos motivos, debemos procurar que se comprendan así, 2 Corintios 1:15-17.** Pablo se esfuerza por quitar toda base de error de comprensión. No basta decir: "Ellos deben saber lo que quise decir."

2. **Nuestra fidelidad y firmeza se basan en el carácter del Dios que representamos, 2 Corintios 1:18-22.** Sólo personas "santas" pueden representar bien a un Dios santo.

3. **No permitamos que la crítica adversa nos desvíe de nuestro propósito piadoso, 2 Corintios 1:23.** Es fácil que lleguemos a interesarnos más en defender nuestro punto de vista que presentar el evangelio; ganamos un argumento (tal vez) y perdemos un alma.

4. **Somos llamados a persuadir, no a forzar, 2 Corintios 1:24.** Una fe forzada no es fe.

Lo que tiene un siervo de Dios
2 Corintios 1:17-24

Introducción: En esta epístola veremos mucho sobre la naturaleza del ministerio en la causa de Cristo. Cada creyente-discípulo tiene un ministerio a desarrollar. Aquí vemos algunas cosas con que podemos contar para hacerlo:

I. Oposición (v. 17).
 A. Vamos a encontrar oposición. A veces será sincera y justificada, a veces sincera pero errada, y a veces malintencionada.
 B. Debemos enfrentar la oposición con humildad (puede que tengan razón), diplomacia (hasta donde se pueda), firmeza (donde corresponda) y siempre en el Espíritu del Señor.
II. Contamos con la ayuda de un Dios que es fiel (v. 18).
 A. Ya que Dios es afirmación —sí—, nosotros no debemos claudicar —sí y no—.
 B. Estemos seguros de nuestras premisas y seamos firmes.
III. Su afirmación, el tema de nuestra proclamación, Jesucristo, vivió y murió (v. 19).
 A. Fue sí en él, en su Padre.
 B. Si somos de él, ¿cómo vamos a ser de otra manera?
IV. Enfrentamos una tarea formidable:
 A. Predicar a Jesucristo, el Hijo de Dios: en medio de "vosotros" por medio de "nosotros" (v. 19).
 B. "En ningún otro hay salvación" (Hech. 4:12).
V. Poseemos una relación pactada con Dios (vv. 20-22),
 A. Contamos con sus promesas (v. 20).
 B. Dios nos hace firmes (v. 21). Es nuestra roca (Sal. 18:2).
 C. Nos ha ungido, dándonos una posición especial (v. 21): somos un "real sacerdocio" (1 Ped. 2:9).
 D. Somos sellados (v. 22). Pertenecemos a él, autorizados para su servicio (Ef. 1:13; 4:30; Apoc. 7:3).
VI. Tenemos la garantía del Espíritu Santo en nuestros corazones (v. 22). No subestimemos esa maravillosa realidad (1 Jn. 4:4).

Conclusión: En su ministerio, el siervo de Dios enfrentará la oposición, pero cuenta con la ayuda y la afirmación del Señor. La tarea que enfrentamos es formidable, pero por nuestra relación con Dios contamos con la presencia y el poder del Espíritu Santo, lo cual nos da valor para realizar la tarea.

Lecturas bíblicas para el siguiente estudio

Lunes: 2 Corintios 2:1-4   **Jueves:** 2 Corintios 2:12, 13
Martes: 2 Corintios 2:5-8   **Viernes:** 2 Corintios 2:14, 15
Miércoles: 2 Corintios 2:9-11   **Sábado:** 2 Corintios 2:16, 17

AGENDA DE CLASE

Antes de la clase
1. Lea 2 Corintios 1:15-24. Repase 1 Corintios 16:5-9 donde Pablo escribió de sus planes de quedarse en Efeso un tiempo y luego ir a Corinto. Lea Hechos 19:23 a 20:1 para ver el primer cambio de planes de Pablo y el porqué. **2.** Tenga a mano el mapa grande de los viajes de Pablo. **3.** Complete la primera sección bajo *Estudio del texto básico* en el libro del alumno.

Comprobación de respuestas
JOVENES: **1. a.** De Corinto ir a Macedonia, volver a Corinto y de allí ir a Judea. **b.** por consideración a la iglesia en Corinto. **2.** No hay una sola respuesta correcta porque el alumno debe escribir el versículo en sus propias palabras.
ADULTOS: **1. a.** Una segunda gracia. **b.** Se refería a su visita y al poder divino que se manifestaría en esa ocasión de una manera especial. **2.** Pablo, Silas y Timoteo. **3.** Confirma. Ungió. Ha sellado. **4.** Dios.

Ya en la clase
DESPIERTE EL INTERES
Comience preguntando cómo se sienten cuando una persona que dice que va a hacer algo después no lo hace. Vaya escribiendo las respuestas en el pizarrón o en una hoja grande de papel (por ejemplo: decepción, resentimiento, pérdida de confianza, ya deja de creerle, etc.). Comente que éstos son sentimientos normales pero que generalmente nos quedamos en esa primera reacción y no tratamos de averiguar qué hubo detrás de la falla y si hubo una causa justificada.

ESTUDIO PANORAMICO DEL CONTEXTO
1. Relate los planes de viaje que comunicó Pablo a la iglesia en Corinto (1 Cor. 16:5-9). Había pensado quedarse en Efeso, pero, de pronto, se le cerró la "gran puerta abierta". **2.** Relate muy resumidamente Hechos 19:23 al 20:1. Comente que luego Pablo pensó más profundamente las consecuencias de una visita muy pronta y no cumplió su promesa de visitarlos cuando dijo que lo haría. **3.** Explique que la reacción de los hermanos en Corinto, acicateados por las facciones que no querían a Pablo fue como la que hubiéramos tenido la mayoría de nosotros. La crítica que generó en la iglesia estaba perjudicando seriamente la reputación de Pablo, su credibilidad y, como consecuencia, podía afectar su ministerio. Por eso, les escribe sobre esto y veremos en este estudio cómo defiende sus acciones. **4.** Lea en voz alta el preámbulo de Pablo: 2 Corintios 1:12-14.

ESTUDIO DEL TEXTO BASICO
1. El deseo de Pablo de visitar a los corintios. Lean en silencio el v. 15

211

y encuentren qué *quiso* hacer Pablo y *para qué*. Digan lo que encontraron. Comente luego que si por él hubiera sido, ya los hubiera visitado. Digan lo que encontraron en cuanto al para qué. Comente que "una segunda gracia" se trataba de su segunda visita que planeaba en la que el Señor manifestaría su poder. Un alumno lea el v. 16 y luego señale en el mapa el recorrido que Pablo describe.

2. *El sí y no de los hombres y el sí de Dios en Jesucristo.* Un alumno lea en voz alta el v. 17. Pregunte qué dos cosas implica Pablo con sus preguntas retóricas. Guíe la conversación para que comprendan que su intención de visitarles había sido seria, pero que no se empecinó (según la carne) en ello cuando percibió que en ese momento no era lo mejor. Comente que enseguida Pablo centra sus pensamientos en el Señor que nunca falla. Que un alumno lea los vv. 18-20 mientras los demás encuentran evidencias de la fidelidad de Dios. Comente luego que cuando nos fijamos en las fallas ajenas olvidamos la perfección de Dios quien no falla. Si los corintios hubieran fijado sus ojos en Dios hubieran tenido una buena disposición hacia Pablo y su cambio de planes, pero ellos buscaban defectos en Pablo y creían haberlos encontrado.

3. *El verdadero motivo de la tardanza.* Mencione que algunos en Corinto no querían confirmar a Pablo como apóstol pero que él sí se sentía confirmado. Pida que encuentren en los vv. 21 y 22 quién lo confirmó, ungió y selló y cuál era la garantía con que contaba como prueba.

Ahora encuentren en el v. 23 la principal razón que había frenado a Pablo en sus planes de visitarles. Que un alumno lea en voz alta el v. 23. Coméntenlo y agregue que en 2 Corintios 2:1-4 explica lo que quiere decir con "por consideración a vosotros". Lea en voz alta dicho pasaje. Todo esto muestra su actitud hacia la iglesia que vemos en 1:24. Un alumno lea dicho versículo en voz alta. Pregunte cómo es un líder que se "enseñorea" (autoritario) y cómo es uno que "colabora" (democrático).

APLICACIONES DEL ESTUDIO
Cuántos no pudieron cumplir con un trabajo que se habían comprometido hacer para la iglesia. Analicen si las razones eran valederas, cómo se sintieron, si fueron objeto de incomprensión. Lleve el diálogo a una postura comprensiva, haciendo ver que levantar y animar a nuestros hermanos es ser "colaboradores para su gozo" y que criticarlos y aplastarlos es enseñorearse para tristeza de toda la congregación.

PRUEBA
1. Hagan en parejas la actividad del inciso 1. **2.** Antes de que escriban las respuestas del inciso 2, comparta cómo la contesta usted. Esto servirá de ejemplo y facilitará la respuesta sincera de cada uno.

Unidad 9

Triunfantes en Cristo

Contexto: 2 Corintios 2:1-17
Texto básico: 2 Corintios 2:5-17
Versículo clave: 2 Corintios 2:15
Verdad central: Dios no deja a los suyos sujetos a las vicisitudes de la vida, sino que les da el triunfo sobre las circunstancias adversas para bendición de su iglesia.
Metas de enseñanza-aprendizaje: Que el alumno demuestre su: (1) conocimiento del cuidado de Dios para con sus siervos, (2) actitud de confianza en que el Señor le dará siempre la victoria sobre la adversidad.

---------------**Estudio panorámico del contexto**---------------

A. Fondo histórico:

En la Primera Epístola a los Corintios (capítulo 5) se presentó un caso de un creyente que había cometido un acto inmoral. En ese caso Pablo había indicado que debían expulsar al hombre de la hermandad con la esperanza de que se diese cuenta de su maldad, se arrepintiese y regresara humildemente a Cristo buscando la restauración. Ahora en 2 Corintios 2:5-11 encontramos a Pablo recomendando que alguien sea perdonado. ¿Será el mismo creyente? Muchos creen que sí, aunque no es cosa segura.

En el Imperio Romano eran conocidas las entradas triunfales de los dirigentes militares con banderas e insignias, seguidas por sus soldados, y los cautivos importantes en cadenas. Les acompañaban las guirnaldas y los inciensos. Pablo usa en el pasaje bíblico que es la base de este estudio esa figura, pero el general es Jesucristo.

B. Enfasis:

Pablo había enviado una carta para evitar un encuentro personal de confrontación. El esperaba llegar a Corinto en un momento propicio, cuando ya sus consejos escritos hubieran sido leídos y aplicados para solucionar los problemas existentes (2:1-4).

El daño a un miembro de la iglesia es un mal que afecta a todos, 2:5-7.
Basado en las normas bíblicas, la iglesia tiene razón para disciplinar, hasta para expulsar, a los miembros que cometen pecados que traen descrédito al cuerpo de Cristo. Pero también se incluye la obligación de tratar de traerlos de nuevo al redil y perdonarlos cuando demuestran arrepentimiento. El

propósito de la disciplina siempre ha de ser el bien: sea para el rescate de la persona implicada, o una advertencia a otros para que no caigan en un mal parecido, o para salvaguardar la reputación de la iglesia. No olvidemos que "disciplina" es enseñanza; y su finalidad, aun en el castigo, es la redención. En el caso de nuestro texto, al hablar de tristeza (v. 7) y notar el tono de lo que dice Pablo, suponemos que el hombre ha dado algunos pasos que evidencian su arrepentimiento. Entonces viene la oportunidad para el perdón y la restauración.

El propósito del perdón, 2:8-11. Pablo menciona tres beneficios que resultarían de perdonar al ofensor. (1) El que hayan tomado una acción que él ha recomendado indicaría un grado de "obediencia" hacia el Apóstol y sus enseñanzas. (2) El perdón dado por él y por ellos abriría el camino a una renovada unificación dentro de la fraternidad con el retorno de un elemento extraviado de ella. (3) Representaría una derrota para Satanás, quien desea destrozar a la iglesia.

Pablo, Tito y las noticias de Corinto, 2:12, 13. El Apóstol había enviado a Tito a Corinto con un mensaje (tal vez una carta) con la esperanza de que sirviera para corregir algunos desórdenes allí, y con arreglos para que se encontrasen en Troas después. Al llegar a Troas encontró un buen ambiente para su mensaje evangélico. Pero su desasosiego por saber cómo le había ido a Tito en Corinto le hizo salir de allí y proseguir por Macedonia, a donde pasaría Tito primero. Por lo que dice Pablo en el versículo 14, suponemos que el informe de Tito representaba para el Apóstol un alivio: La mayoría de la iglesia en Corinto había hecho caso de las enseñanzas paulinas.

Participantes del triunfo de Cristo, 2:14. La marcha triunfal de Cristo es diferente a la de los comandantes imperiales, pues los cautivos de Cristo no son meramente unos derrotados, sino que llegan a participar de su triunfo y ser instrumentos que gustan del olor del conocimiento de él.

Olor fragante para muerte y para vida, 2:15, 16. La fragancia del que es "la rosa de Sarón y el lirio de los valles" (Cant. 2:1), cual incensario en la procesión, es llevada a todas partes por sus obedientes seguidores.

Ser falso o veraz, 2:17. Lamentablemente, no todos los que llevan la Palabra de Dios lo hacen en forma debida. A veces llevan una porción de ella mezclada con las tradiciones o con conceptos propios, incluso con acusaciones tergiversadas contra aquellos que la observan en su pureza. Pablo afirma su sinceridad y la exactitud de su presentación del evangelio.

─────────── **Estudio del texto básico** ───────────

1 El triunfo del perdón y la reconciliación, 2 Corintios 2:5-11.
Vv. 5-7. Con delicadeza Pablo se refiere, sin nombrarle, a la persona que traspasó las normas de una aceptable conducta cristiana. Los hermanos corintios sabían quién era el que había merecido la desaprobación de la iglesia, a lo menos en su mayoría. Tal vez algunos estaban dispuestos a tolerar su pecado con tal que fuese partidario de ellos en las disensiones (como a veces

sucede hasta hoy), o tal vez no podían condenar el mal de él sin implicar el suyo propio. Sea como fuere y que haya sido el mismo de 1 Corintios 5 o no, el culpable causó tristeza, como lo hace en la iglesia cualquier serio fracaso moral. El Apóstol y la congregación deseaban que todos los hermanos tuvieran éxito en la vida cristiana, para su propio beneficio y el de los demás. En este caso, en vista del cambio obrado en el transgresor, Pablo suaviza su referencia al decir: *en cierta medida (para no exagerar).* Al parecer, había en la iglesia quienes estimaban que no se debía volver a admitir al errante. Pero, según Pablo, *debierais perdonarle y animarle.* Dios lo hace, como dice el salmista: "Jehovah ...salvará a los contritos de espíritu" (Sal. 34:18). Al no perdonarle y restituirle a la protección del compañerismo cristiano, se corre el peligro de que su aislamiento le conduzca a un compañerismo no cristiano.

Vv. 8-11. Como dice el Apóstol en otra parte: "Restaurad al tal con espíritu de mansedumbre, considerándote a ti mismo, no sea que tú también seas tentado" (Gál. 6:1). En otras palabras: "Unid al extraviado al cuerpo, añadid la oveja al redil, mostradle calor fraternal" (como lo expresó un antiguo comentarista). Al decir *escribí,* se refiere a una carta anterior, sea la que conocemos como la Primera, u otra. *Prueba de que... sois obedientes* puede referirse a la autoridad apostólica de Pablo o la autoridad de Cristo representada en su mensajero misionero. En todo caso lo que Pablo tendría sería autoridad moral, basada en respeto y gratitud hacia él. En la decisión de perdonar al transgresor el Apóstol se identifica con la iglesia. Antes recomendaba el castigo, pero ahora el perdón y estima que es lo que Cristo también hace. Una preocupación suya era la de que una determinación errada sobre el caso no fomentara la causa de Satanás, el adversario que quiere arrebatar las ovejas que son del Señor.

2 El triunfo del amor, 2 Corintios 2:12, 13.

Vv. 12, 13. En vez de cruzar el mar Egeo directamente de Efeso a Cencrea (Corinto), al poniente, Pablo opta por ir por tierra, o en barco costero, al norte para animar en el camino a grupos de creyentes, fruto de una visita anterior. En Troas, donde había recibido la visión llamándole a cruzar a Macedonia (Hech. 16:9), encuentra una buena acogida y un ambiente favorable para evangelizar. Se pone de acuerdo también para encontrarse allí con Tito, quien debe llegar después de su estadía en Corinto. Pero Tito no ha llegado, y Pablo impulsado por su amor e interés en la situación tan crítica de la iglesia en Corinto, prefiere dejar pasar la oportunidad en Troas para seguir a Macedonia (tal vez la ciudad de Filipos) para recibir cuanto antes las noticias de Tito. Vemos que Pablo era muy humano, teniendo las mismas preocupaciones que nos afectan a nosotros. El Apóstol ama mucho a los hermanos de Corinto, aunque haya tenido que llamarles la atención acerca de sus diversos problemas. Por lo que dice en los versículos siguientes podemos ver que su amor e inquietud habían triunfado. Pablo bien concordaría con lo que dice el apóstol Juan: "Me alegré mucho al hallar de entre tus hijos quienes andan en la verdad" (2 Jn. 4).

3 El triunfo del testimonio, 2 Corintios 2:14-16.

V. 14. En vez de indicar cuál fue el informe de Tito, Pablo prorrumpe en una doxología, una alabanza a Dios, como a menudo lo hace. Y desde aquí trata un tema muy cerca de su corazón: la naturaleza de su ministerio. Luego vuelve al asunto del encuentro con Tito en Macedonia en el capítulo 7. De veras el Apóstol rebosa de gozo: el esfuerzo en Corinto fue un éxito, no total, pero un éxito, un triunfo de la gracia, una victoria que Dios les otorgó sin que la merecieran. Es algo parecido, pero no igual, a una marcha triunfal de un comandante conquistador después de una campaña exitosa. Nosotros somos acompañantes portadores de flores y perfumes junto con nuestro Capitán supremo. Pablo ve un triunfo parcial que mira hacia la victoria final del Fiel y Verdadero que el apóstol Juan vislumbra en Apocalipsis 19:11-16. A dondequiera vaya el discípulo, *manifiesta... el olor de su conocimiento.* "Y esta es la vida eterna: que te conozcan a ti..." (Juan 17:3).

Vv. 15, 16. La fragancia del perfume se disipa luego, pero la de la presencia de Cristo se queda en los que hemos quedado voluntariamente cautivos de su amor. El se complace en la medida en que irradiemos la dulzura de su persona, cuando otros son atraídos a él por nuestro intermedio o aun cuando otros consideran que tal perfume apesta y nos rechazan. Somos medios de salvación para quienes le aceptan, e instrumentos de condenación para los que rechazan el mensaje de Cristo. Somos sus mensajeros pero insuficientes en nosotros mismos para tal responsabilidad. "Nuestra suficiencia proviene de Dios" (3:5).

4 El triunfo de la Palabra, 2 Corintios 2:17.

V. 17. Desafortunadamente, siendo el evangelio tan precioso, hay mercaderes listos a aprovecharlo para sus propios fines. Pablo no dice que se refiere a sus opositores que quedan en la iglesia en Corinto, pero podemos suponer que está pensando en ellos, a lo menos en parte. Tengamos cuidado, tal como Pablo, de que nuestros motivos sean puros y sin engaño. Recordemos que cuando *hablamos* lo hacemos *delante de Dios en Cristo.*

─────────────── Aplicaciones del estudio ───────────────

l. **Hay tiempo para condenar y tiempo para perdonar.** Sin principios de conducta definidos no se verá necesidad de pedir perdón. Pero pedido, el perdón trae restauración.

2. **El triunfo final es de Cristo.** Felices los que compartirán ese triunfo.

3. **No ganaremos a todos, pero podemos intentarlo.** ¿Ha tenido usted la experiencia en que alguien prefiere eludir un encuentro con usted por temor de que le hable de Cristo o sencillamente porque él ve el estilo de vida de usted como una condenación al de él?

4. **Estemos seguros de que la doctrina que defendemos sea la bíblica sin elementos de nuestra propia cosecha.**

Nuestro triunfo en Cristo
2 Corintios 2:5-17

Introducción: Muchas veces nos sentimos derrotados por la vida. Pablo compartía esta experiencia. ¿Qué puede hacer una persona en medio de un mundo que parece marchar en dirección contraria? ¿Qué hacer? Puede "seguir orando y con el mazo dando", en la confianza de la victoria final y de otras victorias más pequeñas en camino.

I. El triunfo del perdón (vv. 5-11).
  A. La unidad de la iglesia: Lo que afecta a uno, afecta a los demás: "a todos vosotros".
  B. La maldad de uno que desacredita a la hermandad debe castigarse, en bien de él y de la iglesia,
  C. Cuando hay arrepentimiento, corresponde el perdón (v. 7).
  D. Lo que se desea lograr a través de la disciplina: la sanidad y el crecimiento del cuerpo de Cristo y la derrota de Satanás; la redención.

II. El triunfo del amor (vv. 12, 13, 17).
  A. El amor del Apóstol le condujo a usar su mejor juicio para salvaguardar una situación difícil.
  B. El amor de Dios le impulsaba.

III. El triunfo del testimonio (vv. 14-16).
  A. Es Dios que provee el triunfo, y a él corresponden las gracias (v. 14).
  B. Lo que somos, al igual que lo que decimos, es un poderoso testimonio, ojalá un olor del Señor.
  C. Esa fragancia será agradable para aquellos que reciben a Cristo y desagradable para otros.
  D. El olor de nuestra fidelidad será grato a Dios.
  E. Nuestra suficiencia es del Espíritu Santo.

Conclusión: Nuestro triunfo en Cristo implica que sepamos perdonar motivados por el amor y así dar un buen testimonio. "Si perseveramos, también reinaremos con él" (2 Tim. 2:12).

Lecturas bíblicas para el siguiente estudio

Lunes: 2 Corintios 3:1-3   **Jueves:** 2 Corintios 3:10-13
Martes: 2 Corintios 3:4-6   **Viernes:** 2 Corintios 3:14, 15
Miércoles: 2 Corintios 3:7-9   **Sábado:** 2 Corintios 3:16-18

AGENDA DE CLASE

Antes de la clase
1. Repase 1 Corintios 5 y luego lea 2 Corintios 2:5-11 donde se ve el resultado de la disciplina ordenada por Pablo. Siga leyendo el resto del capítulo 2 antes de estudiar todo el material expositivo en este libro y en el del alumno. **2.** Tenga a mano el mapa grande de los viajes de Pablo. **3.** Si es posible consiga una foto de un arco de triunfo; por ejemplo, el de París. **4.** JOVENES: Encargue con anterioridad a un alumno que se prepare para dar la descripción de la ciudad de Troas que aparece en su libro en la sección *Estudio del texto básico*, bajo la explicación del v. 12. **5.** Lleve perfume, flores o hierbas aromáticas a la clase. **6.** Escriba en una franja grande de papel la pregunta que está en el libro del alumno bajo la sección *Prueba* inciso 2. **7.** Complete la primera actividad de la sección *Estudio del texto básico* en el libro del alumno.

Comprobación de respuestas
JOVENES: **1.** a. Se había abierto una puerta. b. Estaba preocupado por Tito. c. Dios da el triunfo. **2 y 3.** Vea en su Biblia las respuestas correctas (v. 5). ADULTOS: **1.** Toda la congregación. **2.** Hace que siempre triunfemos en Cristo y que manifiesta su conocimiento por medio de los creyentes. **3.** (a) Sinceridad. (b) Hablar de parte de Dios.

Ya en la clase
DESPIERTE EL INTERES
Muestre la foto del arco de triunfo. Relate que en la antigüedad se levantaban arcos de triunfo para conmemorar victorias militares. En el mundo romano, la celebración comenzaba con una marcha triunfal por las calles principales de Roma que desembocaban en el capitolio. Encabezan la marcha las autoridades máximas, seguían los príncipes, luego los sacerdotes que iban quemando incienso dando un aroma especial al desfile. Después venían los "trofeos": los gobernantes y generales derrotados que se arrastraban en cadenas, después, la banda de música, el general vencedor con su familia y su ejército, este último muchas veces mercenario. Era una celebración que emanaba triunfo.

ESTUDIO PANORAMICO DEL CONTEXTO
1. Diga que el tema de 2 Corintios 2:5 en adelante es el triunfo. Primeramente, en los vv. 5-10 vemos el triunfo de la disciplina y el perdón. **2.** Narre brevemente la orden de Pablo en 1 Corintios 5, que la iglesia le obedeció con la consecuencia de que el pecador se ha arrepentido y ha sido perdonado y restaurado por la iglesia con la total aprobación de Pablo. Dé más detalles en base al material que aparece en este libro.

ESTUDIO DEL TEXTO BASICO
1. El triunfo del perdón y la reconciliación. Pablo había enviado a su colaborador Tito a Corinto para llevar a la iglesia un mensaje y para trabajar con ellos a fin de ayudarles con los problemas que tenían. Por lo que vamos a leer, es evidente que Tito y Pablo habían quedado de encontrarse en Troas. Veamos lo que sucedió.

2. El triunfo del amor. Lean en silencio el v. 12 y luego pida a un voluntario que diga lo que pasó y señale en el mapa a Troas y Macedonia.

○ JOVENES: Pida al alumno asignado que describa a Troas. Comente que era una ciudad abierta al evangelio pero que Pablo pasó a Europa porque quería encontrarse con Tito. Pregunte: Sabiendo la comisión que Pablo había dado a Tito, ¿cuáles serían las razones de la inquietud de Pablo? (Estaba ansioso por saber de la iglesia en Corinto y cómo habían respondido a sus exhortaciones.) Llame la atención al perfume, las flores o hierbas aromáticas en el aula. Pregunte: ¿Les llega a todos el aroma o sólo a algunos? ¿A quiénes les gusta y a quiénes no? Lo mismo sucedía con la fragancia del incienso en las marchas triunfales en Roma. Les llegaba a todos: vencedores y vencidos; para los vencedores era la fragancia del triunfo, pero para los vencidos la fragancia de la derrota.

3. El triunfo del testimonio. Pensando en esto, un alumno lea en voz alta los vv. 14-16. Pregunte: ¿Por qué da gracias Pablo? (Hace que siempre triunfemos en Cristo.) Intercambien ideas sobre lo que significa "triunfar en ○ Cristo". Lean los vv. 14-16 sustituyendo "olor" y "olor fragante" por "evangelio". Mencione que la obediencia a las órdenes del General de extender el "olor fragante" que es el evangelio es lo que hace que penetre a todo lugar. Pregunte: ¿Cómo llega a ser vida para unos y muerte para otros? Dirija la atención a la pregunta al final del v. 16 y pida que la contesten. (Cristo es suficiente y da suficiencia a sus siervos.)

4. El triunfo de la Palabra. Titule un lado del pizarrón MERCENARIOS y el otro, PATRIOTAS. Listen los rasgos de soldados mercenarios y luego, de soldados patriotas. Una alumno lea en voz alta el v. 17. Dirija un diálogo para identificar a los traficantes o soldados mercenarios y a los soldados patriotas de los cuales Pablo escribe.

APLICACIONES DEL ESTUDIO
○ Forme dos grupos. Uno debe elaborar una definición de *El triunfo según la sociedad.* El otro, *El triunfo según Dios.* Presenten sus definiciones. Desafíe a cada uno a aspirar al triunfo según Dios.

PRUEBA
1. Escriban en sus libros la contestación a la pregunta en el inciso 1 en sus libros. Compruebe las respuestas. **2.** Muestre el cartel con la pregunta en el inciso 2 como comienzo de una discusión sobre el tema que lleve a una mejor aplicación práctica de la verdad bíblica.

El ministerio del nuevo pacto

Contexto: 2 Corintios 3:1-18
Texto básico: 2 Corintios 3:4-18
Versículo clave: 2 Corintios 3:6
Verdad central: Las declaraciones de Pablo acerca de su ministerio nos enseñan que el siervo no es adecuado para ninguna tarea espiritual, Dios es el que lo capacita para ella.
Metas de enseñanza-aprendizaje: Que el alumno demuestre su: (1) conocimiento de las enseñanzas de Pablo acerca de la intervención de Dios en la capacitación de sus siervos para la tarea misionera, (2) actitud de reconocer a Dios como la fuente de adecuación para el servicio.

─────────── **Estudio panorámico del contexto** ───────────

A. Fondo histórico:

En el capítulo 2 (v. 17) Pablo ha dicho que, a diferencia de algunos, él actúa con sinceridad representando a Dios en Cristo. Ahora, recordando que una de las acusaciones que hacían sus contrarios era de "tocar trompeta delante de sí" (como en Mateo 6:2), Pablo les dice que no necesita cartas de recomendación para dejar constancia de quién es. En la época de Pablo, como aún en algunas partes, era común que un hermano al viajar llevaba una carta de una persona conocida certificando su honorabilidad y su condición como digno de recibir atenciones en el camino. La epístola a los Romanos servía como tal carta para la hermana Febe (Rom. 16:1). Las facilidades para viajar a menudo dejaban mucho que desear. Al parecer, los judaizantes que habían llegado del elemento legalista de la iglesia en Jerusalén llevaban tales documentos y decían que Pablo no los tenía. Además, para ellos Pablo era un "liberal" que quería acabar con la ley de Moisés. Es cierto que él no quería imponer los ritos legales sobre los no-judíos. A la vez, Pablo no necesitaba cartas de recomendación, pues los hermanos en Corinto lo conocían bien.

Para ilustrar lo que quería decir, Pablo les recuerda la historia de Moisés cuando subió al monte para recibir las tablas de la Ley (Exo. 34:29-35). El estar en comunicación con Dios hacía resplandecer el rostro de Moisés y la gente se fijaba. Entonces se cubrió con un velo hasta volver a la presencia divina. Pablo habla del velo que los judíos ortodoxos ponen sobre sus hombros o sus cabezas en actos de adoración; el Apóstol dice que lo tienen sobre la cara de modo que no ven.

B. Énfasis:

Cartas abiertas de Cristo a los hombres, 3:1-3. Pablo asegura a sus lectores que no le mueve un deseo de hacer alarde de quién él es, como para darse una importancia inflada. El no necesita jactarse acerca de sus credenciales personales, pues la misma existencia de la iglesia en Corinto es su mejor recomendación. Otros pueden ostentar importantes cartas de presentación e insinuar que él no las tiene; pero a él no le hacen falta. Más bien, los mismos hermanos de allí, mediante el evangelio predicado por el Apóstol, son una carta viva de recomendación. Las mejores credenciales de un dirigente cristiano se encuentran en las vidas y el carácter de sus hijos espirituales, y están a la vista de todos. Cualquier otra carta, aunque esté grabada en piedra, vale menos.

El obrar de Dios, 3:4, 5. Pablo tiene confianza en que la fidelidad de los hermanos corintios, a pesar de las fallas, es su recomendación; pero reconoce que la obra efectuada en ellos no es tanto algo de él como algo de Cristo. Y en todo será Dios quien la evaluará.

Dios es el que capacita, 3:6. El término "ministro" no se limita a un oficial de la iglesia que solemos llamar pastor, pues cada hijo de Dios tiene algo que hacer en la causa del nuevo pacto, del que habla Jeremías (31:31-34) y que fue realizado en Cristo Jesús.

Ministerio de muerte y de vida, 3:7-11. El resplandor de Moisés en el monte se desvaneció, pero el resplandor de la gloria de Cristo permanece.

Un velo que necesita ser quitado, 3:12-16. Los seguidores de Cristo no necesitan un velo, pues la gloria del evangelio no se desvanece. "El fin de la ley es Cristo" (Rom. 10:4). Si los judíos (y los judaizantes) están dispuestos a quitarse el velo cuando vuelven al Señor como lo hizo Moisés, también verán la luz.

Transformados por el Espíritu del Señor, 3:17, 18. El Señor Jehovah apareció a Moisés para dar la Ley. Ahora el Señor es el Espíritu Santo, no como una persona opuesta a la apariencia antigua, sino como la divina Persona que en nuestros tiempos no sólo aparece, sino la que está permanentemente con nosotros.

A causa de su obra no necesitamos cubrir nuestro rostro con el fin de que no se vea cómo se desvanece el reflejo de la gloria, pues con el paso del tiempo y la experiencia con él, la gloria se ve más y más. Con el velo del templo rasgado (Mat. 27:51), la entrada a la presencia de Dios está del todo abierta a quienes le buscan humildemente y con sinceridad.

─────────── **Estudio del texto básico** ───────────

1 Nuestra suficiencia para ministrar proviene de Dios, 2 Corintios 3:4-6.

Vv. 4, 5. Nuestra mejor recomendación no es algo que se origina en nosotros, sino algo que Dios hace por nuestro intermedio. "Yo planté, Apolos regó; pero Dios dio el crecimiento" (1 Cor. 3:6); "llegué a ser ministro, conforme a la dádiva de la gracia de Dios que me ha sido conferida" (Ef. 3:7). Lo que logramos en la causa del Señor no debe inflar nuestro ego sino ser motivo de gozo y gratitud de que Dios se digna utilizarnos. Como el Apóstol dijo en su Primera Epístola (15:10): "He trabajado... pero no yo, sino la gracia de Dios que ha sido conmigo." Fines espirituales no se logran meramente con medios carnales. Sólo imbuidos por el Espíritu de Dios alcanzamos el bien deseado. Observamos que en los versículos 2-4 hay referencia al papel del Padre (Dios), del Hijo (Cristo) y del Espíritu Santo.

V. 6. La voz *ministro* aquí es *diákonos* en griego, la que es traducida "diácono" cuando se refiere a esa posición dentro de una iglesia organizada. Más comúnmente se traduce "servidor", "sirviente" o "ministro", y trata de uno que tiene un ministerio (*diaconéo*) que le ha encomendado una autoridad superior; en este caso, Dios mismo. Así todo hijo-discípulo es un *ministro*, si bien no todos tienen el mismo ministerio. Aun "Cristo fue hecho ministro" (Rom. 15:8). Así el pastor o misionero es "un ministro" pero no "el ministro". *La letra mata, pero el Espíritu vivifica* no es asunto de la inteligencia contra la emoción en el culto, sino de la base de nuestra fe. "La ley no se basa en la fe; al contrario, el que hace estas cosas [de la ley], vivirá por ellas. Cristo nos redimió de la maldición de la ley ... a fin de que recibamos la promesa del Espíritu por medio de la fe" (Gál. 3:12-14). Los Diez Mandamientos no fueron dados como medio de salvación, sino como normas de vida para el pueblo de Dios y para que el hombre, en su incumplimiento de ellos, se diera cuenta de su pecado y de su necesidad de la salvación. La letra mata con el fin de que, mediante el Espíritu, se busque la vida.

2 Ministros del nuevo pacto, 2 Corintios 3:7-11.

Vv. 7-11. Los Diez Mandamientos fueron entregados grabados en dos tablas de piedra (Exo. 31:18). Su mensaje es muy importante, pero básicamente es "no harás" ciertas cosas. Son excelentes principios para la vida, pero no ofrecen esperanza al que no puede cumplirlos a la perfección; y nadie honradamente puede afirmar que lo ha hecho así. Lo que quedaba era hacer los sacrificios y reclamar la misericordia de Dios. Los sacrificios prefiguraban el sacrificio de Cristo (Heb. 9:15), aunque la mayoría de los judíos rehusaba aceptar ese concepto. *Si el ministerio de condenación era con gloria, ¡cuánto más... el ministerio de justificación,* pues es Dios en su gracia que nos declara justos.

Pensando en los judaizantes que habían seguido sus pasos en diversos lugares (Hech. 15:1-29), y que ahora en Corinto tratan de minar su influencia insistiendo en los ritos mosaicos como esenciales para la salvación, Pablo lo llama *el ministerio de muerte.* Porque la ley condena, al igual que los rayos X, que no tienen el propósito de sanar sino de señalar donde está el mal, con el fin de poder buscar el remedio correspondiente por otros medios. Pero esa palabra condenatoria tenía su gloria (tal cual la tiene la máquina de los rayos X). Ella fue de Dios, y su resplandor se dejó ver en el rostro de Moisés. Sin embargo, la gloria de la redención (el remedio) es tanto mayor que, en comparación, la primera parece ser sin gran importancia. Y al final, lo grandioso no es señalar sino sanar.

3 El velo del antiguo pacto es quitado por Cristo, 2 Corintios 3:12-18.

Vv. 12, 13. La base de nuestra *confianza* es la firme *esperanza* de que nuestro ministerio es permanentemente glorioso. Moisés reconocía que su resplandor era pasajero y no quería que la gente dijera: "Parece que la cara de Moisés brilla menos hoy que ayer", y se puso el velo. Usando la figura del velo que Moisés puso sobre su rostro, Pablo afirma que muchos tienen el velo sobre el corazón de modo que no comprenden, porque están endurecidos. Luego, interpreta lo que hizo Moisés (como se lee en Exodo 34:33): "Y cuando Moisés terminó de hablar con ellos, puso un velo sobre su cara." Según Pablo, el propósito del velo era que la gente no se fijara en que el resplandor se iba debilitando después del encuentro con Dios.

Vv. 14, 15. Es bueno leer la Palabra de Dios, pero no es suficiente si no hay la disposición de creerla y de seguir a donde dirige hoy el mismo Espíritu que la inspiró al comienzo. *El velo está puesto,* y las palabras no se comprenderán "por la sabiduría humana, sino con las enseñadas por el Espíritu, interpretando lo espiritual por medios espirituales" (1 Cor. 2:13).

V. 16. La transformación se realiza cuando las personas se convierten al Señor. "Las tinieblas van pasando y la luz verdadera ya está alumbrando" (1 Jn. 2:8).

Vv. 17, 18. El Espíritu Santo es el "otro Consolador", siendo Jesucristo el anterior; y él es *el Señor* y el que "permanece con vosotros y está en vosotros" (Juan 14:17). *Donde está el Espíritu del Señor, allí hay libertad.* Ya no se aplican los estorbos del formalismo y las limitaciones de los ritos legales. Séneca, antiguo filósofo romano-hispano, dijo: "Obedecer a Dios es libertad." Y mediante la obra del Espíritu en nosotros, paso a paso somos hechos semejantes al Cristo glorificado. Siendo *transformados* usa la misma voz (*metamorfóo*) que, hablando de Cristo en el monte, traducimos "transfigurado" (Mat. 17:2); y de los creyentes, "transformaos" (Rom. 12:2). Nos hace recordar la metamorfosis del gusano transformado en mariposa para volar libremente.

———————————— **Aplicaciones del estudio** ————————————

1. Un ministerio dado por Dios puede realizarse sólo con la ayuda de él, 2 Corintios 3:4, 5. El hombre puede tener ciertas cualidades que aparentemente lo capacitan para la tarea, pero Dios es la fuente de esas cualidades.

2. El Espíritu Santo nos permite cooperar en un ministerio que es permanente y para salvación, 2 Corintios 3:6-11.

3. Nuestro ministerio va en aumento, "de gloria en gloria", 2 Corintios 3:12, 13.

El ministerio del nuevo pacto
2 Corintios 3:4-18

Introducción: Demasiadas personas quieren aceptar a Cristo como Salvador sin comprometerse a tomarlo como Señor de su vida, un concepto que la Biblia no autoriza. Somos salvados porque Dios nos ama y porque quiere utilizarnos para el adelanto de su reino en el mundo.

I. Todo cristiano tiene un ministerio, y así es un ministro: "cuando se conviertan al Señor" (v. 16), "todos nosotros" (v. 18).
    A. Si tenemos en nosotros al Espíritu Santo, somos ministros del Espíritu (v. 6). Ver 2 Corintios 5:18-20; Romanos 14:12; 1 Corintios 6:20; Efesios 4:1, 7; 1 Pedro 4:10.
    B. El ministro cumple órdenes de su superior, en este caso, Dios. Un ministro de Estado es un "servidor público", elegido representante del pueblo; cumple lo que se le ha encargado. El ministro de Dios escucha otra voz.

II. No todos tienen la misma forma de ministerio, sino la que Dios ha dado y para la cual él ha provisto la suficiencia (vv. 5, 6).

III. Somos ministros del nuevo pacto, 2 Corintios 3:7-11.
    A. El antiguo pacto se basaba en la ley. La ley es útil, pues indica cómo el pueblo de Dios ha de vivir, pero también muestra que fallamos y nos condena. "Cuando vino el mandamiento, el pecado revivió; y yo morí" (Rom. 7:9), pues me señaló que soy pecador perdido.
    B. Nadie jamás se salvó guardando la ley (v. 6; ver Rom. 8:1-3).
    C. Aun en tiempos antiguos la salvación era obra de la gracia; ver Abraham y David (Rom. 4:1-13).

IV. El ministerio de muerte, basado en la ley, ha de dejar lugar al ministerio de vida en el Espíritu (vv. 12-17).
Servimos a Dios porque somos salvos por la fe y le pertenecemos, no para ser salvos por las obras.

V. La hermosura del ministerio del Espíritu irá en aumento, "de gloria en gloria".

Conclusión: En la colmena todas las abejas tienen una función, y se centra en la reina. Así cada uno de nosotros tiene una función, y se centra en el Rey, nuestro Salvador. Trabajando con dedicación solos y en conjunto, "que cada uno sea hallado fiel" (1 Cor. 4:2).

Lecturas bíblicas para el siguiente estudio

Lunes: 2 Corintios 4:1-3
Martes: 2 Corintios 4:4-6
Miércoles: 2 Corintios 4:7-9

Jueves: 2 Corintios 4:10-12
Viernes: 2 Corintios 4:13-15
Sábado: 2 Corintios 4:16-18

AGENDA DE CLASE

Antes de clase
1. Lea Exodo 34:33-35 donde se relata la experiencia a la que hace referencia Pablo en 2 Corintios 3:13. **2.** Lea 2 Corintios 3:1-18 y subraye en los vv. 4-18 las palabras que considera importantes. **3.** Después de estudiar el material en este libro y en el del alumno, escriba un concepto que captó referente a cada palabra que subrayó. **4.** Consiga un velo oscuro o una pañoleta de gasa u otra tela muy liviana. **5.** Complete la primera sección bajo *Estudio del texto básico* en el libro del alumno.

Comprobación de respuestas
JOVENES: **1.** De Dios. **2.** El alumno se expresará libremente. **3. Antiguo pacto:** La letra mata; ministerio de muerte; ministerio de condenación; permanencia del velo. **Nuevo pacto:** El Espíritu vivifica; Ministerio del Espíritu; Ministerio de justificación; El velo es quitado por la fe en Cristo. ADULTOS: **1.** En que su suficiencia provenía de Dios. **2.** Dios. **3.** Con mucha confianza. **4.** Libertad.

Ya en la clase
DESPIERTE EL INTERES
Escriba en el pizarrón o en una hoja grande de papel como titular: *CONTRASTE*. Pregunte si pueden pensar en contrastes entre la vida antes y la vida después de la conversión. Estimule a los alumnos, especialmente los que han aceptado a Jesucristo como su Salvador siendo ya jóvenes o adultos, que respondan dando su experiencia personal. Puntualice que en este estudio veremos grandes contrastes que subraya Pablo.

ESTUDIO PANORAMICO DEL CONTEXTO
1. Explique quiénes eran los judaizantes que trataban de obstaculizar el ministerio de Pablo y cuyas críticas motivaron lo que escribió en 2 Corintios 3. **2.** Forme parejas, encuentren en sus libros, bajo la sección *Estudio panorámico del contexto* cuál era la costumbre en cuanto a "cartas de recomendación". Enseguida que compartan lo que descubrieron, presente un resumen de 2 Corintios 3:1-4, la primera parte de la respuesta de Pablo a los judaizantes y diga que aquí vemos el primer *contraste*: algunos llegaban a la iglesia con cartas de recomendación, muy posiblemente de la iglesia en Jerusalén. Pablo no traía carta de nadie, su "carta" o "prueba" era el testimonio que en sí constituía la existencia de la iglesia en Corinto con tantos creyentes que lo eran por la predicación de Pablo.

ESTUDIO DEL TEXTO BASICO
1. Nuestra suficiencia para ministrar proviene de Dios. Lea usted en voz alta los versículos 4-6 mientras los alumnos siguen la lectura en silencio para

225

encontrar un concepto contrastante (v. 5: suficiencia propia *versus* suficiencia que proviene de Dios). Cuando digan lo que encontraron, escríbalo en el pizarrón u hoja grande. Explique la significación del contraste en base al comentario en este libro y en el del alumno. Como resumen, comente que podríamos decir que sugiere que Dios mismo lo recomienda ya que le ha dado de su suficiencia para cumplir la tarea que le encomendó.

2. *Ministros del nuevo pacto.* Proceda de la misma manera con los vv 7-11 (v. 6: ministros de "la letra" *versus* ministros del Espíritu que predican el nuevo pacto; la letra que mata *versus* el Espíritu que vivifica; vv. 7, 8: ministerio de muerte *versus* ministerio del Espíritu; v. 9: ministerio de condenación *versus* ministerio de justicia; v. 10: poca gloria *versus* excelente gloria; v. 11: lo que se desvanece *versus* lo que permanece). A medida que va escribiendo cada contraste en el pizarrón, explique su significado o haga que los alumnos lo busquen en sus libros y ellos lo expliquen. Asegúrese que entiendan bien que la ley falla y pierde su gloria cuando sólo se tiene en cuenta la letra y no el Espíritu que la originó, su razón de ser. Dios no ha descartado sus leyes morales y el nuevo pacto nos impulsa a observarlas por el Espíritu de ellas.

3. *El velo del antiguo pacto es quitado por Cristo.* Muestre el velo o pañoleta y solicite que un voluntario se tape el rostro y lo tenga tapado mientras usted explica Exodo 34:33-35. Agradezca la colaboración del voluntario y después que se quite el velo o pañoleta, colóquelo en un lugar donde quede bien a la vista. Diga que en los versículos que ahora enfocarán, Pablo compara aquel velo con algo. Forme dos grupos o divida a los asistentes en dos sectores. Un sector debe encontrar con qué compara Pablo el velo y, el otro sector, qué tiene que suceder en la vida de uno para que el velo sea quitado. Un alumno de un sector lea en voz alta los vv. 12-15 y uno del otro sector los vv. 16-18. Los grupos o sectores compartan lo que encontraron. Diga que aquí se sugiere un contraste (con velo versus sin velo). Escríbalo en el pizarrón y explíquelo ampliamente.

APLICACIONES DEL ESTUDIO

1. Si hay participantes que no han aceptado a Cristo como su Salvador, use la analogía del velo para hacer una invitación a entregarse a Cristo. Llame la atención al velo o pañoleta y diga que su anhelo es que no hay ni uno que todavía lleve puesto el velo espiritual. 2. Si todos son creyentes, pida que mencionen cosas en la vida que pueden ser velos y oscurecer la verdad en sus vidas (egoísmo, ambición desmedida, complejos, etc.).

PRUEBA

JOVENES: 1. Completen el primer ejercicio. 2. Escriba en el pizarrón: *Mi ministerio.* Pida que identifiquen cada uno el ministerio que Dios le ha dado y luego escriban lo que el inciso 2 pide. ADULTOS: Hagan por parejas las actividades en sus libros.

Unidad 10

La perseverancia en el ministerio

Contexto: 2 Corintios 4:1-18
Texto básico: 2 Corintios 4:7-18
Versículo clave: 2 Corintios 4:16
Verdad central: La perseverancia en el ministerio a pesar de la adversidad es una de las características esenciales del siervo de Dios.
Metas de enseñanza-aprendizaje: Que el alumno demuestre su: (1) conocimiento de la perseverancia de Pablo en la obra misionera a pesar de las circunstancias adversas que tuvo que enfrentar, (2) actitud de persistencia en la tarea que el Señor le ha encomendado.

─────────── **Estudio panorámico del contexto** ───────────

A. Fondo histórico:

Aunque el ministerio de la palabra de Dios es glorioso, como hemos visto en el capítulo 2, no siempre es fácil. A veces el cansancio, el desaliento por el poco éxito, los reveses o la oposición, la pereza, la persecución o las incomprensiones están entre las causas de la tentación para aflojar nuestro esfuerzo en la obra del Señor. Hasta Jesús vivió tales experiencias; como vemos cuando pocos días antes de la crucifixión contestó las inquietudes: "A menos que el grano de trigo caiga en la tierra y muera, queda solo; pero si muere, lleva mucho fruto" (Juan 12:24). Y no es de extrañar que él pensase así, en primer lugar para él mismo pero también para los suyos, "pues él fue tentado en todo igual que nosotros, pero sin pecado" (Heb. 4:15).

Por cierto, Pablo lo había sentido. Por ejemplo, durante su primer ministerio en Corinto, ¿cuál habrá sido su estado de ánimo para que el Señor en visión le dijera: "No temas, sino habla y no calles; porque yo estoy contigo"? (Hech. 18:9, 10).

En este estudio se alude a otras pruebas y sufrimientos: Pablo y sus compañeros viajaban lentamente por grandes distancias sobre caminos malos y peligrosos donde abundaban ladrones y enfermedades, con albergues generalmente inadecuados, y sobre ríos sin puentes. Por mar había tempestades repentinas, piratas e incomodidades. Sus propios compatriotas, los judíos, solían considerarles como traidores dignos de la muerte; y para los gentiles su mensaje de un Salvador crucificado era base de mofas o de la acusación de estar propagando una religión ilegal. Algunas de estas dificultades se enumeran en 2 Corintios 11:23-33.

B. Enfasis:

Un evangelio puro, sin alteraciones, 4:1-3. Teniendo un mensaje tan glorioso y habiendo recibido tanta misericordia, ¿cómo no vamos a ser fieles? Ministramos sin temor indebido o incertidumbre. Recordando otra vez las acusaciones (1:17) en su contra de ser insincero y vacilante, Pablo insiste en que no quiere nada con cosas escondidas y vergonzosas, ni trata de ser hábil en el engaño. Tampoco mezcla elementos de la Palabra de Dios con ideas propias ni con tradiciones no basadas en la Palabra.

Algunas tradiciones pueden ser buenas, pero no deben tener fuerza de doctrina. Tan seguro está de la rectitud de lo que representa, que Pablo se ofrece a toda conciencia humana delante de Dios. Pero si todo parece ser tan claro, ¿por qué será que tantas personas no lo ven? Los que se pierden son los que no lo ven.

La luz resplandece en las tinieblas, 4:4-6. La ceguera se debe al velo de incredulidad, como dice el refrán: "No hay peor ciego que el que no quiere ver." Luego, allí está Satanás, el dios de esta edad, el que tiene cierto dominio durante este presente tiempo y quiere impedir la obra de Dios. ¿Ha tenido usted la experiencia de ofrecer las razones para recibir al Señor, razones que el entrevistado acepta como válidas, pero de todos modos no quiere acudir a Cristo? Es ceguera voluntaria. Hay un dicho popular que dice: "El peor de los ciegos es el que teniendo la vista no quiere ver."

El papel mostrado en la predicación es doble: El papel de Cristo es ser Señor; el nuestro es ser siervos (esclavos) de aquellos a quienes presentamos el mensaje. No es que ellos nos han obligado, sino que es por causa de Cristo, cuya gloria es la imagen y la gloria de Dios. Y el resplandor del evangelio en nosotros ilumina el conocimiento del Señor.

Un tesoro sin par, 4:7-10. Usando la figura de las vasijas de barro en que solían guardar cosas de valor, a menudo escondiéndolas, Pablo explica que los representantes de Dios son frágiles y quizás no bonitos, pero llevan un tesoro sin par. Como Jesús siempre vivía a la sombra de su cruz, así también sus mensajeros. Pero de la muerte emana la vida.

Mostrar en nosotros la vida de Jesús, 4:11, 12. Los que presentamos el mensaje del Cristo vivo nos exponemos hasta la muerte con el fin de que la vida de Jesús se vea en nosotros y, por medio de nosotros, en otros.

La esperanza de la resurrección, 4:13-15. Tenemos el mismo espíritu de fe y el poder en el que resucitó al Señor Jesús y esto nos da certeza para el porvenir, lo que resulta en acción de gracias para la gloria de Dios. Si Cristo resucitó, nosotros también resucitaremos.

Lo momentáneo negativo produce un eterno peso de gloria, 4:16-18. Por segunda vez en este capítulo Pablo dice: No desmayamos: primero, por contar con la misericordia de Dios para desarrollar su ministerio (v. 1); y aquí, por la abundancia de las acciones de gracias para la gloria de Dios. Todo contribuye a la perservancia en el ministerio.

El Apóstol termina esta fase del tema con una serie de contrastes relacionando lo temporal con lo eterno en cuanto a su valor relativo.

1 Tesoro precioso en vasos de barro, 2 Corintios 4:7-10.

V. 7. Aquí compara Pablo a los cristianos con vasos de barro, que podrían ser lámparas de arcilla baratas que llevan la luz de Cristo. En su idioma original, el griego, se usa la misma palabra para *vaso* y para "instrumento". Así se refiere a Pablo en Hechos 9:15. Un vaso despreciado y sin mérito visible, que se convierte en un instrumento de riqueza incalculable por el valor de su contenido. El cristiano es un vaso *de barro,* ordinario y frágil, pero elegido por Dios para ser su instrumento escogido por lo cual deposita en él la *excelencia* de su poder. Y esto es lo que hace la diferencia. Un pobre vaso que cambia drásticamente su valor porque en él está depositado el tesoro del mensaje de Jesucristo. Un vaso que derramará en el mundo las riquezas celestiales que ha recibido. Un instrumento de bendición.

Vv. 8, 9. Nuestra mortalidad provee una adecuada base para la humildad; si bien el Apóstol enumera otros factores que él y sus compañeros no han escogido: *atribulados, perplejos, perseguidos, abatidos,* también señala que Dios da victoria: *no angustiados, no desesperados, no desamparados, no destruidos.* "Somos más que vencedores por medio de aquel que nos amó" (Rom. 8:37). Un cristiano perseguido y golpeado declaró: "Los cristianos somos como los clavos, entre más fuerte nos golpean, más profundo vamos." En esa profundidad se fortalece el compañerismo con Jesús.

V. 10. Así los siervos de Jesús llevan con ellos el proceso de su muerte en la cruz con el fin de poder manifestar su vida. Como Jesús preveía su cruz mucho antes de ser colgado en ella (Mat. 17:9, por ejemplo), así el que le sirve ha de tomar su cruz cada día (Luc. 9:23), signifique lo que signifique.

2 Entre la muerte y la vida, 2 Corintios 4:11-15.

Vv. 11, 12. Aunque ahora, en nuestros países, no es tan común pagar con la vida o con el trabajo el aceptar a Cristo y serle fiel, puede ocurrir. De todos modos "ninguno de nosotros vive para sí, y ninguno muere para sí. Pues si vivimos, para el Señor vivimos; y si morimos, para el Señor morimos" (Rom. 14:7, 8). Y recordemos que la primera mitad del bautismo en agua simboliza la muerte (Rom. 6:5). Cristo fue hasta la muerte a fin de que nosotros vivamos, así nuestra fidelidad nos llama hasta la muerte, a fin de que otros vivan en él. Así *actúa la vida.* Muere el que se entrega a fin de que viva el que recibe.

Vv. 13-15. La fe puede ser total o parcialmente errada. Puede ser acertada o vacilante, como en el caso de muchos. Pablo confía plenamente en la resurrección, por cuya importancia vale todo esfuerzo. A causa de ello predica hasta a aquellos que no se lo agradecen con la esperanza de que, al final, el Señor *nos presentará a su lado juntamente con vosotros.* También desea que *por medio de muchos, abunde la acción de gracias para la gloria de Dios.* Los que reciben el evangelio a su vez lo proclamarán.

3 Perseverar fijando la vista en lo eterno, 2 Corintios 4:16-18.

V. 16. Ya que todas las dificultades y los trabajos son sufridos para el bien de los fieles y la gloria de Dios, los siervos del Señor no desfallecen. Es cierto que hay desgaste (como lo hay también en los que no sirven al Señor), especialmente en lo físico; pero el ánimo se renueva. Se mantiene "como quien ve al Invisible" (Heb. 11:27).

Vv. 17, 18. Dos opciones se nos abren: buscar acomodarnos a lo que sea más fácil, o aceptar una *momentánea y leve tribulación* que *produce para nosotros un eterno peso de gloria.* Vemos los contrastes: momentáneo—eterno; leve—peso; tribulación—gloria. De veras, más que *incomparable.* Las cosas que se ven son temporales; lo de Dios es eterno. ¿Será difícil escoger? El término *produce* (v. 17), no implica la idea de ganar méritos por la tribulación para la salvación, pues ella es resultado de la gracia (Ef. 2:8-10); más bien, es un don especial que Dios hace efectivo dentro del estado de la gracia, del que siendo salvado tiene una perspectiva correcta de las cosas que son *temporales* y de las que son *eternas.*

Aplicaciones del estudio

1. Nos va a costar ser fieles a Cristo, y dentro de nosotros mismos no somos capaces, 2 Corintios 4:7-9. Somos vasos de barro, pero tratemos de ser barro de buena calidad.

2. No hay lugar en nuestro ministerio para enaltecernos, pues el poder es de Dios, 2 Corintios 4:7. El es la fuente de la excelencia.

3. Perseveremos en el bien para otros y la gloria para Dios, 2 Corintios 4:15. Ellos lo necesitan, y él lo merece.

4. Dar preferencia a lo temporal es miope; mirar el final es sabio, 2 Corintios 4:17, 18. Buscar las ventajas inmediatas es lo más fácil, pero no es lo mejor.

Ayuda homilética

La perseverancia en nuestro ministerio
2 Corintios 4:1-18

Introducción: Todo hijo de Dios ha sido llamado al ministerio, y estas verdades le corresponden. Pero para los que han recibido el segundo llamamiento: "dejar las redes" a fin de dedicarse mayormente a su ministerio, estas verdades tienen una especial relevancia. Una inspiración es útil pero, aparte de la perseverancia, corre el peligro de disiparse. La carrera de la vida cristiana no es de cincuenta metros sino un maratón.

I. Perseverancia ante Satanás y sus colaboradores (vv. 1-6).
Algunos de sus siervos no saben que lo son.

A. No usemos métodos de Satanás para hacer la obra de Dios (v. 2). Los fines no justifican los medios.

B. No siempre vamos a tener éxito; Satanás ha cegado a muchos (vv. 3, 4).

C. Para demasiados la ceguera es voluntaria (v. 4), pero es reversible.

D. El tema de nuestra predicación es doble (v. 5):
 1. Cristo Jesús como Señor (dueño de la vida), glorioso e imagen de Dios (Juan 14:9; Heb. 1:3).
 2. Nosotros como servidores de otros, no porque ellos tengan derecho sino porque Jesús lo manda.

E. Dios provee luz (v. 6).

II. Perseverancia ante la debilidad personal (vv. 7-12).

A. Dios no nos escoge por nuestra hermosura, sino por nuestra disponibilidad, vasos de barro (v. 7).

B. Lo positivo es más que lo negativo: atribulados, pero no angustiados; etc. (vv. 8, 9).

C. Al igual que Jesús vivimos muriendo, pero hay un propósito glorioso: manifestar la vida de Jesús (vv. 10, 11).

D. Del morir emana el vivir (v. 12). El sufrimiento de unos trae vida nueva para otros.

III. Perseverancia en la esperanza de la resurrección (vv. 13-15).

A. Lo que creemos es decisivo en nuestras acciones: equivocado, débil o acertado (v. 13).

B. La fe en la resurrección es tan fuerte que podemos decir "sabiendo" (v. 14a). Se basa en que Dios resucitó a Jesús.

C. Los evangelizadores y evangelizados estarán junto al Jesús resucitado (v. 14b).

D. Los recipientes de gracia serán repartidores de gracia (v. 15).

IV. Perseverancia ante las aparentes contradicciones (vv. 16-18).

A. El cuerpo mortal desgastándose; la vida interior renovándose (v. 16).

B. Momentáneo-eterno; leve-peso; tribulación-gloria (v. 17).

C. Lo visible es temporal; lo invisible es eterno (v. 18).

Conclusión: ¿En qué vamos a invertir nuestras vidas y con cuánto esfuerzo? El merece todo. "Corramos con perseverancia (paciencia) la carrera que tenemos por delante" (Heb. 12:l).

Lecturas bíblicas para el siguiente estudio

Lunes: 2 Corintios 5:1-3
Martes: 2 Corintios 5:4-8
Miércoles: 2 Corintios 5:9, 10

Jueves: 2 Corintios 5:11-13
Viernes: 2 Corintios 5:14-16
Sábado: 2 Corintios 5:17-21

AGENDA DE CLASE

Antes de la clase
1. Lea 2 Corintios 4 y note las frases en el pasaje que tienen relación con la perseverancia. **2.** Al estudiar el material expositivo en este libro y en el del alumno, note otras citas bíblicas. Léalas en su Biblia y medite en ellas. **3.** Confeccione un cartel escribiendo en una cartulina el título y subtítulos de este estudio. **4.** Vea los trabajos artísticos que se sugieren como una alternativa bajo *PRUEBA*, inciso 2 al final de esta agenda de clase. En caso de optar por ellos, prepare los elementos necesarios para que los alumnos puedan dibujar y escribir sus poesías. **5.** Complete las actividades en la primera sección bajo *Estudio del texto básico* en el libro del alumno.

Comprobación de respuestas
JOVENES: **1.** Pero no angustiados, pero no desesperados, pero no desamparados, pero no destruidos. **2.** Creía, por lo tanto, hablaba. **3.** Exterior: se va desgastando. Interior: se va renovando día a día. **4.** En las cosas eternas que no se ven.
ADULTOS: Sobran: **1.** y también de oro (v. 7). **2.** de Satanás, del materialismo y (v. 11). **3.** cantamos/y lloramos (v. 13). **4.** y alegría/de sufrimiento y (v. 17). **5.** y eternas, y temporales (v. 18).

Ya en la clase
DESPIERTE EL INTERES
1. Coloque en un lugar visible para todos el cartel con el título y subtítulos de este estudio. Llame la atención a la palabra "perseverancia" y pida a los participantes que den una definición o sinónimos (persistencia, tenacidad, constancia, firmeza, etc.). Pregunte cuáles son algunas de las razones por las cuales uno persevera en algo. Cuando respondan, dé especial importancia a las respuestas que implican que uno persevera en lo que cree que vale la pena y cuando tiene esperanza de lograr algo positivo. **2.** Llame la atención a la palabra "ministerio" en el título y recuerde a los presentes que la palabra que muchas veces se traduce "ministerio" es la misma que otras veces se traduce "servicio". Entonces, en este sentido, todos tenemos un ministerio que realizar. Lo que Pablo dice en el pasaje a estudiar, puede ayudarnos a perseverar en algo que vale la pena y con la esperanza de lograr algo de muchísimo valor.

ESTUDIO PANORAMICO DEL CONTEXTO
1. Vuelva a llamar la atención a la palabra "perseverancia" y diga que si leyéramos 2 Corintios en su totalidad, notaríamos que la perseverancia es el ingrediente constante en el ministerio del apóstol Pablo. **2.** Dé un resumen de 2 Corintios 4:1-6 o pida a los alumnos que lo lean en silencio y encuentren elementos relacionados con la perseverancia.

ESTUDIO DEL TEXTO BASICO

1. Tesoro precioso en vasos de barro. Pida a un alumno que lea en voz alta este subtítulo en el cartel y 2 Corintios 4:7. Habiendo dado un vistazo a los versículos anteriores podrán decir de qué tesoro se trata (el evangelio) y qué representan los vasos de barro. Enseguida diga que hay distintos tipos de barro: de tierra negra o colorada o arcillosa, etc. y que en los vv. 8 y 9 verán cómo era el "barro" con el cual Pablo se compara. Entre dos alumnos lean en voz alta dichos versículos. Uno diciendo la primera parte de cada situación y, el segundo, la segunda parte (por ejemplo 1. Estamos atribulados en todo. 2. Pero no angustiados). Guíe un diálogo en que esas situaciones eran como componentes del barro, cosas que podrían ser motivo para darse por vencido, de desesperanza pero en las que Pablo demuestra no haber claudicado. Relacione su tenacidad con el hecho de que sabía que vale la pena pasar sinsabores y sacrificios en pro del evangelio. Lea usted en voz alta el v. 10 y explíquelo.

2. Entre la muerte y la vida. Un alumno lea este subtítulo en el cartel y luego los vv. 11 y 12. Pida a otro alumno que lea en voz alta el comentario de ellos que aparece en sus libros. Guíe una breve discusión empezando con la pregunta: ¿Pueden ahora explicar de qué muerte y a qué vida se refiere el subtítulo? Asegúrese de que capten el sentido de esperanza que ayudaba a Pablo a perseverar. Un alumno lea en voz alta los vv. 13-15 y la clase note el tono de firmeza con que escribe aquí Pablo. Permita que luego comenten las frases que les parece denotan firmeza y el porqué de éstas.

3. Perseverar fijando la vista en lo eterno. Un alumno lea en voz alta este subtítulo en el cartel y luego los vv. 16-18. Pregunte a los alumnos qué expresión ven en el v. 16 que es sinónima de perseverancia ("no desmayamos"). Diga que el "no desmayar" es lo que permite a Pablo renovarse espiritualmente cada día. Pida que en los vv. 17 y 18 encuentren y digan los contrastes entre esta vida en la tierra y la vida eterna.

APLICACIONES DEL ESTUDIO

1. Vuelvan a leer el v. 17, esta vez todos juntos en voz alta. Comente que, saber este versículo de memoria y repetirlo en el momento de crisis y aflicción ayuda a no desmayar y a perseverar con esperanza. **2.** Numere a los presentes del uno al tres. Todos los números uno deben juntarse para leer y comentar la primera aplicación en sus libros, los números dos y tres, lo mismo con la segunda y tercera aplicación respectivamente.

PRUEBA

1. En los mismos tres grupos, completen todos el inciso 1 en sus libros. **2.** Individualmente hagan el inciso 2. **3.** Una alternativa novedosa sería aprovechar el talento de ciertos alumnos y pedirles que hagan un dibujo que ilustre un punto del estudio, a otros que escriban una poesía y a otros que preparen un *sketch*.

Esperanza y misión

Contexto: 2 Corintios 5:1-21
Texto básico: 2 Corintios 5:1-17
Versículo clave: 2 Corintios 5:1
Verdad central: El servidor de Cristo enfrenta las adversidades propias de su vocación y cumple su misión con la esperanza de que un día estará para siempre en la presencia del Señor.
Metas de enseñanza-aprendizaje: Que el alumno demuestre su: (1) conocimiento de la esperanza que alentaba a Pablo para seguir adelante con su ministerio con una actitud de triunfo, (2) actitud de esperanza en una vida superior en los cielos con el Señor.

——————— Estudio panorámico del contexto ———————

A. Fondo histórico:

Cada año los judíos y los judíos cristianos celebraban la fiesta de los Tabernáculos, recordando cómo Israel vivió en tiendas durante los cuarenta años de su peregrinación en el desierto después de salir con Moisés de Egipto. Pablo usó esa figura al hablar de nuestros cuerpos mortales como tiendas temporales. Recordemos que el oficio de Pablo era hacer tiendas y que las había hecho en Corinto (Hech. 18:3). Sólo en el otro mundo tendremos edificios realmente permanentes.

Los embajadores son los representantes de una nación en otra. Los hijos de Dios somos ciudadanos del mundo, pero nuestra verdadera ciudadanía está en los cielos (Fil. 3:20).

B. Énfasis:

Somos peregrinos en esta tierra, 5:1. Alcancemos ocho años u ochenta, siempre la estancia en este mundo es corta comparada con la eternidad. Nuestros años aquí suelen parecer largos mirando hacia adelante, y cortos mirando hacia atrás. "Soy peregrino aquí, mi hogar lejano está", como dice un himno.

El anhelo de estar con el Señor, 5:2-7. Es probable que muchos tendremos que confesar que la relativa comodidad de nuestra existencia en este presente mundo afectará la intensidad de nuestro deseo de seguir pronto a la habitación celestial. La manera de huir cuando Jesús fue apresado indica que sus discípulos tampoco tenían apuro para ir al cielo, pero su fidelidad antes y después señala que estaban listos para ello. Nuestro Señor mismo oraba: "¡Aparta de mí esta copa!" (Mar. 14:36) algunas horas antes de su crucifixión. Dios ha puesto en sus criaturas el instinto de preservación propia. Sin embargo, en tiempos de dificultades especiales o en la vejez, y en horas de seria contemplación acerca del significado de la vida, viene la comprensión de que esta vida presente es pasajera y surge el anhelo de algo más permanente. En la espera de ello los creyentes vivimos por fe, gozándonos del anticipo (garantía) del Espíritu Santo que ya tenemos.

El deseo de agradar al Señor, 5:8, 9. Nuestra motivación para desear agradarle se debe a la salvación que Cristo nos ha traído a costa de su sangre, como también porque pertenecemos a Dios por derecho de creación y de sustentación en lo físico y en lo espiritual. Por ello podemos contemplar el porvenir con confianza, estemos vivos aún y presentes en el cuerpo, o estemos muertos y ausentes del cuerpo, cuando el Señor venga por segunda vez. Lo más importante es que estemos con Cristo.

El tribunal de Cristo, 5:10. Comparecer da la idea de "presentarse en virtud de una orden", o también de "ser manifestado" (tal como en el versículo 11). El concepto de un Día de Juicio está en el Antiguo Testamento (por ejemplo, en Mal. 4:1), y se trata mucho en el Nuevo Testamento. "No hay nada oculto que no haya de ser manifestado; ni nada escondido, sino para que salga en claro" (Mar. 4:22). Y en Mateo 25:31, 32 dice: "Cuando el Hijo del Hombre venga en su gloria ...se sentará sobre el trono de su gloria; y todas las naciones serán reunidas delante de él. El separará los unos de los otros" (ver Jud. 14, 15; Apoc. 20:11-15). El que vino la primera vez como Salvador vendrá la segunda vez como Juez.

El amor de Cristo nos impulsa, 5:11-15. El temor del Señor es un elemento importante en la comprensión del amor de Cristo. Pocas personas empiezan a interesarse en ver a un médico a menos que se crean peligrosamente enfermas o que un ser querido esté en esa situación. Necesitan ser salvos sólo aquellos que están perdidos, pero eso incluye a todos.

Todo proviene de Dios, 5:18, 19. Pablo nunca habla de la reconciliación de Dios con los pecadores, sino de la reconciliación de los pecadores con Dios. ¡Dios tomó la iniciativa! Fue él que buscó a Adán y Eva, los desobedientes que trataban de esconderse de él (Gén. 3:8-10). El nos reconcilió consigo mismo por medio de Cristo. Pero hay más. Tan intenso es su interés en la reconciliación que a los ya reconciliados los hace sus agentes en el ministerio de ella, llevando su palabra reconciliadora.

Somos embajadores, 5:20, 21. La tarea de compartir con otros las buenas nuevas hace que seamos embajadores de parte de Cristo. "Dios os exhorta por medio nuestro." Así tenemos un mensaje doble: Para los que viven sin Cristo: "¡Reconciliaos con Dios!" Para los que ya están en Cristo: "No recibáis en vano la gracia de Dios" (6:1). Nuestro Salvador, sin pecado, tomó nuestro pecado sobre sí a fin de que fuéramos hechos justicia de Dios en él. El se vistió de nuestras transgresiones haciendo posible que nosotros nos vistiéramos de su rectitud. ¡Qué privilegio y qué compromiso!

1 Contraste entre nuestro estado actual y el futuro, 2 Corintios 5:1-5.

V. 1. Entre una tienda temporal y un edificio eterno. Yo no soy mi cuerpo; tengo un cuerpo. Nuestra morada actual se deshace; pero nosotros, no. La vivienda hecha a mano es *terrenal, temporal,* plegable; la casa hecha por Dios es celestial y *eterna.* De esto podemos estar seguros.

Vv. 2-4. Se cambia la figura de *tienda* a vestido. Pablo sugiere que su preferencia sería estar vivo cuando regrese el Señor Jesús, para así cambiar directamente de lo temporal a lo eterno, sin pasar por la muerte. Sin embargo, reconoce con alivio que *no seremos hallados desnudos,* es decir, sin nada. *Gemimos* (v. 2) porque este cuerpo no siempre nos obedece y nos limita en nuestras actividades. Además, "los padecimientos del tiempo presente no son dignos de comparar con la gloria que pronto nos ha de ser revelada" (Rom. 8:18). Pero también *gemimos* (v. 4) porque para el Apóstol y muchísimos de nosotros el tiempo de la muerte no es contemplado con gozo. El cielo, sí; una muerte dolorosa, no. *No quisiéramos ser desvestidos, sino sobrevestidos.* La preferencia sería que nuestra mortalidad sea disuelta de inmediato en la inmortalidad.

V. 5. Pero todo esto está en las manos de Dios, quien sabe más y ama más que nosotros. El *nos hizo* y nos ha dado una *garantía,* en la presencia y el poder del Espíritu Santo en nosotros, de lo grandioso que será nuestro porvenir eterno con él.

2 Andamos por fe, no por vista, 2 Corintios 5:6-9.

Vv. 6, 7. Mientras estemos en este mundo, confiamos, como lo hizo Moisés, "como quien ve al Invisible" (Heb. 11:27); pues *peregrinamos ausentes del Señor.* La razón es que *andamos por fe.* La vida cristiana no es estacionaria. Recordemos que los creyentes eran llamados los del Camino (Hech. 19:9). Es un andar, pero un andar de fe. Las ventajas de este camino no siempre son evidentes inmediatamente, y sus exigencias no son fáciles de realizar. Tenemos que seguir al Señor sin la ayuda de la nube de día y el fuego de noche (Núm. 9:16), ventaja que no impidió que Israel errase. Avanzamos *por fe* en Cristo.

V. 8. Aquí confirma lo que se ha dicho en el v. 6 en cuanto a lo que es mejor. El que ha puesto su confianza en Cristo puede asegurarse de que al salir del cuerpo va de inmediato a la presencia del *Señor* o, como dice literalmente el griego aquí, "salir fuera del hogar del cuerpo y llegar al hogar delante del Señor".

V. 9. En base a esa confianza, sean como sean las circunstancias, *nuestro anhelo es serle agradables.* Que seamos como Enoc, quien "recibió testimonio de haber agradado a Dios" (Heb. 11:5). Aspiramos a contar con su aprobación, estemos en el cuerpo o fuera de él.

3 **Todos compareceremos ante el tribunal de Cristo, 2 Corintios 5:10.**

V. 10. *Porque:* Aquí encontramos una motivación poderosa por querer ser agradables a Dios: Hay pendiente un juicio final y total, del cual nadie se escapará. Cada uno será manifestado —transparente con nada escondido— al comparecer ante su augusto tribunal, cuando aquel que gustosamente habría sido el abogado de todos (1 Jn. 2:1) será el juez. El propósito de la comparecencia es repartir a cada uno el juicio o el premio *según lo que haya hecho en la tierra por medio del cuerpo, sea bueno o malo.* Felices aquellos cuyos pecados hayan sido borrados por la fe en los méritos de Cristo.

4 **Impulsados por amor proclamamos nueva vida, 2 Corintios 5:11-17.**

Vv. 11-15. Pablo se siente deudor (Rom. 1:14) a todos y teme el juicio para ellos, y procura persuadirles a que acudan a Cristo. Con este pensamiento Pablo regresa al tema que trataba anteriormente en la carta —las acusaciones de los opositores en la iglesia en Corinto, los que atacaban sus motivos. El dice: *A Dios le es manifiesto lo que somos, y espero que también lo sea a vuestras conciencias.* Por supuesto, en cualquier caso será difícil persuadir a alguien que duda de nuestra sinceridad. Dios no necesita ser persuadido, o convencido, pues él lo sabe todo. Por el temor de que se crea que Pablo está jactándose agrega: *No nos recomendamos otra vez,* sino que da una explicación a fin de que sus amigos estén seguros y puedan defenderle contra sus opositores. Siempre necesitamos defender nuestro buen nombre, primeramente viviendo de manera que lo merezcamos. *Si estamos fuera de nosotros,* o locos (como opinaba Festo según Hech. 26:24); si algunos creen que Pablo es demasiado visionario o demasiado calculador y astuto, hay una razón para ello y no es egoísta. Loco o cuerdo, el propósito de la vida se expresa en los dos lados de una moneda: servicio a Dios y servicio al prójimo que necesita el evangelio. ¿Qué nos impulsa? Es *el amor de Cristo* hacia nosotros y hacia todos, amor que él desea propulsar por nuestro medio. Puede que nuestro amor hacia el Salvador fluctúe, pero su amor hacia nosotros es constante y nos compele para mantenernos en el camino debido. Varias veces se reseña el hecho de que la salvación por la fe en Cristo es para todos: *Uno murió por todos;* "todo aquel que en él cree" (Juan 3:16); *por consiguiente todos murieron.* Su provisión alcanza a todos los que acepten a Cristo. ¡Qué triste es que no todos acepten ese sacrificio!

El sacrificio de Cristo lleva al creyente a dejar de vivir para sí y consagrarse a vivir para el que murió por él.

Vv. 16, 17. Como es simbolizado al salir del agua del bautismo "para andar en novedad de vida" (Rom. 6:4), el tener por la fe una nueva vida significa que ya no miramos las cosas desde la perspectiva de este mundo, *según la carne.* ¡Cuántos de los judíos, incluyendo a sus discípulos, conocían a Jesús de Nazaret sin conocer al Cristo espiritual! Felizmente, tal cual Pedro, algunos llegaron a decir: "¡Tú eres el Cristo, el Hijo del Dios viviente!" (Mat. 16:16); o como Tomás: "¡Señor mío, y Dios mío!" (Juan 20:28). En eso se revela un nuevo nacimiento (Juan 1:13; 3:3), un nuevo hombre (Ef. 4:24), una regeneración (Tito 3:5), una *nueva criatura*. Esto marca el cambio: "estando nosotros muertos en delitos, nos dio vida juntamente con Cristo" (Ef. 2:5). El corazón del asunto es *si alguno está en Cristo*. Así Jesucristo llega a ser muchísimo más que una importante figura de la historia.

Aplicaciones del estudio

1. **Pongamos nuestro interés mayor en la habitación permanente en el cielo si es que somos de Cristo; y si no, busquemos la salvación en él.**
2. **Si hemos sido salvos, no es necesario que busquemos la muerte, pero no le tengamos miedo tampoco, 2 Corintios 5:6-8.**
3. **Nuestro Señor Jesucristo volverá, aunque no sabemos cuándo, 2 Corintios 5:8.** Estemos pendientes pero trabajando.
4. **La realidad del juicio final debe motivarnos a ser fieles y fervientes como embajadores de Cristo, 2 Corintios 5:10.**

Ayuda homilética

La esperanza del ministerio
2 Corintios 5:1-21

Introducción: Para los creyentes la "edad de oro" no está en el pasado sino en el porvenir. Somos un pueblo de esperanza. ¿Qué clase de esperanza?

I. **Esperanza en una vida mejor (v. 1).**
II. **Esperanza de una realidad de la cual el Espíritu en nosotros es sólo el anticipo (v. 5).**
III. **Esperanza de ser útiles a nuestro Redentor a quien debemos tanto (vv. 9, 20).**
IV. **Esperanza de la reconciliación con Dios para cualquiera que realmente la desea (vv. 18, 19).**

Conclusión: ¿Qué esperanza tiene usted, y cuál es su base? "Bendito sea el Dios y Padre de nuestro Señor Jesucristo, quien según su grande misericordia nos ha hecho nacer de nuevo para una esperanza viva por medio de la resurrección de Jesucristo de entre los muertos" (1 Ped. 1:3).

Lecturas bíblicas para el siguiente estudio

Lunes: 2 Corintios 6:1-10
Martes: 2 Corintios 6:11-16
Miércoles: 2 Corintios 6:17 a 7:1
Jueves: 2 Corintios 7:2-7
Viernes: 2 Corintios 7:8-13
Sábado: 2 Corintios 7:14-16

AGENDA DE CLASE

Antes de la clase

1. Lea 2 Corintios 5:1-21. Al estudiar el material en este libro, subraye los contrastes. **2.** Consiga dos pares de lentes para llevar a clase: un par bifocal y otro simple de aumento para ver de cerca. O piense en sus alumnos que usan anteojos, si entre ellos hay quienes usan bifocales o simples de aumento para leer, puede valerse de ellos. **3.** Con anterioridad, pida a un alumno que se prepare para presentar lo que dice la sección *Estudio panorámico del contexto* en su libro. **4.** Prepare un cartel con el título y los subtítulos de este estudio. **5.** Consiga papel de carta y lápiz para cada asistente. **6.** Complete la primera sección bajo *Estudio del texto básico* en el libro del alumno.

Comprobación de respuestas

JOVENES: **1.** a. La garantía del Espíritu. b. Ser gradable a Dios. c. Todos. **2.** La casa terrenal es temporal. El edificio de parte de Dios es eterno.
ADULTOS: **1.** (a) Nuestra vida terrenal. (b) La vida eterna celestial. **2.** V. 1; v. 5; v. 9; v. 10.

Ya en la clase
DESPIERTE EL INTERES

Muestre los lentes de aumento simple. Que un alumno se los ponga y trate de leer algo a mucha distancia, como un texto en la pared más lejana. Comente que no puede porque con estos lentes sólo se ve de cerca. Muestre los bifocales. Si hay un alumno que usa bifocales, pregúntele cómo ve de cerca y cómo ve de lejos. Comente que estos lentes tienen la gran ventaja que uno puede ver de cerca y de lejos. Agregue que muchas veces tenemos la tendencia de mirar la vida con lentes como los primeros y vemos sólo el aquí y ahora. Nos perdemos de ver las maravillas de la eternidad. El apóstol Pablo, en el pasaje que hoy estudiaremos, mira su vida con "lentes bifocales". Ve el presente pero también mira su futuro eterno.

ESTUDIO PANORAMICO DEL CONTEXTO

1. Llame la atención al título del estudio que escribió en el cartel. Pida una definición de "esperanza" en general y de "esperanza cristiana". Explique que la palabra que generalmente usa Pablo y que tenemos traducida como "ministerio" es la misma que "servicio" y "diaconado". **2.** El alumno que se preparó para presentar esta parte del estudio, que lo haga ahora. Agregue usted la información que aparece bajo *Fondo histórico* en este libro. **3.** Abran sus Biblias y en 2 Corintios 5:11-21, encuentren un versículo favorito o uno que les impacta. Anímelos a leer esa porción en sus casas detenidamente si no lo hicieron ya.

ESTUDIO DEL TEXTO BASICO

1. Contraste entre nuestro estado actual y el futuro. En los vv. 1-5 Pablo comienza a describir el gran contraste de lo que ve con sus "bifocales" aquí y ahora y a lo lejos, su vida en la eternidad. Un alumno lea en voz alta el v. 1. Pregunte: ¿Cuál era el oficio de Pablo? (Fabricar tiendas.) Sabía la diferencia entre una tienda de campaña y una casa de verdad. Dialoguen sobre alguna vez que durmieron en una carpa en que extrañaban la comodidad y familiaridad de su casa (hospital, campamento, etc.). ¿Cómo se sintieron al regresar a sus casas? Recordar cómo se sintieron en esa oportunidad puede ayudarles a entender mejor el mensaje de Pablo. Un alumno lea en voz alta los vv. 2-4. Pablo expresa en ellos su anhelo por librarse de su cuerpo mortal y vestirse de su cuerpo inmortal. Sus gemidos nos recuerdan cómo nos sentimos cuando extrañamos nuestro hogar estando lejos de él. Explique estos versículos. Lean al unísono el v. 5. Pregunte: ¿Por qué Pablo podía estar absolutamente seguro de la vida eterna que lo esperaba en el cielo?

2. Andamos por fe, no por vista. Un alumno lea en voz alta los vv. 6-8. Luego diga que aquí tenemos una buena muestra de lo que Pablo veía con sus "lentes bifocales". Guíe un diálogo de lo que ve, comenzando con la pregunta: ¿En qué basaba Pablo su confianza? Luego, deben encontrar la meta constante de Pablo. Llame la atención al subtítulo "Andamos por fe, no por vista". ¿Pueden hacer la conexión entre "andar por fe" y "ser agradable a Dios"? Permita que opinen ampliamente.

3. Todos compareceremos ante el tribunal de Cristo. Llame la atención a este subtítulo y luego lea en voz alta el v. 10. Pregunte: ¿A quiénes iban dirigidas estas palabras? (A los creyentes en Corinto.) Entonces ¿a quiénes se refiere cuando dice "todos"? (No a todo el mundo, sino a todos los creyentes.) "Todo el mundo" ¿en base a qué será juzgado? (A si aceptaron o rechazaron a Cristo.) "Todos los creyentes" ¿en base a qué serán juzgados? (a lo que hicieron que agradaba o desagradaba al Señor) La humanidad no es juzgada por sus obras para perdición o salvación, pero que el Señor pedirá cuentas de las acciones de los que son salvos.

APLICACIONES DEL ESTUDIO

Lean en parejas las aplicaciones en el libro del alumno. Pida que cada pareja agregue una más. Luego, las que lo deseen, compartan con todos las que agregaron.

PRUEBA

Reparta una hoja de papel de carta y un lápiz a cada participante. JOVENES: Vean esta sección en sus libros y escriban en las hojas lo que allí se indica. ADULTOS: Vean las preguntas en esta sección en sus libros. Sugiera que las contesten como si fuera una carta que escriben a un ser querido.

Unidad 10

Las credenciales del ministerio

Contexto: 2 Corintios 6:1 a 7:16
Texto básico: 2 Corintios 6:3-13
Versículo clave: 2 Corintios 6:3
Verdad central: El ministro cristiano debe poner en alto el nombre de Cristo cultivando las virtudes cristianas que le ayuden a enfrentar con una actitud de triunfo las adversidades que se presenten.
Metas de enseñanza-aprendizaje: Que el alumno demuestre su: (1) conocimiento de los diferentes aspectos que tiene que enfrentar el ministro de Cristo, (2) disposición a responder afirmativamente al llamado del Señor a servirle, a pesar del grado de dificultad que implique ese servicio.

Estudio panorámico del contexto

A. Fondo histórico:

Desde el tiempo de Moisés el pueblo de Dios había contado con la tribu de Leví para desarrollar las actividades del culto y con los descendientes de Aarón como sacerdotes. Jesús de Nazaret, humanamente hablando, era de la tribu de Judá; y en cuanto sabemos ninguno de sus primeros discípulos eran de Leví. Pablo era de la tribu de Benjamín. Desde ese punto de vista el cristianismo es un movimiento "laico", término que significa pueblo. Todo discípulo de Cristo es un sacerdote, sin embargo, entre todos los llamados del Señor, él ha escogido a ciertas personas a un servicio especial, a quienes podríamos caracterizar como "los doblemente llamados", es decir, los que deben dedicarse en forma especial a actividades eclesiásticas. Al hablar en este estudio de credenciales del ministerio las cualidades las debe tener cada hijo de Dios, pero en especial los que han recibido ese segundo llamado.

Por los informes inquietantes recibidos de Corinto, Pablo despacha desde Efeso a Tito con una carta, que él reconoce que causará "tristeza" (7:8). No estamos seguros si se trata de la que llamamos la Primera Epístola, una carta posterior ahora perdida, o básicamente lo que poseemos en los capítulos 10-13 de esta Segunda Epístola, en los cuales el Apóstol es más brusco que en la primera parte. En todo caso el informe de Tito, al encontrarse con Pablo en Macedonia, alivia y anima al Apóstol; y en esta epístola defiende su apostolado y, al mismo tiempo, explica la naturaleza del ministerio, el suyo y el de otros.

B. Enfasis:

Tiempo favorable, día de salvación, 6:1, 2. Cada cristiano es responsable, pero trabajamos juntos como colaboradores. Y nos exhortamos unos a otros a ser diligentes en el uso de la gracia de Dios, que no la guardemos únicamente para nosotros. ¡El tiempo para actuar es ahora! *Conducta intachable, 6:3.* Nuestros opositores quizás logren refutar nuestras palabras, pero no pueden refutar una santa manera de vivir. Nunca vamos a ser perfectos, pero sí podemos intentarlo.

Conflictos y tribulaciones, 6:4, 5. Esa conducta ejemplar en todo no siempre es fácil. En estas próximas líneas Pablo trata situaciones (en su mayoría negativas o difíciles) que ponen a prueba la capacidad personal: La primera que menciona aquí es la *perseverancia,* que es la paciencia en acción; y dice que se necesita *mucha.* Las demás cosas nombradas en los versículos 4 y 5 son problemas que acosan su ministerio desde fuera.

Virtudes de la mente y cualidades del corazón, 6:6, 7. Pero también desde dentro hay factores en cuyo desarrollo hace falta la perseverancia. La *pureza* de vida, el *conocimiento* y comprensión, la *tolerancia* o paciencia, la *bondad,* el *amor* genuino, la palabra de verdad. Esta lista tiene semejanza con la dada como fruto del Espíritu en Gálatas 5:22, 23. Son elementos muy importantes que necesitamos si hemos de ser útiles.

Contrastes en el ministerio, 6:8-10. Estas cualidades parecen distinguir entre lo que algunos opositores en Corinto dicen acerca del Apóstol y lo que realmente es. Como hemos visto antes, este grupo, el que probablemente quería insistir en que los creyentes gentiles cumplieran la ley ritual de Moisés, denigraban a Pablo porque él no enseñaba eso. Lo consideraban una deshonra, de mala fama, engañador, no conocido (es decir, sin renombre). Pablo y otros que han sufrido la calumnia por presentar la verdad tienen que afirmar su integridad. En las comparaciones restantes las dos ponencias de cada caso parecen ser verdades: castigados, etc.

Franqueza por franqueza, 6:11-13. Ni ahora ni nunca Pablo les ha tratado con engaño, ni ha hecho alarde. Les ha hablado "con el corazón en la mano", con franqueza y verdad, creyendo que los trata como amigos. Su círculo de amistades les incluye a ellos, y espera que esa actitud sea mutua. Si hay limitaciones, están en ellos. Ya que él había empezado la obra cristiana en Corinto, les habla como a hijos queridos, aun cuando tenga que llamarles la atención en algo.

La consagración en el matrimonio y en la vida, 6:14 a 7:1. Al decir que deben abrir su corazón Pablo posiblemente recuerda Deuteronomio 11:16 que dice: "Guardaos, pues, no sea que vuestro corazón se engañe y os apartéis." Luego, que no se abra el corazón tanto como para abrigar lo malo. El peligro del yugo desigual es evidente en el matrimonio, pero se aplica igualmente a otros aspectos de la vida. Si somos de Cristo, debemos tener cuidado con los compromisos que conducen al trato con Belial (Satanás). Querer tener un pie en el mundo y otro en la iglesia es un ejemplo de lo que significa el yugo desigual.

El arrepentimiento de los corintios, 7:2-16. Aquí Pablo vuelve sobre la idea de 6:13: "¡Abrid... vuestro corazón!" al decir: Recibidnos o "Haced lugar para nosotros" (en el corazón). Al Apóstol le duele pensar que su afán por ayudarles en el evangelio sea interpretado en forma negativa, y les recuerda su amor. Luego en el v. 5 toma otra vez el hilo del tema (2:13) de su encuentro con Tito en Macedonia y la satisfacción que tiene por la noticia de la reacción favorable entre la mayor parte de los hermanos. Siempre es mejor que una iglesia no se equivoque pero, habiendo errado, es importante que vuelva al camino. En la carta anterior el Apóstol tuvo que enfrentarles con la verdad, lo cual habría causado tristeza; pero si resultó ser un remedio, entonces valió la pena, y al final hay gozo.

───────────── **Estudio del texto básico** ─────────────

1 Conducta intachable, 2 Corintios 6:3.

V. 3. Al trabajar juntos en el ministerio de la gracia de Dios, hemos de esforzarnos en que nuestras actitudes y acciones no sean para nadie *ocasión de tropiezo.* Desde luego, esto incluye nuestra conducta en la intimidad del hogar como cuando estamos lejos de nuestro campo normal de actividad, pues el descuido afecta no sólo nuestro ministerio, sino el de otros.

2 Conflictos y tribulaciones en el ministerio, 2 Corintios 6:4, 5.

V. 4. *En todo nos presentamos;* en cada oportunidad gustosamente nos ofrecemos *como ministros* (griego: *diákonos,* sirviente) *de Dios.* Abundan desalientos, debido a los cuales hace falta *mucha perseverancia.* Hebreos 12:1 habla de correr "con perseverancia la carrera que tenemos por delante". Pero hay vallas que saltar. Las primeras tres mencionadas aquí a los corintios son experiencias comunes entre los que seriamente se preocupan por otros: *tribulaciones, necesidades* y *angustias.* Hay una lista más larga en 11:23-29.

V. 5. Luego hay tres vallas que son frecuentes en regiones de fuerte oposición al evangelio: *azotes, cárceles* y *tumultos.*

Estas dificultades eran más comunes en nuestros países antes que ahora, si bien en la actualidad no son desconocidas en algunas partes, llegando incluso hasta dar muerte a quienes se dan a conocer como seguidores de Cristo en lugares donde no se acepta el cristianismo. Para Pablo son muy conocidas, habiendo salido recién de un alboroto en Efeso (Hech. 19:23). Las próximas tres bases para la perseverancia son cosas que el ministro concienzudo trae sobre sí en su afán de cumplir con su trabajo. *Duras labores* habla de esfuerzos más allá de las obligaciones regulares. En la obra de Cristo se implica más de 40-48 horas por semana (¡pero que no signifique un descuido de las debidas atenciones familiares!) Los *desvelos* podrían venir por el trabajo, los viajes, la oración o la preocupación por las iglesias. Los *ayunos* podrían ser por no poder comer o por dedicar el tiempo a profundizar la vida espiritual.

3 **Contrastes en el ministerio, 2 Corintios 6:6-10.**

Vv. 6, 7a. Ahora Pablo trata algunas cualidades que mejoran la calidad del ministerio pero que requieren dedicación y esfuerzo. No son cosas que nos suceden, sino características que procuramos para nosotros mismos. Primero, hay cuatro que se describen con una sola palabra: *pureza* en acción, pensamientos e intenciones; *conocimiento* de muchas cosas pero en especial de las del evangelio; *tolerancia,* paciencia o clemencia que hay que tener, especialmente con los menos maduros en el camino de Cristo; *bondad* o benignidad hacia otros, buscando el bien ajeno. Para las próximas cuatro características el escritor usa dos palabras (en griego): *en el Espíritu Santo,* quien es la fuente de las virtudes; *en amor no fingido,* amor libre de artificios; *en palabra de verdad,* no sólo la del evangelio, sino la de todo trato humano; *en poder de Dios,* por medio del cual se logra, en lo posible, todo lo bueno.

Vv. 7b, 8a. Ahora el Apóstol menciona tres casos usando la preposición por: *por armas de justicia* o rectitud, con la defensiva en la mano izquierda (como un escudo) y la ofensiva en la derecha (como una espada), ya plenamente equipado para el combate espiritual; *por honra y deshonra,* o gloria y desgracia; *por mala fama y buena fama.* Las últimas dos comparaciones tenían que ver con lo que sus opositores decían de él y lo que Dios dice. Por supuesto, lo más importante es la aprobación del Señor. No faltarán quienes nos critiquen cuando abogamos por la rectitud.

Vv. 8b-10. En las próximas siete comparaciones se usa el adverbio como. Aunque Pablo y sus compañeros sean llamados *engañadores* y *no conocidos* (sin las debidas credenciales, según sus opositores), en realidad son *hombres de verdad* y *bien conocidos,* mayormente por aquellos que por su intermedio llegaron al Señor. En los casos restantes los contrarios a Pablo podrían alegrarse porque él está *muriendo, castigado, entristecido, pobre, no teniendo nada;* y éstos representan una realidad, pero felizmente una realidad que no excluye lo contrario: *vivimos, no muertos, gozosos, enriqueciendo a muchos, poseyéndolo todo.* Mirándolo todo, el cuadro es positivo.

4 **Franqueza por franqueza, 2 Corintios 6:11-13.**

V. 11. Pablo aboga por una "franqueza cristiana", es decir, una franqueza motivada por el cariño, como dice el refrán: "Cuentas claras, amistades largas." *Nuestra boca ha sido franca.* Para expresar cariño o reproche, lo ha hecho como un padre a sus hijos, sin esconder nada; pues quiere que ellos sean todo lo bueno que les sea posible. Dice la misma cosa dos veces en palabras diferentes para enfatizar su deseo de tener buenas relaciones con todos ellos.

Vv. 12, 13. Si hay un muro entre ellos y el Apóstol, ellos lo mantienen allí con sus prejuicios y resentimiento. Los pensamientos de él son amigables; los sentimientos de algunos de ellos han sido movidos por su sospecha. Les ruega que correspondan al cariño de él, como niños queridos que lo deben a su padre. Pablo es un gigante intelectual, pero vemos en estos pasajes que también es un hombre de profundos sentimientos.

1. Tengamos cuidado de que nuestra manera de vida respalde nuestra manera de hablar, 2 Corintios 6:3. La gente mira más lo que somos que lo que decimos.

2. No debemos sorprendernos si nuestro servicio en la causa de Cristo nos cuesta, 2 Corintios 6:4, 5. También le costó a nuestro Redentor. Muchos no van a agradecer ni comprender nuestros esfuerzos.

3. El gozo que tenemos el mundo no lo dio ni lo puede quitar, 2 Corintios 6:10. Igualmente nuestras riquezas.

4. Amemos aun a aquellos que no nos aman, 2 Corintios 6:11-13.

───── Ayuda homilética ─────

Credenciales del ministerio
2 Corintios 6:1 a 7:16

Introducción: ¿Qué características tenemos, o podemos desarrollar con la ayuda del Espíritu, que Dios puede usar en su obra de reconciliación y redención?

I. No recibir en vano la gracia de Dios (6:1, 2). El no nos ha sacado de las tinieblas para disfrutar solos de la luz. Ahora es día de salvación para todos.

II. Vivir lo que predicamos (v. 3). Lo que somos es más importante que lo que decimos, si bien esto importa.

III. Estar dispuesto a sufrir por la causa del evangelio (vv. 4, 5).

IV. Desarrollar características cristianas (vv. 6-10). Pureza, tolerancia (paciencia, cortesía), etc.

V. Ofrecer amistad aun a aquellos que no responden con amistad (vv. 11-13).

VI. Cuidado con los lazos con los incrédulos (6:14—7:1).

VII. Irradiar gratitud por lo logrado más que descontento por lo que aún falta (7:2-16).

Conclusión: No todo nos va a agradar (aun nuestras propias acciones a veces); pero confiando en el Señor y esforzándonos por ser lo que debemos ser, logramos más. Actuemos de tal manera que podamos decir con Pablo: "Doy gracias al que me fortaleció" (1 Tim. 1:12).

Lecturas bíblicas para el siguiente estudio

Lunes: 2 Corintios 8:1- 4
Martes: 2 Corintios 8:5-7
Miércoles: 2 Corintios 8:8-11

Jueves: 2 Corintios 8:12-15
Viernes: 2 Corintios 8:16-20
Sábado: 2 Corintios 8:21-24

AGENDA DE CLASE

Antes de la clase
1. Lea 2 Corintios 6 y 7. Repase 2 Corintios 2:12, 13. **2.** Prepare tres cartulinas con uno de los siguientes títulos en la parte superior "Dificultades generales, 2 Corintios 6:4"; "Dificultades causadas por enemigos del evangelio, 2 Corintios 6:5a"; "Dificultades surgidas de sus quehaceres, 2 Corintios 6:5b". Lleve a clase los carteles y tres marcadores de felpa. **3.** Complete la primera sección bajo *Estudio del texto básico* en el libro del alumno.

Comprobación de respuestas
JOVENES: **1.** Constate lo realizado con el versículo en la Biblia. **2.** En tribulaciones, necesidades, angustias, azotes, cárceles, etc. **3.** V. 12, limitados en sus propios corazones.
ADULTOS: **1.** No ser tropiezo para que su ministerio no sea desacreditado. **2.** Buena fama. Hombres de verdad. Bien conocidos. Siempre gozosos. Enriqueciendo a muchos. Poseyéndolo todo.

Ya en la clase
DESPIERTE EL INTERES
Escriba en el pizarrón o una hoja grande de papel la palabra *APOSTOLADO*, verticalmente, como para un acróstico. Definan la palabra apostolado y piensen en personas de las cuales diríamos cumplen (o cumplieron) un apostolado; por ejemplo, en distintos campos: alfabetización, docencia, justicia social, medicina, evangelización. Piensen en palabras que empiecen con cada una de las letras de la palabra APOSTOLADO que son cualidades necesarias en cualquier apostolado (Amor, Perseverancia, Optimismo, Sinceridad, Tolerancia, Osadía, Laboriosidad, Acción, Dedicación, Orden). Hoy considerarán cualidades extraordinarias del apostolado de Pablo que constituían sus credenciales que avalaban su ministerio.

ESTUDIO PANORAMICO DEL CONTEXTO
1. Pablo sigue defendiendo, ahora con gran pasión, su apostolado en 2 Corintios 6. **2.** Relate el primer párrafo de la sección *Fondo histórico* en el estudio en este libro. **3.** Un alumno lea en voz alta 2 Corintios 7:5-7. Algo de lo que Tito le comunicó a Pablo le hizo ver la necesidad de defender su apostolado.

ESTUDIO DEL TEXTO BASICO
1. Conducta intachable. Lean todos juntos en voz alta 2 Corintios 6:3. Haga notar en sus libros el subtítulo "Conducta intachable". Pregunte qué les parece como una cualidad para un apostolado cristiano. Escríbala junto a las otras cualidades en el pizarrón. Guíe una discusión del tema en base a preguntas como las siguientes: ¿Qué relación tiene la conducta con el testimo-

nio? ¿Cómo sería el ministerio de, por ejemplo, Billy Graham o Luis Palau si su conducta no fuera intachable? Recalque que el tropiezo mayor para la extensión del evangelio no es ni Dios ni el mensaje, sino el que comunica el evangelio sin cuidarse primero de que su conducta sea intachable.

2. *Conflictos y tribulaciones en el ministerio.* Haga notar la palabra *perseverancia* en el v. 4. Diga que todo lo que dice a continuación Pablo tiene que ver con perseverancia; primero, perseverancia *a pesar de.* Forme tres grupos o designe a tres alumnos dando a cada uno un marcador de felpa y uno de los carteles. Deben buscar en los versículos asignados tres circunstancias bajo las cuales Pablo dice haber perseverado. (Dificultades generales: tribulaciones, necesidades, angustias. Dificultades causadas por enemigos del evangelio: azotes, cárceles, tumultos. Dificultades que surgen de sus quehaceres: duras labores, desvelos y ayunos). Pida que cada grupo (o los tres alumnos) se preparen para explicar a qué se refiere cada dificultad. Pueden buscar ayuda en su libro. Al informar mostrando lo que escribieron, asegúrese de que entiendan que *a pesar* de todo esto, Pablo perseveraba en su apostolado.

3. *Contrastes en el ministerio.* Diga que después de su descripción de su perseverancia a pesar de, Pablo ahora pasa a decir en qué sentido perseveró positivamente. Un alumno lea en voz alta los vv. 6 y 7. Pregunte en qué cosas perseveró Pablo (pureza, conocimiento, etc.). Dé usted una breve definición de cada cualidad. Escríbalas en el pizarrón. Diga que en los vv. 8-10, Pablo se vale nuevamente de contrastes, esta vez extremos, para afirmar las credenciales de su ministerio. Asigne a los tres grupos un versículo cada uno para encontrar esos contrastes y explicarlos. Consulten sus libros y luego informen.

4. *Franqueza por franqueza.* Lean en silencio el v. 11 y encuentren dos cualidades importantes para un apostolado cristiano eficaz (franqueza y ser abierto). Lea en voz alta los vv. 12 y 13, encuentren los alumnos lo que Pablo ruega a sus lectores.

APLICACIONES DEL ESTUDIO
Comente que cada disciplina tiene exponentes que son un tropiezo para su profesión. Hay médicos que hacen quedar mal a la medicina; abogados que hacen quedar mal al sistema judicial y cristianos que hacen quedar mal al evangelio. Desafíe a los presentes a no ser uno de ellos.

PRUEBA
JOVENES: **1.** Retire los carteles que completaron y hagan el inciso 1 individualmente. Luego, entre todos, completen lo que les falta al ir mostrando usted los carteles. **2.** Guíe una oración leyendo en voz alta lo que aparece en el libro del alumno. Sin presionar, deles tiempo para firmar si desean hacerla suya. ADULTOS: Hagan entre todos las actividades que sugiere el libro del alumno.

El ejemplo de Cristo

Contexto: 2 Corintios 8:1-24
Texto básico: 2 Corintios 8:8-15
Versículo clave: 2 Corintios 8:9
Verdad central: El ejemplo del amor de Cristo es la motivación más alta para que el creyente dé generosamente para suplir las necesidades de los demás.
Metas de enseñanza-aprendizaje: Que el alumno demuestre su: (1) conocimiento del ejemplo de Cristo en lo relativo a darse por amor a nosotros, (2) actitud de imitar esa actitud del Maestro.

─────────── **Estudio panorámico del contexto** ───────────

A. Fondo histórico:

El socorrer a los necesitados ha sido una característica del pueblo de Dios a lo menos desde el tiempo de Moisés, si bien ha sido el cristianismo que más ha fijado la norma de extender una mano para ayudar a los que son de otro pueblo o raza. En el caso de nuestro estudio Pablo se afana por lograr entre las iglesias de Macedonia y Acaya (ahora en Grecia) una ofrenda para los hermanos pobres de Judea. Ya las iglesias de Galacia (ahora en Turquía) lo han hecho (1 Cor. 16:1). Este esfuerzo es importante para el Apóstol por dos razones: la gran pobreza entre los cristianos de Judea, tal vez por la persecución y pérdida de empleo; y la posibilidad de hacer algo para promover la esencial unidad de los cristianos de todas las razas ante el peligro de la separación de creyentes judíos y gentiles. También por eso Pablo mismo ayudará a llevar el dinero a Jerusalén a causa de alguna acusación contra él de ser divisionista. Ese viaje resultará en una larga reclusión para el Apóstol. Parece que los hermanos corintios no se distinguían por cumplir lo que habían prometido (¿demasiado ocupados con las controversias?). El Apóstol (1 Cor. 16:2) había propuesto que guardaran fondos cada semana a fin de que no fuese tan difícil como lo sería reunir una ofrenda grande de una vez. Pablo les anima en ese esfuerzo mandando otra vez a Tito y citando el ejemplo de los macedonios y de Cristo.

B. Enfasis:

El ejemplo de los macedonios, 8:1-5. Sabemos de las iglesias de Filipos, Tesalónica y Berea (Hech. 17:10-14) y de su espíritu generoso (Fil. 4:10-18).

Por las guerras peleadas en Macedonia entre rivales dirigentes romanos y las minas confiscadas por éstos, además del efecto de las persecuciones, la región quedó mal económicamente, "en grande prueba de tribulación ...extrema pobreza." Sin embargo, "abundaron en las riquezas de su generosidad". El espíritu generoso no nace en la bolsa, sino en el corazón. Por ello, "dieron aun más allá de sus fuerzas, pidiéndonos... que les concediéramos la gracia" de participar. Y no sólo de sus recursos económicos, sino de ellos mismos para la obra del Señor. "Se dieron primeramente ellos mismos al Señor." Y lo consideraban una "gracia", un privilegio de tomar parte, como fruto de la gracia de Dios hacia ellos. No miraban tanto lo que no podían hacer como lo que les era posible hacer. Cuando uno se da al Señor "por la voluntad de Dios", eso se expresará en su relación con otros.

Una invitación a abundar en la gracia de cooperar, 8:6, 7. Luego, el Apóstol aplica el digno ejemplo macedonio a la situación en Corinto, que "Tito... llevase a cabo esta gracia entre vosotros". Corinto no estaba sufriendo los resultados de tanta devastación como los hermanos más al norte, y mejor podían responder a "esta gracia". Tito debía estimular esta actitud. La iglesia de allí tiene muchas buenas cualidades. Entonces, hay que ver si puede distinguirse también en la gracia de dar. Nos fijamos que el Apóstol no manda, o da órdenes, a Tito como a un subordinado, sino que exhorta, o ruega (ver v. 17; 12:18), como a un colega.

Amor sincero, 8:8, 9. Pablo no trata de forzar a los corintios, pero espera que sus conciencias estimuladas por el ejemplo de otros les muevan a dar generosamente. Aun más notable que el caso de los hermanos macedonios es el de nuestro Señor Jesucristo, quien no dio "aun más allá de sus fuerzas" (v. 3), sino que lo dio todo.

Completar la obra, 8:10-12. Otra vez confirma que la ofrenda para los pobres en Judea debe ser algo voluntario, no un asunto de presiones. Les conviene hacerlo, pero es importante que quieran hacerlo, y no sencillamente por un entusiasmo momentáneo ya que hacía varios meses que se había presentado la idea. Es bueno empezar, pero también es esencial terminar. Y todos han de cooperar proporcionalmente según sus medios.

El dador y el recibidor, 8:13-15. El espíritu cristiano es que el que tiene ayude al que no tiene, y una razón para ello es que representa una clase de seguro, pues puede ser que el que hoy tiene mañana no tenga, y el recibidor de ahora después sea el dador; y el dador, el recibidor. Pablo ilustra el principio con una referencia a la cosecha del maná durante la peregrinación de Israel en el desierto.

La correcta administración del donativo, 8:16-22. El Apóstol muestra delicadeza y sabiduría para cubrirse contra los ataques de sus acusadores de que aprovecha las ofrendas para llenar su propia cartera. Esto se ve tanto en la recolección de los fondos como en llevarlos a los hermanos en Jerusalén. En los tiempos de Pablo no había medios seguros y rápidos para transferir dinero de un lugar a otro. Tito ha aceptado la responsabilidad de promover la ofrenda entre las iglesias y hacerla llegar a los necesitados. Irá con Tito un representante de las iglesias, cuyo nombre Pablo no menciona pero que tiene "renombre en el evangelio". También va otro hermano conocido y apreciado por las iglesias. Durante los siglos se ha tratado de adivinar quién es, proponiendo nombres como el de Lucas u otro. Pero son sólo conjeturas. Mediante la cooperación de los acompañantes el Apóstol está "evitando que nadie... desacredite". También expresa su esperanza de una buena ofrenda con frases como "expresión de generosidad" (o gracia) y "abundante donativo". Quiere que sea más que una ofrenda simbólica. Y en todo ello no sólo es necesario que la acción sea honrada, sino que parezca ser honrada. Es más importante lo que Dios ve, pero también es importante lo que los hombres piensan que ven.

Una recomendación a la hospitalidad como prueba de amor, 8:23, 24. Pablo presenta a Tito y a sus compañeros como "gloria de Cristo", una alabanza que muchos quisiéramos merecer. El Apóstol ha hablado muy bien en Macedonia de los hermanos en Corinto y alrededores por su reacción inicial a la idea de ayudar. Ahora en su ejecución que no le dejen en vergüenza; más bien, que muestren "la prueba... de nuestro motivo de orgullo" de "vosotros". El sabe que muchas veces la gente responde mejor a un desafío positivo que a una crítica negativa.

──────────── **Estudio del texto básico** ────────────

1 El ejemplo de Cristo, 2 Corintios 8:8, 9.

V. 8. *No hablo como quien manda;* Pablo sabía que su autoridad como ministro no le permitía dar órdenes; su autoridad era moral y su exhortación estaba saturada de amor por los hermanos y la obra del Señor. El contribuir para ayudar a otros no es tanto algo que se basa en una obligación como un indicio de la *sinceridad de vuestro amor,* pues "el que tiene bienes de este mundo y ve que su hermano padece necesidad y le cierra su corazón, ¿cómo morará el amor de Dios en él?" (1 Jn. 3:17). Y nos pone *a prueba,* al ver la *eficacia,* o diligencia *de otros,* en este caso de los macedonios.

V. 9. *Porque conocéis la gracia;* Pablo les recuerda lo que ellos habían experimentado. Los corintios conocían el ejemplo sin par del sacrificio a favor de otros del *Señor Jesucristo, quien siendo rico* a tal punto de ser dueño de toda la creación, *por amor de vosotros se hizo pobre,* viniendo a este mundo como bebé en un establo, creciendo como un niño aldeano en un hogar de relativa pobreza, viviendo como un predicador ambulante, muriendo como un reo y siendo sepultado en una tumba prestada. ¿Con qué propósito? *Para que vosotros con su pobreza fueseis enriquecidos* con bienes eternos. Tal fue *la gracia* que jamás podremos merecer. Nunca debemos olvidar que todas las cosas fueron hechas por Cristo (Juan 1:3), y consecuentemente le pertenecen por derecho de creación.

Dios sacrificó lo más valioso, su Hijo, y lo hizo por amor a nosotros para que en él tuviésemos riqueza espiritual. Cada creyente es rico porque tiene una herencia espiritual de valor incalculable.

2 Querer y hacer, 2 Corintios 8:10-12.

Vv.10, 11. El año anterior, cuando la idea de enviar una ofrenda les fue presentada a los corintios, ellos habían aceptado con gusto el plan. Ahora Pablo les aconseja diciendo: *esto os conviene a vosotros.* Les urge a hacerlo porque sería bueno para ellos. La primera razón es porque lo prometieron, y una promesa es algo solemne. (La hija de Jefté instó a su padre a que cumpliera su promesa, aunque a ella le iba a costar la vida, Jue. 11:36.) Además, el no cumplir con lo que habían prometido y estaban intentando hacer, dañaría su buena reputación y testimonio cristiano. De acuerdo con sus capacidades ahora corresponde acabar la obra, es decir, *cumplir conforme a lo que tenéis.*

V. 12. Si hay la voluntad para hacer algo, se pueden hacer muchas cosas que, si no se quiere, parecen imposibles. Pero en todo caso, el apóstol no está pidiendo algo formidable, sino *según lo que uno tenga, no según lo que no tenga.* Nuestro Señor llamó la atención a la ofrenda de la viuda pobre (Mar. 12:44), no por la cantidad sino por la voluntad. Lo principal es la buena disposición para dar.

3 El principio de la igualdad, 2 Corintios 8:13-15.

Vv. 13-15. Al parecer, Pablo ve que la situación económica de los hermanos en Corinto e incluso en Macedonia es mejor que la de los de Judea. Y en eso está la segunda razón por la ofrenda, la idea de la ayuda mutua. Como se dice en Eclesiastés 11:1: "Echa tu pan sobre las aguas, porque después de muchos días lo volverás a encontrar." No se desea empobrecer con *estrechez* a unos a fin de que haya *alivio* para otros. Más bien, que la ayuda fluya de quien tenga más a quien tenga escasez. Además, hay que recordar que el hermano necesitado puede estar al otro lado de la calle o al otro lado del mar. Cada uno ha de tener lo que realmente le hace falta, tal como sucedió con el maná en el desierto (Exo. 16:18), los que trataron de reunir comida extra no pudieron porque el maná no servía para el día siguiente. Lo que el Apóstol pide es la generosa buena voluntad y no una acción forzada. Pablo animó a los corintios a dar mostrándoles la interdependencia que existe entre los cristianos y cómo esta mutua participación entre el que tiene y el que necesita, beneficia a unos y a otros.

──────────────── **Aplicaciones del estudio** ────────────────

1. Nuestra generosa ofrenda ayuda por su propio mérito y por el ejemplo que representa para otros, 2 Corintios 8:8. Tal vez los macedonios nunca supieron que influían en otros.

2. El darnos cuenta de cuánto le costó al Hijo de Dios identificarse con los seres humanos debe motivarnos al sacrificio por él y por otros, 2 Corintios 8:9.

3. Es bueno empezar con entusiasmo; no es menos importante acabar la tarea, 2 Corintios 8:10, 11. Pero no de mala gana, sino porque se quiere hacer.

Una respuesta a un llamado misionero
2 Corintios 8:1-24

Introducción: El pueblo de Dios ha sido llamado a ayudar a otros. Para los seguidores de Jesucristo hay un doble propósito en dar: Es una expresión del amor cristiano y es un medio de promoción cristiana. Ayudamos, tal como Jesús, pero también queremos mover a otros a dar atención a lo que Cristo ofrece para sus vidas.

I. **Iglesias pobres dan (vv. 1-6).**
  A. Un espíritu generoso abre el corazón para poder recibir la gracia de Dios en abundancia (v. 1).
  B. La pobreza no impide un interés misionero, pues éste primeramente es asunto del corazón, no de la cartera (vv. 2-5).
  C. Aun cuando hay interés espontáneo, conviene algo de organización para canalizarlo (v. 6).
II. **Nuestro Señor Jesucristo dio (v. 9).**
  A. Era rico (Juan 1:3; Col. 1:16; Heb. 1:1, 2).
  B. Se hizo pobre (Mat. 8:20; Juan 13:4, 5; Fil. 2:7, 8).
  C. Con un propósito generoso: nuestro enriquecimiento. Es gracia que nunca podremos merecer (Isa. 53:4-7; Gál. 1:4).
III. **Diferentes hermanos dan (vv. 16-23).** Este viaje llevando el dinero representaba semanas de su tiempo y esfuerzo. ¿Por qué lo hicieron? ¿Cómo nos comparamos nosotros con ellos?
  A. Tito: escuchaba y hacía (v. 6); tenía solicitud e interés (v. 16); e iniciativa (v. 17).
  B. Hermano "A": renombre en el evangelio entre las iglesias de manera que lo nombraron para una tarea responsable (vv. 18, 19).
  C. Hermano "B": diligente y comprobado (v. 22).
IV. **El dar trae beneficios recíprocos (vv. 13-15).** A veces será con bienes materiales; otras veces con bienes espirituales, buena voluntad, testimonio cristiano, crecimiento propio en la gracia de Dios, etc. "Los que siembran con lágrimas, con regocijo segarán" (Sal. 126:5).

Conclusión: Una parte importante de nuestra mayordomía ante Dios tiene que ver con nuestra actitud y nuestra acción hacia otros. Los que hemos respondido al evangelio hemos tenido ese privilegio porque otros, antes que nosotros, se preocuparon de compartirlo. El modelo sin par de dar es nuestro Redentor, demos una respuesta adecuada a nuestro llamado misionero.

Lecturas bíblicas para el siguiente estudio

Lunes: 2 Corintios 9:1-5   **Jueves:** 2 Corintios 9:8-11
Martes: 2 Corintios 9:6   **Viernes:** 2 Corintios 9:12, 13
Miércoles: 2 Corintios 9:7   **Sábado:** 2 Corintios 9:14, 15

AGENDA DE CLASE

Antes de la clase
1. Lea 2 Corintios 8; Hechos 16 y 17; 1 Corintios 16:1-4; Mateo 19:16-22; Marcos 12:41-44. Al estudiar el material en este libro y en el del alumno preste especial atención a la relación entre estos pasajes. **2.** Vea el relato bajo *Despierte el interés*. Considere la posibilidad de que dos alumnos se preparen con anterioridad para presentarlo como un *sketch*. **3.** Asigne a tres alumnos una de las tres afirmaciones bajo *Aplicaciones del estudio* en el libro del alumno pidiéndoles que las presenten, den su opinión y un ejemplo concreto actual. **4.** Complete la primera sección bajo *Estudio del texto básico* en el libro del alumno.

Comprobación de respuestas
JOVENES: **1.** V. 9. ...con su pobreza fueseis enriquecidos. **2.** V. 10. Llevar la ofrenda a su culminación. **3.** V. 14. Los que tienen en abundancia, den a los que les falta.
ADULTOS: **1.** Por amor a nosotros. **2.** V. 14, v. 10, v. 9, v. 11, v. 12.

Ya en la clase
DESPIERTE EL INTERES
Relate o tengan el *sketch* siguiente: Una tía daba cada semana a su sobrino un peso para ofrendar en el culto. Cierto domingo, al pasar el platillo de la ofrenda, el niño miró dentro del platillo y en lugar de dar el peso se lo guardó en el bolsillo. La tía se inclinó hacia él y muy quedamente le preguntó por qué no había dado su ofrenda. El sobrino, también en voz baja, le contestó: "Porque ya había bastante dinero en el platillo así que la iglesia no necesita mi peso. Además, estoy ahorrando plata para comprarme una pelota de fútbol." Pregunte: ¿En qué se parece la actitud de este muchachito a la de algunos jóvenes y adultos?

ESTUDIO PANORAMICO DEL CONTEXTO
Presente una breve plática basándose en lo que dice la sección *Fondo histórico* en este libro y también en lo que dice el *Estudio panorámico del contexto* en el libro del alumno. Refiérase a Hechos 16 y 17 y el hecho de que como ejemplo, Pablo menciona la generosidad de las iglesias en Macedonia que incluía a Filipos, Tesalónica y Berea (2 Cor. 8:1-5).

ESTUDIO DEL TEXTO BASICO
1. El ejemplo de Cristo. Diga que el ejemplo de las iglesias en Macedonia había sido magnífico pero que Pablo enseguida les presenta un ejemplo de generosidad superior. Un alumno lea en voz alta los vv. 8 y 9. Pregunte a quién mencionó como ejemplo. ¿En qué consistió su generosidad? ¿Qué la motivó? Pida que encuentren en el v. 8 qué cosa *prueba* la generosidad (o

falta de generosidad) al ofrendar. Refiérase al v. 5 donde aparece la clave para dar generosamente: Los macedonios y Jesucristo también, se dieron primeramente ellos mismos. ¿En qué sentido se dio Jesús? Si disponen de tiempo, memoricen este versículo.

2. *Querer y hacer.* Divida a la clase en dos grupos. Los de un grupo lean en silencio los vv. 10 y 11 y piensen qué sucede cuando los miembros de la iglesia NO cumplen con sus buenas intenciones de ofrendar. El otro grupo, leyendo los mismos versículos en silencio, piensen en cómo se beneficia la obra del Señor cuando sus miembros SI cumplen con lo que se proponen dar. Comparen las respuestas de ambos grupos.

Lea en voz alta el v. 12 mientras los presentes buscan el criterio que determina el que una ofrenda sea aceptable. Recuérdeles la actitud del joven rico (Mat. 19:16-22) y la de la viuda pobre (Mar. 12:41-44). Escriba en el pizarrón *POR AMOR* y pregunte por amor qué hizo el joven rico y por amor qué hizo la viuda pobre.

3. *El principio de la igualdad.* Diga que ya hemos visto un motivo o razón para dar generosamente: el ejemplo de Cristo que se dio por amor a nosotros, y que ahora verán otro motivo que también tiene su raíz en el amor. Mientras un alumno lee en voz alta los vv. 13-15 los demás encuentren un motivo (que iguala, no hay gente demasiado rica ni gente demasiado pobre).

Puntualice que no les pedía Pablo que dieran tanto que los empobreciera, lo que nuevamente recalca el principio de la proporción. Además que ellos darían pero que también recibirían algo en cambio. Permita que opinen sobre qué podrían recibir de los pobres en Judea (por ejemplo, gratitud, la bendición de sus oraciones a su favor, de aceptarlos como parte de la familia de la fe, etc.).

Explique la significación de la cita de Exodo 16:18 que Pablo utiliza en el v. 15 (Dios suplía según lo que cada persona necesitaba, no según lo que cada una podía recoger).

APLICACIONES AL ESTUDIO

Los alumnos a quienes asignó con anterioridad las afirmaciones de esta sección en su libro, lean ahora la que les tocó y enseguida comenten y den el ejemplo concreto que prepararon. Hagan esto en un tono conversacional para que los demás alumnos se sientan en libertad de opinar y agregar ejemplos.

PRUEBA

1. Contesten la pregunta del inciso 1 en su libro escribiendo allí las respuestas. 2. Use lo que aparece en el inciso 2 como tema para una discusión de mesa redonda que lleve a la decisión de realizar una acción generosa concreta a favor de una necesidad de algún hermano en el seno de la iglesia.

La generosidad cristiana

Contexto: 2 Corintios 9:1-15
Texto básico: 2 Corintios 9:6-15
Versículo clave: 2 Corintios 9:13
Verdad central: La práctica de la generosidad cristiana al ofrendar hace que el dador alegre sea bendecido y de bendición para los necesitados si la motivación es dar la gloria a Dios.
Metas de enseñanza-aprendizaje: Que el alumno demuestre su: (1) conocimiento de la importancia y consecuencias de la generosidad al ofrendar, (2) actitud de participar generosamente en los proyectos de su iglesia para satisfacer las necesidades de los menos afortunados.

─────────── Estudio panorámico del contexto ───────────

A. Fondo histórico:

En 2 Corintios 9 Pablo sigue expresando la preocupación que mencionó en el capítulo 8, basada en la ofrenda especial para los hermanos pobres de Judea, la que ha estado en preparación desde hace varios meses. El Apóstol busca una ayuda para los de Jerusalén, pero también espera que esa misma ofrenda resultará en la unidad entre los cristianos judíos y gentiles. Después, ya estando en Corinto, escribiendo a los romanos (Rom. 15:25-27), explica su razonamiento por la ofrenda: "Ahora voy a Jerusalén para ministrar a los santos. Porque Macedonia y Acaya tuvieron a bien reunir una ofrenda para los pobres de entre los santos que están en Jerusalén. Pues les pareció bien, y son deudores a ellos; porque si los gentiles han sido hechos participantes de sus bienes espirituales, ellos también deben servirles con sus bienes materiales."

Debemos recordar que aquí Pablo no está hablando de los diezmos, los que ocupan un lugar importante en las Escrituras que nosotros ahora conocemos como el Antiguo Testamento. Eran las únicas Escrituras que esas iglesias conocían; pues cuando Pablo escribió esta epístola, casi nada del Nuevo Testamento se tenía a la mano en forma escrita. También, nos fijamos que él quería que el esfuerzo se centrara en cada iglesia local. Las buenas obras hechas en nombre de Cristo a través de la congregación traen reconocimiento y honra al cuerpo del Señor y a él.

B. Enfasis:

Preparación para la ofrenda, 9:1-5. Aquí el Apóstol sigue tratando el papel de Tito y los otros mensajeros. En la sección anterior (cap. 8) los ha recomendado a los hermanos de Corinto como personas dignas para hacer una obra de bien. Ahora vuelve al tema de la ofrenda y el papel de los mensajeros en recolectar los fondos. Cuando se les había propuesto la ofrenda, los de Corinto y otros hermanos de la provincia de Acaya habían respondido con entusiasmo. Después entre las iglesias de la provincia de Macedonia, Pablo les habló de la actitud alentadora de los de Acaya. Pero ahora el tiempo ha pasado, y el Apóstol teme que no hayan hecho tan bien como se había planeado. Escribe: "Está de más que os escriba", pero lo hace de todos modos, apelando a su honor, que no le dejen en vergüenza a él, ni a ellos tampoco. En todo caso, que lo que hagan sea "muestra de generosidad", o una bendición compartida de buena voluntad, y "no de exigencia", es decir, algo que den de mala voluntad por sentirse presionados a hacerlo.

El ejemplo del agricultor, 9:6. Si el agricultor siembra papas chicas, cosechará papas chicas; y si siembra grandes, tiene una buena posibilidad de cosechar papas grandes. De igual modo resulta en el campo espiritual. Así que, "el que siembra con generosidad" segará bendiciones. "El dador alegre es amado por Dios", 2 Corintios 9:7. No importa lo grande que sea el regalo, si se ha dado con espíritu mezquino, se ha dado poco. Pues realmente la persona no lo ha dado; se le ha sacado. Es la diferencia entre una colecta (el recaudador colecta) y una ofrenda (el contribuyente ofrenda). ¿Cuál queremos destacar? Dios ama al dador alegre.

Dios de la abundancia, 9:8-11. ¿Alguna vez ha conocido usted a una persona que sea muy egoísta y que a la vez sea feliz? No creo, concentrar la atención en sí mismo no produce felicidad. El Dios que "ha dado a su Hijo unigénito" es "poderoso... para hacer que abunde... toda gracia... para toda buena obra".

El dar de buena voluntad "produce acciones de gracias a Dios". La ofrenda, entonces, responde a una necesidad y, a la vez, trae gloria al Señor.

Un doble beneficio, 9:12, 13. Se repite por énfasis el doble beneficio de ofrendar para otros en la causa de la fe común: "suple lo que falta" y produce "acciones de gracias a Dios". Pues los que reciben la ayuda "glorificarán a Dios", viendo esta generosidad como prueba de que los gentiles realmente han entrado a la familia del Señor, y gozarán por la "liberalidad" misma.

Demostración de gratitud y amor, 9:14, 15. Los recibidores en su gratitud orarán por los dadores, deseando verlos para expresarles lo que sienten en reconocimiento *"de la superabundante gracia de Dios"* vista en los hermanos de Acaya.

De veras, la actitud de compartir es en sí un evidente regalo de Dios por el cual hay que dar gracias. ¡Suponemos que, a la inversa, hay que tener lástima de los pobres egoístas y mezquinos porque no han aceptado un regalo parecido del Señor!

1 El principio de la proporción en la siembra y la cosecha, 2 Corintios 9:6, 7.

V. 6. Al iniciar la exhortación final sobre el esfuerzo a favor de los pobres en Judea, Pablo recomienda que den con generosidad y alegría.

La ley de la siembra resulta de muchos modos. El salmista (Sal. 126:6) habla del sembrador pobre que siembra con lágrimas, pues esparce en la tierra el grano con el que preferiría alimentar a su familia; pero entiende que sólo haciéndolo así, "volverá con regocijo, trayendo sus gavillas". Pablo también aplica esa ley al escribir: "Todo lo que el hombre siembre, eso mismo cosechará" (Gál. 6:7). El principio igualmente sirve al dadivoso y al tacaño. El que recibe de bendición debe dar de bendición; y el que da así también recibirá del mismo modo.

V. 7. El Apóstol reitera que esta ofrenda de beneficencia es optativa, *como propuso en su corazón, no con tristeza ni por obligación.* Pero decirlo así no indica que no importa. Nos fijamos que es el *dador alegre* a quien *Dios ama,* no a quien retiene en su cartera la ayuda que él, con relativa facilidad, podría haber compartido con los necesitados. Deuteronomio 15:10 presenta instrucciones en casos así: "Sin falta le darás, y no tenga dolor tu corazón por hacerlo, porque por ello te bendecirá Jehovah tu Dios en todas tus obras y en todo lo que emprenda tu mano." Pero nadie está forzado a cooperar. Jesucristo dijo: "Dad, y se os dará... Porque con la medida con que medís, se os volverá a medir" (Luc. 6:38). Pero recordemos que si hemos dado sólo con el fin de recibir, no hemos dado nada; sólo hemos intentado hacer un negocio con Dios. El motivo es más importante que la cantidad.

2 Bendecidos para bendecir, 2 Corintios 9:8-11.

V. 8. El Todopoderoso quiere y puede *hacer que abunde en vosotros toda gracia,* pero el que ya está lleno de sí mismo no tiene cabida para recibir lo que Dios ofrece. En cambio, a los que tienen un espíritu dadivoso el Señor los bendecirá con todo lo que hace falta y tendrán con qué abundar *para toda buena obra.* No podemos ser más generosos que Dios; si bien en esto, como en todo, tenemos que usar sentido común. Y la *gracia* que nuestro Hacedor nos da no siempre está en dinero.

V. 9. Luego Pablo remacha la idea con una cita del Salmo 112, que en parte dice: "Bienaventurado el hombre que teme a Jehovah ... Esparce, da a los necesitados; su justicia permanece para siempre, y su poderío será exaltado en gloria" (vv. 1, 9).

V. 10. Aquí Pablo cita Isaías 55:10 donde se habla de "dar semilla al que siembra y pan al que come". El Proveedor divino *multiplicará vuestra semilla* de modo que su aumento será mayor que el de la cosecha de trigo o papas. El crecimiento no se hará en nuestras manos, sino después de la siembra, y resultará básicamente en *frutos de vuestra justicia* o rectitud. El versículo 8 dice que Dios puede proveer, y aquí dice que lo hace. Los *frutos* pueden ser el premio que Dios da a sus fieles o una capacidad y voluntad para dar en otras ocasiones. En nuestras iglesias, ¿quiénes son los que contribuyen más en un caso dado?: los que acostumbran a ser dadivosos. **V. 11.** *Esto,* es decir, la gracia dada (v. 8) a fin de que abunden para toda buena obra. Resultará en que los dadores corintios sean *enriquecidos en todo para toda liberalidad.* Es interesante observar cuántas veces Pablo dice "todo" en estos versículos, dando a entender su sentido de lo completo de esta obra de la gracia de Dios efectuada en los creyentes maduros. El enriquecimiento resultará en un aumento de su generosidad. Y por medio de Pablo y sus acompañantes, la ofrenda llega a los necesitados y *produce acciones de gracias.*

3 Los beneficiados glorifican a Dios, 2 Corintios 9:12, 13.
V. 12. ¿Qué consecuencias traerá esta demostración de benevolencia? Una bendición a quienes reciben y *abundantes acciones de gracias,* tal como se había dicho en la frase anterior. El *ministrar* (*diakonéo* en griego) *este servicio* (*leiturgia* o liturgia, un término que en el Nuevo Testamento casi siempre trata de un servicio de adoración a Dios) glorifica al Señor. Parece que aun los cristianos más consagrados no están exentos de medir sus alabanzas a un Salvador dignísimo por la cantidad de bendiciones no esperadas que reciben. **V. 13.** Si es que los cristianos judíos alguna vez dudaron de la sinceridad y la lealtad de los convertidos gentiles, esta ofrenda de confraternidad disiparía ese pensamiento. Entonces *glorificarán a Dios por tal obediencia.* Serán como estaban cuando Pedro recontaba la conversión de Cornelio y otros en Cesarea y exclamaron: "¡Así que también a los gentiles Dios ha dado arrepentimiento para vida!" (Hech. 11:18). Tomarán más en serio la obra entre los gentiles y estarán más dispuestos a aceptarles como hermanos en Cristo.

4 Intercesión como muestra de amor, 2 Corintios 9:14, 15.
V. 14. *Además* al orar por sus hermanos demuestran que los *quieren* y desean ver a sus benefactores por la obra. La *sobreabundante gracia* (gracia aun más allá de la gracia corriente) que Dios les ha dado es un testimonio irrefutable de que son hijos de Dios. Pablo espera lograr con esta ofrenda que judíos y gentiles manifiesten fehacientemente que el poder de Dios los ha transformado y les hace capaces de ayudarse mutuamente dejando a un lado las diferencias raciales. Después escribirá Lucas, quien es uno de los viajeros: "Cuando llegamos a Jerusalén, los hermanos nos recibieron de buena voluntad ...glorificaron a Dios" (Hech. 21:17, 20). **V. 15.** Pablo termina el asunto de la ofrenda especial dando *gracias a Dios* por el *don* que está más allá de poder describirlo. ¿Pero cuál es el *don,* o regalo, a que se refiere? Nuestro Señor dijo a la samaritana: "Si conocieras el don de Dios... él te habría dado agua viva" (Juan 4:10). Pedro en el primer Pentecostés cristiano exhortó: "Arrepentíos... y recibiréis el don del Espíritu Santo" (Hech. 2:38). Hebreos 6:4 habla de los "que gustaron del don celes-

tial". El dador alegre es el primero en recibir grande bendición, porque Dios le manifiesta su amor. Luego es de bendición para otros, puesto que suple sus necesidades. De esa manera da gloria a Dios quien se dio asimismo en Jesucristo.

———————————Aplicaciones del estudio ———————————

1. Hay una relación directa entre lo que se siembra y lo que se cosecha, 2 Corintios 9:6. Si queremos una cosecha buena, debemos cuidarnos mucho en lo que sembramos.

2. Dios ama al dador alegre, 2 Corintios 9:7. Ama al dador, no al que deja de dar.

3. Al que es fiel en su mayordomía Dios le provee los medios para dar más, 2 Corintios 9:8-11. Pero no siempre será en dinero.

4. El ayudar en los casos de necesidad alivia una situación humana y fomenta la causa de Cristo, 2 Corintios 9:12-14.

———————————Ayuda homilética ———————————

Dando de corazón
2 Corintios 9:5-15

Introducción: En este pasaje el Apóstol trata el asunto de una ofrenda especial para los necesitados, la que es a la vez un medio para extender el evangelio a otras partes, algo más allá del sostenimiento del culto local. Sin embargo, en general los principios aquí presentados se aplican a todo lo que damos a la causa de Cristo, trátese de dinero, tiempo y esfuerzo.

    I. **Hay que cumplir lo que se ha prometido (v. 5).**
   II. **Si queremos tener una buena cosecha, debemos sembrar generosamente (v. 6).**
 III. **Lo que entregamos hay que hacerlo de corazón (v. 7a).**
 IV. **Dios ama al dador alegre (v. 7b).**
  V. **No podemos dar más que Dios; él dará el aumento (vv. 8-11).**
 VI. **Nuestra generosidad sirve a tres: quien recibe la ayuda, la causa del evangelio y nosotros mismos (vv. 12-14).**

Conclusión: ¡Gracias a Dios por su don inefable! (v. 15).

Lecturas bíblicas para el siguiente estudio

Lunes: 2 Corintios 10:1-3   **Jueves:** 2 Corintios 10:10-12
Martes: 2 Corintios 10:4-6   **Viernes:** 2 Corintios 10:13-16
Miércoles: 2 Corintios 4:7-9   **Sábado:** 2 Corintios 10:17, 18

AGENDA DE CLASE

Antes de la clase
1. Lea 2 Corintios 9:1-15 teniendo en cuenta que es una continuación del mismo tema que el capítulo anterior. **2.** Al estudiar el material en este libro y en el del alumno tome nota de otros versículos bíblicos mencionados y búsquelos en su Biblia. **3.** Con anterioridad, pida la colaboración de tres alumnos para formar un panel. Cada uno debe pensar en motivos que impulsan a las personas a ayudar cuando aparece una necesidad humana. Sugiera que piensen en razones y ejemplos tomados de su propia vivencia, de leer, escuchar o ver noticieros y de la Biblia. Pídales que estudien bien toda la lección para actuar como panel durante toda la sesión. **4.** Antes de que los alumnos lleguen, coloque tres sillas para ellos dando el frente a la clase. **5.** Escriba la verdad central en una cartulina. **6.** Lleve a clase un Himnario Bautista o una copia de la tercera y cuarta estrofa del himno "Aprisa, ¡Sion!", Núm. 302. **7.** Complete la primera sección bajo *Estudio del texto básico* en el libro del alumno.

Comprobación de respuestas
JOVENES: **1.** Si uno siembra escasamente, cosechará escasamente. Si uno siembra generosamente, cosechará generosamente. **2.** Al dador alegre. **3.** a. Que abunde en toda gracia, ser enriquecidos para toda liberalidad. b. Oraciones a su favor.
ADULTOS: **1.** (a) generosamente. v. 6. (b) dé como propuso en su corazón; ama; alegre. v. 7. (c) buena obra, v. 8. **2.** ¡Gracias a Dios por su don inefable! v. 15.

Ya en la clase
DESPIERTE EL INTERES
1. Presente a los miembros del panel y pídales que pasen al frente y tomen sus asientos. Pregúnteles: ¿Qué motivos impulsan a las personas a ayudar cuando aparece una necesidad? Uno a uno los panelistas deben responder a la pregunta y discutirla. Después de unos 10 minutos enfatice que la motivación más noble e ideal es el amor. **2.** Pida a todos que identifiquen necesidades especiales en su propia iglesia o en otras iglesias hermanas.

ESTUDIO PANORAMICO DEL CONTEXTO
1. Llame la atención a la verdad central que escribió en el cartel y pida a un alumno que la lea en voz alta. Diga que es una de las grandes verdades que emanan de los capítulos 8 y 9 de 2 Corintios que en realidad forman una sola unidad. **2.** Explique lo que dice el *Fondo histórico* y vea si los que estudiaron la lección pueden aportar algo de lo que dice el estudio panorámico en sus libros.

ESTUDIO DEL TEXTO BASICO

1. El principio de la proporción en la siembra y la cosecha. Lean en silencio los vv. 6 y 7. El v. 6 refleja un concepto que se encuentra en Proverbios 11:24. Designe a un miembro del panel para que lo lea en voz alta. Pregunte a otro cómo se puede aplicar esta verdad a otras áreas de la vida. Al tercero diga que si esto no significa que si uno da $10, como por arte de magia recibirá $100, ¿qué significa en realidad? A cualquiera de los tres que se preste para responder, pregunte: Según el v. 7 ¿qué actitud espera Dios del dador y cuál es la reacción de Dios?

2. Bendecidos para bendecir. Dicte los siguientes temas. Cada miembro del panel escribirá uno en el pizarrón o en una hoja grande de papel: LA ABUNDANCIA A DISPOSICION DEL CREYENTE - LO QUE ESPERA DIOS QUE DA EN ABUNDANCIA - LA ABUNDANCIA MULTIPLICADA. Diga a la clase que encontrarán el desarrollo de estos temas en los vv. 8-11. Léalos en voz alta y luego dialoguen sobre lo que encontraron sobre cada tema. Pueden consultar sus libros si lo desean. Vea luego si los miembros del panel están de acuerdo con lo que se dijo.

3. Los beneficiados glorifican a Dios. Un panelista lea en voz alta los vv. 12 y 13 diciendo luego qué resultados de dar se mencionan en estos versículos. Vea si los otros dos panelistas tienen algo que agregar.

4. Intercesión como muestra de amor. Otro panelista debe leer en voz alta el v. 14 y luego explicar dos recompensas para los creyentes en Corinto que mandaban su ofrenda a Jerusalén. El tercer miembro del panel lea en voz alta el v. 15 y luego explique de qué don se trata. Si no sabe, haga que lo encuentre en el comentario sobre este versículo en su libro.

APLICACIONES DEL ESTUDIO

1. Cada panelista lea uno de los incisos bajo esta sección en sus libros y designe a otro alumno de la clase para que diga qué opina. **2.** Lea la tercera estrofa del himno "Aprisa, ¡Sion!" Aquí se alaba al "don inefable" y, el tesoro más grande que podemos dar a otros ¿cuál es? Lea la cuarta estrofa y llame la atención a las últimas palabras "Cristo te ha de retribuir". Después de este estudio, ¿pueden decir cómo el Señor retribuye a sus hijos que dan generosamente? **3.** Mencione las necesidades de su iglesia y de otras iglesias que identificaron hacia el final de *Despierte el interés.* Vean la posibilidad de que los alumnos de la clase, o juntándose con otra clase, se aboquen seriamente a suplir alguna de esas necesidades.

PRUEBA

1. Hagan en parejas lo que pide el inciso 1. **2.** Pregunte al panel qué ofrendas especiales recoge su iglesia durante el año y a qué van destinadas. Los demás pueden ayudar a responder. **3.** JOVENES: Completen la actividad del inciso 2 en sus libros. ADULTOS: Piensen en maneras cómo su iglesia ha sido ayudada por otras y cómo mostrarán su agradecimiento en una forma muy especial.

En defensa del ministerio

Contexto: 2 Corintios 10:1-18
Texto básico: 2 Corintios 10:7-18
Versículos clave: 2 Corintios 10:17, 18
Verdad central: La defensa que Pablo hace de su ministerio nos exhorta a valorar debidamente la función ministerial.
Metas de enseñanza-aprendizaje: Que el alumno demuestre su: (1) conocimiento de la defensa que Pablo hace de su ministerio, (2) actitud de valorizar la función de la persona que le ministra.

Estudio panorámico del contexto

A. Fondo histórico:

En los primeros siete capítulos de 2 Corintios Pablo se asocia con Timoteo (1:1), aunque a veces habla por sí mismo, tratando diversos asuntos (lo que esperaríamos en una carta). Estimula a sus lectores a la lealtad a Cristo aun ante las dificultades y defiende su ministerio entre ellos. En los capítulos ocho y nueve se preocupa de una ofrenda especial para los pobres de Judea.

Pero en los últimos cuatro capítulos el tono cambia bruscamente. Ya no incluye a Timoteo (10:1) y ataca los elementos de la iglesia que han procurado minar la influencia de él. Tan diferente es a lo anterior que muchos comentaristas han creído que esta sección es la parte central de lo que llaman una "carta severa", como podría interpretarse en 2:4 y 7:8, que se habría escrito después de la Primera Epístola. Sin embargo, los problemas tratados aquí se han mencionado antes (1:17, 24; 3:1; 4:2; 5:13; 6:12; etc.).

En general, a la iglesia en Corinto le falta madurez. En su mayor parte los miembros han salido del paganismo con su pervertida noción de la moralidad y, como sabemos por las congregaciones nuestras, la completa transformación de conceptos no suele ser instantánea. Una mayoría de la iglesia ha reaccionado bien a las exhortaciones de Pablo; pero algunos no. Algunos "libres" prefieren creer que en Cristo no tienen inhibiciones. Pero la oposición principal es de los judaizantes, quienes piensan que Pablo es demasiado indulgente, dejando de lado elementos de la ley de Moisés que ellos creen importantes, mayormente las ceremonias. Y como sucede tantas veces, atacan no sólo las enseñanzas de Pablo, sino también su carácter. A menudo usan indirectas que no son muy indirectas. A eso responde el Apóstol en esta última sección de la epístola.

B. Enfasis:

Armas espirituales, 10:1-6. Empezando aquí Pablo no incluye a Timoteo o a Tito: "Ahora yo Pablo." Luego, sabiendo que los temas difíciles que se han de tratar en seguida son emotivos, y no deseando extralimitarse, el Apóstol quiere controlarse y exhortar, o rogar, "por la mansedumbre y ternura de Cristo". Procura imitar las hermosas cualidades de su Señor. Además de la muy humana tendencia a defenderse cuando es atacado, Pablo sabe que su reputación influye muchísimo en la eficacia de su trabajo; pero que, si no es controlada, la defensa puede hacer más mal que bien.

El quiere hablar en forma medida, pero que los opositores no le fuercen a ser más duro en su trato. Ante la primera acusación responde con un dejo de ironía, haciendo eco a la pretensión de que su carácter es cambiante. Pablo lo expresa así: "En persona soy humilde entre vosotros, pero ausente soy osado." Responde con la esperanza de no tener que usar de esa osadía cuando esté presente. Otra acusación: "Piensan que andamos según la carne." La respuesta es que anda en la carne, pero no según la carne. Su milicia, o combate, no se realiza con armas carnales; nuestro poder es de Dios, y en ese poder está la obra de llevar "cautivo todo pensamiento a la obediencia de Cristo". Su meta es que no sólo cada acción, sino también cada pensamiento se someta al Salvador. Si no sucede eso, para la iglesia el apóstol está dispuesto "a castigar toda desobediencia". Pero al llegar a Corinto espera no tener que tratar estas cosas entre los hermanos; hay un mundo para ganar, el que necesita la plena atención de ellos y de él.

La autoridad otorgada por Dios, 10:7-9. Si los opositores de Pablo han visto que él es "en persona humilde" (v. 1) y lo creen blando, ven sólo las apariencias. El es tanto de Cristo como cualquiera de ellos. El no ha querido usar, o abusar, de su autoridad apostólica, porque esa autoridad es para edificación y no para destrucción. Es algo genuino y no algo para amenazarles desde lejos por carta.

Igual ausente que presente, 10:10, 11. Deben recordar que si dicen con desdén que él escribe cartas duras pero que en persona es débil y su palabra despreciable, tengan en cuenta que, cuando sea necesario, puede actuar con firmeza.

La medida verdadera, 2 Corintios 10:12, 13. En parte Pablo habla con ironía: "No osamos clasificarnos." Esto tiene algo de sarcasmo porque, en realidad, no se siente inferior. Pero por otra parte, ellos forman su propio sistema para medirse, y él no se atreve a hacer eso. Es Dios quien tiene que fijar nuestras medidas, y para Pablo la medida (o metro) de Dios para él llegaba hasta Corinto, donde él había empezado la iglesia; y por el momento eso es lo que realmente importa.

La norma correcta en el trabajo misionero, 10:14-16. A diferencia de los judaizantes, que llegaron a Corinto supuestamente desde Judea, trabajando en lo que era la labor de Pablo, éste no había llegado a un campo misionero para tomar posesión de una obra ajena; es decir, él había puesto los fundamentos para la obra cristiana en esa ciudad. Llegó con el evangelio y en el evangelio, pues en camino allí había predicado en Atenas y otros lugares. Y su esperanza era que ellos, al ir madurando en el conocimiento del Señor, llegarían a comprenderle mejor y que él, dentro de los límites que Dios fija, seguiría a otros lugares más allá de Corinto.

Aprobación de Dios, 10:17, 18. ¿Con qué medida, entonces, vamos a medirnos? Nuestro Señor Jesús da una respuesta: "Decid: 'Siervos inútiles somos; porque sólo hicimos lo que debíamos hacer' " (Luc. 17:10). No es lo que nosotros hayamos hecho, sino lo que Dios ha hecho. "Gloríese en el Señor." No busquemos tanto la aprobación de los hombres como la de Dios.

─────────────── **Estudio del texto básico** ───────────────

1 Las apariencias engañan, 2 Corintios 10:7-11.

V. 7. Al igual que Samuel (1 Sam. 16:7), siempre tenemos el peligro de dar mayor atención a lo exterior, *las apariencias*. Si Pablo habla suave y no es de hermoso parecer, ¡no se engañen! Aunque no toque trompeta delante de sí (Mat. 6:2), es tanto de Cristo como cualquiera que hace alarde de ello. Si él no era discípulo inmediato de Jesús cuando éste andaba en Israel, no es menos un apóstol (Gál. 2:8) que otros, pues se había encontrado con el Señor en el camino a Damasco y en otras ocasiones. A veces hay grupos que creen tener un monopolio de Cristo (1 Cor. 1:11-13), cuando en realidad es Cristo quien fija las condiciones.

Vv. 8, 9. Está en juego qué autoridad tiene el Apóstol. El pretende representar a Cristo, y los resultados de su ministerio comprueban la veracidad de ello. El espera no tener necesidad de enfatizarla, pero el Señor con cada tarea da una autoridad, autoridad espiritual que no necesita ser acompañada por una autoridad militar o legal. Así cuando una congregación da una responsabilidad a un pastor u otro dirigente, se supone que a la vez éste tiene una autoridad adecuada para realizarla. El propósito es *para edificación y no para ... destrucción.* Si los opositores fuerzan a recurrir al uso de autoridad, *no seré avergonzado.* Pero no es el propósito de Pablo amenazarles con sus cartas.

Vv. 10, 11. Sin embargo, para menoscabar la influencia del Apóstol, sus opositores en Corinto y en otras partes lo hostigan, diciendo tales cosas como que *su presencia física es débil, y su palabra despreciable.* Después Pablo ha de hablar de su "aguijón en la carne" (12:7). Algunos han pensado que Pablo tenía problemas con la vista, o tal vez una enfermedad recurrente como la malaria, o que no era un orador pulido como Apolos (Hech. 18:24). O podría ser que los defectos estuvieran sólo en la imaginación de sus críticos. Con todo Pablo les advierte que no tomen su manera suave de tratar como toda la gama de su personalidad.

En ese sentido recordamos cómo encaró al mago Barjesús en Chipre y cómo se disponía a enfrentar la turba en Efeso (Hech. 13:6-11; 19:30). Para los gentiles la libertad del evangelio de las trabas innecesarias de los reglamentos judaicos es tan importante que hay que defenderla a todo costo. La paz es preciosa, pero no a cualquier precio.

2 Falta de juicio en el autoconcepto, 2 Corintios 10:12, 13.

V. 12. Frente a la acusación de que Pablo es cobarde, él dice con ironía que es cierto en un sentido: El no se atreve a compararse con aquellos que se ponen a sí mismos como la norma deseada para alcanzar. A diferencia de ellos, él no se pone como el modelo cumbre. Si lo que he logrado es mi meta, ¿cómo voy a avanzar? Pablo añade que los que tienen esa idea de sí *no son juiciosos*. "Nadie tenga más alto concepto de sí que el que deba tener" (Rom. 12:3).

V. 13. Quien fija las medidas y las metas para cada uno es Dios. Así *no nos gloriaremos desmedidamente*. Pablo dice que el Señor ha hecho que su límite llegue a lo menos hasta Corinto.

3 La norma de no trabajar en campo ajeno, 2 Corintios 10:14-16.

Vv. 14, 15a. Pablo no ha ido más allá de su campo al llegar a Corinto, pues Dios le había conducido allí. En Romanos 15:20, 21 menciona su política de trabajo: "He procurado predicar el evangelio donde Cristo no era nombrado, para no edificar sobre fundamento ajeno." Sigue explicando la razón: "Como está escrito: Verán aquellos a quienes nunca se les anunció acerca de él." Pablo es esencialmente un apóstol (misionero) y no un pastor, y después planea pasar por Roma, pero en camino al nuevo campo de España. Por cierto, nadie debe gloriarse *desmedidamente en trabajos ajenos*. Como Pablo, ¿iremos a donde Dios nos envíe?

Vv. 15b, 16. La esperanza de Pablo es que, *con el progreso de vuestra fe,* el campo de acción para él *se incrementará*. Su *norma* es dar su atención a campos nuevos. Por lógica el tiempo que el Apóstol dedica para resolver problemas de crecimiento de las iglesias ya formadas no puede usarlo para abrir obras nuevas. Pero, por otra parte, si no hubiese habido dificultades en Corinto, es dudoso que ahora tuviéramos esta epístola. Si todos los santos fuesen más perfectos, los pastores y otros dirigentes podrían dedicarse más a la gente inconversa.

4 La mejor recomendación, 2 Corintios 10:17, 18.

V. 17. Como lo había hecho en la Primera Epístola (1:31), Pablo se refiere a Jeremías 9:24, citando las Escrituras como suele hacerlo, pues para él son autoridad. *El que se gloría:* el motivo de gloriarse debe ser: *gloríese en el Señor*. No es lo que yo he hecho, sino lo que Dios ha hecho en lo cual él ha posibilitado que yo tenga una parte. Como Pablo había dicho antes: "Por la gracia de Dios soy lo que soy" (1 Cor. 15:10).

V. 18. Difícilmente la evaluación que uno haga de sí mismo, o la que otra gente haga, será igual a la que Dios hace. Y la evaluación que al final vale es la del Eterno. El Señor fija las normas, el campo de acción y la meta. Jactarnos por nuestros logros, como parecen haberlo hecho los judaizantes, no nos honra. Más bien, sea cada uno *aquel a quien Dios recomienda*.

l. **Tengamos cuidado de no formar juicios en base a meras apariencias, 2 Corintios 10:7.** Bien dice el refrán: "Las apariencias engañan."

2. **La autoridad que tenemos es para edificación y no para destrucción, 2 Corintios 10:8.** Somos llamados a servir, no a servirnos.

3. **La jactancia no es indicio de espiritualidad, sino de mundanalidad, 2 Corintios 10:12, 13.**

4. **Debemos reconocer, y conocer, nuestro campo de acción y labrarlo bien, 2 Corintios 10:14-16.**

5. **Que la gloria por el bien logrado sea para el Señor, 2 Corintios 10:17.**

───────── **Ayuda homilética** ─────────

En defensa del evangelio
2 Corintios 10:1-18

Introducción: Todo creyente tiene un ministerio, pero entre los ministros hay algunos que tienen un ministerio especial. Siendo imperfectos los santos, a menudo hay conflictos sobre esos ministerios y cómo realizarlos. Aquí encontramos algunos principios básicos:

I. **Respondamos a la crítica en el espíritu de Cristo (v. 1).**
II. **Nuestra obra es espiritual, y debemos usar medios espirituales (vv. 3, 4).**
III. **No seamos engañados por las apariencias (v. 7).**
IV. **Nuestra labor ha de ser hacia la edificación y no la destrucción (v. 8).**
V. **Cristo es nuestro Modelo y nunca nosotros mismos (vv. 12, 13).**
VI. **No procuremos reconocimiento para nosotros por obra hecha por otros (v. 15).**
VII. **El que se gloría, gloríese en el Señor (v. 17).**

Conclusión: Siempre recordemos que al final el reconocimiento que más nos vale es el de Dios, y que lo que se espera de nosotros es la fidelidad (1 Cor. 3:21 a 4:2).

Lecturas bíblicas para el siguiente estudio

Lunes: 2 Corintios 11:1-6
Martes: 2 Corintios 11:7-11
Miércoles: 2 Corintios 11:12-15

Jueves: 2 Corintios 11:16-23
Viernes: 2 Corintios 11:24-27
Sábado: 2 Corintios 11:28-33

AGENDA DE CLASE

Antes de la clase
1. Lea 2 Corintios 10. Antes de estudiar el material expositivo. Repase los capítulos anteriores donde Pablo defiende su ministerio. **2.** Prepare lápices y tarjetas o papeles de unos 5 x 3 cms. para cada participante. Escriba en ellos, verticalmente en el margen izquierdo los números del 1 al 5. **3.** JOVENES: Pida a dos alumnos que se preparen: uno para hacer de crítico de Pablo y leer en los momentos correspondientes las críticas que aparecen en sus libros bajo *Estudio del texto básico*; otro para hacer de Pablo y leer las defensas que aparecen a continuación de las críticas. **4.** Complete las actividades en la primera sección *Estudio del texto básico* en el libro del alumno.

Comprobación de respuestas
JOVENES: **1.** Cartas duras y fuertes pero de apariencia física débil y su manera de hablar, despreciable. **2.** Se medían y se comparaban consigo mismos. **3.** Que se gloriaba de lo que en realidad él no había hecho. **4.** Aquel a quien Dios recomienda.
ADULTOS: **1.** V, F, V, F, V. **2.** No hay una sola respuesta porque cada uno debe escribir los versículos en sus propias palabras.

Ya en la clase
DESPIERTE EL INTERES
1. Reparta los lápices y las tarjetas o papeles. Pida a los presentes que piensen en un líder en la iglesia de cuyo trabajo reciben bendición y escriban su nombre en la parte superior de la tarjeta. Enseguida diga que deben escribir una V o F al lado de cada número según sea verdad o falsa la afirmación que usted haga: 1. Es una persona muy pagada de sí misma. 2. La admiro porque depende mucho del Señor. 3. Siempre se está jactando de cuánto trabaja para el Señor. 4. Reconoce cuánto hace el Señor por ella. 5. Dice ser una cosa y en realidad es otra. **2.** Comente que acaban de hacer una somera evaluación de una persona cuyo testimonio valoran y que en este estudio verán cómo Pablo se tuvo que defender de una evaluación desfavorable que algunos en Corinto estaban haciendo de su persona y ministerio.

ESTUDIO PANORAMICO DEL CONTEXTO
1. No es la primera vez que en esta segunda carta a la iglesia en Corinto, Pablo se defiende de las críticas. **2.** Pida que encuentren en el estudio panorámico en sus libros, algunas de esas críticas. **3.** Con sus Biblias abiertas, haga notar que si quitáramos los capítulos 8 y 9 y los pusiéramos como posdata al final de la carta, veríamos que casi todo lo demás es una defensa a su ministerio, su conducta y su persona.

ESTUDIO DEL TEXTO BASICO

JOVENES: Al ir leyendo los versículos bíblicos en cada una de las siguientes secciones, los alumnos asignados con anterioridad presentarán la crítica y la defensa. ADULTOS: Divida a la clase en dos sectores. Un sector debe decir, a medida que se va estudiando el pasaje, cuál ha de haber sido la crítica que algunos en la iglesia de Corinto hacían de Pablo. El segundo sector debe encontrar la defensa que Pablo hace a cada crítica.

1. Las apariencias engañan. Un alumno lea en voz alta los vv. 7-11. Luego procedan como se acaba de indicar. (Crítica: Pablo se hacía el valiente por carta, pero después no lo era tanto cuando los tenía frente a frente. Era feo y ni siquiera era elocuente al hablar. Defensa: El que no sea "buen mozo" no significa que no sea de Cristo, ser de él y haber sido comisionado por él para servirle, evangelizar y edificar las iglesias es su motivo de gloria. Cuando llegue a Corinto comprobarán que lo que dice concuerda con lo que escribe. No es un cobarde.)

2. Falta de juicio en el autoconcepto. Un alumno lea en voz alta los vv. 12 y 13. Procedan como lo hicieron con los versículos anteriores. (Críticas: Comparado con otros líderes a Pablo le falta bastante, los otros tienen buena presencia física, son elocuentes, son líderes dinámicos. Pablo pretende ser lo que no es. Defensa: Es fácil salir airoso cuando uno se compara con uno mismo. La medida que Pablo usa para medirse es el entorno que el Señor le ha señalado para su ministerio. No se compara consigo mismo ni con otros.)

3. La norma de no trabajar en campo ajeno. Un alumno lea en voz alta los vv. 14-16. Procedan como lo hicieron con los versículos anteriores. (Críticas: Pablo dice que la iglesia es fruto de su trabajo y en realidad ha crecido gracias a los líderes que llegaron después. Defensa: Cada siervo de Dios tiene su propia labor. Pablo no se adjudica los frutos ajenos. Cuando vuelva a Corinto no se va a meter en campo ajeno.)

4. La mejor recomendación. Un alumno lea en voz alta los vv. 17, 18. Procedan igual que con los versículos anteriores. (Crítica: Nosotros fuimos los que hicimos prosperar la obra, no Pablo. Si no hubiera sido por nosotros... Defensa: Se jactan de lo que ustedes hicieron, se recomiendan a sí mismos. Mejor es reconocer que el Señor es quien ha hecho su obra. Mejor es que sea Dios quien nos recomiende y apruebe.)

APLICACIONES DEL ESTUDIO

1. Lean en voz alta y comenten las aplicaciones en el libro del alumno. **2.** Escriba en el pizarrón *Critiquemos menos, oremos más,* y desafíe a cada uno para que así lo haga con el pastor y demás líderes en la iglesia.

PRUEBA

1. Cumplan las actividades en esta sección en sus libros, discutiéndolas oralmente antes de escribirlas. **2.** Terminen con un periodo de oración conversacional en apoyo del liderazgo de la iglesia.

Unidad 12

Falsos profetas = falsas doctrinas

Contexto: 2 Corintios 11:1-33
Texto básico: 2 Corintios 11:1-15
Versículos clave: 2 Corintios 11:13, 14
Verdad central: La advertencia y exhortación de Pablo a los corintios respecto a los falsos apóstoles nos alertan contra las doctrinas erróneas que sutilmente pueden infiltrarse en la iglesia.
Metas de enseñanza-aprendizaje: Que el alumno demuestre su: (1) conocimiento de la advertencia de Pablo acerca de los falsos apóstoles, (2) actitud de celo por preservar y predicar la sana doctrina.

——————— Estudio panorámico del contexto ———————

A. Fondo histórico:

En Hechos 17:21 se dice de Atenas, ciudad de Acaya no lejos de Corinto: "Todos los atenienses y los forasteros que vivían allí no pasaban el tiempo en otra cosa que en decir o en oír la última novedad." En un sentido esta actitud abierta favorecía una religión nueva como el cristianismo, pero también obraba en su contra, pues conducía a la superficialidad de no creer nada con firmeza. Pero el evangelio de Pablo enseñaba que el Eterno es moral y que Cristo es a la vez Salvador y Señor, y demanda rectitud, gratitud y lealtad. Así que la iglesia en Corinto, al igual que las nuestras, tenía que tratar con aquellos que enseñaban variaciones de la verdad central del cristianismo. Las atracciones carnales del mundo aún eran una tentación poderosa para muchos creyentes. Otros eran atraídos por los rigores de las exigencias ceremoniales de los judaizantes. Y tal vez éstas representaban un peligro diferente a lo demás, ya que se basaban en principios religiosos venidos de personas que decían representar a la iglesia madre en Jerusalén y a los primeros discípulos del Señor Jesús. Insistían en que un gentil tenía que llegar a ser judío antes de poder ser cristiano, y no aceptaban la conclusión a que habían llegado en el Concilio de Jerusalén algunos años antes (Hech. 15:28). La carnalidad es algo que apela a lo físico; la falsa doctrina apela a la mente, si bien puede haber una enseñanza que trate de justificar las debilidades de la carne. En nuestros tiempos hay falsos profetas que predican que la salvación viene de "la fe en Cristo y ...", poniendo otra condición que nuestro Señor no puso. Sin embargo, puede haber diferencias de idea en puntos menores sin que sea necesariamente "falsa doctrina". La esencia del evangelio es: (1) la centralidad de Cristo y su sacrificio vicario, (2) la salvación sólo por la gracia de Dios, y (3) la Biblia como fuente cumbre de doctrina.

B. Enfasis:

El celo por la pureza, 11:1, 2. Pablo sigue contrarrestando las disputas de sus opositores en la iglesia en Corinto. Estos para rebatir sus enseñanzas atacan su carácter, y él se encuentra en la situación un tanto incómoda de defenderse, en bien de su eficacia para propagar el evangelio. Así "me toleraseis." Luego, explica la razón por su preocupación: su celo por presentar al Salvador una iglesia ejemplar.

El peligro de desviarse, 11:3-6. La iglesia en Corinto, como una segunda Eva, está desposada con Cristo, un segundo Adán; y debe tener cuidado de no escuchar la voz del mismo tentador. Parecen estar tolerando voces que tienen otro mensaje acerca de un Jesús parecido pero no igual. No deben dejar el sencillo evangelio que él les enseñó. Luego, Pablo relaciona su mensaje, tal como los judaizantes lo habían hecho, con su persona; e insiste en sus calificaciones como apóstol (un enviado). No es inferior a los mensajeros llegados después a Corinto; y aunque no sea un orador pulido, es un conocedor del evangelio de Cristo, lo cual ha demostrado entre ellos.

Un misionero ejemplar, 11:7-11. Pablo no está en la obra de Cristo ni para tener una vida fácil ni para ganar mucho dinero. En cambio, sus opositores que llegaron posteriormente a Corinto abogando por las doctrinas que dicen venir de la iglesia en Jerusalén, no habrían tener ningún problema con recibir sostenimiento de los hermanos en Corinto. Además, han interpretado la reticencia de Pablo para hacerlo como una confesión de reconocer que él no es digno de ello. El Apóstol responde a ese cargo preguntando irónicamente: "¿Cometí pecado...?" Aun cuando padecía necesidad, no había pedido ayuda. Sus propias labores y ofrendas de Macedonia le habían sostenido. Su independencia económica de Corinto y de las otras iglesias, en vez de ser un motivo de reproche para él, es uno de sano orgullo. A la vez sus detractores lo han interpretado como que él no amaba a los corintios y no deseaba estar comprometido con ellos. Pero Dios sabe que no es así.

Un disfraz conocido, 11:12, 13. Los falsos profetas preferirían que Pablo aceptase dinero de los corintios, lo cual justificaría que ellos lo hicieran, pero él no les va a complacer. Va a seguir la política de no aceptar sostenimiento de la iglesia, para descubrirlos como falsos y obreros fraudulentos. Para él tienen un disfraz conocido.

El final conforme a sus obras, 11:14, 15. No es de extrañarse que resulte el engaño de la máscara, presentándose como de la luz y la verdad, porque Satanás ha usado esa táctica con éxito durante siglos. Aunque tales obreros pretenden ser servidores de rectitud, Dios verá que reciban lo que merecen.

Un santo loco, 11:16-21a. Ya que parece estar de moda jactarse de quién uno es y lo que ha logrado (v. 18), Pablo también lo hará. De nuevo (después del v. 1) pide indulgencias y que no le tomen como un loco (como le habrían llamado sus opositores). O si prefieren considerarlo así (ver 5:13), que así lo toleren. El Apóstol confiesa que lo que va a decir no está dentro de las normas generales de la práctica cristiana, las que fomentan la humildad y desanima la jactancia. Pero él estima que la mala propaganda acerca de él, que otros le han hecho, hace necesario que él recalque ante la iglesia algunas de sus circunstancias. Luego añade que si toleran a aquellos que se están aprovechando de ellos, deben poder tolerarlo a él.

Credenciales del Apóstol, 2 Corintios 11:21b-33. Así Pablo se atreve a recontar sus antecedentes y sus actividades. Los principales judaizantes en la iglesia se jactaban de su herencia de Israel y de ser "ministros de Cristo." "Yo también", dice Pablo, y más. En seguida resume lo que ese ministerio le ha costado. Algunas de estas experiencias son mencionadas en el libro de Los Hechos, pero otras no. Pero con todo, el peso que más ha sentido ha sido la preocupación por el bienestar de las iglesias. Entonces, al final, como una reflexión tardía recuerda la ignominia humillante de ser bajado del muro de Damasco en una canasta para escaparse del gobernador.

────────── **Estudio del texto básico** ──────────

1 El celo por la pureza, 2 Corintios 11:1-6.

V. 1. Aquí hay un indicio (como hay varios en este sector de la epístola) de la esencial humanidad del Apóstol, y de cómo siente profundamente lo que pasa en la obra del Señor. Ha puesto su mejor esfuerzo en crear una iglesia en Corinto y darle una buena base. Y ahora llegan extraños que tratan de minar su influencia y dar nueva dirección a la obra. A fin de hacerlo, tergiversan lo que él ha hecho y sus motivos, tildándole de "loco", etc. Entre las reacciones él usa de la ironía y de la defensa propia, métodos que no son sus favoritos pero que se siente obligado a utilizar. La idea de "tolerarle", en parte irónica, se desarrolla más en los vv. 16-20. En 5:13 ya ha hablado: "si estamos fuera de nosotros ..."

V. 2. Aquí Pablo explica por qué habla así, sin la dignidad acostumbrada: *Os celo con celo de Dios.* Su inquietud por la relación de la iglesia con él se basa en su ansiedad por la relación de la iglesia con Cristo. Querámoslo o no, la impresión que tiene la gente de nuestro Salvador será influida por la que tiene del mensajero de ese Salvador. Y el Apóstol desea ardientemente que la iglesia, como novia de Cristo (Apoc. 19:7), sea *una virgen pura* para *un solo marido,* es decir, Cristo.

Vv. 3, 4. No toda la iglesia aceptó los errores de los judaizantes, pero en un sentido era responsable por permitir que tengan cabida entre ellos. Satanás, a nombre de una mejor comprensión de la realidad, desvía de la lealtad y la obediencia a Dios. Predican a un Jesús legalista, lo cual es una presentación muy distinta del verdadero Nazareno. También, ofrecen un espíritu diferente, que resulta ser un evangelio diferente al que habían aceptado a base de la predicación de Pablo. Luego, con ironía les dice que con demasiada bondad *lo toleráis.* Después dirá algo parecido a los gálatas (Gál. 1:6-9).

Vv. 5, 6. ¿Quiénes son *aquellos apóstoles eminentes?* Probablemente no se refiere a los once discípulos de Jesús, sino a los "apóstoles" que han llegado a Corinto con un mensaje variante y que se presentan como *eminentes*. Pablo insiste en que no es *inferior*. Puede que haya entre ellos una mayor *elocuencia*, pero no un mayor *conocimiento* de las cosas de Dios. Y la misma conversión de los creyentes corintios es un testimonio de ello.

2 Un misionero ejemplar, 2 Corintios 11:7-11.

V. 7. Pablo siguió una costumbre común entre los judíos, sin importar la situación social o económica, la de tener un oficio; y el de Pablo es de hacer tiendas (Hech. 18:3). Probablemente muchos muchachos de Tarso, pueblo natal del Apóstol, seguían este oficio por la abundancia del ganado lanar cuya lana sirve tan bien para hacer tiendas. En Corinto trabajó con Aquilas y Priscila. Pero los judaizantes le criticaron por hacerlo, en vez de pedir sostenimiento a la iglesia (como ellos lo hacían). Es cierto que él había recalcado las enseñanzas de Moisés (Deut. 25:4) y de Jesús (Luc. 10:7), sobre la dignidad del obrero de su sostén, al escribir 1 Corintios (9:1-18). Sin embargo, en ese mismo pasaje explica que ha preferido no recibir pago de los hermanos donde está actuando, a fin de impedir que digan que se aprovecha de la gente. Es misionero que viaja y no pastor establecido. La práctica de los filósofos griegos era viajar de un lugar a otro viviendo de la generosidad del pueblo, y Pablo no quiere ser como ellos. Y pregunta: *¿Cometí un pecado?*

Vv. 8, 9. Dice: *He despojado* (realmente robé) recibiendo de iglesias pobres como la de Filipos, es decir, además del producto de su propio trabajo (Fil. 4:15; Hech. 18:5; 20:34). Aun en tiempos de necesidad Pablo mantenía su principio y no piensa cambiarlo.

Vv. 10, 11. Pablo llama a Cristo como testigo de su veracidad de que, no sólo en Corinto, sino en toda la provincia de Acaya, *este motivo de orgullo no* le sería *negado* (o bloqueado). Y sus adversarios no deben tratar de interpretar mal sus razones, pues Dios sabe la verdad.

3 Un disfraz conocido, 2 Corintios 11:12-15.

V. 12. Ahora Pablo tiene una nueva confirmación de su política de no aceptar sostenimiento de la misma gente que está tratando de ganar para el Salvador: quitar los argumentos de sus opositores. Si él acepta dinero, dicen que quiere ganarles a causa de su dinero; y si no lo acepta, dicen que es porque no ama a los corintios y no quiere quedar endeudado con ellos. Pero Pablo no va a bajarse al nivel de los judaizantes.

V. 13. Desgraciadamente los judaizantes en Corinto no son sólo personas erradas en doctrina, sino *falsos apóstoles*. Uno puede estar equivocado honradamente, pero la tergiversación sobrepasa las normas. También se puede estar sinceramente errado, y falso es falso. Pero éstos son *obreros fraudulentos* presentándose *como apóstoles de Cristo*. Se disfrazan por fuera, pero por dentro son otra cosa.

Vv. 14, 15. *Y no es de maravillarse, porque* son de Satanás, y él es un experto en disfraces y engaños. Dios es luz (1 Jn. 1:5), y el diablo gusta de presentarse como *ángel de luz*. Si se revelara tal como es, no atraparía a tantos. Siendo Satanás así, no debe parecernos raro que sus *ministros se disfracen* también como servidores de rectitud. Pueden engañar a los hombres, pero al final recibirán, no según su disfraz, sino *conforme a sus obras*.

———————————— Aplicaciones del estudio ————————————

1. Debe tener una alta prioridad nuestro esfuerzo por presentar a Cristo una iglesia pura, 2 Corintios 11:2.

2. Estemos seguros de cuál es el evangelio verdadero y presentémoslo con fidelidad y tenacidad, 2 Corintios 11:3, 4.

3. Nunca podemos separarnos del todo del mensaje que proclamamos, 2 Corintios 11:10. La gente va a juzgar el mensaje por lo que ve en el mensajero.

4. A veces tenemos que confrontar directamente la doctrina falsa, 2 Corintios 11:12.

5. Satanás es un experto en disfraces, 2 Corintios 11:14, 15. Es de las tinieblas, pero se presenta como ángel de luz.

———————————— Ayuda homilética ————————————

Características de falsos profetas
2 Corintios 11:1-15

Introducción: Las diferencias fundamentales en la doctrina hacen que una persona sea calificada como un "falso profeta".

I. Engañan a las iglesias, como la serpiente a Eva (v. 3).

II. Predican un evangelio que no es un evangelio (vv. 3, 4).
    A. Es ajeno a la sencillez y la pureza de Cristo.
    B. Pueden presentar a un Jesús parecido pero no igual.
    C. Demuestran un espíritu diferente, no parecido.
    D. Un mensaje con un fundamento de merecimiento propio.

III. Aunque no todos los falsos profetas pretenden representar al Mesías (Cristo), muchos sí (v. 13).

IV. Como Satanás, se presentan como "ángel de luz" (v. 14).

Conclusión: La esencia del evangelio (ver final de Fondo Histórico).

Lecturas bíblicas para el siguiente estudio

AGENDA DE CLASE

Antes de la clase
1. Lea 2 Corintios 11:1-33 y subraye las palabras que denotan los sentimientos de Pablo (celo, temor, etc.) y escriba breves oraciones sobre la razón de cada sentimiento que subrayó. **2.** Repase los problemas de la iglesia en Corinto que se mencionan tanto en la primera como en la segunda carta a los corintios. **3.** Si el método usado para desarrollar el estudio anterior (deducir las críticas e identificar la defensa de Pablo) resultó interesante, use el mismo ahora pues en realidad es una continuación de la defensa que Pablo empezó en el capítulo 10. **4.** Realice las actividades bajo la primera sección del *Estudio del texto básico* en el libro del alumno.

Comprobación de respuestas
JOVENES: **1.** Virgen. **2.** De ser una carga financiera para la iglesia en Corinto. **3.** Satanás.
ADULTOS: Respuestas correctas: **1.** c. Que se hayan extraviado de la sencillez y pureza que debían a Cristo. **2.** b. Nada. **3.** b. Apóstoles de Cristo. **4.** a. Angel de luz.

Ya en la clase
DESPIERTE EL INTERES
Relate que en la actualidad existen expertos en el tema "crecimiento de la iglesia"; que constantemente se publican artículos y libros sobre el tema y que hasta hay organizaciones independientes dedicadas exclusivamente a estudiar cómo y por qué crecen o no crecen, lideran talleres, cursos y seminarios sobre cómo lograr que una iglesia crezca. Destaque que un principio importante que han "descubierto" es que las iglesias que son celosas de su doctrina son las que más crecen. Las que son liberales y todo lo aceptan, se estancan y van apagando. Dejan de ser luz del mundo y sal de la tierra. Diga que el celo por la pureza doctrinal y de conducta ha sido un requisito desde siempre como lo comprobarán en este estudio.

ESTUDIO PANORAMICO DEL CONTEXO
1. Repase los principales problemas de la iglesia en Corinto haciendo que algunos alumnos hojeen 1 Corintios y otros, 2 Corintios. Al hacerlo, identifiquen cuáles eran problemas doctrinales, cuáles de conducta y cuáles causados por los judaizantes. **2.** Comente que Pablo se preocupó tanto por exhortar a la iglesia en Corinto para que se enderezara porque sabía que lo que la iglesia enseña y practica es de primordial importancia.

ESTUDIO DEL TEXTO BASICO
1. El celo por la pureza. Un alumno lea 2 Corintios 11:1, 2. (Crítica: Pablo está loco y dice locuras. Defensa: Si digo locuras, aguántenme algunas

más. Lo que les exhorto es por el celo que siento y que no puedo callar. Recuerden que yo les di en Corinto "un solo marido", a Jesucristo.) Comente la comparación entre la iglesia y su relación con Cristo y entre una novia y su relación con su nuevo esposo. El mismo alumno lea en voz alta los vv. 3 y 4 y los demás encuentren un temor de Pablo. Comente que el hecho de que siempre andaban en busca de alguna novedad les hacía susceptibles a seguir a falsos apóstoles que agregaban "novedades" al evangelio y lo tergiversaban. El mismo alumno lea los vv. 5 y 6. Los demás encuentren la posible crítica y defensa de Pablo (Crítica: Pablo no tiene elocuencia, es aburrido escucharle. Prefieren a otros que predican con más elocuencia. Defensa: Tienen razón. Soy torpe para hablar, pero sé que lo que predico es la verdad. Sé exactamente de qué se trata el evangelio auténtico. Los que parecen "eminentes" quizá sean superiores en elocuencia, pero son inferiores en el contenido de su enseñanza. Lo importante no es tanto la persona sino lo que enseña. Lo importante es saber discernir entre la verdad y la mentira.)

2. *Un misionero ejemplar.* Otro alumno lea los vv. 7-11 (Crítica: El maestro que vale, cobra por su enseñanza lo cual prueba que vale. Pablo no cobra, prueba de que su enseñanza no vale. Defensa: No les he cobrado para no serles una carga. Cuando estaba en Corinto, otras iglesias de la provincia de Macedonia me ayudaban financieramente cuando lo necesitaba. Al no cobrar, me evité el "compromiso" con la iglesia. No cambiaré mi postura.)

3. *Un disfraz conocido.* Otro alumno lea los vv. 12-15. Recalque que ahora es Pablo quien critica. Pida a los alumnos que identifiquen sus críticas. Agregue sus comentarios basándose en su propio estudio del pasaje.

APLICACIONES DEL ESTUDIO

1. Lea en voz alta las aplicaciones en el libro del alumno, pidiendo comentarios sobre cada uno. **2.** Una alternativa podría ser guiar una discusión de mesa redonda partiendo de la pregunta: ¿Cómo podemos reconocer las enseñanzas falsas que Satanás quiere que la iglesia enseñe y practique? Asegúrese de que capten la importante verdad de que si no conocemos lo que la Biblia enseña, no podemos distinguir entre una doctrina falsa y una auténtica. **3.** Si lo cree prudente, citen ejemplos de su propia comunidad en que cristianos débiles son seducidos por "falsos apóstoles" que agregan "novedades" al evangelio.

PRUEBA

1. Completen individualmente el primer indicador. **2.** JOVENES: Sigan con la discusión de mesa redonda en base a lo que dice el inciso 2 en sus libros. ADULTOS: Escriba en el pizarrón los tres motivos de oración que aparecen en el inciso 2 en el libro del alumno y pida a tres distintos alumnos que guíen en oración, cada uno por uno de los motivos.

Pureza moral y espiritual

Contexto: 2 Corintios 12:1 a 13:14
Texto básico: 2 Corintios 12:11-21
Versículo clave: 2 Corintios 12:14
Verdad central: La persistencia de Pablo en visitar la iglesia de Corinto a pesar de la oposición de algunos nos enseña que debemos ser firmes en el objetivo de preservar la pureza moral y espiritual de la iglesia del Señor.

Metas de enseñanza-aprendizaje: Que el alumno demuestre su: (1) conocimiento de las circunstancias que motivaban al apóstol Pablo a visitar por tercera ocasión a los corintios, (2) actitud de persistencia en preservar la pureza moral y espiritual de su iglesia.

―――――――――― **Estudio panorámico del contexto** ――――――――――

A. Fondo histórico:
Al tratar con los judaizantes que se habían infiltrado en la iglesia en Corinto y sus ataques contra él, Pablo se sintió obligado a defender su apostolado y la manera de desarrollar su ministerio. En parte tuvo que hablar acerca de sí mismo, cuando hubiera preferido hablar de Cristo. Ya ha escrito sobre su ministerio y cómo ha sufrido por la causa. Ahora escribirá, no tanto de lo que él hizo por la obra, sino de lo que Cristo ha hecho por él, específicamente en visiones y revelaciones. Casi al final de la carta explica que lo que intenta lo hace "para que vosotros hagáis lo que es bueno, aunque nosotros quedemos como reprobados" (13:7).

B. Enfasis:
El hombre que fue al tercer cielo, 12:1-5. Aquí hay otra fase de la validación del ministerio de Pablo. Las "visiones y revelaciones del Señor". Una visión sobrenatural, como la de Zacarías en el templo (Luc. 1:22), y como la que Pablo mismo tuvo en el camino a Damasco (Hech. 26:19) sirven para fundamentar el origen y autoridad del ministerio del Apóstol. Una revelación da significado a una visión cuando es interpretada. Si es del Señor, no es meramente sicológica. La visión en referencia fue muy vívida, al grado que Pablo no se dio cuenta cabal si fue trasladado en cuerpo o sólo en espíritu. También fue tan impresionante que casi parecía estarla mirando como si fuera una experiencia ajena. "Hace catorce años", probablemente sería en el

tiempo en que Pablo había regresado a Tarso desde Jerusalén después de su conversión (Hech. 9:30) y antes de emprender sus viajes misioneros. El "tercer cielo" probablemente se refería al cielo en el que habitan los seres celestiales, por encima del cielo de las aves y el de los astros; sería igual que el "paraíso". En los versículos 5 y 7 se da a entender que "aquel hombre" es Pablo mismo.

Gracia suficiente, 12:6-10. Pablo escribe a los romanos: "Que nadie tenga más alto concepto de sí que el que deba tener" (Rom. 12:3). A los corintios (v. 6) les sugiere que tampoco deben tener más bajo concepto del debido. Pero dice: "Desisto", pues prefiere ser juzgado por su vida y sus enseñanzas, no por lo que se pudiera decir acerca de sus privilegios. Luego interpreta su "aguijón en la carne", que en sí es obra de Satanás pero algo que Dios dirige en sentido diferente a la intención del diablo, con el fin de recordar al Apóstol que no debe olvidarse de sus limitaciones. ¿Con qué abofetea Satanás a Pablo? Al parecer, con algo recurrente, como malaria, epilepsia o una enfermedad de los ojos (como se ha sugerido basado en Gál. 4:13, 14 y otros pasajes). Tal vez no define cuál sea el aguijón a propósito, pues el nuestro puede ser de otra índole. Pablo lo veía como un estorbo para efectuar su ministerio, pero Dios tenía otro concepto: "Bástate mi gracia". Dios no accedió a su petición pero contestó su oración. La lección aprendida es: "Cuando soy débil, entonces soy fuerte" por la confianza en Dios.

Pablo defiende su ministerio, 12:11-15. En vista de que sus hijos espirituales en Corinto no salieron en su defensa contra los judaizantes, etc., Pablo ha tenido que hacerlo, aunque bien puede parecer necio. ¿No habían visto en él señales de apóstol? ¿No demostraba paciencia junto con sus prodigios? Por cierto, entre ellos él había dado tantos indicios del apostolado como entre otras iglesias, salvo que él mismo no había dependido económicamente de ellos. Luego, añade irónicamente que si eso fuese una desatención, que le perdonaran. Sea como sea, está listo para ir a Corinto otra vez y tampoco esta vez va a serles una carga. Más bien, está dispuesto, para beneficio de ellos, a gastar lo que tiene y lo que es. Su interés está en sus almas, no en su dinero. Aunque ellos le amen poco, de todos modos Pablo les amará mucho.

Los verdaderos motivos de Pablo, 12:16-18. Pablo ha contestado un argumento de sus opositores de que él es una persona que le gusta vivir a expensas de los demás, mostrando que había vivido de su trabajo y donativos de otras partes. Ahora responde a los ataques desde un ángulo diferente: que él no ha aceptado ayuda directamente pero que está participando y tendrá cuidado de que la ofrenda para los pobres se use precisamente para ese fin. Asegura que ni él, ni Tito ni los demás emisarios actúan con engaño; y confía en que la iglesia reconocerá sus verdaderos motivos.

El peligro de la mundanalidad, 12:19-21. El propósito básico de Pablo no ha sido defenderse ante los hermanos corintios. Lo que ha hecho en ese sentido ha tenido otro fin más noble: para la edificación de ellos. El problema con los judaizantes ha sido irritante, pero hay un peligro más fundamental: Aún están fuertes entre algunos hermanos las prácticas mundanas. El ha querido afirmar su autoridad como apóstol y padre espiritual con el fin de corregir la falta de disciplina cristiana. Teme que tenga que reprenderles, pero no lo hará con índice de fuego, sino con lágrimas. La triste realidad es que no se arrepienten de su pecado. Y quien los juzgará a él y a ellos es Dios. *La prueba del poder de Cristo, 13:1-4.* La mayoría de los miembros de la iglesia ha tratado de vivir una vida cristiana consecuente. A los tales hay que animarles y enseñarles con benevolencia. Esto es lo que el Apóstol ha hecho en sus viajes anteriores. Pero esta tercera vez será diferente. Los que no han respondido a la gracia deben sentir la aplicación de la ley, como la presentó Moisés (Deut. 19:15); y con los debidos testigos de la conducta cuestionada, el Apóstol verá que se proceda con rigor. Dice: "No seré indulgente." Si quieren probar si él realmente es vocero de Cristo, lo van a ver. Tal como algunos interpretaban la benevolencia de Jesucristo como debilidad, así han interpretado a Pablo. Sin embargo, como Cristo vive por el poder de Dios, así será el Apóstol. Esa fuerza es favorable para los que quieren hacer el bien, pero será diferente para los otros.

Aprobados o reprobados, 13:5-10. Pero antes de ser vistos sus casos por otros, mejor será: "Examinaos a vosotros mismos para ver si estáis firmes en la fe." Al final, no importa si hay, o no, una ocasión para comprobar la autoridad e influencia de él. Aunque él sea reprobado (sin verificar su aprobación), lo importante es que "vosotros hagáis lo que es bueno". La idea de la severidad con que ha escrito es lograr que ellos hagan las correcciones necesarias y así obtengan la "madurez". Al ser así, su próxima visita a Corinto será más placentera y edificante.

Sed maduros, 2 Corintios 13:11-14. Después de tratar el tema difícil, Pablo en forma breve termina su epístola con palabras de bondad y buena voluntad. "Regocijaos" también podría interpretarse como: "Que os vaya bien". Las otras cortas expresiones son para recordarles de algunas cosas que se han presentado en la carta. Si las hacen, pueden estar seguros de que "el Dios de paz y de amor estará con" ellos.

―――――――――― **Estudio del texto básico** ――――――――――

1 La "necedad" del amor, 2 Corintios 12:11-15.

V. 11. Después de mencionarlo varias veces antes, Pablo revela su incomodidad por tener que defender su apostolado y su integridad personal. Dice: *¡Me he hecho necio!* Sabe que su Señor Jesús ha enseñado: "El que se enaltece será humillado, y el que se humilla será enaltecido" (Mat. 23:12), idea parecida a lo expresado por los antiguos profetas. Después de la labor de él entre ellos evangelizando y enseñando, deberían ser ellos los que lo defendiesen y desmintieran las acusaciones de los judaizantes. Era una minoría la que aceptaba las ponencias de los recién llegados, y sin embargo, la mayoría no salió en defensa de su padre en el evangelio. Así forzosamente él tiene que hacerlo. Insiste: *En nada he sido menos que* esos misioneros (apóstoles) que se presentan como *eminentes.* Entonces, para no parecer que pretende demasiado, añade: *Aunque nada soy.*

V. 12. Pablo no pretende haber hecho las señales. Dios las hizo, pero por medio del Apóstol. La *paciencia* (o perseverancia o resistencia) es una característica esencial para un apóstol (misionero). Y los *hechos poderosos,* sean milagros o cambios dramáticos en las vidas de los conversos, son evidencias de la eficacia de su ministerio.

V. 13. Ellos deben recordarle como apóstol también, porque entre ellos se habían hecho las mismas obras que entre *otras iglesias,* salvo que no había recibido recompensa económica de los de Corinto. Si eso es una ofensa (Pablo no lo cree), que se lo perdonen. Ya que dice que él mismo no recibió ayuda, deja lugar para pensar que tal vez sus acompañantes sí la aceptaban.

Vv. 14, 15. Tal vez los judaizantes y algunos otros preferían que Pablo no fuesen a visitarlos, pero él se siente responsable de ayudar a que la iglesia no se desvíe del verdadero evangelio, por lo cual va. No estamos seguros si quiere decir que por tercera vez está listo para ir, o si es por tercera vez que va. En todo caso, sea agradable la tarea o no, es la preocupación por el verdadero bienestar de ellos y la lealtad a Cristo lo que le anima.

2 En el amor no hay engaño, 2 Corintios 12:16-19.

V. 16. Con ironía Pablo alude a una acusación: si no pueden hallar una acción mala de parte de él, pueden suponer que haya una, y que sólo por la destreza del engaño no lo han detectado. Suponen que si no ha recibido ayuda directamente, entonces la sacará de las ofrendas.

Vv. 17, 18. Pablo contesta su propia declaración irónica, preguntando si ellos creían que él había hecho arreglos con Tito y sus compañeros para apoderarse de fondos que supuestamente eran para los pobres de Judea. La forma de la pregunta en griego hace suponer una respuesta negativa. No deben sospechar de Tito ni del otro hermano, y todos son de un espíritu honrado y un mismo proceder. En el amor no hay engaño.

V. 19. El fin de la defensa de Pablo es doble: servir leal y eficazmente al Señor; *delante de Dios y en Cristo hablamos.* Y luego, procurar *vuestra edificación.* ¡Y han mostrado que les hace mucha falta!

3 El temor frente a una triste realidad, 2 Corintios 12:20, 21.

Vv. 20, 21. Si algunos juzgaron su conducta, ahora él los va a juzgar. Teme que sus hijos espirituales no estén mostrando el carácter que corresponde a personas cristianas. A la vez, teme que ellos lo encuentren a él más severo de lo que quisieran. Teme que tengan cualidades pecaminosas que debían haber vencido mediante el poder del Espíritu.

Para ellos será una experiencia humillante cuando él los encare, pero para él también, pues indica que su ministerio entre ellos fue menos fructífero de lo que creía. Lamentará el grado de su fracaso, más aún, *por muchos que antes han pecado y no se han arrepentido* e incluso por su abierto rechazo a la decencia.

Aplicaciones del estudio

1. Hemos de tener cuidado con enaltecernos, pero hay casos en que tenemos que defendernos en bien de la causa que representamos, 2 Corintios 12:11. **2.** No siempre es posible o deseable huir de la confrontación, 2 Corintios 12:14. Pero estemos seguros de que nuestra motivación no sea egoísta. **3.** No siempre van a ser apreciados nuestros esfuerzos en bien del evangelio, 2 Corintios 12:15. **4.** En asuntos delicados, como es el manejo del dinero ajeno, debemos involucrar a otras personas para la conservación del buen nombre, 2 Corintios 12:17, 18. **5.** Recordemos que un propósito básico es "vuestra edificación", 2 Corintios 12:19.

Ayuda homilética

Dirigiendo una congregación difícil
2 Corintios 12:1-21

Introducción: Son pocas las iglesias que no tienen problemas, a menos que estén muertas. ¿Qué le hace falta a un dirigente de una de ellas? ¡Y recordemos que el pastor no es el único dirigente de una congregación, si bien debe ser el número uno!

I. El dirigente debe haber tenido una experiencia vital con Dios, **(vv. 1-5).** No será exactamente como las de Pablo, pero debe ser genuina.

II. Sin duda, tendrá un "aguijón en la carne" **(v. 7).**

III. Mediante la promesa de Dios de "Bástate mi gracia", que reconozca que "cuando soy débil, entonces soy fuerte" **(vv. 8-10).**

IV. Su amor por los hermanos no debe depender del amor de ellos hacia él **(v. 15).**

V. Debe tener cuidado con el manejo del dinero para evitar sospechas de impropiedades **(vv. 17, 18).**

VI. Cada uno debe colaborar para la edificación de la iglesia **(v. 18).**

VII. Debe tener valentía cristiana para denunciar el mal cuando viene al caso **(vv. 20, 21).**

Conclusión: Estos siete puntos no son todo lo necesario para dirigir bien una iglesia, pero son muy importantes (Ef. 5:27).

Lecturas bíblicas para el siguiente estudio

Lunes: Filemón 1-3
Martes: Filemón 4-7
Miércoles: Filemón 8-11

Jueves: Filemón 12-16
Viernes: Filemón 17-20
Sábado: Filemón 21-25

AGENDA DE CLASE

Antes de la clase

1. Lea 2 Corintios 12 y 13 con lo que habrá completado usted la lectura de 2 Corintios. **2.** En tiras de papel, escriba el versículo clave, 2 Corintios 12:14, una palabra por tira. **3.** Prepárese para presentar la crítica que, de todas las que se deducen de 2 Corintios, le parece a usted habrá dolido más a Pablo. **4.** Complete las actividades en la primera sección bajo *Estudio del texto básico* en el libro del alumno.

Comprobación de respuestas

JOVENES: **1.** Señales, prodigios, hechos poderosos, v. 12. **2.** Dos. Tercera. **3.** Que Dios lo humillara ante sus lectores, que tuviera que llorar por los que han pecado y no se han arrepentido.
ADULTOS: **1.** a. Está listo para visitar a la iglesia en Corinto por tercera vez. b. No busca cosas materiales de ella. c. Busca a los propios creyentes. **2.** a. v. 20; b. v. 11; c. v. 21; d. v. 15; e. v. 19.

Ya en la clase
DESPIERTE EL INTERES

1. Llame la atención a la función del punto (.) al final de una oración. Puede usarse como "punto y seguido" cuando se completa una oración pero se continúa con el mismo párrafo, "punto y aparte" cuando uno termina una unidad de ideas y quiere comenzar un nuevo párrafo y "punto final" cuando completa el escrito. **2.** Diga que, en sentido figurado, podríamos decir que Pablo hace uso del punto y seguido, del punto y aparte y del punto y final. El punto y final, en el sentido que ya se dispone a concluir su carta, el punto y aparte en el sentido que termina de escribir pero comenzará nuevamente su obra con la iglesia en Corinto en una próxima visita y el punto y seguido en el sentido de que no hay pausa, ni cambio ni final a su amor e interés por ellos: sigue siempre fuerte el sentimiento apostólico que lo une a ella.

ESTUDIO PANORAMICO DEL CONTEXTO

Comente que si no hubiera sido por las críticas de algunos en Corinto a la persona, conducta y el apostolado de Pablo, quizá no hubiéramos podido saber ni apreciar su calibre moral, su integridad espiritual y su amor firme por el Señor y la iglesia en Corinto. **2.** Esté preparado para contestar cualquier pregunta que los alumnos pudieran tener relacionada con 2 Corintios 12:1-10.

ESTUDIO DEL TEXTO BASICO

1. La "necedad del amor". Haga notar a los alumnos este subtítulo en sus libros. Diga que su tono es de triste ironía, como lo es lo que dice Pablo en 2 Corintios 12:11-13. Lean estos versículos en silencio para captar dichos sentimientos. **Pregunte** cuáles frases lo demuestran y, después que lo digan, explique cada versículo valiéndose de los comentarios en este libro y en el del alumno. Lean en voz alta y al unísono, el v. 14. Pida a los alumnos que cierren sus Biblias. Reparta las tiras de papel, cada una con una palabra del v. 14. Sobre una mesa o en el piso, armen el versículo. Pregunte: ¿Cuántas veces había visitado ya Pablo a Corinto? ¿Qué quiso significar al decir que no buscaba las cosas de ellos sino a ellos mismos? Al decir lo de la "obligación de atesorar", ¿a quién considera como "padre" y quiénes como "hijos"? Lea usted en voz alta el v. 15 y pregunte en qué se parece lo que dice, al sentir y la conducta de un padre hacia sus hijos. ¿Cómo calificarían un amor como éste? (¿necio? ¿desinteresado? etc.).

2. *En el amor no hay engaño.* Llame la atención a este subtítulo. Pregunte cómo definirían a un "amor con engaño". Lea los vv. 15-19 en voz alta usando un tono irónico hasta terminar las preguntas y triste desde donde dice el v. 19: "Delante de Dios..." Luego, vea si algún alumno que estudió su libro en casa se presta para explicarlos, especialmente la referencia a Tito.

3. *El temor frente a una triste realidad.* Llame la atención a este subtítulo. En los vv. 20 y 21 encontrarán de qué dos temores se trata y a qué triste realidad se refiere. Lean dichos versículos en silencio y luego digan lo que encontraron. Si hay un alumno que se anima a presentar un monólogo dígale que simule ser Pablo y presente un breve monólogo en base a estos versículos. Comente que aquí vemos cuán sensible y humano era Pablo y que, a pesar de sus temores, pudo dar un punto final a su carta sin ironías y sin tristezas, y con puro amor y pura buena voluntad. Lean todos juntos en voz alta 2 Corintios 13:11-14 como una bendición.

APLICACIONES DEL ESTUDIO

1. Describa la crítica que a usted le parece más le habrá dolido a Pablo. **2.** Guíe un diálogo para que los alumnos expresen sinceramente cómo hubieran reaccionado ellos (le hubieran dado la espalda a la iglesia, se hubieran deprimido y quedado resentidos para siempre, hubieran ido a Corinto para correr a todos los que no estaban de acuerdo con él, etc.) **3.** Desafíe a todos a nunca ser la causa por la cual otra persona se sienta herida y, si están ofendidos por alguna crítica, desafíelos a hacer una composición dándole su bendición a la persona que los criticó.

PRUEBA

1. Contesten la pregunta individualmente. ADULTOS: Cuide que no compartan en voz alta lo que escribieron porque puede resultar en comentarios negativos. **2.** JOVENES: Lea el párrafo introductorio del inciso 2 en el libro del alumno en voz alta y pida que contesten individualmente. ADULTOS: Hagan lo que pide el inciso 2 en sus libros.

Unidad 12

Una carta de recomendación

Contexto: Filemón
Texto básico: Filemón 8-20
Versículo clave: Filemón 10, 11
Verdad central: La intercesión de Pablo ante Filemón a favor de Onésimo nos enseña que en la familia cristiana hay lugar para la restauración.
Metas de enseñanza-aprendizaje: Que el alumno demuestre su: (1) conocimiento de la intercesión de Pablo a favor de Onésimo, (2) actitud de perdonar a cualquier persona que de alguna manera le haya agraviado.

─────────── **Estudio panorámico del contexto** ───────────

A. Fondo histórico:

Desde tiempos remotos, la esclavitud de los débiles por los más poderosos ha sido una triste realidad. En la época de Pablo se calcula que la mitad de la gente del Imperio Romano era esclava. Las fuentes de esclavos eran varias: prisioneros de guerra, raptados, hijos de esclavos, deudores morosos, niños vendidos por sus mayores. Comúnmente un dueño procuraba tener esclavos de diferentes nacionalidades a fin de que no se uniesen contra el amo. En general, en esa época los esclavos tenían pocos derechos, aunque entre los judíos la ley de Moisés fijaba algunos límites para los dueños. El cristianismo no promovía tanto la liberación de los esclavos como el buen trato de ellos, si bien al correr de los siglos el buen trato llegaba a significar que un hombre no debe esclavizar a otro.

En el caso de Filemón de Colosas, no sabemos cuántos esclavos tenía ni cómo los trataba; pero Onésimo era uno de ellos. Por esta carta sabemos que huyó de su amo, quizás llevando cosas de valor, y llegó a la gran ciudad de Roma donde, por la providencia de Dios, se encontró con Pablo, quien lo condujo a los pies de Cristo. Su amo, Filemón, conocía a Pablo y también había sido ganado para el Señor por el Apóstol. ¿Qué debía hacer Onésimo? Hasta donde fuera posible, había que hacer restitución (Lev. 6:4). Así que Onésimo volvió a Colosas con una carta de recomendación para Filemón, junto con una epístola para la iglesia de los colosenses. El amo tenía el derecho legal de matar al fugitivo. ¿Qué hizo? El hecho de que aún existe esa carta personal nos hace creer que lo perdonó.

B. Enfasis:

Saludos y buenos deseos, 1-3. Aquí Pablo se presenta, no como apóstol o siervo, sino como prisionero, para así atraer la simpatía de los receptores de la carta en bien de la petición que va a presentar. Sin embargo, no dice que es prisionero de los romanos, sino de Jesucristo. Filemón es considerado un colaborador en la causa de Cristo, y Apia sería su esposa. Arquipo sería el pastor (Col. 4:17) y tal vez también un pariente de Filemón. Ya que Pablo desea una recepción favorable para Onésimo, es bueno que se tome en cuenta a toda la familia y a la iglesia (Col. 4:9), la congregación que suele reunirse precisamente en la casa de Filemón (las iglesias no tenían templos). Sigue la salutación que el Apóstol acostumbra usar.

Acción de gracias, 4-7. En sus cartas Pablo casi siempre halla motivo para expresar acciones de gracias. La fe es en el Señor Jesús y el amor a Jesús que se extiende a todos los santos, es decir, a los creyentes apartados para el evangelio. La comunión, o hermandad, de fe mostrada por Filemón alcanza ampliamente a ser eficaz... para la gloria de Cristo. Todo esto trae gozo al Apóstol.

Pablo suplica benevolencia para Onésimo, 8-10. Por lo tanto indica que, basado en el carácter demostrado por Filemón, Pablo tiene la esperanza de que tal bondad también se verá en el caso de Onésimo. Aquí, como en otras partes de la carta, vemos la fina diplomacia del apóstol. En vez de presentarse como persona vestida de autoridad e influencia, Pablo implora benevolencia hacia Onésimo.

"Onésimo" por el poder de Dios, 11, 12. Por la gracia de Dios y por intermedio de Pablo la vida de Onésimo sufre una gran transformación. Su nombre significa "útil", pero antes era inútil hasta que Dios cambió su corazón. "Eramos hijos de ira... Pero Dios... nos dio vida" (Ef. 2:3-5).

Hermano del amo, 13-16. Ya que Pablo no tiene libertad de movimiento, tiene que valerse de sus amigos para traer o llevar cosas. Onésimo ya convertido cumple bien esa función. Pero éste tiene una previa obligación: arreglar sus cuentas cristianamente con su amo de quien se había fugado. Pablo sugiere que el alejamiento de Onésimo de sus deberes en la casa de Filemón ha resultado una inversión, no en un daño; pues el esclavo regresa con una nueva actitud y una nueva relación, siendo ahora hermano del amo en el Señor.

Pablo, un humilde diplomático, 17-20. Con humildad y diplomacia Pablo ruega a Filemón que perdone a Onésimo, y ofrece pagar cualquier deuda que el esclavo hubiere contraído con su amo, sea en valores sustraídos o en la pérdida de su trabajo durante su ausencia. Con su propia mano Pablo firma un "pagaré" dentro del cuerpo de la carta. Luego, con gentileza recuerda a Filemón que él, a su vez, también le es deudor a él, pues el Apóstol fue el medio de su salvación y también es quien le devuelve a Onésimo. Esto ha sido de beneficio para Filemón, y ahora el Apóstol espera tener este beneficio de él. Al ser así, será confortado el corazón del anciano prisionero.

La confianza en un amigo, 21, 22. El Apóstol expresa la confianza en que su amigo no sólo recibirá con buena voluntad a su esclavo fugitivo, sino que va a hacer aun más. No sugiere lo que eso pudiera ser; lo deja al criterio de Filemón. A la vez, es decir, mientras esté respondiendo a la petición de Pablo referente a Onésimo, que piense en una probable visita. Como escribe a los filipenses en una fecha no muy distante de esta carta (Fil. 2:24), espera salir de su prisión y reanudar sus viajes misioneros.

Saludos y bendición final, 23-25. Los saludos de colegas en Roma para Filemón y su familia vienen casi de los mismos que se incluyen en la carta a la iglesia (Col. 4:10-14). No sabemos si Pablo quiere decir que Epafras está encarcelado con él o si su lealtad a Cristo y al Apóstol le mantiene sujeto para atender la obra que éste representa. Epafras es de Colosas (Col. 1:7; 4:12) y así uno de ellos. La bendición final no se limita a Filemón, pues la gracia del Señor hace falta a todos.

──────────── **Estudio del texto básico** ────────────

1 Intercesión en amor, Filemón 8-10.

Vv. 8, 9. Pablo expresa que tiene *mucha confianza... para* pedir a su amigo Filemón un favor. Hay por lo menos cuatro razones para esa confianza: su conocimiento de Filemón y su carácter, su condición como padre espiritual de él, su posición como apóstol de Cristo y la rectitud de su causa (después de todo, Onésimo viajará más de 1.500 kilómetros sobre caminos peligrosos para entregarse al castigo o a la misericordia de su amo).

Pablo cree que podría dictar órdenes a Filemón, pero sabe que no es lo mejor. En un caso como éste, una misericordia dada de mala gana no es misericordia. Entonces Pablo dice: *Más bien intercedo en amor,* y apela a la simpatía de Filemón, llamándose *anciano y ahora también prisionero.* Pero al igual que en el v. 1, insiste en que es *prisionero de Cristo Jesús.* Está en esa condición por estar a favor del Señor Jesús y no por estar en contra del señor César.

V. 10. Aquí el Apóstol llega al grano y llama a Onésimo: *mi hijo, a quien he engendrado.* Onésimo es hijo espiritual, ganado mientras Pablo ha estado *en mis prisiones.* Los rabinos judíos enseñaban que es importante el papel del que enseña a otro la Ley de Dios, casi igual al papel de ser padre.

2 El inútil se vuelve "Onésimo", Filemón 11, 12.

V. 11. El improductivo llega a ser productivo, porque "si alguno está en Cristo, nueva criatura es" (2 Cor. 5:17). Ahora puede ser realmente *Onésimo,* o útil, y merecer el nombre. Recuerde que Onésimo significa "útil".

V. 12. No sabemos si le costó al Apóstol convencer a Onésimo de que debía regresar al lado de su amo, pero el esclavo estuvo de acuerdo, por difícil que pudiera resultar. No siempre es fácil hacer aquello que un cristiano debe hacer. Así Pablo dice: *Te lo vuelvo a enviar, a él.* Y añade que es como enviar su *propio corazón,* tan interesado está en el bienestar del nuevo creyente.

3 De esclavo a hermano, Filemón 13-16.

Vv. 13, 14. Pablo ya ha experimentado que Onésimo es útil. Puesto que el Apóstol no tenía libertad de movimiento, Onésimo coopera con él haciendo algunas diligencias. Timoteo y otros solían estar con él, pero viajaban constantemente y no siempre estaban disponibles para atender al encarcelado. Pablo sugiere que Filemón estaría dispuesto a hacer tales favores si estuviera allí, pues la obra es *por el evangelio.* Pero Filemón no está cerca. El Apóstol no quiere imponer tal servicio a un esclavo de Filemón sin el pleno acuerdo de éste libremente expresado, no *por obligación, sino de buena voluntad.* La cooperación de Filemón debe nacer de él y no porque no puede buenamente hacer otra cosa.

Vv. 15, 16. Con delicadeza Pablo sugiere que la huida del esclavo tendría un propósito, desconocido por el amo y ni pensado por el fugitivo, pero conocido por Dios. Y no dice "huyó" sino *se apartó,* un término más suave; y contrasta *por un tiempo* con *para siempre.* ¿Para siempre? Sí, porque se extiende hasta la eternidad, pero no meramente *como esclavo* sino *como hermano amado.* Pues todos los hijos de Dios son hermanos, sin importar su situación social o económica, su nacionalidad o su raza. El convertirse a Cristo es un gran nivelador religioso y social. El esclavo llegó a ser hermano espiritual para Pablo, pero para Filemón la hermandad también incluye la relación amo-esclavo. Todavía Onésimo es esclavo, pero el parentesco espiritual cambia.

4 De deudas a deudas, Filemón 17-20.

V. 17. *Así que* aquí significa "Tomando en cuenta lo antes dicho. *Si me tienes por compañero;* en Lucas 5:10 la misma voz en griego se traduce "socio". A diferencia de los negocios de esos pescadores, la relación entre Filemón y Pablo es netamente espiritual; de esa manera Filemón recibirá a Onésimo.

Vv. 18, 19. Otra vez con delicadeza menciona el daño que Onésimo le ha causado a Filemón, sea en valores robados o en servicio no cumplido; y ofrece pagarlo. No sabemos con qué recursos cuenta Pablo, pero tal vez con dinero que algunas iglesias (como los filipenses) le enviaban. Pero realmente Pablo no cree que Filemón vaya a cobrar, en parte porque el Apóstol ha sido el instrumento de su salvación personal.

V. 20. La voz *beneficio* en griego se relaciona con el término *Onésimo,* haciendo una clase de juego de palabras: "Que yo tenga utilidad de ti" en el Señor. Y al saber que Filemón ha recibido a Onésimo con benevolencia, bien podrá Pablo decir: Has confortado *mi corazón.* La voz aquí traducida "confortar" en Mateo 11:28 es "hacer descansar".

————————————Aplicaciones del estudio ————————————

1. Pablo intercede por Onésimo, ofreciendo pagar su deuda (vv. 9, 18). Así Cristo intercede por nosotros, pagando nuestros pecados.

2. Aun bajo circunstancias difíciles se puede hacer obra de evangelización (v. 10).

3. Pablo no queda satisfecho con ganar un alma; quiere que crezca y que haga lo bueno, y le ayuda a lograrlo (v. 10).

4. Por la transformación en Cristo un inútil llega a ser útil (v. 11).

5. Los hijos de Dios son hermanos entre sí (v. 16). La nueva relación supera cualquier frontera.

—————— Ayuda homilética ——————

La diplomacia es práctica de sabios
Filemón 1-25

Introducción: Por norma general, no es necesario ni conveniente ser duros en el trato con otras personas. La confrontación directa es un último recurso. Aquí es admirable la delicadeza con que Pablo trata con Filemón el caso de Onésimo.

   I. Toma en cuenta a toda la familia y a la iglesia, pues todos ejercen influencia (v. 1).

  II. Habla positivamente de las cualidades de Filemón (vv. 4-7). Por lo general la gente responde mejor así.

 III. Con suavidad dice lo que no va a decir en el sentido de "mis derechos" (v. 8). Sugiere y luego rechaza una idea.

  IV. Despierta compasión hacia sí mismo indicando fragilidad y dedicación: anciano, prisionero (v. 9).

   V. Se identifica con una persona a quien ha ganado para el Señor. Quiere proteger al nuevo creyente.

  VI. Expresa que el servicio personal de Onésimo es el que daría buenamente Filemón, si estuviera cerca (v. 13).

 VII. Es respetuoso y deferente hacia la dignidad y los derechos ajenos (v. 14). No quiere obligar al amo.

VIII. Trata de poner una luz positiva a una situación que, de otra manera, es negativa (v. 15). Quizás convenga.

  IX. No reprende a Filemón por tener esclavos, sino que apunta una nueva relación fraternal (vv. 16, 21).

   X. Da un ejemplo del sacrificio por un mal ajeno que nos recuerda lo que Cristo hizo en la cruz (vv. 18-20).

Conclusión: Es posible ser tan diplomático que no se logre nada. Pero me temo que la obra del Señor sufre más por falta de diplomacia que por un exceso de ella.

Lecturas bíblicas para el siguiente estudio

Lunes: 2 Reyes 1:1-8   **Jueves:** 2 Reyes 2:13-18
Martes: 2 Reyes 1:9-18   **Viernes:** 2 Reyes 2:19-25
Miércoles: 2 Reyes 2:1-12   **Sábado:** 2 Reyes 3:1-27

AGENDA DE CLASE

Antes de la clase
1. Lea la epístola de Pablo a Filemón. **2.** Al estudiar el material en este libro y en el del alumno reflexione en las relaciones entre Filemón y Onésimo antes de la conversión de éste, entre Pablo y Onésimo, entre Pablo y Filemón. Imagine cómo hubiera reaccionado usted a la carta si hubiera sido Filemón. **3.** Escriba *PERDONAR* en una franja de cartulina y en otra: *Onésimo = Util.* **4.** Antes de la clase, coloque las sillas del aula formando un círculo. **5.** Complete las actividades al principio del *Estudio del texto básico* en el libro del alumno.

Comprobación de respuestas
JOVENES: **1.** "Intercedo en amor", "mi hijo Onésimo", "es mi propio corazón". **2.** Como a un hermano amado. **3.** Ofrece pagar la deuda de Onésimo. ADULTOS: **1.** Filemón - Era dueño legítimo de Onésimo. Onésimo - Era un esclavo. Pablo - Llevó a Onésimo al Señor. **2.** (a) V. 9. (b) V. 10. (c) V. 17.

Ya en la clase
DESPIERTE EL INTERES
1. Estando los alumnos sentados formando un círculo, dé a un alumno papel y lápiz. Indíquele que escriba empezando bien arriba, y en dos o tres palabras, lo que le parece es lo más difícil en la vida cristiana y luego pase el papel y lápiz al alumno a su derecha para que haga lo mismo y así sucesivamente hasta completar el círculo. **2.** Lea lo que escribieron y destaque los que sugieren que perdonar es lo más difícil. Si nadie lo incluyó, muestre la franja donde escribió *PERDONAR* y sugiera que esto está entre lo más difícil. Pregunte: ¿En qué circunstancias es más difícil perdonar? (Traición, agravio, etc.). Mencione que en este estudio enfocaremos una carta de recomendación en que Pablo pide a alguien que perdone un agravio.

ESTUDIO PANORAMICO DEL CONTEXTO
1. Explique la práctica de tener esclavos en la antigüedad. **2.** Invite a los alumnos a abrir sus Biblias en la carta a Filemón y diga que es como un "punto y final" a todas las cartas de Pablo, una pequeña obra de arte que escribió de su puño y letra en su ancianidad y la única carta personal escrita por Pablo incluida en la Biblia. **3.** Dé los antecedentes de quiénes eran Filemón y Onésimo y lo que había pasado entre ellos. Destaque que cuando sucedió el incidente que hizo que Onésimo huyera, éste no era creyente pero Filemón sí lo era. **4.** Como la carta es tan breve, sugerimos que la lean en voz alta en su totalidad antes de estudiar el texto básico. Pueden hacerlo un versículo por alumno en el círculo hasta terminar.

ESTUDIO DEL TEXTO BASICO

1. Intercesión en amor. Llame la atención a los vv. 8-10 y pida que digan: (1) en qué situación se encontraba Pablo, (2) el motivo de su carta, (3) qué llama a Onésimo, el esclavo, (4) qué maravilla había sucedido en la vida de Onésimo.

2. El inútil se vuelve "Onésimo". Muestre la franja donde escribió *Onésimo = Util.* Vea si los alumnos que se prepararon para el estudio pueden decir qué significa. En caso contrario, pídales que busquen en sus libros qué tiene que ver una palabra con la otra. Destaque el juego de palabras que hace Pablo en que el que antes no era "onésimo" (útil) ahora sí lo es, no sólo para su amo sino que lo era también para el apóstol. Observen los vv. 11 y 12 para notar el juego de palabras. Luego diga que antes llamó a Onésimo "hijo" y que vean cómo lo llama en el v. 12 (el que es de mi propio corazón). Pregunte cómo calificarían la recomendación que Pablo hace de Onésimo.

3. De esclavo a hermano. Pida a los alumnos que noten en el v. 13 lo que hubiera querido Pablo y, en el v. 14, por qué no hizo lo que quería. Comente que antes vieron la actitud de Pablo hacia Onésimo y ahora pueden ver su actitud hacia Filemón. Pregunte cuál es (de respeto y consideración). Comente que con respeto y consideración, Pablo en los vv. 15 y 16 pasa de la recomendación de Onésimo al pedido que tiene que hacerle a Filemón. Vean y digan cuál es. ¿Qué implica el que lo reciba como un hermano en lugar de un esclavo? (Podría ser: darle su libertad, tratarlo con cariño fraternal, etc.).

4. De deudas a deudas. Diga que el pedido en los vv. 15 y 16 era en consideración de Onésimo y que se fijen ahora en los vv. 17-20 en consideración de quién le pide que reciba y perdone a Onésimo (de Pablo). Y, por su parte, ¿qué se compromete a hacer Pablo en caso de que Filemón exigiera el pago de la deuda que Onésimo tiene con él? Según Pablo, esto no le sería gravoso sino beneficioso. Lean el v. 20 en silencio y deduzcan el beneficio (para Pablo sería un gran consuelo saber que todo había terminado bien entre Filemón y Onésimo).

APLICACIONES DEL ESTUDIO

Trate el relato como un estudio de caso. Estimule a los alumnos a explorar las distintas posibilidades diciendo "En el caso de Filemón yo hubiera..." y que completen la oración pensando en distintas alternativas.

PRUEBA

1. JOVENES: Hagan individualmente la actividad bajo el inciso 1 en sus libros. Hagan de la misma manera lo que pide el inciso 2. ADULTOS: Guíe a cada alumno a pensar en alguna persona por la cual podrían interceder porque "está mal" con otra. Dialoguen sobre lo que uno puede hacer para crear buena voluntad entre dos personas.

Escriba antes del número de cada estudio, la fecha en que lo usará.

2 REYES, MIQUEAS
Una introducción

2 Reyes

Este libro es una continuación de 1 Reyes. En realidad, 1 y 2 de Reyes formaban un solo libro en hebreo. Entre ambos libros tenemos una narración continuada de la monarquía hebrea desde el tiempo cuando David logró establecer un reino rico y extenso, hasta la declinación del mismo. Cuatrocientos años de historia en menos de cincuenta mil palabras significa una drástica reducción de los detalles que rodearon a los acontecimientos.

Escritor y fuentes. La tradición asigna la paternidad literaria de los libros de los Reyes a Jeremías. Algunas alusiones sugieren que los libros asumieron su forma final al principio del exilio, pero no hay verdadera certeza acerca del escritor, lugar y tiempo de su origen.

Respecto a las fuentes, se incluyen: "el libro de los hechos de Salomón" (1 Rey. 11:41), "el libro de las crónicas de los reyes de Israel" (1 Rey. 14:19; 2 Rey. 15:31), "el libro de las crónicas de los reyes de Judá" (1 Rey. 14:29).

Contenido y mensaje. El interés del escritor, quienquiera que haya sido, no es solamente escribir la historia, sino transmitir un mensaje que resulta de esa historia. Dios espera que la nación cumpla las leyes mosaicas a fin de obtener bendiciones. De lo contrario habrá severos castigos por quebrantarlas. Dado que el rey representa la nación, el libro usa el método de narrar las historias de los reyes. Dichas historias se apegan a un modelo que con relativa facilidad ubicamos: (1) Identificación del rey, (2) mención de su edad, (3) el nombre de la madre, (4) duración de su reinado, (5) un análisis de su reinado, con su respectivo juicio positivo o negativo.

De todos los reyes mencionados en este libro, sólo Ezequías y Josías son aprobados sin reservas. En medio de la corrupción y la rebeldía, surge el tema del remanente de Dios, un pequeño grupo de fieles, por medio de los cuales el Señor llevará adelante su plan de salvación a los perdidos.

Miqueas

El profeta. Miqueas, cuyo nombre significa: "¿Quién es como Jehovah?", fue un hombre de campo abrumado por los pecados de las grandes ciudades. Simpatizó con los desposeídos a riesgo su seguridad física. Su hogar estaba en Moreset, una aldea a unos 30 kms. de Jerusalén. Miqueas profetizó durante los reinados de Jotam, Acaz y Ezequías, aproximadamente una década antes de la caída de Samaria. Oseas, Isaías y Amós fueron profetas contemporáneos de Miqueas.

El libro y su mensaje. Su material es moral y religioso, más que político o sociológico. Condena los pecados de los judíos de ambos reinos, el del norte y el del sur. Tuvo un vislumbre del futuro que trajo esperanza para el pueblo de Dios, a través de su concepción del Mesías (5:2).

La tierra del pueblo de Dios en el tiempo de los reyes

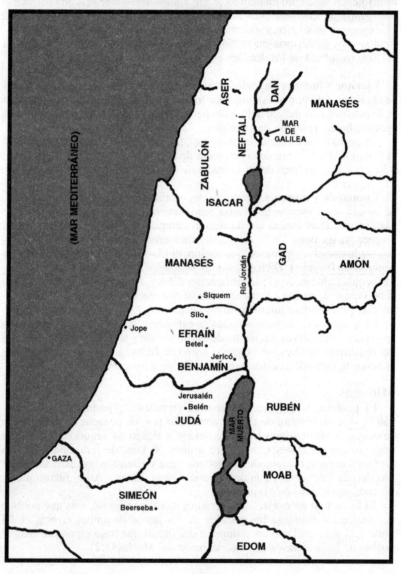

Cronología del reino dividido

Reyes de Israel

Nombre	Periodo	Años que reinó	Calificación
Jeroboam	933-911	22	Malo
Nadab	911-910	2	Malo
Baasa	910-887	24	Malo
Ela	887-886	2	Malo
Zimri	886	7 días	Malo
Omri	886-875	12	Malísimo
Acab	875-854	22	Lo peor
Ocozías	855-854	2	Malo
Joram	854-843	12	Malo en general
Jehú	843-816	28	Malo en general
Joacaz	820-804	17	Malo
Joás	806-790	16	Malo
Jeroboam II	790-749	41	Malo
Zacarías	748	6 meses	Malo
Salum	748	1 mes	Malo
Manahem	748-738	10	Malo
Pekaía	738-736	20	Malo
Peka	748-730	20	Malo
Oseas	730-721	9	Malo

Reyes de Judá

Nombre	Periodo	Años que reinó	Calificación
Roboam	933-916	17	Malo en general
Abías	915-913	3	Malo en general
Asa	912-872	41	Bueno
Josafat	874-850	25	Bueno
Joram	850-843	8	Malo
Ocozías	843	1	Malo
Atalía	843-863	7	Diabólica
Joás	843-803	40	Bueno en general
Amasías	803-775	29	Bueno en general
Uzías	784-735	52	Bueno
Jotam	749-734	16	Bueno
Acaz	741-726	16	Malvado
Ezequías	726-697	29	Lo mejor
Manasés	697-642	55	Lo peor
Amón	641-640	2	Lo peor
Josías	639-608	31	Lo mejor
Joacaz	608	3 meses	Malo
Joacim	608-597	11	Malvado
Joaquín	597	3 meses	Malo
Sedequías	597-586	11	Malo

Dios provee líderes espirituales

Contexto: 2 Reyes 1:1 a 3:27

Texto básico: 2 Reyes 1:15-17; 2:9-18; 3:4-12, 17-19

Versículo clave: 2 Reyes 3:11

Verdad central: Las circunstancias en las cuales Eliseo llegó a ser profeta del Señor nos enseñan que Dios es quien provee a los dirigentes espirituales para su pueblo.

Metas de enseñanza-aprendizaje: Que el alumno demuestre su: (1) conocimiento de las circunstancias en las cuales Eliseo llegó a ser profeta, (2) actitud de aprecio por los dirigentes espirituales que Dios le ha dado.

─────────── **Estudio panorámico del contexto** ───────────

A. Fondo histórico:

Los libros que conocemos como 1 y 2 Reyes, originalmente eran un solo libro. Su división se debe a los traductores griegos del Antiguo Testamento (La Septuaginta). Esta división se basa en la cantidad de material que podía ponerse en un rollo. La unidad de la obra se ve por la continuación de los relatos de Elías en el primer capítulo de 2 Reyes. La primera Biblia hebrea que divide estos libros es la Biblia Rabínica de Bomberg (1516).

Escritor y propósito: La tradición judía atribuye la paternidad literaria de 1 y 2 Reyes a Jeremías, pero en realidad el escritor es desconocido. En 2 Reyes se interpreta la historia de Israel para que el pueblo de Dios reflexione y revalúe su relación con Dios.

Biografía de Eliseo: Eliseo era agricultor en Abel-mejola cuando Elías lo ungió como profeta. El joven dejó a su acaudalada familia para servir a Dios al lado de Elías (1 Rey. 19:19-21). Ayudó a viudas (4:1-7) y labradores (6:1-7); también a personas de prestigio (4:8-37; 5:1-19). Ejerció influencia en la política de Siria (8:7-15) y la de Israel (9:1-10). Siempre se interesó por el bienestar del pueblo de Dios, aun hasta su muerte (13:14-20).

B. Enfasis:

Elías y Ocozías, 1:1-18. Ocozías, mandó consultar a Baal-zebub para saber si se iba a recuperar de una caída que sufrió. Jehovah le respondió por medio de Elías, quien le predijo su muerte (vv. 2-8).

Elías y Eliseo, 2:1-18. Al principio, Eliseo no quiso admitir que Dios iba a llevar a Elías al cielo: "Sí, yo lo sé. Callad" (vv. 3 y 5). No obstante, demostró su fidelidad y lealtad en seguir con Elías hasta el fin (v. 15).

Confirmaciones de la legitimidad del ministerio de Eliseo, 2:19-25. Estos dos relatos prueban que Eliseo es un profeta igual que Elías. Sus palabras y hechos son fuente de bendición para los que creen, pero de condenación para los incrédulos.

La predicción de Eliseo, 3:1-19. Mesa, rey de Moab, aprovechó la muerte de Acab como su oportunidad para librarse del poder de Israel. El rey Joram llamó a Edom y Judá para ir contra Mesa en Moab. Cuando estos ejércitos sufrían en el desierto, Joram no dudó del poder de Jehovah, pero sí de su bondad (v. 10). Josafat, rey de Judá, buscó la voluntad de Dios y afirmó que Eliseo la conocía (vv. 11, 12). Por aprecio de Josafat, Eliseo anunció la victoria para Israel.

Los moabitas son derrotados, 3:20-27. Conforme a la palabra de Eliseo, Jehovah mandó agua al desierto. Los moabitas creyeron que era la sangre de sus enemigos, y cuando con descuido fueron para conseguir el botín cayeron en la trampa. La derrota fue completa (vv. 24-26).

————————————— **Estudio del texto básico** —————————————

1 Elías anuncia y confirma el final de Ocozías, 2 Reyes 1:15-17.

V. 15. Elías escuchó la palabra de Dios que el ángel de Jehovah le reveló. El ángel le ordenó: "Levántate, sube... y diles", y Elías obedeció. Los jefes de los soldados también le dieron órdenes: "¡Desciende!" (v. 9) "¡Desciende pronto!" (v. 11), pero Elías no obedeció la palabra del rey. ¡Desciende! le dijo el ángel, y Elías descendió sin temor. Así obedeció al único que sabía dirigir su vida y ministerio como profeta de Dios (vv. 13, 14).

V. 16. Se repite por tercera y última vez la frase que señala el punto dominante del pasaje: *¿acaso no hay Dios en Israel para consultar su palabra?* Ocozías no confiaba en Jehovah. Consultó a Baal-zebub. Quien es fiel a Dios no buscará la dirección de un dios falso. Ocozías recibió la sentencia de muerte por su infidelidad. El profeta mostró que decir: "el rey ha dicho" (vv. 9, 11) nunca es más importante que decir: *Así ha dicho Jehovah.* En su último acto profético, Elías demostró valor y dedicación total a Dios.

V. 17. *Ocozías murió, conforme a la palabra de Jehovah.* Se cumplió la palabra de Dios tal como *Elías había hablado.* Dios utilizó a Elías para comunicar el mensaje divino y así hoy busca a dirigentes fieles y obedientes a él para usarlos en su servicio.

2 Eliseo sucede a Elías como profeta de Dios, 2 Reyes 2:9-18.

V. 9. Dios escogió a Eliseo para suceder a Elías como profeta (1 Rey. 19:16). Eliseo probó su lealtad a Elías al seguirle en el viaje de Gilgal al Jordán. Ir a Betel y luego a Jericó antes de ir al Jordán podría parecer que estaban caminando demasiado, pero Eliseo le dijo: "No te dejaré" (2:2). Al otro lado del río Elías le dio a Eliseo la oportunidad a pedir algo *antes de* ser *arrebatado* *de* tu *lado.* Eliseo pidió *una doble porción* del *espíritu* de Elías. No era pedir más espíritu que el que tenía Elías. Elías era como un padre para Eliseo, otro de los "hijos de los profetas". Según Deuteronomio 21:17, el hijo mayor recibía una porción doble de la herencia. Si había tres hijos, el mayor recibía la mitad de la herencia y los otros recibían un cuarto cada uno. Eliseo quería ser el sucesor legítimo de Elías, "el hijo mayor", el que recibiera más de su padre que los demás hijos. Para Eliseo la fuente del *espíritu* de Elías era Jehovah. No era una cualidad personal de Elías, sino que se refiere a su relación especial con Dios.

V. 10. Esa temeraria petición era *algo difícil,* algo que Elías mismo no podía darle. No obstante, Dios le daría a Eliseo una señal para saber si le concedería su petición: ver a Elías cuando fuera *arrebatado.*

V. 11. Elías fue trasladado al cielo mediante un *torbellino. Un carro de fuego con caballos de fuego* separaron a Eliseo de su maestro, ¡pero lo vio! Su petición le fue concedida.

V. 12. La exclamación de Eliseo: *¡Carro de Israel, y sus jinetes!* probablemente significa que Elías tenía más importancia para Israel que todo su poderío militar. Eliseo mostró su afecto por Elías tanto con sus palabras, *¡Padre mío, padre mío!,* como con sus acciones de pesar: *agarrando sus ropas, las rasgó en dos partes.*

Vv. 13, 14. Eliseo recogió *el manto de Elías* que se le cayó cuando fue arrebatado al cielo. Estaba *a la orilla del Jordán,* y al igual que Elías, Eliseo tomó el manto y *golpeó las aguas* para apartarlas. Su grito: *¿Dónde está Jehovah, el Dios de Elías?* no expresa duda, sino que afirma la presencia de Jehovah. Es una pregunta retórica que demanda una respuesta lógica: "¡Está aquí!" Esta declaración opone directamente a Eliseo contra Jezabel porque el nombre de la reina madre significa: "¿Dónde está Baal?"

V. 15. *Los hijos de los profetas,* un grupo de "discípulos", miembros de la comunidad de profetas, fueron testigos del cambio operado en Eliseo. Vieron que Eliseo tenía el manto, símbolo del oficio profético, vieron cómo cruzó el río, y *se postraron ante él* reconociendo en su persona al nuevo líder que Dios proveyó para su pueblo.

Vv. 16-18. Estos versículos describen la búsqueda inútil de Elías por parte de *los hijos de los profetas.* Eliseo mismo no participó en esa inútil tarea y al principio les dijo que no deberían buscarlo. Por su insistencia, les permitió que fueran a buscarlo a sabiendas que había sido arrebatado. Quizás pensó que era mejor que descubrieran la verdad por ellos mismos. No obstante, a fin del pasaje, Eliseo los censuró: *¿No os dije que no fueseis?* Asumió así su función de nuevo líder profético.

3 Eliseo predice la victoria de Israel sobre Moab, 2 Reyes 3:4-12, 17-19.

Vv. 4, 5. Moab, como Edom, era un vasallo de Israel. En este relato se muestra cómo la muerte del rey de un imperio ocasionó la rebelión de los vasallos, quienes se aprovecharon de la confusión y debilidad en la administración del imperio que los dominaba para levantarse en armas. El rey Mesa, de Moab, negó el tributo a Joram después de la muerte de Acab, rey de Israel, queriendo poner fin a su sumisión total a Israel que le imponía una gran carga tributaria.

Vv. 6-8. Joram, rey de Israel, salió de Samaria para enfrentar la rebelión de Mesa en Moab. Alistó el ejército de Israel e invitó al rey de Judá a ser su aliado. Marcharon por Edom para que también ese vasallo de Israel se uniera a ellos en la lucha.

Vv. 9, 10. Por una semana los ejércitos pasaron hacia el desierto por el camino que seguía el *wadi Zered* (un *wadi* es un río seco). A los hombres y a los animales, *les faltó agua.* Al sufrir estas privaciones, Joram, rey de Israel, atribuyó a Jehovah un propósito malo: *¡Ay! ¡Jehovah ha traído a estos tres reyes para entregarlos en mano de los moabitas!* Joram repite esta misma acusación a Dios delante de Eliseo (v. 13).

Vv. 11, 12. La actitud de Josafat, rey de Judá, presenta un contraste muy marcado entre él y Joram. Josafat no imputó a Jehovah motivos malignos, sino que buscó a un profeta para conocer la voluntad de Dios. Cuando le recomendaron a Eliseo, el rey reconoció que este ayudante de Elías (v. 11) era un profeta verdadero: *La palabra de Jehovah está con él.*

Vv. 17, 18. Eliseo pudo anunciarles la palabra de Jehovah afirmando: "Así ha dicho Jehovah", revelando así que él servía exclusivamente a Dios (el v. 14 literalmente dice: "ante quien me pongo de pie" que es una expresión de la corte real: Eliseo tiene un solo rey, Jehovah). Dios dará a los ejércitos y a los animales el agua que necesitan. Sin *viento ni lluvia* Dios proveerá para satisfacer la necesidad básica de su pueblo (v. 17) y, a la vez, cumplirá su propósito salvador en la misma acción (v. 18). El agua que vendrá milagrosamente será para los ejércitos el instrumento de la liberación, tanto de su sed como de los enemigos.

V. 19. Este versículo anuncia la subyugación total de Moab. Sin embargo, el versículo 27 nos informa que aunque la derrota de Moab fue completa, la victoria de Israel quedó incompleta. Joram fue un rey que no sirvió a Jehovah (v. 2) y a quien Eliseo no estimó (v. 14). Tal vez por eso había una gran ira contra Israel, quienes no pudieron recibir la victoria completa porque no servían a Jehovah.

──────────── **Aplicaciones del estudio** ────────────

1. Dios usa personas para llevar su mensaje. Siempre habrá la necesidad de dirigentes espirituales. Nuestro estudio habla de personas que comunicaron la palabra de Dios a los hombres: Elías y Eliseo son un ejemplo.

2. El mensaje de los profeta de Dios es fuente de bendición para los que creen, pero de desastre para los incrédulos. El dirigente espiritual puede ayudar en las situaciones comunes de la vida (2:19-22) o en momentos de crisis nacional (3:11). Sin embargo, hay miles de personas que no creen en ese mensaje y desprecian la participación de los profetas de Dios. Despreciar el mensajero de Dios o su palabra es despreciar a Dios mismo.

3. El verdadero dirigente espiritual escucha solamente la palabra de Dios como su guía. Ocozías debería haber sido el líder espiritual de su pueblo, pero consultó a Baal-zebub y murió. Elías respondió sólo al ángel. Mostró con su acción que es mejor obedecer a Dios antes que a los hombres. **4. El dirigente espiritual depende de una relación personal con Dios.** El "espíritu de Elías" no fue algo que el profeta pudiera dar o enseñar a Eliseo, procedía de una relación especial con Dios (2:9, 10). La vida de un dirigente espiritual da evidencia de esta relación que otros notan (2:15).

─────────────── **Ayuda homilética** ───────────────

Cambiado para siempre
2 Reyes 2:1-18

Introducción: Cuando alguien le preguntó a un hombre: —¿Hiciste algunas resoluciones para el nuevo año?, contestó: —No, quiero que el año nuevo sea igual que el viejo. —¿De veras? —Sí, sé que el año pasado fue malo, pero, por lo menos, ya es conocido. ¡Odio los cambios! Cada vez la vida es más complicada. Siempre que hay cambios parece que las cosas van de mal en peor. Desde ahora, digo, ¡no más cambios! Este hombre expresó un sentimiento que es muy conocido de todos.

I. Los cambios en la vida provocan resistencia.
    A. Eliseo había dejado todo para desarrollar un ministerio al lado de Elías.
    B. Servía feliz a Elías, pero no quería admitir que todo iba a cambiar.
    C. Aun cuando sea la voluntad de Dios, los cambios pueden ser difíciles en la vida personal, la familia o la iglesia.
II. Los cambios ofrecen una oportunidad para probarnos.
    A. La crisis permitió a Eliseo probar su lealtad.
    B. Demostró su compañerismo en no dejar a un líder amado.
    C. Reveló su visión (que incluye tanto el discernimiento espiritual como la vista) al ver a Elías al ser arrebatado de esta tierra.
III. Los cambios proveen nuevas ocasiones para servir a Dios.
    En el momento en que Elías se separó de la tierra, se inició una carrera de servicio para Eliseo que no hubiera realizado sin este evento.

Conclusión: Vendrán cambios en la vida, Dios hará nuevas cosas con su pueblo, ¿lo aceptaremos? ¿Los probaremos? ¿Estamos listos a servir?

Lecturas bíblicas para el siguiente estudio

Lunes: 2 Reyes 4:1-7   **Jueves:** 2 Reyes 4:38-44
Martes: 2 Reyes 4:8-8-17   **Viernes:** 2 Reyes 5:1-19
Miércoles: 2 Reyes 4:18-37   **Sábado:** 2 Reyes 5:20 a 6:7

AGENDA DE CLASE

Antes de la clase
1. Pida a un alumno que se prepare para dar un resumen de 2 Reyes 1:1-14.
2. En una cartulina grande escriba los titulares del cuadro y deje el resto en blanco para ir llenándolo en clase al estudiar 2 Reyes. **3.** Consiga un mapa grande de Palestina en el tiempo de los profetas. **4.** Ubique Gilgal, Betel, Jericó, Jordán, Edom, Moab, Ecrón. **5.** Prepare un cartel con el título del estudio y el bosquejo del *Estudio del texto básico:*
DIOS PROVEE LIDERES ESPIRITUALES
Elías anuncia y confirma el final de Ocozías, 2 Reyes 1:15-17.
Eliseo sucede a Elías como profeta de Dios, 2:9-18.
Eliseo predice la victoria de Israel sobre Moab, 3:4-12, 17-19.
6. Responda a las preguntas en el libro del alumno al principio del *Estudio del texto básico.*

Comprobación de respuestas
JOVENES: **1.** Ocozías, Baal-zebub, Ecrón. **2.** V, F, F, F, V, F, V. **3.** Una doble porción de su espíritu. **4.** La palabra de Jehovah está con él.
ADULTOS: **1.** a. F, b. V, c. F, d. F. **2.** Gilgal, Betel, Jericó, Jordán. **3.** Mesa, Acab, Samaria, Josafat, Edom, agua, sangre.

Ya en la clase
DESPIERTE EL INTERES
1. Pregunte: ¿Qué virtudes les parecen importantes en un líder cristiano? Vaya escribiendo las respuestas en el pizarrón u hoja grande de papel. **2.** Mencione cada virtud dando oportunidad para que los alumnos comenten por qué es importante y den un ejemplo. **3.** Diga que en este estudio enfocarán varios líderes que supuestamente eran adoradores de Jehovah unos 850 años a. de J.C., y que descubrirán faltas y virtudes que se ven hoy.

ESTUDIO PANORAMICO DEL CONTEXTO
1. Muestre en el libro del alumno el cuadro cronológico del reino dividido (pág. 172) y explíquelo brevemente dando la información sobre 1 y 2 Reyes que aparece en el comentario de este libro bajo A. *Fondo histórico.* **2.** Resuma la biografía de Elías y diga que en este estudio considerarán los últimos días de su ministerio que fue de unos 25 años, y los primeros de su sucesor, Eliseo, cuyo ministerio duró alrededor de 50 años en el reino del Norte: Israel. **3.** Pida al alumno que se preparó para relatar 2 Reyes 1:1-14 que lo haga ahora.

ESTUDIO DEL TEXTO BASICO
Coloque el bosquejo en un lugar visible.
    1. Elías anuncia y confirma el final de Ocozías. Pida a los alumnos que

mientras un voluntario lee en voz alta 2 Reyes 1:15-17 escuchen para descubrir virtudes del profeta Elías (fidelidad y obediencia a Dios, valentía para ser vocero de Dios al rey aunque las noticias que llevaba eran malas). Explique que Baal-zebub con su templo en la ciudad de Ecrón era considerado "el dios de la medicina", de allí el interés de Ocozías por consultar su oráculo. Pregunte qué ejemplo negativo estaba dando Ocozías como líder de su pueblo (lo opuesto a Elías: infidelidad y desobediencia a Dios). Destaque el cómo y el porqué de la muerte de Ocozías. Diga que enseguida verán el final terrenal de Elías y ¡qué distinto fue!

2. *Eliseo sucede a Elías como profeta de Dios.* Para mantener la hilación del relato, narre brevemente 1 Reyes 19:19-21 (cómo se conocieron Elías y Eliseo) y 2 Reyes 2:1-8, marcando en el mapa el trayecto del viaje de ambos. Lean en voz alta 2 Reyes 2:9-12 entre tres alumnos. Uno lo que dijo Elías; otro lo que dijo Eliseo y el tercero hará de relator. Pida que expliquen el pedido de Eliseo. Si es preciso, busquen en sus libros la explicación del v. 9 y que luego la digan. Pregunte: ¿Qué virtud de Eliseo demuestra? Dé oportunidad de que contesten (de todas las cosas que podía haber pedido, pidió la virtud de ser como Elías, su maestro y guía). Permita que los alumnos mismos encuentren y comenten el contraste entre la muerte de Ocozías y el arrebatamiento de Elías. ¿A dónde habrá ido uno y a dónde el otro? Que un alumno lea en voz alta 2 Reyes 2:13-18. Pida a los restantes que encuentren en el pasaje una muestra de incredulidad y una de fe segura (los 50 profetas vieron pero no creyeron, Eliseo estaba seguro de dónde estaba Elías).

3. *Eliseo predice la victoria final de Israel sobre Moab.* Presente un breve resumen de 2 Reyes 2:19 a 3:3, usando el cuadro cronológico en los libros del alumno y de maestros. Antes de que un alumno lea en voz alta 2 Reyes 3:4-12, pida que otro encuentre en el mapa: Israel, Judá, Edom y Moab. Al leer, escuchen para descubrir dos virtudes de Eliseo (v. 11, servicial; v. 12, la palabra de Jehovah estaba con él). Resuma los vv. 13-16. Lean en silencio los vv. 17-19 buscando cuál era la autoridad de la que se valía Eliseo ("Porque así ha dicho Jehovah"). Enfatice la importancia de esta virtud.

APLICACIONES DEL ESTUDIO
1. Vuelva a la lista de virtudes que escribieron en el pizarrón al principio. **2.** Vean si están todas las que descubrieron en Elías y Eliseo. **3.** Agreguen las que faltan y coméntenlas. **4.** Diga que cada joven (o adulto) cristiano es un líder para alguien. En consecuencia, los alumnos lo son. **5.** Desafíelos a desarrollar las virtudes mencionadas.

PRUEBA
1. Empiecen a elaborar el cuadro cronológico grande, escribiendo nombres y fechas de este estudio. **2.** Hagan por parejas lo que pide el libro del alumno en esta sección.

Unidad 13

Satisfacer necesidades concretas

Contexto: 2 Reyes 4:1 a 6:7
Texto básico: 2 Reyes 4:1-7, 14, 17-20, 32-36; 5:1-3, 9-15, 18, 19; 6:4-7
Versículo clave: 2 Reyes 4:7
Verdad central: La manera como Eliseo satisfizo las necesidades concretas de algunas personas nos enseña que nosotros podemos y debemos ayudar a satisfacer las necesidades de nuestro prójimo.
Metas de enseñanza-aprendizaje: Que el alumno demuestre su: (1) conocimiento de la manera cómo Eliseo satisfizo las necesidades concretas de algunas personas, (2) actitud por encontrar maneras de ayudar a alguien que tenga una necesidad material.

Estudio panorámico del contexto

A. Fondo histórico:

Títulos para Eliseo: Eliseo es llamado un "profeta de Jehovah" (3:11). El profeta era una persona llamada por Dios para anunciar su voluntad al pueblo. También interpretaba el pasado para que el pueblo respondiera a Dios en el presente. Anunciaba un futuro de juicio o esperanza que dependía de la reacción del pueblo ante la voluntad de Dios. El título "hombre de Dios" es distinto. Se usó sólo refiriéndose a Moisés, Samuel, David, Elías, Eliseo, Semaías (1 Rey. 12:22), Igdalías (Jer. 35:4), y a otros hombres desconocidos, como en 1 Reyes 13:26 y 2 Reyes 23:16. No se usó para todos los profetas ni sólo para los profetas.

"Los hijos de los profetas". Normalmente se describen como "miembros de la comunidad de los profetas". El historiador judío, Josefo, los llamó "discípulos" del profeta. La frase aparece casi exclusivamente en conexión con Eliseo. Algunos comentaristas se refieren a ellos como que fueron "seminaristas", pero también es posible que fueran laicos que apoyaban a Eliseo.

La lepra en el Antiguo Testamento: Levítico 13 describe la enfermedad de la lepra y su estigma social-cultural en Israel. Los síntomas de la lepra bíblica no indican necesariamente la lepra *Arabum* (Enfermedad de *Hansen*) como se identifica hoy. Es discutible que la lepra *Arabum* fuera conocida en los tiempos de Eliseo. El israelita leproso era declarado "impuro" y no podía participar en la adoración a Jehovah. Tenía que vivir aparte de otras personas para no contaminarlas.

B. Enfasis:

Eliseo ayuda a una viuda, 4:1-7. Uno de los hijos de los profetas murió y dejó deudas que su esposa no podía pagar. En Israel se practicaba la esclavitud como medio legal para pagar deudas (Exo. 21:7; Amós 2:6; Miq. 2:9). No había nada que Eliseo pudiera hacer legalmente contra el acreedor (v. 2). Utilizó su poder como hombre de Dios para proveer una oportunidad a una viuda pobre para que demostrara su fe y pagara su deuda.

Eliseo y una mujer de Sunem, 4:8-37. El texto hebreo describe a la mujer como "importante", "grande" (*gadolah*) que significa estimada y probablemente rica (5:1). El profeta quiso ayudarla (v. 13). Como profetizó Eliseo, ella dio a luz un hijo que algunos años más tarde murió. La mujer no descansó hasta que Eliseo mismo atendió al hijo porque ella sabía que solamente este santo hombre de Dios podía ayudar en esa situación.

Eliseo les dio de comer, 4:38-44. Los hijos de los profetas estaban con Eliseo para escuchar sus enseñanzas, y Eliseo ordenó que se preparara un guiso. Todos participaron en juntar la comida que iban a compartir. Uno de ellos no sabía qué eran las plantas que recogió, pero, por causa del hambre, las echó en la olla grande. La reacción de los otros al comer fue: "¡Hay muerte en la olla!" La pérdida del guiso en un tiempo de hambre ocasionaría una grave crisis. Eliseo usó harina para hacerlo comestible "y no hubo nada malo en la olla". En otro relato (vv. 42-44) un hombre de *Baal-salisa* trajo a Eliseo veinte panes de cebada y espigas de grano nuevo, evidentemente como una ofrenda religiosa. Eliseo le mandó que los diese a la gente que tenía hambre (compare v. 41). Cuando el criado argumentó esta orden, Eliseo la repitió con una declaración: así ha dicho Jehovah: "Comerán y sobrará." Dios puede proveer para su pueblo mediante un hombre de Dios.

Eliseo y un jefe del ejército sirio, 5:1-27. El relato de Naamán nos lleva por una serie de descubrimientos: Dos veces Naamán habla de Jehovah: como Dios de Eliseo (v. 11) y luego como su propio Dios (v. 17). Vemos un Dios que da paz a un sirio leproso, un Dios cuyo potente amor es universal.

Eliseo y un hacha, 2 Reyes 6:1-7. El hombre de Dios (v. 6) muestra una vez más que el potente amor de Dios es sin límites. Se da aquí el hecho de un hombre pobre que perdió un hacha prestada. Sin la intervención de Eliseo, ese hombre no pudiera haber pagado por una herramienta tan costosa.

──────────── **Estudio del texto básico** ────────────

1 Eliseo se interesa por la necesidad de una viuda, 2 Reyes 4:1-7.

V. 1. Una mujer anónima, *esposa de uno de los hijos de los profetas*, estaba en graves apuros, su esposo *era temeroso de Jehovah*, esta descripción pone énfasis en que aun en el reino pagano de Acab y Jezabel, este hombre permaneció fiel al Señor. Ser familia devota no es garantía de que no habrá problemas en la vida. Un acreedor iba a esclavizar a los hijos de la mujer para pagarse la deuda que dejó su esposo, esa era una práctica legal.

Vv. 2-4. Eliseo no podía impedir el proceso porque era legal, pero sí pudo hacer un milagro. Aunque no tenía *ninguna cosa en casa, excepto un frasco de aceite* (cantidad suficiente para una sola aplicación), Elías inició un milagro. Lo poco que tenemos es suficiente para que Dios lo utilice en su obra según su voluntad.

Vv. 5, 6. El poder de Dios obrando en Eliseo fue tal que el profeta no necesitó estar presente en el lugar donde ocurriría el milagro. Detrás de la puerta cerrada la mujer y los hijos obedecieron al profeta. El aceite no se acabó hasta que no hubo más vasijas.

V. 7. La viuda informó al *hombre de Dios* que le había obedecido. Eliseo la mandó a vender el aceite para pagar lo que legalmente se debía. Así lo hizo y aún les sobró dinero para que esa humilde familia viviera en paz.

2 Eliseo se interesa por las necesidades de una mujer, 2 Reyes 4:14, 17-20, 32-36.

V. 14. *Eliseo* insistió en conocer cuál era la necesidad que tenía una mujer rica que le había provisto comida y techo en repetidas ocasiones. Guejazi, siervo de Elías le informó al profeta: la sunamita *no tiene hijos*, ni la esperanza de tenerlos porque *su marido es viejo*.

V. 17. Eliseo aseguró a la mujer que tendría un hijo en el curso de un año. La sunamita no le creyó (v. 16), sin embargo, *concibió y dio a luz un hijo* al año siguiente.

Vv. 18-20. Pocos años más tarde, cuando el pequeño estaba en el campo con su padre, sufrió un ataque fulminante en la cabeza. Un criado se lo llevó *a su madre* quien lo cuidó hasta el mediodía; luego murió.

Vv. 32-36. Eliseo llegó a la casa de la sunamita y resucitó al niño. La forma como llegó el profeta a la casa es muy significativa. La mujer salió inmediatamente de la casa a buscar al hombre de Dios. Al encontrarlo le recordó que ella no le había pedido un hijo y acusó a Eliseo de engañarla porque ahora su hijo había muerto. Cuando Eliseo mandó a Guejazi, su criado, a solucionar el problema, ella no se apartó de Eliseo. Por su insistencia lo obligó a acompañarla hasta la casa. En realidad, ella es *una mujer importante* en esta historia, preparó todo para que el profeta obrara un milagro. Como resultado, recibió a su hijo vivo (v. 36).

3 Eliseo se interesa por ayudar a un jefe del ejército sirio, 2 Reyes 5:1-3, 9-15, 18, 19.

V. 1. Naamán era comandante de la fuerzas armadas de Siria, enemigo de Israel. Era *un hombre muy importante* y *guerrero valiente*. *Pero* Naamán era *leproso*. Es muy probable que esta enfermedad no fuera la lepra moderna (*lepra Arabum*), sino una infección en la piel como soriasis. En Siria no se declaraba ceremonialmente impuros a los leprosos. En ese sentido Naamán no tuvo problemas religiosos, pero sí sociales. El verbo traducido "sanar" en el versículo 3, *asaf*, significa "juntar", y alude al fin del aislamiento que se imponía en los leprosos. Aun el poderoso Naamán tuvo necesidad de ser ayudado por el hombre de Dios. La frase: *por medio de él Jehovah había librado a Siria* prefigura el tema de un reino universal que marca esta historia. ¡Es Jehovah quien había librado a Siria de la mano de Israel! él reina en todo el mundo.

Vv. 2, 3. La liberación de Naamán de su lepra comenzó con *una muchacha* cautiva de Israel quien *servía a la esposa de Naamán.* Ella le avisó del *profeta que está en Samaria.* No sabemos el nombre de esta *muchacha;* es una persona desconocida para nosotros, pero con ella se inició la restauración de una persona *importante.*

Vv. 9, 10. Naamán llegó a *la puerta de la casa de Eliseo.* La tardanza fue importante porque muestra que la influencia de los "grandes" (en este caso el rey de Israel), no siempre ayuda. Naamán llegó con mucha pompa y esperaba que Eliseo saliera a recibirlo para ayudarlo. Pero no fue así, el profeta ni siquiera se presentó personalmente, *envió un mensajero* que le dio instrucciones para que se lavase siete veces en el río Jordán a fin de ser librado de su enfermedad.

Vv. 11-13. *Naamán se enfureció* porque pensaba que el profeta no le estaba mostrando el debido respeto. Esperaba algo más suntuoso y ostentoso. *Dando la vuelta, se iba enojado.* Una vez más, los "pequeños" guiaron al *importante* hacia su liberación, los siervos convencieron a Naamán de obedecer la palabra del profeta.

V. 14. El milagro no recibe mucho énfasis. El profeta no está presente. Sencillamente, sanó al obedecer la orden dada por el hombre de Dios.

V. 15. Por segunda vez Naamán buscó al profeta. *Se detuvo delante* de Eliseo y declaró clara y abiertamente su fe en Jehovah. Ofreció a Eliseo *un presente*, no para pagar por su salud, sino para expresar su gratitud. Sin embargo, el profeta lo *rehusó.* La recompensa para un hombre de Dios vendría solamente de Dios. Con esta actitud el profeta declara que el poder de Dios no se vende.

Vv. 18, 19. El versículo 18 incluye una doble petición de Naamán. Primero pidió tierra que pudiera ser llevada por un par de mulas, para edificar un altar personal a Jehovah. Y en segundo lugar pide perdón por entrar con el rey de Siria en el templo de Rimón (otro nombre para el dios Hadad). Expresó claramente que él no iba a adorar a Rimón, su lealtad era sólo dada al rey quien adoraba a Rimón. Eliseo no condenó la superstición o idolatría, sino que vio la sinceridad de Naamán y le dijo: *"Vé en paz."* El profeta confió en que Naamán crecería en la fe que había declarado tener.

4 Eliseo se interesa por recuperar un hacha, 2 Reyes 6:4-7.

Vv. 4-7. Esta historia de Eliseo en el Jordán trata de un pobre hombre, uno de *los hijos de los profetas* quien cortaba un árbol con un hacha prestada para edificar un nuevo centro de reuniones (v. 2). *Se le cayó el hierro del hacha al agua.* Eliseo sabía qué hacer para recuperar el hacha, que sin duda sería muy costosa. En esa época, el precio de hierro era comparado con el del oro. Eliseo no usó el palo para pescar el hierro del río, ¡aunque esto en el agua lodosa del Jordán también hubiera sido un milagro! sino que *hizo flotar el hierro.*

Aplicaciones del estudio

1. Todos tenemos necesidades. Seamos pobres o ricos, hay necesidades. Ser familia devota no es garantía de que no habrá problemas en la vida (4:1).

2. Dios puede proveer para su pueblo mediante un hombre de Dios que se interesa en su prójimo. El prójimo es quien tiene necesidad en todo el mundo. La necesidad puede ser grande (el hijo muerto) o pequeña (el hacha prestada), Dios proveerá.

3. Proveer una oportunidad para que la persona se ayude a sí misma es satisfacer la necesidad del prójimo. Eliseo demandó que la viuda participara en su liberación utilizando lo que tenía. Lo poco que tenemos es suficiente para Dios, quien lo utilizará de acuerdo con su voluntad.

Ayuda homilética

Una fe creciente
2 Reyes 5:1-19

Introducción: El milagro en el río no se acentúa en esta historia. La curación misma se relata en un solo versículo. El enfoque del pasaje está en la fe creciente de Naamán.

I. Dios motiva la fe por medio de su poder.
    A. La muchacha y los siervos de Naamán tenían fe en que Dios obraría con su amo. Ellos conocían el poder de Dios.
    B. La fe de Naamán no dependía de su influencia.
II. La fe puesta en acción sana el cuerpo y el espíritu. Dios tenía un plan para Naamán.
    A. Se ocupó de su salud física.
    B. Lo condujo a Eliseo para su bienestar espiritual también (v. 8).
    C. Ya lo había cuidado (v. 1) cuando estaba en Siria.
III. La fe es el inicio de una prueba mayor del amor de Dios.
    A. Eliseo le dijo a Naamán: "Vé en paz." Vio su sinceridad y confió en que iba a crecer en la fe.
    B. Seguramente al paso del tiempo Naamán comprendió más de la gracia restauradora de Dios.

Conclusión: Cuando Dios muestra su poder, las personas son motivadas a tener fe. Es sólo el comienzo de una experiencia profunda y permanente.

Lecturas bíblicas para el siguiente estudio

Lunes: 2 Reyes 6:8-23
Martes: 2 Reyes 6:24 a 7:2
Miércoles: 2 Reyes 7:3-20

Jueves: 2 Reyes 8:1-6
Viernes: 2 Reyes 8:7-15
Sábado: 2 Reyes 8:16-29

AGENDA DE CLASE

Antes de la clase
1. Lea en su Biblia 2 Reyes 4:1 a 6:7 y todo el comentario exegético en este libro y en el del alumno. **2.** Identifique a todos los personajes que intervienen en los relatos del *Texto básico*. Localice en el mapa de Palestina en la época de los profetas: el monte Carmelo, Sunem, Siria, ríos Jordán, Abana y Farfar. **3.** Los relatos se prestan para un aprendizaje en base a actividades creativas, según las posibilidades de su grupo. Por ejemplo, podría planear organizar cuatro grupos artísticos y asignar a cada uno uno de los relatos. Podrían ser: grupo de arte literario que escribiría el relato en rima, como noticia periodística o como adivinanza, acróstico, etc; de artes plásticas que contaría el relato por medio de dibujos serios o tipo historietas, etc.; grupo de artes dramáticas que presentaría una dramatización del relato; grupo de arte musical que prepararía, con la tonada de un himno favorito, la letra que contara el relato bíblico asignado. **4.** Si decide ir por este camino, prepare los materiales que necesitarán para escribir, dibujar, actuar, cantar. **5.** Responda a las preguntas al principio de la sección *Estudio del texto básico*, en el libro del alumno, para poder estimular a los participantes a fin de que también ellos lo hagan cada semana en sus casas.

Comprobación de respuestas
JOVENES: **1.** a. esclavos, b. aceite. **2.** a. hospitalaria, b. le daba comida, le preparó una habitación para hospedarse y la amuebló. **3.** a. V, b. F, c. V, d. V, e. F.
ADULTOS: **1.** a. F, b. V, c. F, d. F. **2.** Abana, Farfar. **3.** Como debe ser "imaginación" no hay respuesta incorrecta o correcta.

Ya en la clase
DESPIERTE EL INTERES
1. Escriba en el pizarrón o en un papel grande: *¡Me sacó de apuros!* **2.** Pregunte si alguno recuerda alguna ocasión cuando alguien lo sacó de apuros. **3.** Después que dos o tres cuenten sus anécdotas, diga que ahora verán cómo Eliseo pudo sacar milagrosamente de apuros a cuatro personas que pidieron su ayuda.

ESTUDIO PANORAMICO DEL CONTEXTO
1. Mencione el pedido de Eliseo a Elías antes de que éste fuera arrebatado (2 Rey. 2:9). **2.** Usando el material en la sección *Estudio panorámico del contexto*, haga ver cómo su pedido fue atendido. **3.** Agregue que en los relatos que enseguida enfocarán verán: a) cuánto poder Dios le dio, y b) cómo Eliseo usó ese poder para ayudar práctica y concretamente a personas "en apuros", con graves problemas.

ESTUDIO DEL TEXTO BASICO

1. Si decidió formar los cuatro grupos artísticos, presente ahora la idea y organice los cuatro grupos asignándole al GRUPO 1: 2 Reyes 4:1-7. GRUPO 2: 2 Reyes 4:14, 17-20, 32-36. GRUPO 3: 2 Reyes 5:1-3, 9-15, 18, 19. GRUPO 4: 2 Reyes 6:4-7. Anímelos a leer los versículos anteriores y los de en medio para entender mejor lo que pasó.

2. Una variante podría ser: uno o dos grupos artísticos presenten uno o dos de los relatos para luego seguir el grupo entero con los demás. En cada caso y cualquiera sea el método que escoja, asegúrese de que se destaquen: (1) el personaje principal y su necesidad, (2) cómo se acercó a Eliseo con su necesidad, (3) lo que Eliseo hizo, (4) el resultado y si hubo un resultado espiritual, y cuál fue.

3. Si formó los grupos artísticos deles unos 20 minutos para prepararse para su presentación ante toda la clase. Felicite la labor realizada.

4. Pregunte luego en qué eran distintas esas personas (había ricos y pobres, mujeres y hombres). Guíe un diálogo para enfatizar que Eliseo "hacía el bien sin mirar a quién". No tenía prejuicios. Identifiquen un gran gesto de desinterés de Eliseo (rechazó los presentes de Naamán, o sea un equivalente de unos 100.000 dólares).

5. Guíe una conversación sobre cuáles habrán sido las motivaciones de Eliseo al realizar los milagros y al no recibir compensación por ellos.

6. Relate los pasajes del contexto cuando sea necesario para una mejor comprensión de lo sucedido en cada caso. Señale en el mapa los puntos geográficos que se van mencionando.

APLICACIONES DEL ESTUDIO

1. Escriba en el pizarrón: *¡YO PUEDO!* Y diga que cada uno, en el nombre del Señor, puede sacar de apuros a algún semejante, de la misma manera que alguien lo sacó a él de apuro... (haga referencia a los ejemplos dados al principio para despertar el interés). **2.** Dé uno o dos ejemplos concretos de su propio medio y estimule a cada uno a pensar en algo definido que puede hacer esta semana para ofrecer una mano amiga a alguien que necesita de él, exhibiendo las mismas características de Eliseo. **3.** Elija una de las aplicaciones que aparecen en el libro del alumno para enfatizar. Permita que sean los alumnos los que se explayen sobre el tema.

PRUEBA

1. Que cada alumno abra su libro en este estudio y complete por escrito la sección *Prueba*. **2.** En grupos de tres, comprueben si contestaron bien el inciso 1 y compartan lo que escribieron en la respuesta al inciso 2. **3.** Comprométanse a apoyarse unos a otros en cualquier decisión que hayan tomado de satisfacer en el ambiente en que se desenvuelven. **4.** Guíe en una oración pidiendo percepción para ver las necesidades y cómo pueden ellos satisfacerlas pidiendo también el poder del Señor para poder hacerlo.

La liberación de Samaria

Contexto: 2 Reyes 6:8 a 8:29
Texto básico: 2 Reyes 6:14-23, 32, 33; 7:1-7, 14-16, 19, 20
Versículo clave: 2 Reyes 6:16
Verdad central: La participación de Eliseo y el obrar poderoso de Dios para cuidar y liberar a Samaria nos enseña que Dios está a favor del bienestar social de su pueblo.

Metas de enseñanza-aprendizaje: Que el alumno demuestre su: (1) conocimiento de cómo Dios obró y usó a Eliseo frente al sitio de los sirios contra Samaria, (2) actitud de interés participar en el bienestar social de su comunidad.

Estudio panorámico del contexto

A. Fondo histórico:

Siria e Israel: Los reinos vecinos de Israel y Siria fueron rivales durante gran parte de su historia. Siria llegó a ser el imperio dominante. Su territorio era más accesible para el comercio y la comunicación, y todos los caminos al oriente del río Jordán pasaban por Damasco. Con el crecimiento del imperio asirio, Israel y Siria se hicieron aliados. Estos, entre otros, pararon el avance de Salmanasar en la batalla de Carcar en el año 853 a. de J.C. Luego Ben-hadad y Acab rompieron su tratado. Es probable que Ben-hadad creía que la amenaza de Asiria ya no existía y quería tomar el control de Israel para extender su influencia al occidente del Jordán hasta el mar.

Los carros de guerra de 2 Reyes 6:14 indican el uso que de estos carros hacían los sirios. En ese tiempo los carros de Siria e Israel tenían dos ruedas, llevaban dos hombres (el piloto y el guerrero con arco), y usaban dos caballos ligeros y veloces. Los asirios utilizaban carros más grandes que llevaban tres hombres y demandaban tres o cuatro caballos.

¿Un profeta llorón? Jeremías no fue el único profeta que lloraba. 2 Reyes 8:11 nos indica que los profetas no eran hombres que anunciaban la palabra de Dios sin emoción. Eliseo amaba a su patria y era sensible al dolor del pueblo, se conmovía por su condición social y espiritual.

B. Enfasis:

Eliseo acusado y amenazado, 6:8-23. En varias ocasiones Eliseo le advirtió al rey de Israel de una emboscada perpetrada por el rey de Siria (vv. 8-

10). El rey de Siria pensaba que había un espía en su corte y lo buscó. "Uno de sus servidores" negó las acusaciones del rey y le indicó quién era el culpable: "El profeta Eliseo, que está en Israel, le declara al rey de Israel las palabras que hablas en tu dormitorio" (es decir, las palabras más secretas del rey). El rey de Siria envió un gran ejército a Dotán para rodear la ciudad y capturar a ese hombre. Con la ayuda de Dios Eliseo los tomó cautivos, los cuidó, y los libró de la muerte con que el rey de Israel quería castigarlos. La muestra del poder y gracia de Dios mediante Eliseo trajo paz a Israel (v. 23).

Como Eliseo lo anunció así sucedió, 6:24 a 7:2. Pasaron algunos años y el rey de Siria atacó Samaria (v. 24). El asedio fue completo y duró hasta que hubo mucha hambre en Samaria. En esta situación extrema los precios de los artículos básicos subieron. El rey se sentía incapaz de hacer algo en esta situación, y culpó a Jehovah por esta crisis (v. 27). El informe de la mujer en los vv. 28, 29 fue tan horrendo que el rey se comprometió a decapitar a Eliseo.

Eliseo se dio cuenta del peligro, pero no huyó. Confrontó tanto al mensajero como al rey y proclamó que Dios iba a sacar a Israel de su miseria. Frente al cinismo del comandante (7:2) Eliseo le predijo que vería la liberación pero no la compartiría.

Final del sitio de Samaria, 7:3-20. Eliseo no tuvo acción en la liberación de Samaria. Su nombre no aparece en el pasaje y sus palabras se mencionan sólo en los últimos versículos (vv. 18-20). Es característico de los relatos de Eliseo que el milagro que anunció ocurra sin su presencia (el aceite de la viuda, 4:1-7; la curación de Naamán, 5:1-19). La obra no es suya, sino de Jehovah.

Eliseo trae bendición a la sunamita, 8:1-6. La sunamita (8-37) recibe ahora la ayuda de Eliseo ante una grande hambre en Israel. Por indicación de Eliseo la sunamita se fue a la tierra de los filisteos con toda su familia. Cuando regresó a Israel, no podía residir en su casa y no tenía su campo. El rey era el último árbitro de la justicia, y la mujer apeló su caso. En ese momento el rey estaba interrogando acerca de los grandes hechos de Eliseo, a Guejazi, quien la presentó a ella y a su hijo al rey. El rey mandó a un oficial para que se le devolviera a la mujer todo lo que le pertenecía.

Eliseo predice el reinado de Hazael, 8:7-15. El poder de Dios se extendió más allá de las fronteras de Israel.

Un rey extranjero consultó a Eliseo, un profeta de Jehovah. El v. 11 nos informa que el hombre de Dios lloró. Vio que Hazael, el enviado del rey de Siria, sería quien oprimiría a Israel.

Eliseo y los malos reinados de Joram y Ocozías, 8:16-29. Una vez más los malos reyes llevaron al pueblo de Dios al fracaso. Eran merecedores del castigo y la destrucción de parte de Dios, pero Jehovah no quiso destruir a Judá por amor a su siervo David.

La actuación del siervo de Dios fue determinante para que el pueblo volviera sus ojos a Jehovah. Es de suma importancia para una nación contar con la palabra de Dios a través de sus profetas.

1 Eliseo acaba con las incursiones sirias, 2 Reyes 6:14-23.

Vv. 14-16. El rey sirio mandó contra un solo hombre *un gran ejército.* Cuando el *criado* de Eliseo los vio tuvo miedo. Su expresión de desesperación: *¿Qué haremos?* reveló que el temor que le dominaba había cegado su visión espiritual. Sin embargo, el profeta declaró su confianza en que el poder de Dios era más grande que todos ellos. Eliseo fue uno de esos hombres de Dios "que por la fe y la paciencia heredan las promesas" (Heb. 6:12). **Vv. 17-21.** Eliseo tuvo dos peticiones. 1) Quería que su criado conociera las grandes posibilidades del poder divino: Vio un ejército celestial con *carros de fuego* que podía destruir a los sirios. 2) Quería que Dios castigara a los sirios *con ceguera,* no con muerte. Así los guió a Samaria. La expresión *he aquí,* señala el elemento sorpresivo e inesperado para los sirios. Los que habían venido a "capturar" al profeta de Dios están ahora cautivos y expuestos a la muerte en manos del rey de Israel.

Vv. 22, 23. Israel *les hizo un gran banquete,* y los mandó al rey sirio. El profeta mostró amor hacia su enemigo, y el resultado fue una época de paz. Los sirios tendrían que reconocer, ante tales evidencias, que no podían ni debían atacar a Israel, porque Dios estaba con su pueblo en la persona y ministerio de Eliseo.

2 Dios salvará a Samaria, 2 Reyes 6:32, 33; 7:1, 2.

V. 32. Eliseo supo de antemano que ahora "su rey" quería matarlo. El profeta de Dios fue asechado por la maldad de pueblos enemigos y de su propio pueblo, *este hijo homicida* se refiere al rey Joram, hijo del malvado rey Acab (1 Rey. 16:29-33) y de Jezabel. ¡Qué ironía que el poder del rey se pudo frustrar mediante un grupo de ancianos que cerraron *la puerta!*

V. 33. Quizás el rey Joram siguió a su mensajero y también llegó él a la casa de Eliseo, pero el rey o *uno de sus hombres* (v. 32), el que habló, atribuyó los problemas a Dios y no pudo *esperar de Jehovah* una solución.

7:1, 2. Eliseo profetizó un cambio dramático y rápido en la situación de la ciudad: en veinticuatro horas los precios bajarían y se podrían comprar los productos prioritarios. El *comandante* incrédulo preguntó si eso sería posible aun si Dios abriera *ventanas en los cielos.* Expresó así su duda e incredulidad acerca del anuncio del profeta. El encuentro terminó con un enigma: ¿cómo será que este comandante verá la liberación y no disfrutará de ella?

3 Jehovah y la liberación de Samaria, 2 Reyes 7:3-7, 14-16, 19, 20.

Vv. 3, 4. Eliseo que había profetizado el fracaso de los sirios desaparece de la narración. Aparecen *cuatro hombres leprosos:* gente humilde, desestimada y desesperada. Para sobrevivir ellos dependían de la comida que otros les daban, pero la situación era tan desesperante que tanto ellos, fuera de la ciudad, como los que vivían en la ciudad, estaban muriéndose de hambre. Analizaron tres alternativas: (1) ir a la ciudad, y morir de hambre allí; (2) quedarse fuera de la ciudad y también morir; (3) ir al campamento de los sirios y quizás vivir. Eligieron la tercera opción. Decidieron que su única oportunidad de sobrevivir era exponerse a la posibilidad de ser perdonados por los sirios.

Vv. 5-7. En medio de la oscuridad, este grupo entró al *campamento de los sirios* y descubrió *que no había nadie allí*. Se explica la ausencia de los sirios: *El Señor* les provocó pánico con el sonido de carros, caballos y la marcha de tropas. Creían que Israel había contratado *a los heteos* y *a los egipcios* para combatir contra ellos. *Los heteos* eran aliados de los sirios y *los egipcios* no eran muy poderosos en esta época, pero ellos en su espanto no pensaron más que en huir, dejando en el campamento todas sus posesiones. Un milagro había sucedido como parte del plan de Dios para proteger a su pueblo.

Vv. 14, 15. Una vez más el rey fue un obstáculo para el plan de Dios. Joram había malentendido la carta que el rey sirio había mandado con Naamán (5:7), y ahora sospechaba que había una intriga del ejército sirio. Nunca vio las situaciones como maniobras del Dios bondadoso. Mandó *mensajeros* para averiguar la posibilidad de una trampa.

V. 16. Las sospechas del rey eran falsas. El informe del grupo de hombres leprosos era correcto. En el mercado había nuevos productos y nuevos precios *conforme a la palabra de Jehová*.

Vv. 19, 20. El enigma de la escena en 7:2 recibe su resolución al final del capítulo. El rey había puesto al comandante incrédulo *a cargo de la puerta de la ciudad*. Después del asedio y el hambre, la provisión de comida demandaría que hubiera control de la multitud. En lugar de controlar a la gente, *el pueblo lo atropelló junto a la puerta, y murió*. Toda la palabra de Jehová que Eliseo había hablado se cumplió.

──────────────────── **Aplicaciones del estudio** ────────────────────

1. Los líderes deben ser sensibles al dolor del pueblo. Eliseo sabía que Dios iba a castigar a Israel por su pecado. El profeta tenía que poner ese plan de Dios en acción. Pero lo hizo con lágrimas (8:11).

2. El poder de Dios es más grande que el del enemigo. Nunca se debe desestimar el poder del enemigo, sin embargo, el poder de Dios es mayor que cualquier fuerza extraña. Hay un dicho que ya se ha hecho popular: "Dios es más grande que tus problemas."

3. Ser siervo de Dios tiene sus peligros, pero también su recompensa. Nunca ha sido tarea fácil denunciar el pecado del hombre. El que anuncia la voluntad de Dios a los hombres expone su vida al peligro, pero tiene la protección del Espíritu. El Señor no dejará sin recompensa a quienes dedican su vida a la extensión de su reino en la tierra.

4. Dios usa aun a personas incrédulas para llevar adelante su plan. En muchos casos lo hizo y lo seguirá haciendo. Vale la pena evitar la vergüenza de ser castigados por Dios por medio de personas ajenas a los caminos del

Señor. Hay que recordar que si guardamos la parte del pacto que nos corresponde no hay que temer ningún castigo.

─────────────── **Ayuda homilética** ───────────────

Nuestra actitud en el mundo
2 Reyes 6:25 a 7:1

Introducción: Hay que reconocer que muchas veces nos encontramos en situaciones difíciles en la vida. Hay personas buenas a quienes les ocurren cosas malas. ¿Qué debemos pensar de eso?

I. Hay que reconocer la realidad de la maldad en el mundo.
   A. El rey de Israel encontró un grave mal que no quería admitir porque no lo podía solucionar (vv. 25-30).
   B. Ser creyente no nos libra de las dificultades de la vida. La realidad de la maldad abarca a todo el género humano.
   C. No podemos negar o ignorar los problemas con la esperanza de que pronto pasarán.

II. Hay que reconocer la realidad de nuestras limitaciones.
   A. El rey de Israel creía que por su acción podía cambiar la situación. Reaccionó con violencia, culpó a Dios de no demostrar bondad y quiso oponerse al Señor matando a su profeta (v. 31). No reconoció el límite de su poder (v. 32), no comprendió el error de su pensamiento (v. 33a), no conocía el poder de Dios.
   B. A veces no sabemos cómo reaccionar. Por no reconocer nuestras limitaciones cometemos el error de empezar una lucha que de antemano sabemos que vamos a perder. Esto no soluciona el problema, sólo lo complica.

III. Hay que reconocer la realidad del poder de Dios.
   A. El profeta vio una realidad de lo que Dios podía hacer en una situación difícil (7:1).
   B. Si creemos en la bondad de Dios como creemos en su poder, siempre podemos esperar lo mejor de él.
   C. Pablo expresó su reconocimiento del poder de Dios en Romanos 8:31-39.

Conclusión: Frente a las dificultades de la vida la solución no consiste en culpar a Dios y abandonarse a la desesperación. Podemos esperar mucho de Dios. Sólo él puede cambiar las crisis. Lo hizo en el pasado, lo puede hacer hoy.

Lecturas bíblicas para el siguiente estudio

Lunes: 2 Reyes 9:1-14a   **Jueves:** 2 Reyes 10:1-17
Martes: 2 Reyes 9:14b-26   **Viernes:** 2 Reyes 10:18-28
Miércoles: 2 Reyes 9:27-37   **Sábado:** 2 Reyes 10:29-36

AGENDA DE CLASE

Antes de la clase
1. Lea 2 Reyes 6:8 a 8:29. Subraye todos los nombres de países y ciudades y localícelos en el mapa bíblico. Haga lo mismo con los personajes ubicando a cuál nación pertenecen. **2.** Subraye en el cuadro cronológico los reyes de Judá: Joram, Ocozías. **3.** Busque un paraguas o sombrilla para llevar a clase. **4.** Consiga un mapa actual del Medio Oriente. **5.** Procure estar atento a las noticias para ver si se menciona a Siria o Israel. Averigüe si en la actualidad Israel y Siria se consideran amigas o enemigas. **6.** Conteste las preguntas al principio del *Estudio del texto básico* en el libro del alumno.

Comprobación de respuestas
JOVENES: **1.** a) Pidió a Dios que hiciera ver a Guejazi las huestes celestiales que los rodeaban. b) Pidió a Dios que encegueciera a las bandas sirias. **2.** A Samaria. **3.** Les dio de comer y los soltó por instrucción de Eliseo. **4.** Cuatro leprosos. **5.** Que habían huido y dejado todo atrás.
ADULTOS: **1.** Porque Eliseo sabía todo lo que maquinaba el rey y prevenía a Israel. **2.** a. Te ruego, oh Jehovah, que abras sus ojos para que vea. b. Te ruego que hieras a esta gente con ceguera. **3.** 1-d, 2-c, 3-a, 4-b.

Ya en la clase
DESPIERTE EL INTERES
1. Abra el paraguas o sombrilla y póngalo sobre su cabeza, en posición normal. Explique que el paraguas o sombrilla protege de la lluvia o el sol, que la tiene del mango y por eso sabe que está protegiéndolo. No tiene que estar mirando hacia arriba para comprobarlo. Aunque no lo ve, sabe que está donde debe porque llueve y usted no se moja, o el sol pega fuerte pero usted está en la sombra. Siente bienestar a pesar de las inclemencias del tiempo. **2.** Diga que, de la misma manera, Dios nos protege y nos provee bienestar. Y que lo mismo hacía para su pueblo escogido en la antigüedad. En este estudio verán pruebas de ello.

ESTUDIO PANORAMICO DEL CONTEXTO
1. Muestre los dos mapas: el actual y el de los tiempos bíblicos. Compárelos. **2.** Mencione que las relaciones entre la Siria e Israel de ahora no son muy distintas a las de antaño. Si consiguió información al día, compártala. **3.** Muestre el cuadro cronológico y agreguen Joram y Ocozías como reyes de Judá. Noten que tienen el mismo nombre que dos reyes de Israel. ¡A no confundirse! Escriba en el pizarrón "SIRIA: Capital: Damasco. Reyes: Benhadad, Hazael". Resuma la relación de ellos con Israel y Judá.

ESTUDIO DEL TEXTO BASICO

1. Eliseo acaba con las incursiones sirias. Relate 2 Reyes 6:8-13. Que un alumno lea en voz alta los vv. 14, 15. Guíe el estudio con preguntas como: ¿Cuál fue la estrategia del rey de Siria (Ben-hadad) para capturar a Eliseo? (v. 14). Contra tanto poderío sirio, ¿qué podían hacer Eliseo y su siervo Guejazi? ¿Cuál fue la reacción de Guejazi ante esa situación desesperante? (Se asustó porque no sabía que un "paraguas" los protegía).

Que un alumno lea en voz alta los vv. 16, 17 mientras los demás descubren el "paraguas" (v. 17: las huestes celestiales enviadas por Dios para proteger a Eliseo). Lean todos el v. 16. Diga que sabiendo Eliseo que más eran los que estaban con ellos que los que estaban con sus enemigos se animó a hacer lo que relatan los vv. 17-23. Lean el pasaje y pida que digan: 2 ruegos más que Eliseo hizo a Jehovah, un ardid que llevó a cabo, una acción de misericordia y el resultado final. Comente que todo lo sucedido fue para el bienestar de toda Israel, no sólo de Eliseo.

2. Dios salvará a Samaria. Comente que pasado un tiempo los sirios volvieron a las andadas. Relate 2 Reyes 6:24-31 comentando que Joram, rey de Israel le echaba la culpa a Eliseo de todos los males porque, como Guejazi, no veía el "paraguas" que los protegía. Lea usted en voz alta 6:32, 33. Explique el pasaje usando el comentario en este libro. Diga que al leer 7:1, 2 verán qué distinta era la perspectiva de Eliseo que sí sabía que contaban con la protección de Dios. Un alumno lea dichos versículos en voz alta y explique lo que "vio" Eliseo. Comparen con los precios de 6:25 y vean en las notas al pie de la página en sus Biblias RVA las equivalencias. Noten lo que le pasaría al comandante incrédulo.

3. La liberación de Samaria. Diga que ahora la escena cambia. Explique que era la "cuarentena" que la ley mosaica imponía a los leprosos. Un alumno lea en voz alta 7:3, 4 mientras los demás encuentran las tres opciones de los leprosos y la decisión que tomaron. Otro alumno lea 7:5-7 y los demás deben encontrar: la acción de los leprosos, la sorpresa que hallaron, la razón de la misma. Guíe el diálogo enfatizando que a la misma hora que los leprosos entraron en acción, entraron en acción las huestes celestiales y espantaron al ejército sirio: Dios puso en marcha un plan maravilloso para salvar a su pueblo. Relate los vv. 8-13. Lean en silencio los vv. 14-20 para ver cómo se cumplieron las dos profecías de Eliseo.

APLICACIONES DEL ESTUDIO

1. Memoricen 2 Reyes 6:16. **2.** Desafíe a los alumnos a no olvidar que el poder de Dios está a disposición de sus hijos para su protección y bienestar.

PRUEBA

1. Individualmente contesten las preguntas en el libro del alumno bajo *Prueba*. **2.** Los que deseen, compartan con todo el grupo lo que escribieron bajo el inciso 2.

Unidad 13

Obedecer la voluntad de Dios

Contexto: 2 Reyes 9:1 a 10:36 (2 Crónicas 22:7-9)
Texto básico: 2 Reyes 9:1-3, 13, 24-26; 10:15-19, 24-30
Versículo clave: 2 Reyes 10:30
Verdad central: La actuación de Jehú como rey de Israel nos enseña que Dios demanda absoluta obediencia a su voluntad.
Metas de enseñanza-aprendizaje: Que el alumno demuestre su: (1) conocimiento de la actuación de Jehú como rey de Israel, (2) actitud de buscar y obedecer la voluntad de Dios para su vida.

─────────── **Estudio panorámico del contexto** ───────────

A. Fondo histórico:

Reinos divididos y decadentes: Los libros de 1 y 2 de Reyes presentan la división del imperio davídico como un hecho lamentable. Esto se inició como consecuencia de la soberbia de Roboam (rey de Judá) y la rebeldía de Jeroboam hijo de Nabat (Jeroboam I, rey de Israel, 1 Rey. 12). De consecuencias irreparables fue la acción de Jeroboam de alejar a Israel de Jehovah y edificar templos en Betel y Dan. Cada templo tenía una imagen de un becerro para que allí adorara la población cananea junto con los israelitas. Este pecado de Jeroboam al propiciar el sincretismo entre la adoración de Jehovah y la de Baal fue tan grande que el historiador en 1 y 2 de Reyes juzga a cada rey de Israel en relación con Jeroboam. El reino de Acab fue el tiempo definidor de la decadencia de Israel (1 Rey. 16:30-33).

B. Enfasis:

Un nuevo rey, 9:1-13. Ungir un rey mientras que hay otro en el trono es peligroso. Sin embargo, Eliseo guió a los profetas a hacerlo. La gente alrededor de Jehú respondió con gozo.

Jehú elimina a Joram rey de Israel, 9:14-26. Es nada menos que un golpe de Estado. Jehú lo preparó en secreto, y salió a enfrentar al rey. Cuando encontró a Joram en "la parcela de Nabot de Jezreel", Jehú lo mató.

Jehú elimina a Ocozías rey de Judá, 9:27-29. Ocozías estaba visitando a Joram y salió en otro carro para recibir a Jehú quien en su celo extremo, o para prevenir que escapara la noticia de su acto criminal, también mató al rey de Judá. Esto acarrearía severas consecuencias para Judá.

Jehú elimina a Jezabel, 9:30-37. Este relato muestra que las circunstancias de la muerte de Jezabel son el cumplimiento de una profecía de Elías (1

Rey. 21:23). Esta noticia aumentó la reputación de Elías, ¡no era un profeta falso! Todo esto enseña algo más importante: Dios castiga el pecado de todos. Es verdad que Acab hizo muchas cosas malas, pero Jezabel tenía su parte porque lo incitaba.

Jezabel sabía lo que Jehú haría con ella. No huyó, sino que "se pintó los ojos, ...y atavió su cabello, y se asomó a una ventana". Jezabel quería morir como reina. Jezabel no tenía poder en esta situación cuando Jehú pidió ayuda y algunos funcionarios la tiraron de la ventana y ella murió. Después, cuando iban para enterrarla, no encontraron sino partes de su cuerpo. La profecía de Elías se cumplió (1 Rey. 21:23).

Jehú elimina a los hijos de Acab, 10:1-11. El próximo paso de Jehú para asegurar el trono fue eliminar a los hijos de Acab quienes legalmente podían suceder a Joram. Ellos estaban en Samaria y era difícil atacar la ciudad aunque Jehú era el comandante del ejército. Entonces Jehú utilizó otra estrategia para matarlos. Escribió una carta desafiando a los líderes de Israel a prepararse para defender al príncipe que escogieren. Por el temor que mostraron Jehú les instó a actuar con lealtad matando a los hijos de Acab, y así lo hicieron. Los excesos del golpe militar se ven en el versículo 11.

Jehú elimina a los hermanos de Ocozías, 10:12-14. La ejecución de los 42 parientes (véase la nota en RVA) de Ocozías es otro ejemplo de la violencia excesiva de este golpe de Estado.

Jehú elimina a la familia de Acab, 10:15-17. Los recabitas eran celosos de Jehovah y de las tradiciones nomádicas de Israel. Jehú recibió el apoyo de ellos para eliminar toda influencia de Acab y de su familia. La frase "todos los de Acab" no se limita a la familia real, sino a todos los que eran leales a la familia de Acab. La violencia casi se puede calificar como fanatismo.

Jehú elimina a los profetas de Baal, 10:18-28. El pecado de Jeroboam I fue la edificación de templos en Dan y Betel con imágenes de becerros. Estos templos servían también para la adoración de Jehovah. Jehú fingió adorar a Baal para así identificar a los adoradores del dios falso y eliminarlos. Destruyó todo que se utilizaba en la adoración de Baal.

Otros hechos de Jehú, 10:29-36. Inició una reforma violenta en Israel. Era necesario eliminar el culto a Baal para que Israel volviera a actuar como el pueblo de Dios. Aunque en esto Jehú tuvo éxito, él mismo no dejó completamente el paganismo, por lo cual la violencia debilitó a la nación.

--- **Estudio del texto básico** ---

1 Jehú es ungido y proclamado rey de Israel, 2 Reyes 9:1-3, 13.

Vv. 1-3. Eliseo mandó a *uno de los hijos de los profetas* para ungir a Jehú como rey de Israel. Esta acción inició un golpe de Estado contra la dinastía de Omri, Acab y sus hijos. La frase: *el profeta Eliseo*, es característica en los relatos de Eliseo. La orden dada por Eliseo estaba avalada por la frase: *Así ha dicho Jehovah* (v. 3), lo cual mostraba que era Dios quien cambiaría la dirección de la nación de Israel. Este cambio tenía varias causas: (1) El ejército bajo Jehú estaba frustrado con el liderazgo del rey. (2) Recientemente Moab se había librado de Israel y la guerra que había iniciado con Damasco era indecisa (vv. 14, 15). (3) El pueblo estaba inconforme con la casa de Acab por sus costosas obras públicas y su exagerado gasto para mantener el lujo de la corte (1 Rey. 22:39). Sobre todo, Eliseo vio la decadencia espiritual del pueblo y en los reinos de los hijos de Acab que se agravaba por la presencia de la reina madre, Jezabel.

Era necesario un cambio, pero se corrían ciertos riesgos. Eliseo instruyó al "joven" (v. 4) para que ungiera a Jehú en secreto, aparte de sus compañeros militares y que saliera sin esperar una respuesta. Jehú también entendía la necesidad de hacer todo en secreto (v. 15).

V. 13. "¿Para qué vino a ti ese loco?" (v. 11). Cuando Jehú les informaba del principio de la conversación lo interrumpieron. Aunque despreciaron al mensajero, recibieron con gozo su mensaje. Lo afirmaron con el grito: *Jehú reina*. Con esto, ya nadie podía volverse atrás; el golpe de Estado se había iniciado.

2 Jehú elimina la mala influencia de Acab, 2 Reyes 9:24-26; 10:15-17.

Vv. 24-26. Jehú asesinó a Joram con una flecha en el corazón. Se cumplió así lo dicho a Jehú (9:7-9). Decidió arrojar el cadáver en *la parcela del campo de Nabot* para cumplir una profecía que se pronunció cuando Jehú y Bidcar servían a Acab. Esta profecía preservada en el v. 26 se presenta en la forma de voto, algo extraño para un oráculo profético. Todo parecía indicar que la oposición a Acab y su apostasía tenía una base amplia. Dar *retribución*, *shalem* es también la raíz de *paz*, *shalom*. La *paz* que buscaba Jehú no podía encontrarse en un acuerdo con "la casa de Acab". Sólo la retribución de Jehovah podía traer esa paz. Como una cirugía radical es necesaria para sanar al que está enfermo, así necesitaba quitarse de la nación la influencia del baalismo.

10:15-17. Jehú hizo una alianza con Jonadab. La frase, *hijo de Racab*, se entiende de varias maneras. Como frase literal, nos da el nombre del padre de Jonadab, de quien no sabemos nada. La frase puede significar que Jonadab era un miembro de los recabitas (véase Jer. 35). También puede señalar que Jonadab se asociaba con carros de guerra (*rcb*). Tal asociación lo haría muy importante para Jehú. El v. 11 muestra que la *casa de Acab* significa más que sólo parientes. Por eso la frase: *los de Acab* incluiría oficiales y parientes de los que ya habían muerto en el golpe de Estado. Así quedó eliminada la "casa de Acab" como había sido profetizado por Elías (1 Rey. 21:21).

3 Jehú elimina a los profetas de Baal, 2 Reyes 10:18, 19, 24-28.

Vv. 18, 19. Jehú había eliminado la oposición política con la destrucción de Joram, Jezabel y la familia real. Pero faltaba una purga religiosa. Al declarar: *Acab sirvió poco a Baal*, quizás dijo algo de verdad, porque aunque Acab edificó el templo de Baal (1 Rey. 16:32), dio a sus hijos nombres que contienen elementos del nombre de Jehovah: *Jo*ram y Oco*zías*. Jehú convocó a todos los adoradores y sacerdotes de Baal para que hubiera *un gran sacrificio* (*zebaj gadol*). Jehú usó un juego de palabras porque *zebaj* significa tanto "sacrificio" como "matanza". El historiador nota que Jehú fingió servir (*bd*) a Baal para destruir (*'bd*) a los baalistas.

V. 24. El engaño de Jehú fue total. De todo Israel llegaron los invitados e iniciaron el culto sin ninguna sospecha. No obstante, Jehú tenía otra intención: *colocó afuera ochenta hombres* con instrucciones de matar a todos los que estaban adentro.

Vv. 25-28. Jehú dio la señal a su guardia personal y comenzó la matanza. La frase: *hasta el interior del templo* significa que Jehú no sólo destruyó a los baalistas, sino también cada símbolo del baalismo. Que el lugar se convirtió en *letrina* es una declaración de burla mordaz hacia el baalismo. El v. 28 resume todo, la cirugía fue radical y así Jehú *erradicó a Baal de Israel.*

4 Jehú obedece parcialmente a Jehovah, 2 Reyes 10:29, 30.

V. 29. El éxito del reino de Jehú no fue completo. El historiador nota que Jehú todavía permitió la adoración de Jehovah en Dan y Betel, que fue lo que hizo anteriormente *Jeroboam hijo de Nabat*. En ese sentido, Jehú estaba obedeciendo sólo en parte al Señor. No hay que olvidar que si se falla en cumplir una parte, se está fallando en lo demás.

V. 30. Jehú recibió la promesa de Dios de que su dinastía duraría hasta la cuarta generación de sus hijos (más de lo que duró la de Omri, Acab, y sus dos hijos). Esta promesa se cumplió con los reinos de Jehú, Joacaz, Joás, Jeroboam II, y Zacarías (su reino duró sólo seis meses).

Con ironía, los asirios llamaron a Jehú uno "de la casa de Omri." Por el fin de su dinastía, la evaluación profética del golpe de Estado de Jehú había cambiado (véase Ose. 1:4, 5).

──────────── **Aplicaciones del estudio** ────────────

1. Dios bendice a su pueblo cuando hay obediencia. En el pacto establecido entre Dios y su pueblo había dos cláusulas sobresalientes: (1) El pueblo sería fiel a Jehovah. (2) Jehovah cuidaría y bendeciría a su pueblo. Si queremos gozar del cuidado y las bendiciones del Señor necesitamos obedecerle incondicionalmente.

2. Dios castiga el pecado de todos. Aquí se ve el castigo de Dios contra Joram (9:24) y Jezabel (9:33). Sin embargo, aclara que Jehú era culpable en cierta forma de este golpe violento y de su política como rey (10:29, 31). Por eso, Jehú también sufrió la corrección de Dios (10:32; Ose. 1:4, 5).

3. El pecado insistente ha de erradicarse de la vida del creyente. El baalismo era como un cáncer que demandaba una cirugía radical para sanar el cuerpo de Israel.

Nosotros entendemos la voluntad de Dios desde la perspectiva de Jesús que nos enseña a amar a los enemigos. La lección para la vida en el día de hoy es que nuestra dedicación al Señor y nuestro compromiso con su causa debe ser tal que no haya lugar para cosas ajenas a él.

Ayuda homilética

Una verdadera teología de liberación
2 Reyes 9:17-26

Introducción: La cuestión central de este pasaje es *shalom*, "la paz". La paz bíblica (*shalom*) es mucho más que la ausencia de conflicto. Es bienestar, integridad, entereza, sanidad, y salvación. La liberación auténtica es recibir *shalom*.

I. El pueblo de Dios necesita *shalom*.
   A. El reino de Joram, con el legado de Acab y la influencia de Jezabel, no ofreció bienestar al pueblo.
   B. El pecado siempre acarrea opresión y derrotas.

II. Obtener *shalom* demanda cambios radicales.
   A. Jehú hizo una revolución violenta para erradicar de Israel la adoración de Baal (9:24 a 10:28).
   B. No se puede aceptar una definición superficial de *shalom* (9:18, 19, y 22).
   C. Proveer *shalom* (sanidad, integridad, bienestar) a veces es como operar un cáncer —se necesita una cirugía que elimine completamente el tumor maligno del pecado.

III. Sólo Dios puede proveer el verdadero *shalom*.
   A. La liberación que Jehú dio a Israel fue incompleta (2 Rey. 10:29).
   B. Los excesos de violencia debilitaron a Israel por décadas y recibieron su propia condenación (Ose. 1:4).
   C. La paz (*shalom*) que Dios nos concede en Jesús es la verdadera liberación (Juan 14:27).

Conclusión: Todos estamos heridos e incompletos, hay conflictos en la vida. Por la fe en Jesucristo Dios puede ayudarnos a eliminar las cosas malas de nuestro ser y encontrar una nueva vida.

Lecturas bíblicas para el siguiente estudio

Lunes: 2 Reyes 11:1-3
Martes: 2 Reyes 11:4-16
Miércoles: 2 Reyes 11:17 a 12:1
Jueves: 2 Reyes 12:2, 3
Viernes: 2 Reyes 12:4-16
Sábado: 2 Reyes 12:17-21

AGENDA DE CLASE

Antes de la clase
1. Lea 2 Reyes 9:1 a 10:36 pensando en presentar un breve resumen de los acontecimientos como un monólogo en que usted pretendería ser Jehú ya anciano recordando el pasado. **2.** Subraye nombres de lugares y personas. **3.** Ubique los lugares en el mapa. **4.** Vea 1 Reyes 21:1-14 para entender la referencia a Nabot y 1 Reyes 16:8-10, 15-18 para saber por qué Jezabel llamó "Zimri" a Jehú. **5.** Subraye los nuevos nombres de reyes en el cuadro cronológico. **6.** Prepare un cartel que diga *DIOS ES...* **7.** Prepare cuatro tiras, cada una con un título del bosquejo. **8.** Responda a las preguntas bajo la sección *Estudio del texto básico* en el libro del alumno.

Comprobación de respuestas
JOVENES: **1.** a; **2.** a; **3.** c; **4.** b; **5.** c; **6.** c.
ADULTOS: **1.** Conducir, conduce como un loco. **2.** Se dieron la mano. **3.** No se cuidó de andar con todo su corazón en la ley de Dios.

Ya en la clase
DESPIERTE EL INTERES
1. Muestre el cartel *DIOS ES...* y pida a los alumnos que completen la oración. Escriba las respuestas en el pizarrón dejando un espacio en la parte superior. No comenten las respuestas. Cuando hayan terminado, escriba en el espacio que dejó: *CELOSO.* **2.** Comente que es una cualidad de Dios que a veces olvidamos; y que ciertas profecías que se cumplieron en el pasaje de este estudio muestran el celo de Dios.

ESTUDIO PANORAMICO DEL CONTEXTO
1. Presente un resumen de 2 Reyes 9 y 10 como un monólogo en que usted hace de Jehú. **2.** No tiene que entrar en detalles, pero si menciona lugares señálelos en el mapa y diga algo del lugar (por ejemplo, Jezreel, la zona hermosa de clima benigno donde los reyes de Israel tenían una casa de verano, allí establecían su gobierno en los meses de calor). **3.** Si menciona nombres explique brevemente quiénes son. **4.** Agregue al cuadro cronológico grande los nuevos reyes de Israel y Judá que aparecen en escena.

ESTUDIO DEL TEXTO BASICO
1. Jehú es ungido y proclamado rey. Habiendo dado un panorama general de todos los acontecimientos, diga que ahora mirarán como con lupa algunos de los sucesos principales. Coloque en un lugar bien visible la tira con el título *Jehú es ungido y proclamado rey.* Forme parejas para leer 2 Reyes 9:1-3, 13 indicando que deben descubrir: (1) a quién comisionó Eliseo y qué órdenes le dio, (2) por orden de quién debía cumplir su misión (v. 3 "Así ha dicho Jehovah") y (3) algo que hicieron los soldados bajo Jehú

que muestra que aprobaban el ungimiento de éste como rey de Israel (v. 13: lo proclamaron rey). Después de unos cinco minutos compruebe qué descubrieron. Explique quiénes eran los "hijos de los profetas" cuando digan a quién comisionó Eliseo. Vean cuántas órdenes concretas encontraron (son siete). Explique que el ungimiento mandado por Dios era aceptado y respetado a lo largo y de la historia del pueblo de Dios y lo fue también en esta ocasión. ¿Encontraron la prueba en el v. 13? Comente que los soldados anunciaron públicamente lo que ya Dios había anunciado privadamente porque tenía una obra muy particular para que Jehú hiciera. Parte está en los vv. 7-10. Descríbala o léala. Agregue que otra parte de esa obra era eliminar el culto a Baal. Ahora verán cómo Jehú cumplió su cometido.

2. *Jehú elimina la mala influencia de Acab.* Coloque la segunda tira bajo la primera. Que un alumno lea en voz alta lo que dice y luego lea 2 Reyes 9:24-26. Recuérdeles por qué era significativo que arrojaran el cuerpo de Joram en el "campo de Nabot" (1 Rey. 21:1-14). Era justa retribución de un Dios celoso que aborrece el pecado y la injusticia. Y que por ese mismo celo, Jezabel tuvo el final predicho en los vv. 7-10.

3. *Jehú elimina a los profetas de Baal.* Coloque la tercera tira y llame la atención al título. Lea en voz alta 2 Reyes 10:18, 19, 24-28 para que vean cómo Jehú planeó astutamente acabar con la adoración falsa a Baal que Jezabel había popularizado tanto. Si algún alumno demuestra inquietud por las acciones sanguinarias de Jehú será bueno que vuelvan a reflexionar que Jehovah es Dios celoso, y que el final de los adoradores de Baal no es peor que el infierno que tiene reservado para los que rechazan la salvación que provee en Cristo.

4. *Jehú es recompensado por Dios.* Coloque la cuarta tira y diga que en 10:29, 30 encontrarán: (1) dos motivos para una buena recompensa y (2) cuál fue. Lean el pasaje en silencio y luego compartan lo que encontraron. Diga luego que a veces "una recompensa" puede ser un castigo y que Jehú tuvo también motivo para recibir semejante "recompensa". Dirija la atención a la razón en el v. 29 ("no se apartó de los pecados... etc.) Comente que Jehú fue un creyente *más o menos* fiel y que el castigo fue que Jehovah "comenzó a reducir a Israel" (v. 32).

APLICACIONES DEL ESTUDIO

1. Comente las aplicaciones de los libros de Maestros y alumnos. 2. Lea Romanos 6:23. La paga del pecado, determinada por nuestro Dios celoso, sigue siendo la muerte.

PRUEBA

1. Que cada alumno escriba en su libro lo que esta sección pide. 2. Verifique lo que escribieron haciendo las preguntas y, sin forzar, espere que quienes lo deseen compartan lo que escribieron.

Compromiso de fidelidad

Contexto: 2 Reyes 11:1 a 12:21
Texto básico: 2 Reyes 11:1-3, 17 a 12:2-7, 15
Versículo clave: 2 Reyes 12:15
Verdad central: La restauración de la casa de Jehovah que hizo Joás nos enseña que es necesario renovar constantemente nuestro compromiso de fidelidad con Dios.
Metas de enseñanza-aprendizaje: Que el alumno demuestre su: (1) conocimiento de lo que hizo Joás para restaurar la casa de Jehovah, (2) actitud de renovada fidelidad a Dios.

Estudio panorámico del contexto

A. Fondo histórico:
El sacerdote Joyada: Joyada y su esposa, Josabet (2 Crón. 22:11), actuaron juntos para salvar la dinastía davídica. Joyada guardó a Joás en secreto por seis años antes de presentarlo como rey, siendo como su maestro y consejero. Mientras vivió Joyada, "Joás hizo lo recto ante los ojos de Jehovah" (12:2). Joyada significa: "Jehovah sabe".

Las ofrendas y reconstrucción del templo: Joás quiso reparar el templo y propuso un plan para financiar la obra con los ingresos de los sacerdotes, pero no dio buenos resultados (12:6). Entonces se reunió con los sacerdotes y con Joyada para elaborar un nuevo plan. En esta ocasión utilizó representantes de los sacerdotes y de la casa real para contar ofrendas designadas para la reconstrucción del templo. Todo fue visible al público y hecho con honestidad. Con este plan la obra se llevó a cabo. El templo, que en el tiempo de Atalía estaba descuidado y desarreglado y que en los primeros años de Joás sufrió por la negligencia de los sacerdotes, por fin fue reparado y puesto en buenas condiciones para adorar allí al Dios único y verdadero.

B. Enfasis:
Dos mujeres y un reino, 11:1-3. Estos versículos contienen un estudio que manifiesta varios contrastes: hay dos mujeres, Atalía y Josabet. Son madre e hija, sin embargo, son radicalmente distintas. Una se sirve a sí misma, vive para satisfacer sus desmedidas ambiciones; la otra sirve a Jehovah y por su valiente acción rescata al linaje davídico de la destrucción.
Joás asciende al trono, 11:4-12. Cuando Joás tenía siete años, Joyada

puso en acción un plan bien pensado para que estuviera en el trono un descendiente de David. Joyada dividió la guardia real en dos grupos, los que estaban en turno en el sábado y los que salían de turno. Dividió estos grupos en secciones y explicó la responsabilidad de cada uno para que la seguridad de Joás fuera efectiva y un verdadero rey davídico reinara una vez más. La guardia real apoyó a Joyada tanto como "todo el pueblo de la tierra" en proclamar rey a Joás (vv. 12, 14).

La muerte de Atalía, 11:13-16. Atalía, la hija de Acab y Jezabel, había tomado el poder en Judá cuando Jehú asesinó a Ocozías. Era extranjera, no de la casa de David. La rebelión de Jehú para eliminar la casa de Acab en Israel fue sangrienta, pero esta rebelión en Judá para eliminar la influencia de la casa de Acab vertió la sangre de dos personas solamente: Atalía, que tenía que morir, pero fuera del templo (v. 16) y Matán, sacerdote de Baal, que murió ante el altar del templo de Baal (v. 18).

Un consejero y guía, 11:17 a 12:3. Joás comenzó a reinar cuando tenía sólo siete años. Por supuesto, necesitaba la ayuda de otros para gobernar a Judá y fue Joyada quien le guió durante esos años. La restauración de la "casa de David" siguió con la restauración de la casa de Jehovah. El templo de Baal fue destruido.

Durante el reinado de Joás Judá adoró a Jehovah y sólo a Jehovah, aunque el culto no se limitó al templo en Jerusalén (12:3). 12:2 es un resumen de estos años del reino de Joás. Habla bien del carácter de Joyada, pero su implicación es un triste testimonio de la vida de Joás: "Hizo lo recto... todo el tiempo en que lo instruyó el sacerdote Joyada."

Restauración del templo, 12:4-16. El joven rey vio la necesidad de reparar el templo que Salomón había construido. Durante los seis años del reino de Atalía el templo sufrió descuido y desprecio (2 Crón. 24:7). Los sacerdotes del templo no cumplieron la obra que Joás pidió. Por eso, el rey cambió el sistema de finazas y la responsibilidad del trabajo (vv. 8-12). Como Salomón, Joás se mostró sabio y reinó 40 años como Salomón. Sin embargo, la obra de Joás no fue igual a la de Salomón, pues al fin de su reinado Joás tuvo que sacar "todas las cosas sagradas" del templo y darlas como tributo a Hazael, rey de Siria. La reforma que Joás hizo en Judá no fue completa, pero sirvió para prefigurar las reformas posteriores de Ezequías y de Josías, 2 Reyes 18, 22, 23.

Ultimos años y muerte de Joás, 12:17-21. Así como Jehú tuvo problemas con Hazael y los sirios, Joás también tuvo que enfrentar a Hazael rey de Siria. Hazael "derrotó" a Jehú "en todo el territorio de Israel", y redujo sus fronteras. Joás tuvo que pagarle tributo (v. 18) además de haber perdido la ciudad de Gat (v. 17), pero a pesar de todo eso Judá mantuvo su independencia por muchos más años que Israel. Joás fue asesinado por dos de sus siervos (v. 21), probablemente por causa del descontento político (más detalles se dan en 2 Crón. 24:23-26). No obstante, el golpe no reemplazó la dinastía davídica. Cuando murió Joás la casa de Jehovah y la casa de David habían sido restauradas.

1 Joás escondido en la casa de Jehovah, 2 Reyes 11:1-3.

V. 1. El nombre Atalía significa "Jehovah es exaltado", pero su manera de vivir mostró lo opuesto. La madre de Atalía fue Jezabel, mujer pagana que se había casado con Acab, rey de Israel (1 Rey. 16:29-33; 19:1). Atalía que pertenecía al reino del Norte (Israel), se casó con Joram quien reinó en el sur (Judá, 2 Rey. 8:16-18). Al morir Joram comenzó a reinar en Judá su hijo Ocozías (8:24). Según vimos en nuestro estudio anterior, Ocozías fue muerto por el rey de Israel, Jehú (9:27). En este momento de la historia del pueblo de Dios aparece Atalía, mujer codiciosa quien *se levantó y exterminó a toda la descendencia real* por satisfacer sus ansias de poder.

V. 2. Josabet era la hija de Atalía. El historiador claramente hace la identificación sin utilizar el nombre de Atalía: Josabet era la *hija de Joram y hermana de Ocozías*. Josabet también era esposa de Joyada, sumo sacerdote en el templo de Jehovah (2 Crón. 22:11). Josabet tomó a su sobrino Joás que tenía un año de edad y a la nodriza, y los escondió en el departamento del sumo sacerdote en el templo (2 Crón. 22:12).

V. 3. La situación en Judá era precaria. Atalía, una extranjera, reinaba sobre el trono mientras el futuro de la casa de David (¡y la promesa de Dios! 2 Sam. 7:8-16, 28, 29) dependía de la vida de un niño: Joás.

2 Joás reina asesorado por Joyada, 2 Reyes 11:17 a 12:1.

V. 17. Por seis años Josabet y Joyada criaron a Joás. En el séptimo año Joyada decidió que había llegado el momento de restaurar la casa de David haciendo que uno de sus descendientes, el joven Joás, ocupara el trono de Judá. Joyada organizó un golpe de Estado con el apoyo de los sacerdotes, la guardia real y *todo el pueblo*. El golpe fue tan bien organizado que tomó por sorpresa a Jerusalén y evitó la muerte de mucha gente. El éxito del plan estaba asegurado, el sumo sacerdote hizo dos pactos (v. 17): (1) Era el pacto religioso en que tanto el rey como el pueblo renovaron sus votos de vivir según la voluntad de Jehovah. (2) El pueblo acordó vivir bajo Joás como su rey.

Vv. 18-20. *Todo el pueblo de la tierra* (probablemente estos eran los representantes de la gente que vivía fuera de Jerusalén y que nunca apoyó a Atalía y su adoración a Baal). Estos versículos muestran las consecuencias de los dos pactos: (1) destruyeron el *templo de Baal* (algunos creen que el "templo" era una capilla real cercana al palacio. Hay quienes sugieren que estaba en las ruinas de Ramat Rahel, 3 kms. al sur de Jerusalén, o sea las del templo de Atalía). (2) Allí murió otra víctima del golpe, *Matán, el sacerdote de Baal*. Entonces, con Atalía y Matán muertos, la procesión entró una vez más a Jerusalén. Todos fueron al palacio donde *el rey se sentó en el trono real*. Todo se llevó a cabo en orden, lo planeado resultó un éxito.

Las palabras del v. 20 describen la situación en Judá después del golpe. Se notan dos reacciones distintas: (1) *Todo el pueblo de la tierra se regocijó*. La gente del campo, y de otros lugares de Judá fuera de Jerusalén, reaccionó con gozo. (2) El historiador solamente dice que la población de Jerusalén *estaba en calma*. Es probable que la población de la ciudad tenía mucha gente pagana de origen cananeo, que pudo haberse identificado con Atalía y su baalismo. Ante el poder del *pueblo de la tierra* (el pueblo de Dios), y la alianza entre Joyada y la guardia real, la población de Jerusalén estuvo contenta en aceptar el cambio sin violencia.

11:21 a 12:1. Joás comenzó a reinar en el año 836 a. de J.C. y reinó hasta el año 796 a. de J.C. Joás significa "Jehovah ha dado". Siendo un niño su reinado se inició bajo la dirección del sacerdote Joyada, quien además de restablecer la dinastía davídica ejerció una influencia positiva en el joven rey.

3 Joás restaura la casa de Jehovah, 2 Reyes 12:2-7, 15.

Vv. 2, 3. Aunque se afirma que *Joás hizo lo recto ante los ojos de Jehovah,* también se señala que anduvo en la voluntad de Dios solamente durante el tiempo en que vivió Joyada.

Vv. 4-7. Desde el comienzo de su reinado Joás inició un movimiento religioso para centralizar el culto a Jehovah en el templo y para reparar el edificio descuidado y arruinado durante el reinado de Atalía (2 Crón. 24:7). Parece que Joás ordenó a los sacerdotes tomar diferentes tipos de ingresos: (1) *el dinero* dado para comprar y reparar *las cosas sagradas,* se pagaba en cumplimiento de un voto; (2) las ofrendas dadas *voluntariamente.* Al recibir estos ingresos los sacerdotes debían utilizar una porción para reparar *las grietas del templo* (v. 5). En el *año 23 del rey Joás* nada se había hecho y que había pasado mucho tiempo. Por fin el rey actuó al ver que este esfuerzo había fracasado (v. 7). Convocó a Joyada y a los sacerdotes para cambiar el plan de reconstrucción. No se desanimó ante el fracaso de su primer intento y manteniendo su compromiso de fidelidad a Dios tomó firmes medidas para que la pronta restauración de la casa de Jehovah fuera completa.

V. 15. Se acordó (v. 8) que el sacerdocio dejaría de actuar en todo el esfuerzo por la reconstrucción del templo. Todas las ofrendas se reunían en "un cofre" que se veía públicamente "junto al altar" (v. 9). El dinero era contado por un escriba del rey y el sumo sacerdote, Joyada. Ese dinero se entregaba directamente a los obreros que hacían la reconstrucción y esto redundó en armonía y orden (vv. 11-14).

El sistema fue eficiente y los resultados eran tan obvios que no *se pedían cuentas.* Todo se hizo con plena confianza y *honestidad.* El rey, junto con el pueblo cumplieron así el compromiso que habían asumido con Dios desde hacía más de cien años, cuando junto con el rey Salomón habían dedicado ese templo (1 Rey. 8:27-30) y que habían renovado en un nuevo compromiso de fidelidad (2 Rey. 11:17).

———————————— **Aplicaciones del estudio** ————————————

1. Dios siempre es fiel con su pueblo. Dios siempre cumple su palabra. Había prometido a David que su familia siempre reinaría en el trono en Jerusalén. Así sucedió cuando Joás asumió el poder.

2. La fidelidad a Dios es una decisión personal. La fe de una persona no es transferible a otra. La fe de uno no depende de la fe de otro.

3. La fidelidad a Dios se muestra públicamente. La reparación del templo fue un acto de fe por parte de Joás y el pueblo.

Ayuda homilética

Madre e hija: fe que distingue
2 Reyes 11:1, 2

Introducción: ¿Qué tiene más influencia sobre una persona: la herencia o el ambiente? Atalía y Josabet eran madre e hija, pero ¡eran tan distintas!

I. El poder temporal por encima de la fe.
   A. Atalía, hija de Acab, fue muy distinta a su hija porque su ambición de poder la hizo estar alejada de la fe.
   B. En el mundo de negocios o de política se dice que algunos males son necesarios para alcanzar el progreso. Nuestra cultura nos enseña que sólo los fuertes sobreviven. Algunos creen que la fe tiene su lugar en la vida, pero hay otros elementos más importantes.

II. La fe distingue a las personas temerosas de Dios.
   A. Josabet mostró gran valor en rescatar al infante Joás de las manos de su madre Atalía (2 Rey. 11:2).
   B. El ambiente de Josabet era de fe, sus compañeros eran gente de fe, y sus acciones eran expresión de su fe. Una situación distinta a la de su madre.
   C. En los momentos de crisis podemos ver los frutos de una vida de fidelidad.

III. La fe por encima de los lazos sanguíneos.
   A. Josabet y Atalía compartieron la misma sangre. Josabet era la hija del rey Joram y Atalía.
   B. Josabet y Atalía no compartieron la misma fe. La hija era tan distinta de su madre que la Biblia no quiere unir los dos nombres juntos.
   C. ¿Qué determinará tus acciones? Actuar por la fe distingue a quien es de la familia de Dios (Mar. 3:34-35).

Conclusión: No podemos depender de otros para nuestra salvación. No podemos culpar a otros por nuestros fracasos. Cada uno tiene la oportunidad de distinguirse por su fe.

Lecturas bíblicas para el siguiente estudio

Lunes: 2 Reyes 13:1-13   **Jueves:** 2 Reyes 14:1-7
Martes: 2 Reyes 13:14-21   **Viernes:** 2 Reyes 14:8-14
Miércoles: 2 Reyes 13:22-25   **Sábado:** 2 Reyes 14:15-22

AGENDA DE CLASE

Antes de la clase
1. Lea detenidamente 2 Reyes 11-12. Note que ahora se enfoca no a Israel, el reino del norte, sino a Judá, el reino del sur, y que los sucesos tienen lugar en Jerusalén, capital de Judá. **2.** Vaya escribiendo en un papel todos los nombres que se mencionan. Una vez que los tenga todos, vea si puede recordar la relación familiar entre todos ellos. Agregue a su lista Acab y Jezabel que eran los padres de Atalía, 2 Reyes 8:18. (En 2 Rey. 8:26 se dice que era hija de Omri. En realidad debería decir: nieta). **3.** Prepare tarjetones de unos 10 x 15 cms., cada uno con uno de los nombres en su lista. **4.** Subraye en el cuadro cronológico de la página 291 los nombres de los reyes que aparecen en este estudio: Atalía y Joás. **5.** Responda a las preguntas dadas a principio del *Estudio del texto básico* en el libro del alumno.

Comprobación de respuestas
JOVENES: **1.** e, d, a, c, b. **2.** a) Jehovah, rey, pueblo. b) Sacerdote de Baal. c) 7 años. d) 40 años. **3.** Joás vio la necesidad de restaurarlo y lo logró en su segundo intento. Dos problemas: 1. De administración, 2. De fondos. ADULTOS: **1.** 1) c; 2) e. 3) d. 4) a. 5) f. 6) b. **2.** V, V, V, F.

Ya en la clase
DESPIERTE EL INTERES
1. Comience preguntando: ¿Cuáles son los los primeros recuerdos que tienen de sus abuelitas? Seguramente compartirán buenos recuerdos. Mencionen los nombres de sus abuelas. **2.** Diga que hoy empezamos el estudio bíblico viendo a una abuelita MUY distinta de las nuestras. Quiso asesinar a todos sus nietos y casi lo logró porque sólo uno se salvó. Veremos cómo y qué pasó con él.

ESTUDIO PANORAMICO DEL CONTEXTO
1. Reparta los tarjetones que preparó con los nombres Acab, Jezabel, Atalía, etc. **2.** Pida a los alumnos que recibieron una, que pasen al frente y traten de ponerse en orden cronológico y de parentezco de izquierda a derecha. Primero: Acab y Jezabel, luego Atalía con su esposo Joram, a la derecha de éstos Ocozías con su esposa Sibia y su hermana Josabet con su esposo Joyada y, dando la espalda Matán, el sacerdote de Baal, a la derecha de Ocozías su hijo Joás. **3.** Cuando estén en orden correcto, empezando con Acab y Jezabel, diga algo de cada uno valiéndose de su *Estudio panorámico del contexto* en este libro y recalcando la relación familiar. **4.** Luego separe a Acab y Jezabel explicando que eran reyes del reino del norte, Israel, y que todos los demás son del reino del sur, Judá, al casarse Atalía con Joram, descendiente de David. **5.** Enseguida vuelvan a sus asientos.

ESTUDIO DEL TEXTO BASICO

1. Joás escondido en la casa de Jehovah. Abran sus Biblias en 2 Reyes 11. Pida al alumno que tiene el tarjetón "Atalía" que lea en voz alta el v. 1. El que le tocó "Josabet" lea el v. 2 y "Atalía" el v. 3. Pregunte qué les parece esta abuelita Atalía y por qué habrá querido eliminar a "toda la descendencia real" (así acababa con la descendencia del rey David a quien Dios había prometido que su dinastía continuaría para siempre). Pida a "Josabet" que opine sobre qué habrá motivado a la Josabet de antaño a salvar la vida de Joás. Noten cuánto tiempo lo tuvo escondido. Explique que en un sector del templo había departamentos donde vivían los sacerdotes. Es allí donde se crió Joás hasta los siete años.

2. Joás reina asesorado por Joyada. Narre el contenido de los vv. 4-16. Luego, el que tiene el tarjetón "Joyada" lea en voz alta el v. 17. Este es el corazón de toda esta historia. Esta alianza con Jehovah fue la renovación del pacto nacional de éste con el pueblo escogido (Exo. 19:24; Deut. 4:6; 27:9). Por el pacto el rey se comprometía a gobernar según la ley de Dios. Diga que un resultado inmediato de la renovación del pacto está en el v. 18 que "Matán" lo lea en voz alta. Pida a "Joyada" que siga leyendo hasta el v. 20. Lo importante es ver cómo Joás, el niñito de siete años, vino a ocupar el trono de Judá. Comente luego que fue toda una marcha triunfal al palacio. Pregunte cuál fue la reacción del pueblo (v. 20: regocijo y calma). El que tiene el tarjetón "Joás" lea los vv. 11:21 al 12:1.

3. Joás restaura la casa de Jehovah. "Joás" siga leyendo 2 Reyes 12:2-7 mientras los demás deben encontrar (1) una frase que indica que Joás no todo lo hizo bien y otra que sugiere que no todo el tiempo hizo bien (vv. 2, 3: no quitó los lugares altos que Dios no aprobaba como lugares de culto. Hizo bien sólo mientras estuvo bajo la influencia de Joyada); (2) una gran empresa que puso en marcha (la reconstrucción del templo). Describa lo que explican los vv. 8-14 y luego lean todos juntos en voz alta el v. 15. Pregunte: ¿Qué notan aquí que indica que había una renovación aun en el pueblo? (los obreros actuaban con honestidad). La relación de ellos con Dios se notaba en la manera de actuar, guardando los mandamientos.

APLICACIONES DEL ESTUDIO

1. Forme parejas para que vean qué aplicaciones prácticas sacan del estudio. **2.** Enseguida compártanlas con todos para ver cuántos pensaron más o menos en lo mismo. **3.** Vean las aplicaciones en el libro del alumno y compárenlas con las originales de los participantes.

PRUEBA

1. Elija a uno de los "personajes" que tiene un tarjetón para que conteste la primera pregunta. **2.** Compruebe si los otros concuerdan con su respuesta. **3.** Escriban las respuestas en sus libros y también la respuesta a la segunda pregunta. Quienes lo deseen, pueden compartir su respuesta.

Unidad 14

Vivir en paz

Contexto: 2 Reyes 13:1 a 14:22 (2 Crónicas 25:1 a 26:2)
Texto básico: 2 Reyes 13:1-7, 14-19, 22-25; 14:8-14
Versículo clave: 2 Reyes 13:5
Verdad central: Los ataques de Israel contra Siria y Judá nos enseñan que Dios espera que sus hijos vivamos en paz con él y con nuestros semejantes.
Metas de enseñanza-aprendizaje: Que el alumno demuestre su: (1) conocimiento de lo improductivo de los ataques de Israel contra Siria y Judá, (2) actitud de compromiso de buscar la paz con Dios y con sus semejantes.

─────────── **Estudio panorámico del contexto** ───────────

A. Fondo histórico:
Joás, rey de Israel. Joás, el nieto de Jehú, se sentó en el trono de Israel "en el año 37 de Joás, rey de Judá". Ya hemos estudiado a Joás de Judá (2 Rey. 11, 12), y su reinado de 40 años. De Joás de Israel no tenemos mucha información. Note que son dos personajes distintos con el mismo nombre, lo cual puede acarrear cierta confusión, ya que ambos son reyes, aunque uno es de Israel y el otro de Judá.

El "libertador" (moshia), 13:5. Se discute la identidad de este "libertador" a Israel prometido a Joacaz en 13:5. Algunos sugieren que fue su hijo Joás, rey de Israel, o quizá su nieto Jeroboam II (13:13). Sin embargo, el éxito tan limitado que tuvieron Joás y Jeroboam II en el reino del norte y el juicio negativo que se hace de ellos (13:11 y 14:24) no apoyan tal teoría.

Otros creían que el libertador de Israel sería un extranjero poderoso. Alguien dijo que se trataba del asirio Adad-nirari III, quien conquistó a Damasco en el año 805 a. de J.C. y liberó a Israel del dominio de Siria. Otros ven un paralelo entre el idoma de Deuteronomio 26:7-9 y 2 Reyes 13:4, 5, y creen que el "libertador" es una figura profética como Moisés.

Quizás este libertador fue Eliseo y se señalan sus últimos hechos (13:14-25) como actos proféticos de liberación. A pesar de las diferentes teorías, lo cierto es que Dios le dio "un libertador a Israel", porque Dios es Dios de amor y misericordia.

B. Enfasis:
Joacaz y Joás, reyes de Israel, 13:1-13. Jehú (2 Rey. 9, 10) fue sucedido

por su hijo Joacaz y su nieto Joás. Como Jehú ellos no adoraron a Baal, pero usaban imágenes de becerros en Dan y en Betel para combinar el culto de adoración a Jehovah (vv. 2 y 11). Esto causó problemas en el reino del norte, Israel, durante el reino de Joacaz y también en el reinado de Joás (vv. 10-13). Un líder que no puede guiar espiritualmente a su pueblo, no puede contribuir mucho a su bienestar.

Eliseo profetiza contra Siria, 13:14-21. Aun en sus últimos días Eliseo siguió actuando como profeta de Dios para el bienestar del pueblo. Joás se acercó al hombre de Dios "llorando". El rey sentía la cercanía de la muerte del profeta.

Joás y Eliseo, 13:22-25. El historiador nos informa que la profecía de Eliseo se cumplió (v. 25). También nos interpreta los motivos por los que Dios les dio las victorias: No era la bondad de Israel; era la "misericordia" de Jehovah y su fidelidad a "su pacto con Abraham, Isaac y Jacob".

Amasías, rey de Judá, 14:1-7. Una comparación entre las fechas de 14:2, 23; y 15:1 demuestra las dificultades que tenemos para establecer una cronología en 2 Reyes. La mejor explicación sería una corregencia en el reino del sur, Judá, para Amasías y su hijo Azarías. El reino de Amasías comenzó con violencia (v. 5). Joás de Judá fue asesinado y los asesinos formaban parte de la corte. Amasías los mató y "el reino se consolidó en su mano". Esta frase es semejante a 1 Reyes 2:46 que describe el fin de la guerra civil después de la muerte de David que ganó Salomón. En este conflicto Amasías no actuó como Jehú o Atalía, sino que respetó la Ley, *torah* (v. 6). Amasías defendió su país (el valle de la Sal estaba en Judá) de un ataque edomita y aseguró la frontera al tomar Sela.

Una guerra evitable, 14:8-14. Este pasaje (y 2 Crón. 25) nos relata la historia de una guerra desastrosa que se pudo haber evitado. El error y la soberbia siempre guían a la destrucción.

El final de Joás y de Amasías, 14:15-22. Joás triunfó en varias batallas. A pesar de todo "su poderío", murió "quince años" antes que su rival, Amasías de Judá. El reino de Amasías teminó como comenzó: con violencia. Hubo "una conspiración contra él en Jerusalén". El rey buscó refugio en la ciudad fortificada, Laquis, pero lo persiguieron y lo mataron. El golpe no cambió la dinastía de David. El hijo de Amasías, Azarías, reinó en su lugar (15:1) y restauró la esperanza en Judá.

──────────── **Estudio del texto básico** ────────────

1 Dios usa a Siria para castigar a Joacaz, 2 Reyes 13:1-7.

V. 1. En el reino del norte, hacia el fin del noveno siglo, año 815 a. de J.C., *Joacaz* sucedió a su padre *Jehú* y trató de recuperar para Israel el poder militar y político que tenían los sirios. Le tocó actuar en uno de los períodos más oscuros del reino del norte. En su reinado de 17 años, tuvo varias oportunidades de liberar a Israel, pero no pudo hacerlo (vv. 3, 22-25). El nombre Joacaz significa "Jehovah ha asido".

Vv. 2, 3. Estos versículos explican el motivo de la incapacidad de Joacaz para proveer bienestar a Israel, *él hizo lo malo ante los ojos de Jehovah*. La reacción de Dios a la infidelidad de Israel no se hizo esperar y *se encendió el furor de Jehovah contra Israel*. Una vez más la acción equivocada de un líder trajo dolor y castigo a todo el pueblo. *Dios los entregó en manos de Hazael, rey de Siria... por mucho tiempo*.

Vv. 4, 5. En su desesperación por la situación que estaba enfrentando, el rey Joacaz buscó a Dios en oración. El rey oró y *Jehovah le escuchó, porque vio la opresión de Israel*. Dios mandó *un libertador* en respuesta a su oración, respondió a "su tiempo" y llegó el momento de triunfo para Israel.

Vv. 6, 7. No obstante, las acciones pecaminosas de Joacaz, y por consiguiente del pueblo, continuaron: *no se apartaron de los pecados... y anduvieron en ellos*. El v. 7 subraya que no le había quedado casi nada al rey; sus defensas, sólo *10 carros y 50 jinetes,* no podían infundir temor a sus enemigos.

2 Joás derrota tres veces a los sirios, 2 Reyes 13:14-19, 22-25.

V. 14. La enfermedad de Eliseo lo había colocado en una situación límite: *de la que moriría*. Joás visitó al profeta cuando éste estaba a punto de morir y lloró en su presencia reconociendo en Eliseo al fiel siervo de Dios que amaba al pueblo como un padre a su hijo. *¡Padre mío, padre mío!* También exclamó: *¡Carro de Israel, y sus jinetes!* Estas mismas palabras las pronunció Eliseo cuando Elías "subió al cielo en un torbellino" (2 Rey. 2:11).

Vv. 15-17. Eliseo obligó a Joás a tomar un arco y flechas en su mano, estas armas simbolizaban para Joás victoria y seguridad. Cuando el rey obedeció, Eliseo puso sus manos sobre las manos del rey. Eliseo representaba a Jehovah y su acción mostró que Dios se identificaba con las acciones del rey en su búsqueda de la liberación de Israel, y que en todo lo que hiciera Joás, la voluntad y el poder de Jehovah se manifestarían. La flecha que tiró Joás era la flecha de victoria de Jehovah. Ese fue el primer acto simbólico.

Vv. 18, 19. El segundo acto simbólico consistió en la orden que recibió Joás de golpear la tierra con las flechas. El rey *golpeó la tierra tres veces y se detuvo*. Eliseo se disgustó porque el rey, al sólo dar tres golpes manifestó ser una persona de poca visión y de poca fe. Es que los golpes estaban simbolizando el dominio que Israel tendría sobre Siria. Joás al golpear *la tierra tres veces* demostró que carecía de la fe requerida para perseverar confiando en que Dios podía *acabar con ella*. Golpear la tierra *cinco o seis veces* hubiera sido una victoria total.

Vv. 22, 23. Los reinos de Joacaz y Joás se ven como una unidad. Más fuerte que el pecado fue la gracia de Jehovah (v. 23). El motivo de la misericordia de Dios no fue la fidelidad de Israel, sino de Dios.

Vv. 24, 25. Con la muerte de Hazael comenzó el tiempo de la liberación para Israel prometida en el v. 5. Conforme a la profecía de Eliseo (vv. 18, 19), Joás rescató de los sirios algunas de las ciudades de las que ellos se habían apoderado durante el reinado de Joacaz, y esto lo logró a través de las *tres veces* en que los derrotó.

3 Israel derrota a Judá, 2 Reyes 14:8-14.

El reino de Israel en el norte, y el reino de Judá en el sur formaban el pueblo de Dios. Por vivir fuera de la voluntad de Dios y a consecuencia de sus pecados el pueblo se dividió después de la muerte de Salomón, alrededor del año 930 a. de J.C. Desde entonces comenzó una época de luchas continuas entre ellos. En este estudio, que acaeció alrededor del año 785 a. de J.C., encontramos a Amasías, rey de Judá, y a Joás, rey de Israel, en una guerra entre hermanos. El pueblo nunca aprendió que ellos pertenecían al "Dios de paz".

V. 8. *Por aquel entonces,* se refiere al éxito de *Amasías* sobre Edom, lo cual lo llenó de orgullo y ambición de poder sobre Israel. Amasías había restaurado en Judá la justicia (vv. 5, 6) y el poder militar sobre Edom (v. 7). Amasías le mandó a Joás un mensaje muy ambiguo: *"¡Ven, y veámonos las caras!"* Lo cual significaba un desafío hostil. Había una situación que demandaba ser rectificada, pero la actitud de Amasías tanto como la de Joás llevaron a Judá e Israel, reinos hermanos, a una guerra fratricida.

Vv. 9, 10. Joás respondió al reto con la fábula del cardo y el cedro. El mensaje que transmitía la fábula no significaba que Amasías había ofrecido a su hija en un matrimonio-pacto, pero sí llevaba consigo un insulto inequívoco. El cedro era Joás y el cardo Amasías. El desafío de Amasías era presuntuoso y arrogante, su actitud se compara con el cardo que pretende ser igual al cedro, árbol fuerte y resistente, pero se sabe que el cardo se rompe si una fiera salvaje lo pisotea.

V. 11. *Amasías no quiso escuchar* el aviso de la fábula. Los dos se enfrentaron en *Bet-semes.* La estrategia de Joás era buena. Jerusalén era difícil de ser atacada desde el norte, entonces inició su campaña al oeste de Jerusalén para atacarla desde la llanura alta occidental.

Vv. 12-14. Los resultados de la batalla en Bet-semes fueron desastrosos para Judá. Su ejército se desintegró (v. 12), Amasías llegó a ser un rehén de Israel (v. 13), Joás debilitó a Judá al derribar una porción significativa del *muro de Jerusalén* (v. 13), y la humilló al saquear el templo y llevar *rehenes* a Samaria. El pueblo de Dios no cumplía su misión redentora en el mundo. Dos reyes soberbios se enfrentaron en una lucha cruel, olvidando que ellos y el pueblo eran pueblo santo para Jehovah...

——————————Aplicaciones del estudio——————————

1. Un líder que no puede guiar en las cosas espirituales no puede contribuir mucho al bienestar del pueblo. La paz (*shalom*) que Dios quiere dar a los suyos es el bienestar del pueblo. Es más que proveer cosas materiales, es también seguir la voluntad de Dios y servirle en verdad. Ni Joacaz (13:2) ni Joás (13:11) proveyeron este tipo de paz (*shalom*) a Israel.

2. Dios da a su pueblo lo que no pueden proveer por ellos mismos. Los relatos dejan bien claro que los reyes no merecían la victoria y que Eliseo proclamó el significado de su señal profética: "¡Flecha de la victoria de Jehovah!" El versículo 23 declara la motivación de Dios en dar a su pueblo

lo que no podían proveer por ellos mismos: Dios siempre es fiel a su promesa.
3. La injusticia y la soberbia siempre guían a la destrucción. La causa de Dios estaba desatendida por la guerra entre los reinos hermanos. Dios quiere la paz entre hermanos y vecinos. La injusticia y la soberbia son pecados que estorban la voluntad de Dios y acarrean destrucción.

―――――――――――――**Ayuda homilética**―――――――――――――

La victoria de Jehovah
2 Reyes 13:12-19

Introducción: En un partido de fútbol, cuando un equipo gana es una gran victoria para los jugadores. Si el equipo pierde, la derrota es la culpa del entrenador. Sin embargo, en verdad tanto la gloria de la victoria y la vergüenza de la derrota se comparten entre jugadores y entrenador. ¿Compartimos con Dios la responsabilidad en las luchas de nuestra vida?

I. Dios nos da lo que no podemos proveer por nosotros mismos.
  A. Joás reconoció que Eliseo era más importante para el bienestar de Israel que carros de guerra y jinetes (13:14).
  B. Dios quiere ayudarnos por medio de nuestros líderes.
II. Dios nos da ayuda cuando cooperamos con él.
  A. Joás encontró la ayuda de Jehovah cuando participó con Eliseo cumpliendo las señales proféticas (13:15-18).
  B. Dios está presente para ayudarnos mediante el Espíritu Santo. Todo es posible cuando vivimos conforme a su voluntad. Tenemos que andar mano en mano con él.
III. Dios demanda que seamos responsables por nuestras acciones.
  A. Joás no mostraba una visión adecuada ni una determinación profunda para cumplir la voluntad de Dios.
  B. Dios no nos quita de toda responsabilidad. Al contrario, nos llama a acompañarlo en la vida. Demanda fe y obediencia.

Conclusión: Dios está con nosotros para ayudarnos en las batallas de la vida. Pero también, Dios demanda que participemos con todo nuestro corazón en lo que él quiere hacer en nuestra vida. No podemos evadir nuestra responsabilidad. La victoria de Jehovah es una victoria en que Dios hace por medio de nosotros algo que no podemos hacer solos (Fil. 4:13).

Lecturas bíblicas para el siguiente estudio

Lunes: 2 Reyes 14:23-29   **Jueves:** 2 Reyes 15:32 a 16:20
Martes: 2 Reyes 15:1-7   **Viernes:** 2 Reyes 17:1-23
Miércoles: 2 Reyes 15:8-31   **Sábado:** 2 Reyes 17:24-41

AGENDA DE CLASE

Antes de la clase
1. Lea 2 Reyes 13 a 14:22. **2.** Estudie el comentario en este libro. **3.** En una hoja de papel titule tres listas: Siria, Israel, Judá. Debajo de cada título escriba los nombres de los reyes mencionados y un dato acerca de cada uno. **4.** Lea el estudio en el libro del alumno, prestando especial atención al estudio panorámico del contexto y a las aplicaciones. **5.** Subraye en el cuadro cronológico los nombres de los reyes que aparecen por primera vez y ubique en el mapa bíblico los lugares mencionados. **6.** Planee formar tres grupos para el *Estudio del texto básico* asignando a cada uno una de las tres partes de que consta el bosquejo. Prepare de antemano instrucciones escritas para cada grupo según lo que aparece bajo 3 del *Estudio del texto básico* en esta agenda. **7.** Responda a las preguntas al principio del *Estudio del texto básico* en el libro del alumno.

Comprobación de respuestas
JOVENES: **1.** c. a. g. b. f. d. e. **2.** a) Siria sería derrotada. b) Tres. c) Tres. **3.** El cedro representaba a Judá que se creía a la altura de Israel. Judá sería pisoteada como un cardo. **4.** Joás, rey de Israel. Oro, plata, todos los utensilios del templo y del palacio real.
ADULTOS: **1.** Hazael y Ben-hadad. **2.** arco, flechas. **3.** cedro, cardo. **4.** Betsemes. **5.** Quince; Laquis.

Ya en la clase
DESPIERTE EL INTERES
1. Pregunte quiénes tienen el mismo nombre que su mamá o papá o algún otro familiar. Comente que en una misma familia puede haber más de un "Juan" o "María". **2.** Diga que lo mismo sucede con los nombres bíblicos. Hemos visto a dos Ocozías, uno de Israel y otro de Judá. En este estudio veremos a un Ben-hadad, rey de Siria que es de dos generaciones posteriores al que ya vimos en el estudio del capítulo 6 (v. 24). También aparece en este estudio otro Joás, éste rey de Israel. **3.** Lo que ayuda a distinguir a las personas en la actualidad es que se les agrega un apellido. Pongamos "apellidos" a los que tienen nombres que se repiten: Ben-hadad Segundo, Joás de Israel, Joás de Judá.

ESTUDIO PANORAMICO DEL CONTEXTO
1. Cuente a grandes rasgos lo que acontece en los capítulos 13 y 14. **2.** Para agregar claridad señale en el mapa cuando menciona Siria, Israel o Judá. **3.** Escriba en el cuadro cronológico grande los nombres de los reyes de Judá e Israel cuando los mencione. **4.** Use "apellidos" cada vez que los nombra. Puede agregarle un segundo nombre a los Joás: Joás "Malo" de Israel, Joás "Bueno" de Judá, lo que ayudará a distinguirlos.

ESTUDIO DEL TEXTO BASICO

1. Dios usa a Siria para derrotar a Joacaz. Si estudiarán por grupos, asigne al primero el análisis de 2 Reyes 13:1-7. Deben encontrar: el nombre del hijo de Jehú que lo sucedió en el trono, cuántos años reinó, lo que dice el pasaje que muestra que Joacaz se OLVIDABA de Jehovah y de lo que él requiere de su pueblo, qué pasó cuando se acordó de Dios y oró a él y los sucesos que muestran que se volvió a OLVIDAR de él.

2. Joás Malo de Israel derrota tres veces a los sirios. Asigne al segundo grupo 2 Reyes 13:14-19, 22-25. Deben encontrar: quién estaba enfermo de muerte, quién lo visitó y lo que OBSTACULIZO el que Eliseo prometiera más de tres victorias a Israel, por qué fue Jehovah generoso con ellos y no los destruyó y, por último, el OBSTACULO que desapareció en el v. 24 y lo que pudo lograr Israel.

3. Israel derrota a Judá. Asigne al tercer grupo el análisis de 2 Reyes 14:8-14. Deben encontrar el antecedente de quién era Amasías en los vv. 1, 2 y, en el v. 7, algo que lo infló de ORGULLO. En los vv. 8-14 encuentren la fábula con que respondió Joás Malo de Israel a las pretensiones ORGU-LLOSAS de Amasías y lo que pasó cuando persistió en su ORGULLO.

Si no formó grupos use las indicaciones para guiar el estudio todos juntos. En ambos casos, relate el contenido de los versículos que no forman parte del texto básico pero sí del contexto, para dar coherencia a los sucesos históricos en que intervienen las tres naciones. Cuando los grupos informen o al final de cada sección del texto básico, escriba la palabra clave que impedía que hubiera PAZ. 1) OLVIDO (de Dios y de lo que él requiere de sus seguidores). 2) OBSTACULOS (falta de fe, opresión por parte de Siria, noten cómo Jehovah quiso vencer los obstáculos y por qué). 3) ORGULLO (Amasías, porque había ganado un gran batalla creía que las seguiría ganando. Por orgullo también, Joás Malo arrasó con él).

APLICACIONES DEL ESTUDIO

1. Guíe un diálogo sobre cómo hoy el OLVIDO de quién es y qué requiere Dios, los OBSTACULOS que son la falta de fe, el egoísmo etc. y el ORGULLO impiden tener paz con Dios, dentro de nosotros mismos, en la familia, nación y en el mundo. **2.** Consideren las *Aplicaciones* en el libro del alumno eligiendo cada uno la que le parece más pertinente para él personalmente.

PRUEBA

1. Guíe los pensamientos con preguntas como: ¿Qué pasó con todo el pueblo de Dios cuando las naciones hermanas Israel y Judá se enemistaron? ¿Qué pasa cuando dos hermanos se pelean? **2.** Escriban las respuestas en el libro. **3.** Proceda igual con el inciso 2.

Castigo severo por pecar

Contexto: 2 Reyes 14:23 a 17:41
Texto básico: 2 Reyes 14:23-27; 17:7-13, 18-23
Versículo clave: 2 Reyes 17:13
Verdad central: La declinación y el final del reino de Israel nos enseñan que Dios castiga severamente a sus hijos cuando insisten en pecar.
Metas de enseñanza-aprendizaje: Que el alumno demuestre su: (1) conocimiento de los eventos que condujeron a la declinación final del reino de Israel, (2) actitud de abandonar cualquier pecado que esté cometiendo y volverse de todo corazón a Dios.

─────── **Estudio panorámico del contexto** ───────

A. Fondo histórico:

Jeroboam II. No se debe confundir a Jeroboam hijo de Joás con Jeroboam hijo de Nabat. *Jeroboam hijo de Nabat, quien hizo pecar a Israel* (v. 24) fue el primer rey de Israel, año 931 a. de J.C. (1 Rey. 12:25 a 14:20) quien "hizo dos becerros de oro y puso el uno en Betel y el otro lo puso en Dan" (1 Rey. 12:28, 29). Jeroboam hijo de Joás (Jeroboam II) fue el tercer rey de la dinastía de Jehú (2 Rey. 14:23-29), comenzó su reinado en el año 785 a. de J.C.

Reinos diferentes. Durante la época de este estudio Judá, formada por las dos tribus del sur, experimentó estabilidad porque tres de sus reyes tuvieron largos reinados: Azarías reinó 52 años (15:1, 2); Jotam reinó 16 años (15:32); Acaz reinó 16 años (16:1). Pero Israel, formado por las diez tribus del norte, experimentó al contrario muchos cambios tanto de política como de reyes. Jeroboam II le dio a su pueblo una estabilidad comparable con la de Azarías (15:1). Pero entre los años 754-722 a. de J.C. Israel tuvo una sucesión de seis reyes de cinco distintas líneas familiares (15:8-31; 17:1, 2).

B. Enfasis:

Un largo reinado en Israel, 14:23-29. Los 41 años del reino de "Jeroboam hijo de Joás" se resumen en sólo siete versículos (debe notarse que el reino de Jeroboam no aparece en el libro de 2 Crónicas). El lector de hoy preferiría saber más de este reino tan importante en la historia de Israel, pero el historiador bíblico se interesa más en decir dos cosas: (1) Israel y su rey seguían en el pecado (v. 24) y (2) el éxito que tenía el rey fue por la gracia de Dios para extender el tiempo del reino del norte.

Azarías, rey de Judá, 15:1-7. El periodo del reinado de Azarías o Uzías

(2 Crón. 26 e Isa. 6:1) también recibe poca atención, aunque duró 52 años. Por los problemas con la cronología de los reyes se infiere que Azarías porque era leproso reinó simultáneamente con su hijo Jotam. 2 Crónicas 26 relata más de las experiencias de Azarías, donde se le identifica con Uzías.

Cinco reyes malos de Israel, 15:8-31. Entre Jeroboam II y Oseas, el último rey de Israel, hubo cinco reyes. Entre estos sólo uno heredó el trono a su hijo. El hijo de Jeroboam, Zacarías reinó por 6 meses. Salum, su asesino, reinó por sólo un mes. Menajem tomó el poder en una campaña de terror (v. 16) y reinó por 10 años utilizando su poder en una manera opresiva (v. 20). Su hijo, Pecaías, lo sucedió y siguió su política pro Asiria. Después de 2 años Pecaías fue asesinado por Pécaj, 734 a. de J.C. Pécaj se rebeló contra Asiria. Entonces Tiglat-pileser III, de Asiria, vino para restaurar su soberanía sobre Israel y castigar al pueblo. Para evitar la guerra, Oseas hijo de Ela (17:1-5) (¡no el profeta!), hizo una conspiración, lo mató y reinó en su lugar (v. 30) en el año 732 a. de J.C. La declaración que Pécaj reinó 20 años (v. 27) es difícil de coordinar con los documentos asiriobabilónicos. Parece que incluye años en que Pécaj reinaba en la Transjordania en rivalidad con Menajem y Pecaías (aún hasta los días de Jeroboam II).

Jotam y Acaz, reyes de Judá, 2 Reyes 15:32 a 16:20. El informe del reino de Jotam es breve y formulista. La única información que no se expresa en lenguaje formulista es que Jotam edificó la puerta superior del templo (v. 35). El informe del reino de Acaz es más amplio, pero lo que presenta es una historia de su pecado (vv. 2-4). La apostasía de Acaz en imitar el culto de Asiria (vv. 10-18) no fue por causa de la política asiria. Tomó sus decisiones como un rey débil impresionado por el poder y el éxito del rey asirio.

Oseas y las causas del final del reino de Israel, 17:1-23. Tiglat-pileser, de Asiria, afirmó a Oseas como rey de Israel después de la rebelión y muerte de Pécaj (732 a. de J.C.). Por eso Oseas siguió una política pro asiria. Cuando murió Tiglat-pileser en 727 a. de J.C., Israel, juntamente con Fenicia, se rebeló contra Asiria. Salmanazar V consolidó su poder en Asiria y atacó a la coalición en Tiro. Cuando fue derrotado Oseas tuvo que pagar tributo a Asiria (v. 3). Luego, en 725 a. de J.C. Israel se rebeló confiando en la promesa de ayuda de Egipto. Esta vez el rey asirio regresó y tomó a Oseas preso (v. 4), por el año 724/3. Por dos años Samaria, sin su rey, sufrió al ser sitiada por Asiria y cayó en 722/1 a. de J.C. Su gente fue esparcida por el imperio asirio.

Origen de los samaritanos, 17:24-41. Los asirios no sólo llevaron cautiva a la población de Israel, sino también repoblaron el lugar donde había existido el reino del norte, con gente de las diferentes naciones conquistadas (v. 24). Esa gente quería aprender las costumbres religiosas de Israel, pero resultó que la adoración a Jehovah la unieron con la que rendían a sus dioses paganos (vv. 32, 33). También "los hijos de Jacob" que estaban en el país continuaron adorando a Jehovah en Betel y Dan. La mezcla de religiones y la adoración de Jehovah fuera de Jerusalén siguió por generaciones (v. 41), hasta el tiempo de Josías y aún después.

1 Jeroboam II, rey de Israel, 2 Reyes 14:23-27.

V. 23. El breve relato del reinado de Jeroboam II muestra dos hechos que sobresalen para identificar su actuación: (1) Su infidelidad al pacto hecho con Dios como pueblo escogido. (2) El cumplimiento de la promesa de Jehovah a Joás (2 Rey. 13:17). Reinó 41 años.

V. 24. El historiador de 2 Reyes no calificó a Jeroboam por su prosperidad ni por sus obras públicas, sino por persistir en la apostasía de Jeroboam I que había comenzado en el año 931 a. de J.C. (1 Rey. 12:25 a 14:20).

Vv. 25-27. Jeroboam II fue un rey que actuó enérgicamente y demostró en muchas de sus acciones su gran capacidad política y militar. Se distinguió como un buen administrador y conquistador. Aun cuando se considera el éxito admirable de la política internacional de Israel, no se da crédito a Jeroboam II, sino a Jehovah por las conquistas logradas. *Jehovah vio la aflicción de Israel* (v. 26), *Jehovah no había determinado borrar el nombre de Israel* (v. 27), *por eso los libró* (v. 27). Los eventos de la historia se presentan como la demostración de la voluntad del Dios que ha de cumplir su propósito en la vida de su pueblo.

2 Las causas espirituales de la declinación de Israel, 2 Reyes 17:7-13.

V. 7. Comienza en este versículo un comentario teológico de los eventos que se relatan en los vv. 1-6 y que terminan con el v. 23. La causa de la declinación de Israel fue su infidelidad a Dios y su idolatría.

Vv. 8-12. El historiador detalló cómo el pueblo de Israel adoptó las costumbres religiosas de los cananeos que al final los llevó a la ruina. Sus *reyes*, los que debían actuar mejor, fueron quienes les guiaron a pecar. No fue un error involuntario por parte de ellos, ya que sabían que Dios lo prohibía, lo *hicieron secretamente* (v. 9). El problema no fue exactamente la adoración de dioses falsos, sino que mezclaron las prácticas cananeas con el culto a Jehovah. Ningún lugar había escapado de la idolatría de Israel. Las *piedras rituales* (pilares o estelas) y *árboles rituales de Asera* eran símbolos masculinos y femeninos usados en el culto a la fertilidad (v. 10). Quemar incienso era legítimo en el culto según Levítico 2:2, pero en el v. 11 usa una forma distinta del verbo para condenar lo que Israel hacía, porque lo hacían *como las naciones que Jehovah había desterrado de delante de ellos.* El v. 12 hace hincapié en que Israel sabía que estaba pecando: *Jehovah les había dicho: "Vosotros no haréis tal cosa."*

V. 13. Mientras que los versículos 8-12 muestran que Israel insistía en pecar, el versículo 13 muestra la gracia de Dios. Jehovah no quiso destruir a Israel, sino que vez tras vez les advertía, como pueblo suyo, para que se arrepintieran. La respuesta negativa del pueblo les acercó aceleradamente al trágico final. "Pero ellos no obedecieron, sino que endurecieron su cerviz" (v. 14). Esto fue un acto voluntario que surgía de sus rebeldes corazones.

3 **Dios declara el final del reino de Israel, 2 Reyes 17:18-23.**

V. 18. El acto de Dios de castigar al reino de Israel fue también una advertencia para el reino del sur: *"No quedó sino sólo la tribu de Judá."* Fue la oportunidad para Judá de aprender una vez más acerca del amor y la justicia de Dios, pues la ira de Jehovah está "contra los que hacen mal, para cortar de la tierra su memoria" (Sal. 34:16).

V. 19. El libro de 2 Reyes recibió su forma final después de la destrucción de Jerusalén en el año 587 a. de J.C. (2 Rey. 25). El historiador hace notar en este v. 19 que los habitantes de Judá no aprendieron la lección descrita en el v. 18, por lo cual ellos compartieron la suerte de Israel, siendo tomados cautivos.

En 2 Reyes no sólo se describen las causas de la caída de Israel, sino también se explican las causas de la declinación de Judá o de cualquier pueblo que abandona a Jehovah e insiste en pecar (vv. 24-41).

V. 20. Este versículo resume, en forma breve y concisa, el trágico final de la historia del reino del norte. Israel estaba rodeado de sus enemigos (por ej., Siria y Asiria) y no podían ver que Dios estaba actuando a favor de ellos señalándoles sus pecados y la necesidad de arrepentirse.

Cuando el pueblo finalmente rehusó escuchar su voz, Jehovah debió *echarlos de su presencia*, es decir, dejar que el castigo que habían escogido recibir cayera sobre ellos.

V. 21. El historiador vuelve a recordar cómo durante el reinado de Jeroboam I se sembraron las semillas de la destrucción de Israel. La división del imperio davídico después de la muerte de Salomón fue el acto de Jehovah para castigar e instruir a la casa de David (1 Rey. 11:11). Sin embargo, Jeroboam I, que fue el instrumento que Dios había escogido, no siguió a Dios (1 Rey. 14:8, 9). Cometió *un gran pecado*: hizo dos becerros de oro y los colocó en Betel y Dan (1 Rey. 12:25-33). La frase *gran pecado* no es casual en este contexto. Se usa tres veces en Exodo 32 para relatar la historia del becerro de oro (vv. 21, 30, y 31).

Vv. 22, 23. Se hace claro que la ira de Dios no fue caprichosa ni es el resultado del pecado de Jeroboam I solamente. Todos *anduvieron en todos los pecados que cometió Jeroboam, sin apartarse de ellos.* Jehovah les mostraba paciencia para que ellos regresaran a él. Mandaba a *todos sus siervos los profetas* para ayudar a Israel, pero la gente no les escuchaba. Según el historiador el destierro de Israel en Asiria fue evidente *hasta el día de hoy.*

Su propósito al escribir esta expresión fue enseñar a Judá que, como un remanente del pueblo de Dios, debían aprender que la única esperanza para ellos se encontraba en obedecer a Dios. El castigo fue colectivo, pues les alcanzó a todos: pueblo y reyes. Estos versículos bajo la declaración *los hijos de Israel anduvieron*, señalan la responsabilidad individual y colectiva de cada israelita. Cada persona había escogido voluntariamente pecar, ser desobediente a Dios y ser idólatra, identificándose con las prácticas paganas de sus pueblos vecinos.

────────── **Aplicaciones del estudio** ──────────

1. Insistir en el pecado produce inestabilidad. Entre los seis reyes de la época sólo uno pasó el trono a su hijo. Esta inestabilidad provocó cambios en la vida política e infidelidad e idolatría en la vida religiosa.
2. Prestar atención a las cosas del mundo conduce al pecado. Los asirios no demandaron que Acaz construyera un altar como el de ellos, pero Acaz se impresionó con el poder y grandeza del rey asirio y lo imitó (16:10-18), aunque eso lo condujo a la apostasía.
3. Insistir en pecar es un acto de la voluntad, no es un accidente. Las acciones del pueblo en Israel no eran "errores inocentes". Rechazar la voluntad de Dios es un acto deliberado de rebelión.

────────── **Ayuda homilética** ──────────

Las consecuencias de estar vacío
2 Reyes 17:7-23

Introducción: Cuando alguien está vacío corre el peligro de ser lleno con ideas, pensamientos y actitudes que al final de cuentas le harán daño y su condición será peor que la primera.

I. El pecado nos desvía lejos de la plenitud de Dios.
  A. Dios llena nuestra vida por gracia (v. 7).
  B. Dejamos a Dios para pecar, y nos volvemos vacíos (vv. 7b-12, 14-17).

II. Dios nos advierte de nuestro peligro.
  A. Nos advierte por medio de líderes espirituales (v. 13).
  B. Nos advierte por medio de su Palabra (v. 13).

III. Insistir en el pecado trae consecuencias negativas.
  A. La ira de Dios no es caprichosa o repentina (toda la historia de Israel desde 1 Rey. 12 a 2 Rey. 17).
  B. El pecado nos separa de la presencia de Dios (vv. 18, 23).

Conclusión: Alguien dijo: "En el interior de cada ser humano hay un vacío que tiene la forma de Dios. Sólo Dios puede llenarlo." Una persona sin Dios se siente vacía, sin propósito y sin valor. Dios puede llenar el vacío de nuestra vida y darnos algo mejor y con profundo valor y propósito.

Lecturas bíblicas para el siguiente estudio

Lunes: 2 Reyes 18:1-8   **Jueves:** 2 Reyes 19:1-19
Martes: 2 Reyes 18:9-16   **Viernes:** 2 Reyes 19:20-37
Miércoles: 2 Reyes 18:17-37   **Sábado:** 2 Reyes 20:1-21

AGENDA DE CLASE

Antes de la clase

1. Lea el *Estudio panorámico del contexto* y luego lea 2 Reyes 14:23 a 17:41 que abarca unos 60 años de historia, desde 790 hasta 721 a. de J.C. Subraye con lápiz rojo los reyes de Israel y con lápiz azul los de Judá, con lápiz amarillo todas las veces que dice "hizo lo malo ante los ojos de Jehovah" y "lo mató". **2.** Subraye en el cuadro cronológico los nombres de los 7 reyes de Israel y los 3 de Judá que reinaron en este tiempo. **3.** Prepare siete muñequitos de papel gris escribiendo en cada uno, uno de los nombres de los reyes de Israel. Prepare tres para representar los reyes de Judá, dos en papel blanco, uno en papel negro **4.** Ubique en el mapa bíblico los lugares que no le resultan conocidos. **5.** Consiga hojas de papel en blanco para que los participantes tengan en qué escribir. **6.** Responda a las preguntas al principio del *Estudio del texto básico* en el libro del alumno.

Comprobación de respuestas

JOVENES: **1.** F, V, V, V, F. **2.** (1) Veneraron a otros dioses. (2) Anduvieron según las prácticas de las naciones. (3) Hicieron secretamente cosas no rectas. (4) Edificaron lugares altos. (5) Erigieron piedras y árboles rituales. (6) Quemaron incienso. (7) Hicieron cosas malas. (8) Rindieron culto a los ídolos. **3.** 1) Los profetas. 2) Asiria.

ADULTOS: Exactamente las mismas respuestas que los jóvenes.

Ya en la clase

DESPIERTE EL INTERES

1. Escriba en el pizarrón o en una hoja de papel, parte del título de este estudio: *Castigo severo*. Dirija una "lluvia de ideas" pidiendo a los alumnos que digan, lo primero que les viene a la mente al pensar en "castigo severo". **2.** Escriba las respuestas en el pizarrón. **3.** Diga que en este estudio considerarán el "castigo severo" de Dios a Israel, el reino del norte, que por su maldad precipitó un castigo irreversible. Borre el pizarrón.

ESTUDIO PANORAMICO DEL CONTEXTO

1. Presente primero la secuencia de los tres reyes de Judá, colocando los muñequitos en Judá en el mapa, levemente encimados, diciendo que los de papel blanco representan dos buenos y el de papel negro uno "malvado". Preséntelos por nombre. **2.** Diga que en el mismo lapso desde el año 790 a. de. J.C. Israel tuvo siete reyes. Vaya poniéndolos en Israel en el mapa. El gris quiere decir que eran todos malos. **3.** Preséntelos por nombre, destaque cuántos fueron asesinados y algo de la maldad de su época y que estaban arrastrando a la nación al peor de los castigos: el aniquilamiento.

ESTUDIO DEL TEXTO BASICO

1. Jeroboam II, rey de Israel. Recuerde a los alumnos que Jeroboam I fue el que constituyó el reino del norte, dividiéndose de Judá casi 150 años antes. Agregue datos obtenidos de su propio estudio. Lean en parejas 2 Reyes 14:23-28 donde deben encontrar algo malo del reinado de Jeroboam II y algo bueno (Malo: vea v. 24. Bueno: Jehová todavía les daba oportunidad de cambiar, dándoles prosperidad, vea vv. 25-29). Verifique qué encontraron y amplíe según sea necesario. Asegúrese de que capten que era una época políticamente floreciente pero espiritualmente desastrosa.

2. Las causas espirituales de la declinación de Israel. Enfoque la atención en los muñequitos que representan a los sucesores de Jeroboam II comentando que siguieron en sus pasos y las intrigas y homicidios de un rey tras otro denotan una vertiginosa caída que culminó en el año 721. Relate detalladamente la caída de Samaria (2 Rey. 17:1-6), el castigo severo que llegó inexorablemente. Agregue que no hay duda de las causas que la llevaron a la ruina. Siempre en parejas, lean 2 Reyes 17:7-13. Reparta las hojas de papel en blanco donde deben escribir una lista de los pecados de Israel que aparecen en este pasaje. Después de unos 7 a 10 minutos, comparen las listas, agreguen los que les faltan y explique la significación de cada pecado basándose en la información del comentario exegético.

3. Dios declara el final del reino de Israel. Comente que los vv. 14-17 siguen hablando de los pecados, recalcando la seriedad de los mismos, tanto que, al final, Dios cambió su determinación que aparece en 14:27. Ahora sí Jehová envió su castigo. En parejas lean 2 Reyes 17:18-23 y encuentren allí verbos que indican cómo se sintió Dios (v. 18) y el castigo que determinó (quitó, desechó, afligió, entregó). Deben escribirlos en sus hojas de papel. Compartan lo que encontraron. Comenten su significación. Destaque que quitarlos de su presencia significaba aniquilación y que la última frase del v. 23 "hasta el día de hoy" se aplica hasta ahora porque la gente que constituía el reino del norte no vuelve a aparecer ni en la historia del pueblo de Dios ni en la historia universal.

APLICACIONES DEL ESTUDIO

1. Escriba en el pizarrón: "Receta para prevenir el castigo severo de Dios". Primero pregunte cuál es el castigo severo de Dios para los que lo rechazan persistiendo en sus malos caminos (el infierno). Entonces, ¿no conviene saber la receta para prevenirlo? **2.** Entre todos redacten la receta preventiva. (Asegúrese de que la receta incluya el plan de salvación.)

PRUEBA

Hagan individualmente y en silencio lo que pide esta sección en el libro del alumno y termine con una oración pidiendo la dirección y el poder de Dios para vivir vidas que le agraden.

Unidad 15

Dios responde las oraciones

Contexto: 2 Reyes 18:1 a 20:21 (2 Crónicas 29:1 a 31:21)
Texto básico: 2 Reyes 18:1-7; 19:14-20, 27-34; 20:1-6
Versículo clave: 2 Reyes 19:19
Verdad central: Los resultados de la buena conducta de Ezequías nos
enseñan que Dios protege y responde las oraciones de quienes confían
en él.
Metas de enseñanza-aprendizaje: Que el alumno demuestre su: (1)
conocimiento de la buena conducta de Ezequías y sus resultados, (2)
actitud por mejorar su vida de oración.

──────────── **Estudio panorámico del contexto** ────────────

A. Fondo histórico:
   La serpiente de bronce (18:4). Recibió el nombre *"Nejustán"*. En hebreo
este nombre sugiere tanto el material, bronce (*nejoshet*) como la forma, serpiente (*najash*). Se identificó con el ministerio de Moisés (Núm. 21:9), pero
en aquel tiempo, su popularidad también se debía a que la asociaban con el
culto a la fertilidad en Canaán.
   Las reformas religiosas y políticas de Ezequías. Ezequías empezó su
reinado con algunas reformas religiosas (2 Crón. 29:3), que incluyeron la
centralización del culto en Jerusalén. Estas reformas deben entenderse como
la respuesta de Judá a la caída de Israel (2 Rey. 18:9-12). Samaria, la capital
de Israel, fue destruida en el año 722 a. de J.C. por su desobediencia.
Ezequías hizo su reforma con la esperanza de evitar para el reino del Sur,
Judá, el mismo destino que tuvo Israel, reino del Norte.
   Algunos años más tarde (705 a. de J.C.) Ezequías se rebeló contra Asiria.
En ese año Sargón el rey asirio murió en batalla, y Egipto, Tiro, Fenicia, y
Judá se aliaron contra Asiria. Ezequías se preparó bien para la rebelión; for-
tificó el muro de Jerusalén, edificó el túnel de Siloam, y abasteció de provi-
siones a toda Judá (2 Crón. 32:28). Al principio, la coalición tuvo éxito, y
Ezequías prosperó (2 Rey. 18:7, 8).
   Judá y Senaquerib. Senaquerib quien sucedió a Sargón como rey de
Asiria, tuvo que consolidar su poderío en varias partes de su imperio. En una
campaña que realizó en el año 701 a. de J.C., llegó a Palestina y las ciudades
de Fenicia se rindieron sin luchar. Askelón y Ekrón fueron derrotadas y un
ejército egipcio fue destruido en Eltekeh. Senaquerib actuó crúelmente con-

tra Judá con hechos bélicos y con palabras calumniadoras y burlonas contra Ezequías, rey de Judá.

Dios sana a Ezequías. Ezequías probablemente padeció su enfermedad poco antes del año 701 a. de J.C. Estaba "enfermo de muerte" y oró. Dios respondió a su oración y le concedió 15 años más de vida durante los cuales iba a defender la ciudad de Jerusalén contra los asirios. Jehovah no le respondió así por la bondad de Ezequías, sino que decidió usar su vida como su instrumento: "por amor a mí mismo y por amor a mi siervo David".

B. Enfasis:

El reinado de Ezequías, 18:1-8. El reinado de Ezequías constó de dos etapas. Al principio de su reinado respondió a la caída de Samaria con una reforma religiosa para evitar a Judá el mismo destino (1-6). Más tarde Ezequías intentó librarse de Asiria. Tuvo éxito al principio (vv. 7, 8), pero ese éxito fue relativo.

La caída de Samaria y la rendición de Judá, 18:9-16. Se repite la historia del año 722 a. de J.C. relatada en los versículos 9-12 para mostrar la importancia de obedecer la voz de Jehovah. Sin embargo, aun un buen rey puede ser derrotado (vv. 13-16). La buena noticia es que la derrota no fue total. Jerusalén todavía resistía y no iba a caer (2 Rey. 19).

Las amenazas del rey de Siria contra Ezequías, 18:17-37. Aun después de recibir tributo de Ezequías, Senaquerib, rey de Siria, insistió en conquistar Jerusalén. Mandó mensajeros con un poderoso ejército, no para combatir, sino para desanimar a la gente de Jerusalén. Hablaron en hebreo para que todos escucharan y entendieran. Las razones para rendirse eran que los egipcios no podrían ayudarles, Jehovah estaba enojado con las reformas de Ezequías, y Jehovah mismo mandó al rey asirio para castigar a Judá.

Ezequías al ser insultado oró a Dios, 2 Reyes 19:1-19. Ante las amenazas asirias Ezequías se condujo como un rey modelo. Entró al templo y ordenó que buscaran a Isaías el profeta para que él intercediera. Dios respondió al insulto de Senaquerib con un rumor para que se volviera a Asiria. El rey escuchó el rumor, pero antes de volver a Asiria envió de nuevo mensajeros a Ezequías. Esta vez, Ezequías mismo oró para que Jehovah se mostrara como el Dios único y verdadero. La salvación de Jerusalén sería "para que todos los reinos de la tierra conocieran esa verdad".

Senaquerib, rey de Asiria, 2 Reyes 19:20-37. Es verdad que Dios puede usar un poder extranjero para castigar a su pueblo. Sin embargo, ningún poder puede tomar el lugar de Dios. Por su orgullo Senaquerib sufrió una gran pérdida entre su ejército (v. 35) y luego perdió su vida (v. 37).

La respuesta de Dios, 2 Reyes 20:1-21. Los eventos de 2 Reyes 20 son comentarios del milagro con que Dios salvó a Jerusalén. Los vv.1-11 enseñan que la liberación de Jerusalén fue obra del amor de Dios quien responde a la oración y la fidelidad de sus hijos. Los vv. 12-19 muestran que no se puede dar por sentado que Dios siempre protegerá a Jerusalén. Los babilonios representan la nueva potencia que va a levantarse en lugar de Asiria (vv. 16-18).

Las fechas de estos relatos son ambiguas, "en aquellos días" (v. 1) y "en aquel tiempo" (v. 12). Por eso, no es necesario identificar en orden cronológico los hechos que están mencionados en el relato.

Estudio del texto básico

1 Ezequías y el retorno a Jehovah, 2 Reyes 18:1-7.

Vv. 1, 2. Ezequías (heb. *jizeqiyah*) significa "Jehovah es fuerte". Fue el duodécimo rey de Judá, su reinado comenzó alrededor del año 727 a. de J.C. Se puede entender por 2 Crónicas 29:3 el actuar diligente de Ezequías desde el inicio de su reinado. Ezequías aparece en Judá durante la hora más obscura y triste del pueblo de Dios hasta ese momento. No sólo las doce tribus que formaban este pueblo "escogido por Dios" se habían dividido en el año 931 a. de J.C. (1 Rey. 12), sino que ahora diez de ellas habían sido llevadas cautivas a Asiria en el año 722. Ezequías reinó 29 años en Jerusalén.

V. 3. Por sus actos como rey y líder de su pueblo, Ezequías recibió el más alto de los calificativos dados a un rey: *El hizo lo recto ante los ojos de Jehovah*. Fue uno de los pocos reyes piadosos y fuertes de Judá.

V. 4. La reforma de Ezequías fue una reforma cúltica para evitar que Judá cayera en el pecado del sincretismo religioso en que había caído Israel. Aun *hizo pedazos la serpiente de bronce que había hecho Moisés*, porque aunque en su principio esta serpiente había sido aprobada por Dios (Núm. 21:8), ahora que la adoración a Dios estaba tan degenerada, a esta serpiente *los hijos de Israel le quemaban incienso*.

Vv. 5-7. Porque Ezequías *puso su esperanza en Jehovah* se dice de su carácter: *ni antes ni después de él hubo otro como él entre los reyes...* La obediencia a la palabra de Dios es un requisito indispensable para experimentar las bendiciones de Dios. De Ezequías se dice que *Jehovah estaba con él, y tuvo éxito en todas las cosas que emprendió*, lo cual confirma el favor de Dios hacia quienes le obedecen. Entre sus "éxitos" se menciona que *dejó de servir* al rey de Asiria y logró derrotar a uno de los enemigos más permanentes de Judá: los filisteos (v. 8).

2 El mensaje de Isaías y la oración del rey, 2 Reyes 19:14-19.

Vv. 14, 15a. Después de pagarle mucho tributo (18:14-16), Ezequías recibió un mensaje por segunda vez de Senaquerib, rey de Asiria. Como consecuencia, el rey Ezequías entró al templo y pidió a Isaías, el profeta, que intercediera en oración. Dios respondió mandando *un rumor* de guerra contra el rey de Asiria. Senaquerib escuchó el rumor (19:9), pero antes de salir para enfrentar a Etiopía quiso insistir en forzar a Jerusalén para que se rindiera a Asiria. Entonces mandó una carta que de nuevo puso en tela de duda el poder de Jehovah para salvar. Esta vez Ezequías fue al templo con la carta y *la extendió delante de Jehovah*, es decir, dejó que fuera Dios quien castigara tal blasfemia. Y el rey mismo oró. No hay acción mejor en el tiempo de crisis que orar personalmente.

Vv. 15b-19. La oración de Ezequías comenzó con una expresión de adoración (v. 15b). Luego, está la petición de que Dios prestara atención al problema (v. 16). Ezequías reconoció que los reyes de Asiria abusando del poder habían destruido naciones (vv. 17, 18) y sus ídolos. Pidió a Jehovah que mostrara su poder salvando a Jerusalén para revelar a *todos los reinos de la tierra* que: *sólo tú, oh Jehovah, eres Dios.*

3 Juicio divino contra el rey de Asiria, 2 Reyes 19:20, 27-34.

V. 20. Jehovah escuchó la oración de Ezequías (vv. 15-19) y mandó a Isaías con tres oráculos (vv. 21-28, 29-31 y 32-34) como respuesta a la oración del rey. Estas palabras de Dios eran un llamamiento a confiar en él aunque estaba amenazando el desastre.

Vv. 27, 28. El primer oráculo expone la soberbia del rey asirio (vv. 23, 24). Senaquerib no sabía que todo había sucedido conforme al plan de Dios (vv. 25-27). El v. 27 muestra que Jehovah se encarga y está en control de toda la historia, incluso de los detalles de la vida de Senaquerib.

Vv. 29-31. En el segundo oráculo Isaías presenta una *señal* o una garantía simbólica de que la palabra de Dios es confiable. La acción contra Senaquerib se inicia en Dios y él la concluye: *¡El celo de Jehovah de los Ejércitos hará esto!* (v. 31). Dios promete que a pesar de las privaciones que los asirios han causado, Jerusalén mantendrá su independencia. Dios es amor y según su voluntad preserva un remanente.

Vv. 32-34. En el tercer oráculo de Isaías se refiere directamente a la crisis de Senaquerib. Los asirios regresarían a Asiria sin tomar la ciudad (v. 33). Senaquerib volvería derrotado *por el camino por donde vino.* Como su sello de confirmación a los tres oráculos, Jehovah afirmó: *defenderé esta ciudad para salvarla, por amor a mí mismo.*

4 Jehovah sana a Ezequías, 2 Reyes 20:1-6.

V. 1. La expresión: *En aquellos días* bien puede indicar el tiempo de las primeras invasiones de Senaquerib. El profeta, vocero de Dios, se afirma en la autoridad divina: *Así ha dicho Jehovah* antes de declarar al rey la gravedad de la crisis que enfrentaba: *vas a morir.*

Vv. 2, 3. El rey quiso estar a solas con Dios así como cuando le oró en el templo (vv. 15-19), *volvió su cara hacia la pared* (v. 2). Su oración fue sincera y en sus pocas pero fervientes palabras se expresó en forma muy semejante al salmista en los Salmos 17 al 26. Sus sentidas palabras en busca de la ayuda y protección de Dios fueron acompañadas por *gran llanto.*

Vv. 4-6. Dios escuchó la oración de Ezequías y decidió sanarlo. La frase, *Dios de tu padre David*, indica que la motivación de Dios era mayor que la súplica de Ezequías. La promesa a David y el cuidado de *"mi pueblo"* (v. 5) fueron elementos guiadores de las acciones de Dios. Dios tomó la palabra del rey y le dio 15 años más de vida para que le sirviera. El bienestar de Judá dependió de la piedad, integridad (v. 3) y la oración fiel de su líder (vv. 2, 3). El futuro de Judá dependía del poder y la bondad de Dios (vv. 5, 6).

—————— **Aplicaciones del estudio** ——————

1. La oración sincera es eficaz e indispensable en la vida del creyente. Ezequías (19:1-4, 14-19; 20:2, 3), era recto y justo, oraba en tiempo de crisis personal y crisis nacional. Dios respondió a sus oraciones.
2. La oración nos ayuda a conocer y cumplir la voluntad de Dios. Por medio de la oración podemos descubrir el plan de nuestra vida y podemos participar en la obra de Dios en el mundo.
3. La obediencia a la palabra de Dios es un requisito para experimentar sus bendiciones. Cuando líder y pueblo muestran fidelidad e integridad, pueden confiar su futuro al poder y la bondad de Dios.

—————— **Ayuda homilética** ——————

La oración eficaz
2 Reyes 19:1-19

Introducción. La oración no es una fórmula mágica; es ponerse ante Dios y buscar su voluntad en una situación de la vida. El ejemplo de Ezequías ilustra la importancia de la oración como muestra de una fe viva.

I. La oración es necesaria en las crisis de la vida.
   A. Nunca debemos olvidar que ¡los momentos de crisis exigen nuestras oraciones!
   B. En momentos de crisis admitimos nuestras limitaciones y nos abrimos a las nuevas posibilidades del poder divino.
II. La oración debe ser una característica de la vida.
   A. El rey tenía el hábito de orar.
   B. ¿Cuáles son las ocasiones en que debemos orar en nuestra vida? La Biblia nos enseña que debemos orar "sin cesar".
III. La oración debe ser sincera y personal.
   A. Ezequías al principio pidió a Isaías que orara. Después él mismo oró (vv. 14, 15).
   B. La actitud personal de Ezequías muestra su sinceridad.
   C. Hay diferencia entre rezar y orar. Rezar viene de la palabra recitar, repetir palabras. Orar implica hablar con Dios, conversar o comunicarse.

Conclusión: Cada crisis en la vida es una oportunidad para conocer a Dios mediante la oración sincera. Dios conoce nuestra situación y está atento.

Lecturas bíblicas para el siguiente estudio

Lunes: 2 Reyes 21:1-26   **Jueves:** 2 Reyes 23:1-20
Martes: 2 Reyes 22:1-7   **Viernes:** 2 Reyes 23:21-23
Miércoles: 2 Reyes 22:8-20   **Sábado:** 2 Reyes 23:24-30

AGENDA DE CLASE

Antes de la clase
1. Lea 2 Reyes 18 a 20. Tenga en cuenta que ahora se enfoca exclusivamente a Judá. Anote los nombres que aparecen. Consulte en la Biblia RVA las notas al pie de página que arrojan luz sobre el texto y algunos nombres. **2.** Subraye en el cuadro cronológico los nombres de Ezequías e Isaías. **3.** Trate de conseguir un plano de Jerusalén. Muchas Biblias lo incluyen en la sección de mapas. Cópielo en una cartulina haciéndolo más grande. Destaque las obras públicas de Ezequías (acueducto, estanque, túnel). **4.** Pida a un alumno que se prepare para narrar la parábola del hijo pródigo (Luc. 15:11-32). **5.** Responda a las preguntas que aparecen al principio del *Estudio del texto básico* en el libro del alumno.

Comprobación de respuestas
JOVENES: **1.** Los quitó, las rompió, los cortó, la hizo pedazos, los guardó. **2.** b. **3.** a) Un remanente. b) Liberada.
ADULTOS: **1.** a. V, b. F, c. F, d. V, e. F. **2.** a. 2, b. 3, c. 1, d. 5, e. 4.

Ya en la clase
DESPIERTE EL INTERES
1. El alumno que se preparó para contar la parábola del hijo pródigo debe presentarla ahora. **2.** Enfatice la libertad que el padre dio al hijo, su paciente espera de su retorno y su perdón incondicional.

ESTUDIO PANORAMICO DEL CONTEXTO
1. Diga que Dios esperó que Israel, el reino del norte volviera a él, pero no lo hizo. Su infidelidad y maldad causaron su ruina. Toda la parte norte de Palestina estaba cayendo en manos de Asiria. No había ninguna razón de que Judá no fuera la próxima nación a ser arrasada por Asiria, pero Judá, como el hijo pródigo, volvió a Dios y le fue fiel. Doscientos años más se mantuvo en pie. Nunca cayó bajo el poder de Asiria y no porque fuera militarmente poderosa. **2.** Los sucesos que hoy veremos tuvieron lugar en Jerusalén, la capital de Judá, el reino del sur, entre los años 726 y 697 a. de J.C. **3.** Los personajes principales de estos capítulos 18 al 20 son el rey Ezequías y el profeta Isaías. (Escriba sus nombres en el cuadro cronológico grande.)

ESTUDIO DEL TEXTO BASICO
1. Ezequías y el retorno a Jehovah. Para estudiar 2 Reyes 18:1-7 forme dos grupos. Uno debe identificar en el pasaje todas las cosas buenas que Ezequías hizo. El otro debe encontrar la respuesta de Dios a todo lo que Ezequías hizo. (Si prefiere no formar grupos, diga que la mitad de la clase a la derecha escuche la lectura y encuentre las cosas buenas que Ezequías hizo

y la mitad a la izquierda que escuche bien para encontrar la respuesta de Dios.) Que los primeros compartan lo que encontraron, agregue y explique según sea necesario valiéndose de la información del comentario exegético del pasaje en este estudio. Luego haga lo mismo con el segundo grupo. Pregunte cuál es el mejor cumplido que el escritor bíblico le hizo a Ezequías al compararlo con otros reyes (v. 5 "Ni antes ni después de él hubo otro como él entre todos los reyes de Judá"). Si consiguió el plano de Jerusalén muéstrelo señalando las obras edilicias de Ezequías.

2. *El mensaje de Isaías y la oración de Ezequías.* Presente un resumen de 18:9 a 19:13. Siga trabajando con los dos grupos o las dos mitades de la clase. En 2 Reyes 19:14-19 unos deben descubrir qué aliado buscó Ezequías ante las amenazas de Asiria y, los otros, qué concepto tenía Ezequías de Jehovah. Destaque la confianza de Ezequías en Dios.

3. *Juicio divino contra Senaquerib.* Lea en voz alta 2 Reyes 19:20 para ver el comienzo de la respuesta del Señor a la oración de Ezequías. Haga ver que la oración sigue hasta el v. 34 y que la retomamos en el v. 27. Con los mismos grupos o las dos mitades de la clase unos deben encontrar las promesas de Dios a Senaquerib, rey de Asiria y otros, las promesas a Ezequías. Comprueben luego lo que cada grupo descubrió, agregue sus comentarios según sea necesario.

4. *Jehovah sana a Ezequías.* Relate brevemente 2 Reyes 19:35-37. Mencione que hasta ahora hemos visto bendiciones para la nación como resultado de las oraciones y la fidelidad de Ezequías pero que en el próximo pasaje veremos algo muy distinto: una bendición personal para Ezequías que redundaría en bendición para el pueblo. Entre cuatro participantes lean en voz alta 2 Reyes 20:1-6. Uno será el relator, otro Isaías, el tercero Ezequías y el cuarto la voz de Jehovah. Pida a un grupo que encuentre la razón que Dios dio para sanarlo (había oído su oración y visto sus lágrimas) y, otro grupo, la razón que dio para no dejar caer a Jerusalén en manos de Asiria ("por amor a mí mismo y por amor a mi siervo David" v. 6). Pregunte: ¿Cuántas oraciones de Ezequías hemos visto en estos capítulos? Enfatice que el resultado positivo de sus oraciones se debía al hecho de que Ezequías era un hombre totalmente entregado a Dios y dependiente de él.

APLICACIONES DEL ESTUDIO

1. Entre todos redacten el primer párrafo de una carta imaginaria a Ezequías diciéndole lo que significó para los alumnos el ejemplo de fidelidad y de oración de él. 2. Escríbalo en el pizarrón.

PRUEBA

Escriban dos párrafos más de la carta imaginaria, incluyendo las respuestas a las preguntas en esta sección en el libro del alumno.

Renovación espiritual

Contexto: 2 Reyes 21:1 a 23:30 (2 Crónicas 33:1 a 36:1)
Texto básico: 2 Reyes 21:9-16, 19-23; 22:3-7, 18, 19; 23:1-3, 21-23
Versículo clave: 2 Reyes 23:3
Verdad central: Las reformas de Josías y la respuesta del pueblo produjeron una renovación espiritual, lo cual nos enseña que Dios se agrada de quienes le buscan de todo corazón.
Metas de enseñanza-aprendizaje: Que el alumno demuestre su: (1) conocimiento de las reformas de Josías y la respuesta del pueblo tanto como la reacción de Jehovah, (2) actitud de renovada lealtad y fidelidad a Dios.

───────────── Estudio panorámico del contexto ─────────────

A. Fondo histórico:

Reyes malos. A Manasés se le califica como el peor de los reyes de Judá. Su reinado de 55 años fue el más largo en la historia de Judá. Practicó todo lo malo que su padre Ezequías había erradicado del culto en Judá y restauró las prácticas cananeas incluyéndolas en la adoración a Jehovah. Aun hizo pasar por fuego a su hijo (21:6). Hizo pecar a la nación (21:9, 11). Amón, hijo de Manasés, al igual que su padre hizo lo malo ante los ojos de Jehovah, pero reinó sólo 2 años.

El libro de la Ley. Josías, hijo de Amón, fue un rey justo (22:2). Josías comenzó a buscar al Dios de su padre David. Inició una reforma del culto en Judá y Jerusalén para quitar las prácticas cananeas introducidas por su abuelo Manasés y su padre Amón. Una parte de esta reforma general consistió en la reparación del templo (2 Rey. 22:3-7). Durante la reparación se halló el libro de la Ley. Cuando Josías se aseguró de que el libro era auténtico, lo utilizó para dar dirección específica y fuerza a sus reformas. Este libro era el libro de Deuteronomio, o una porción significativa.

Confianza en el templo: Un punto central en la reforma fue la importancia dada al templo, la casa de Jehovah. Trajo memorias de la reforma de Ezequías y de las palabras de Isaías (19:32-34). La gente, entonces, creyó que Jerusalén y su templo nunca se destruirían y que la reforma del culto y sus ritos así lo garantizaban. Esa falsa confianza no permitió al pueblo escuchar tiempo después a Jeremías, cuando predicó acerca de que las promesas de Dios traen consigo condiciones que se deben cumplir (Jer. 7:1-15; 26:1-19).

B. Enfasis:

Un padre y su hijo, malos reyes de Judá, 21:1-26. Manasés reinó 55 años en Jerusalén (v. 1), pero el historiador no describe ningún acto político de él. Sólo se presenta la apostasía persistente del rey. El pueblo de Dios ha pecado desde el día en que sus padres salieron de Egipto hasta el día de hoy (v. 15), el reino de Manasés es la medida de ese tiempo de la historia. La palabras "Por cuanto Manasés..." muestran que el fin de la paciencia de Dios había llegado. El reino de Amón, su hijo, fue igual. Sin embargo, la promesa de Dios a la dinastía de David era tan importante para el pueblo de la tierra (la gente común de Judá), que cuando hubo una conspiración contra Amón ellos mataron a los conspiradores y proclamaron rey a su hijo, Josías.

Josías ordena reparar el templo, 22:1-7 y 2 Crónicas 34:3 indican que en el octavo año de su reinado Josías comenzó a buscar al Dios de su padre David, y en el duodécimo año inició una reforma del culto semejante a la de Ezequías. En el año 18 de su reinado su reforma general lo condujo a reparar el templo. Era antes de encontrar el libro de la Ley, y el motivo de la reforma era erradicar las prácticas cananeas.

Un gran descubrimiento, 22:8-20. Mientras reparaban el templo, el sumo sacerdote Hilquías presentó al escriba Safán lo que había encontrado: ¡el libro de la Ley! (Deuteronomio). Safán, que no pareció percibir la importancia del hallazgo, informó al rey que había recibido un libro (v. 10). Josías, por su parte, reconoció qué era (v. 11), mandó averiguar su autenticidad (vv. 12, 13), y una vez reconocido lo utilizó como guía en su gran reforma.

Una promesa solemne, 23:1-20. Con base en las palabras del libro del pacto que había sido hallado en la casa de Jehovah (v. 2), Josías hizo una promesa solemne ante todo el pueblo. El pueblo estaba de acuerdo y se puso de pie a favor del pacto (v. 3). La reforma de Josías se extendió aun hasta la provincia asiria, Samaria.

Una fiesta para recordar, 23:21-23. En el año 622 a. de J.C., por primera vez en la monarquía de Judá, o Israel, se celebró la Pascua, una fiesta que recordaba la liberación de Egipto (Exo. 12).

Josías, sus últimos años y su muerte, 23:24-30. Josías siguió adelante con su reforma hasta ya casi el final de su vida. La calificación dada a Josías en el v. 25 lo señala como el mejor rey de Judá, pero aun así Josías no pudo deshacer todo lo malo que había hecho Manasés (v. 26), por lo cual la reacción y declaración de Jehovah no se hizo esperar y el pueblo recibió la sentencia de que sería quitado de la presencia de Jehovah (v. 27). Josías realizó su reforma en un momento clave de la historia internacional. En uno de los enfrentamientos entre Egipto y Asiria, Josías fue muerto por el faraón Necao de Egipto. En Meguido lo recogieron sus siervos y lo sepultaron en Jerusalén.

Es evidente que el pecado de una persona trae consecuencias para otras personas y para toda una comunidad. Josías hizo su parte, pero el pecado de Manasés fue de tales proporciones que no fue posible deshacer todo lo malo que había hecho.

1 Manasés y Amón, malos reyes de Judá, 2 Reyes 21:9-16, 19-23.

V. 9. Manasés fue en gran parte culpable por las acciones pecaminosas de Judá. Es verdad que *ellos no escucharon* y que cada uno decidió hacer lo malo, pero fue Manasés quien les hizo desviarse. La apostasía fue intencional: pecaron, *más que las naciones que Jehovah había destruido.* Es decir, que adoraron a más y distintos dioses que los pueblos paganos.

Vv. 10-12. El reinado de Manasés representó el clímax de la rebelión contra Jehovah. El profeta describe muchas de las consecuencias que el pueblo iba a sufrir a causa de los pecados descritos en los versículos 11-15. De tal grado sería el mal que iba a recibir el pueblo *que al que lo oiga le retiñirán ambos oídos.*

Vv. 13-16. El castigo a Jerusalén sería igual al castigo a Samaria descrito en 2 Reyes 18:9-12. *Desampararé al remanente de mi heredad.* Judá era ese remanente, una pequeña parte de todo el pueblo escogido. *Derramó muchísima sangre inocente.* Manasés fue cruel con los de su propio pueblo que no se rendían incondicionalmente a sus prácticas paganas (vv. 19-22).

Vv. 19-23. El reinado de Amón, hijo de Manasés, fue muy breve, sólo reinó dos años y de él no se presenta ningún detalle de sus acciones sino que sólo se le identifica con Manasés, su padre, en el sentido de seguir el camino de la apostasía. La frase *abandonó a Jehovah* resume el porqué de su pecaminoso actuar. Sus servidores *conspiraron contra él* y le mataron dentro del palacio.

2 Josías y el hallazgo del libro de la ley, 2 Reyes 22:3-7, 18, 19.

V. 3. La reparación del templo que comenzó *en el año 18* del reinado de Josías fue la tercera etapa de una reforma general iniciada por el joven rey.

Vv. 4-7. La construcción del templo fue una expresión evidente de la devoción sincera de Josías a Jehovah. El texto no describe la construcción, quizás se consideró más importante mostrar que la obra tenía los recursos suficientes (v. 4) y se basaba en la confianza (v. 7): *confía, porque ellos proceden con fidelidad.* La manera de financiar la reparación era semejante al método que utilizó Joás (2 Rey. 12:7-15).

Vv. 18, 19. Al poner en acción la orden del rey, se halló *el libro de la Ley en la casa de Jehovah* (v. 8). En la reacción de Josías al oír el contenido del libro se evidenció su conocimiento de Dios al declarar que era la palabra de Dios. Conocedor de los mandamientos de Dios a su pueblo, el rey muy pronto temió y se entristeció ante *la ira* de Jehovah. Inmediatamente mandó una comisión de cinco de sus hombres a Hulda, la profetisa, para averiguar la autenticidad del libro (de la que el rey realmente no dudaba), pero aun más para inquirir sobre las maldiciones a la desobediencia que en el libro se anunciaban para el pueblo (ver Deut. 28:15-68). La respuesta de Hulda se divide en dos partes: (1) Los vv. 15-17 revelan que de veras el pecado de Judá iba a ser castigado. (2) Los vv. 18-20 se dirigen a Josías mismo. Dios escuchó a Josías. Dios sí escucha al que le busca de todo corazón (v. 19). En una forma muy personal Dios le prometió a Josías que él no vería *todo el mal* que iba a traer *sobre este lugar* (v. 20). La promesa era que Josías sería sepultado *en paz* (v. 20).

3 Josías y el pueblo pactan con Dios, 2 Reyes 23:1-3.

Vv. 1, 2. Josías respondió al oráculo que Hulda pronunció en cuanto al libro, convocando *a todos los ancianos de Judá y de Jerusalén* (v. 1). No obstante, respondieron a la convocatoria todos los hombres... todos los habitantes... todo el pueblo (v. 2). Oficiales y pueblo, mayores y menores, escucharon la lectura de la palabra de Dios. El libro *que había sido hallado en la casa de Jehovah* recibió un nuevo nombre: el *libro del pacto*. El concepto del pacto había sido central para el pueblo de Dios desde el principio. Jehovah había mostrado su gracia en hacer un pacto con los patriarcas, con Abraham (Gén. 17:7), con Moisés (Exo. 19:5, 6) y con David (2 Sam. 7:12, 17). Fue también el pacto el que dio razón al juicio de Dios contra su pueblo (2 Rey. 17:14-18).

V. 3. Josías tomó la posición física de autoridad, *de pie junto a la columna* (compare 11:14) y prometió *andar, guardar,* y *cumplir* todo en cuanto al pacto entre él y Jehovah. En un acto de renovar el pacto, también *todo el pueblo se puso de pie a favor del pacto.*

4 Josías y la celebración de la Pascua, 2 Reyes 23:21-23.

V. 21. El *libro del pacto* también fue la base de una reforma a la celebración de la Pascua instituida por Dios a su pueblo (Exo. 12:1-18). En los escritos sagrados desde Josué a 2 Reyes 23 no se menciona que la Pascua haya sido celebrada ni una sola vez por todo el pueblo, desde que lo habían hecho en Gilgal, según se relata en Josué 5:10-12. Es posible que la hayan celebrado en forma íntima algunas familias o en un sentido local de vez en cuando, pero aquí se celebró como una fiesta nacional centralizada en Jerusalén. La magnitud e importancia de esta celebración se ve en 2 Crónicas 35:1-19.

Vv. 22, 23. La celebración de esta Pascua fue única en la historia del pueblo de Dios. Lo que la hizo tan especial fue que por fin se celebró la Pascua *conforme a lo que está escrito en este libro del pacto* (v. 21). Este acto de celebración fue un modelo de obediencia, y el clímax de la reforma de Josías. El relato de esta reforma termina como se inició en el v. 3: *el año 18 del rey Josías* (v. 23), todo en un año memorable, para Josías y para el pueblo de Judá, quienes participaron en esta trascendente renovación espiritual.

———————————— **Aplicaciones del estudio** ————————————

1. Un líder espiritual tiene mucha responsabilidad por su influencia sobre sus seguidores. Manasés utilizó su poder de rey para desviar a la nación de Israel. Josías hizo pacto delante de Jehovah... Como consecuencia de su influencia, todo el pueblo se puso de pie a favor del pacto (23:3).

2. La palabra de Dios da dirección y fuerza a la vida dedicada a él. Josías utilizó el libro de la Ley como guía en el resto de su reforma. Dios ha dado su palabra a todo creyente para que reciba la dirección correcta en su vida y para que tenga ánimo.

3. Al entrar en una relación con Dios recibimos gracia y adquirimos responsabilidad. El pueblo de Dios iba a recibir su castigo a consecuencia del pecado (22:15-17). Sin embargo, Dios también mostraba gracia a Josías (22:18-20). En el nuevo pacto de Jesucristo recibimos vida eterna por medio de la gracia. No obstante, esta nueva vida trae consigo obligaciones que no podemos dejar a un lado.

Ayuda homilética

El secreto del liderazgo
2 Reyes 23:1-3

Introducción: Ser líder es un gran privilegio, pero a la vez es una gran responsabilidad delante de Dios, que escoge a sus líderes, y delante del pueblo de Dios a quienes el líder debe guiar.

I. **El líder espiritual demuestra un compromiso claro con Dios.**
   A. Josías hizo pacto delante de Jehovah (v. 3). Prometió públicamente que viviría según la palabra de Jehovah.
   B. Una persona que quiere guiar a otros ha de comprometerse con Dios sin ambigüedad.
   C. El compromiso público dará al líder perseverancia para cumplir su deber.

II. **El líder espiritual comparte la palabra de Dios con la gente.**
   A. Josías leyó al pueblo todas las palabras del libro del pacto (v. 2).
   B. Cada líder del pueblo de Dios tiene que basarse en la Palabra de Dios. Toda la obra de la iglesia tiene que encontrar su motivación, su método y su meta en la Biblia.

III. **El líder espiritual capacita a otros para que respondan a Dios.**
   A. Josías logró que todo el pueblo estuviera a favor del pacto (v. 3).
   B. El líder guía a los seguidores a tomar decisiones personales delante de Dios.

Conclusión: Dios está llamando obreros para su viña. ¿Te está llamando a ti? El primer paso para ser un líder espiritual es responder a ese llamado.

Lecturas bíblicas para el siguiente estudio

Lunes: 2 Reyes 23:31 a 24:7   **Jueves:** 2 Reyes 25:8-21
Martes: 2 Reyes 24:8-17   **Viernes:** 2 Reyes 25:22-26
Miércoles: 2 Reyes 24:18 a 25:7 **Sábado:** 2 Reyes 25:27-30

AGENDA DE CLASE

Antes de la clase

1. Lea 2 Reyes 21:1 a 23:30. **2.** En el cuadro cronológico de la página 292 subraye los nombres de los tres reyes de Judá. **3.** Prepare un cartel sencillo con el título del estudio y el bosquejo con sus citas bíblicas. **4.** Escriba en tiras pequeñas de papel las aplicaciones que desea destacar y prepare otras tiras en blanco. Colóquelas dobladas en dos en una cajita. **5.** Responda las preguntas que aparecen al principio de la sección *Estudio del texto básico* en el libro del alumno.

Comprobación de respuestas

JOVENES: **1.** a. Malo. b. Malo. c. Bueno. **2.** a. Muestra la profundidad del pecado durante el tiempo de Manasés, a la vez que señala que es difícil que Dios justifique la existencia de Judá cuando había castigado a otras naciones por hacer menos. b. Subraya la intensidad del castigo por venir. **3.** a. Fue asesinado por sus siervos. b. Se halló el libro de la ley de Dios. c. Rasgó sus vestiduras, acción que muestra confesión de pecado a la luz de la Ley. d. Se leyó el libro de la Ley y se renovó el pacto con Dios. e. Pascua.

ADULTOS: **1.** Quemar copias de la Ley. Matar al rey de Siria. Sacrificar cerdos en el templo. **2.** 1) d. 2) e. 3) b. 4) c. 5) a.

Ya en la clase

DESPIERTE EL INTERES

1. Pida a dos alumnos que muestren sus Biblias y cuenten cómo la obtuvieron. **2.** Pregunte cuándo fue la primera vez que tuvieron una Biblia en sus manos. Se sorprenderá al escuchar los hermosos testimonios que compartirán. **3.** Comparta usted también cómo fue que "descubrió" la Biblia.

ESTUDIO PANORAMICO DEL CONTEXTO

1. Presente a grandes rasgos los tres reyes de Judá: hijo, nieto y bisnieto del gran Ezequías. **2.** Escriba sus nombres en el cuadro cronológico grande. **3.** Hable algo de la condición política recalcando que el estado de independencia vivido durante el reinado de Ezequías fue convirtiéndose en casi un vasallaje bajo Asiria aunque ésta nunca alcanzó a conquistar a Judá ni a ocupar Jerusalén. Asiria los hostigaba pero el Señor los detenía.

ESTUDIO DEL TEXTO BASICO

Coloque en un lugar visible el cartel con el título y el bosquejo. Uselo al ir enfocando cada sección.

1. Manasés y Amón, malos reyes de Judá. Relate resumidamente 2 Reyes 21:1-8 para recalcar la maldad de Manasés. Diga que su maldad y la del pueblo que lo seguía no quedarían impunes. Dios les hizo un gran llamado de atención que ahora verán en los vv. 9-16. Un alumno lea en voz alta dichos versículos mientras los restantes encuentran la descripción de lo que le pasaría a Jerusalén por tanta maldad (vv. 12-14). Explique a qué se refiere "el cordel de Samaria" y "la plomada de la casa de Acab" (vea Amós 7:7-9). O sea que se refiere a destrucción. Vean cómo culmina el pensamiento con la figura de un plato que será limpiado. Diga que cuando después de 55 años de desastroso reinado a Manasés le sucedió su hijo Amón las cosas no cambiaron. Un alumno lea los vv. 19-23 y verán qué pasó con este rey. Puede decirse que su única virtud fue ser padre de Josías. Relate 2 Reyes 21:24 a 22:2.

2. Josías y el hallazgo del libro de la ley. Siguiendo el ejemplo de Joás, uno de sus predecesores, Josías decidió hacer algo para restaurar el templo. Que varios alumnos lean un versículo cada uno de 2 Reyes 22:3-7. Una de las grandes sorpresas fue encontrar un libro, o sea un rollo. Relate los pormenores que se dan en los vv. 8-18. Un alumno continúe la historia leyendo la profecía para Josías en los vv. 19, 20. Comente que así como Dios castiga la maldad y desobediencia, se enternece, atiende y perdona al pecador arrepentido. Dios ya había predicho el castigo para Judá. Por la fidelidad de Josías, le promete que no sucederá durante su vida.

3. Josías pacta con Dios. Diga que así como los reyes malos hacían pecar al pueblo, un rey bueno los condujo por buen camino. Veamos cómo lo hizo. Un alumno lea 23:1-3. Diga que tuvieron un gran estudio bíblico. Pregunte: ¿Quiénes asistieron? (v. 2) ¿Quién dirigió el estudio? (Josías) ¿Qué leyó? (El libro de la ley era lo que hoy llamamos Deuteronomio.) ¡Un libro entero estudiado en un solo estudio! ¿Cuál fue el resultado de aquel estudio bíblico? (v. 3). Explique de qué se trataba el pacto que Dios había hecho con su pueblo desde antaño (Deut. 29:10-21).

4. Josías y la celebración de la Pascua. Dé un resumen de 2 Reyes 23:4-20. Lea usted en voz alta los vv. 21-23 y explique el significado de ese acto (Lev. 23:4-8, se celebraba en recordación de la liberación de la esclavitud en Egipto, diríamos que celebraban su Día de la Independencia). Termine comentando los vv. 24-30. Josías tenía apenas 39 años cuando murió pero...¡cuánto bien pudo lograr!

APLICACIONES DEL ESTUDIO
1. Pase la cajita con las tiras de papel con las aplicaciones y en blanco. Que cada alumno tome una. **2.** A quienes les tocaron tiras escritas que lean y comenten lo que dicen. **3.** Los que tienen tiras en blanco pueden escoger una de ellas para copiar o pueden sugerir otra aplicación que les gustaría escribir.

PRUEBA
1. Contesten en parejas las preguntas en esta sección de su libro del alumno. **2.** Júntense con otra pareja para compartir lo que hicieron. **3.** Ore dando gracias a Dios por poder tener y estudiar la Biblia.

Unidad 15

El pecado destruye

Contexto: 2 Reyes 23:31 a 25:30 (2 Crónicas 26:2-21)
Texto básico: 2 Reyes 23:31-33; 24:1, 2, 10-14, 18-20; 25:1-12
Versículo clave: 2 Reyes 24:3
Verdad central: La caída y captura del reino de Judá nos enseña que la corrupción de los dirigentes trae graves consecuencias sobre el pueblo.
Metas de enseñanza-aprendizaje: Que el alumno demuestre su: (1) conocimiento de la caída y captura del reino de Judá, (2) actitud de valorar el plan que Dios ofrece para superar los efectos destructivos del pecado.

Estudio panorámico del contexto

A. Fondo histórico:

"Los pecados de Manasés". Esta frase se usa en 24:3 para señalar lo peor de la apostasía de Judá. Representa la maldad insistente de Judá y el motivo para la destrucción del reino como juicio de Jehovah.

La caída de Judá: Después de la muerte de Josías el fin de Judá sucedió con una rapidez sorprendente. Egipto tomó control del área y puso a Joacim (Eliaquim) en el trono. El sirvió como vasallo de Egipto desde el año 609 a 605 a. de J.C. En este último año Babilonia derrotó a Egipto en Carquemis (Jer. 46:2) y en Jamat. Pronto entró Nabucodonosor de Babilonia a Palestina y Joacim se encontró obligado a ser su vasallo. Sin embargo, en el año 601 a. de J.C. Joacim se rebeló (2 Rey. 24:1) después de que los babilonios regresaron a Babilonia. Nabucodonosor no pudo regresar al área hasta el año 598 a. de J.C. Joacim murió (¿asesinado?) y Joaquín, su hijo que le había sucedido en el trono, se rindió en el 597 a. de J.C. Este fue llevado prisionero a Babilonia juntamente con los líderes de Judá en el primer exilio.

Su tío Sedequías (Matanías) gobernó en su lugar. Dentro de diez años Sedequías también se rebeló. Nabucodonosor regresó y en 588 a. de J.C. sitió Jerusalén, conquistó las otras ciudades de Judá, y en el año 587 a. de J.C. la ciudad de Jerusalén se rindió. Nabucodonosor quemó la ciudad y llevó más de su población a Babilonia. Nombró a Gedalías gobernador de Judá. Gedalías trató de hacer lo mejor en esa situación, pero un grupo dirigido por un tal Ismael lo asesinó. Un tercer grupo fue llevado a Babilonia en el año 582 a. de J.C. (Jer. 52:30), quizá como una reacción tardía a este evento.

Nabucodonosor: Los babilonios habían derrotado a Asiria al destruir la ciudad de Nínive en el año 612 a. de J.C. y a Jarán en 610 a. de J.C. Nabucodonosor hijo del rey Nabopolasar fue general del ejército babilonio durante los años 608-606 a. de J.C. En el año 605 a. de J.C., derrotó a Egipto en Carquemis y estuvo persiguiéndolos cuando recibió noticia de la muerte de su padre, entonces regresó a Babilonia para consolidar su poder. En el año 604 a. de J.C. estaba de nuevo en Palestina como general y rey de los babilonios.

B. Enfasis:

Después de Asiria: Egipto y Babilonia, 23:31 a 24:7. Después de la muerte de Josías en el año 609 a. de J.C., la gente de Judá escogió a Joacaz, el hijo menor de Josías para ser su rey. Sin embargo, cuando Necao regresó de su fracasado intento de ayudar a Asiria, quiso mostrar su control de Palestina y encarceló (23:33) a Joacaz y proclamó rey a Eliaquim. Mostró que Judá era su vasallo al cambiar el nombre de Eliaquim a Joacim (v. 34) y al llevar a Joacaz a Egipto, donde murió (v. 34). Joacim fue obligado a servir a Egipto (609-605), pero cuando Nabucodonosor ganó la batalla de Carquemis en el río Eufrates los egipcios debieron huir y Nabucodonosor, nuevamente rey de Babilonia, marchó conquistando ciudades en Siria y Palestina. En esta nueva situación Joacim, para evitar la guerra, se vio obligado a hacerse vasallo de Babilonia.

Nabucodonosor siguió en su campaña contra Egipto. En el año 601 a. de J.C. luchó con Necao en la frontera de Egipto. Nadie ganó plenamente. Sin embargo, las pérdidas que Nabucodonosor sufrió le obligaron a regresar a Mesopotamia para recuperarse. En un error fatal Joacim se rebeló, creyó que Babilonia no podía controlar esa área del mundo. Nabucodonosor no pudo reaccionar inmediatamente, pero mandó varias tropas para hostigar a Judá (v. 2) hasta que él mismo pudo regresar en diciembre del año 598 a. de J.C. En ese tiempo murió Joacim.

De Jerusalén a Babilonia, 24:8-17. El nuevo rey no pudo oponerse a Nabucodonosor y se rindió. Judá recibió de parte de Babilonia un trato clemente: sus líderes fueron llevados a Babilonia, pero el pueblo mantuvo su integridad nacional bajo el nuevo rey, Sedequías.

Jerusalén y el templo son destruidos, 24:18 a 25:21. Judá vivió en una paz precaria por once años. Sedequías por fin se rebeló contra Babilonia y como consecuencia la ciudad de Jerusalén fue destruida, incluso el templo. La mayoría de la población fue llevada cautiva, y sus líderes fueron ejecutados.

Gedalías es asesinado, 25:22-26. Judá llegó a ser un territorio babilónico. Nabucodonosor *puso a Gedalías* como gobernador. Este trató de hacer lo mejor en medio de una situación difícil, pero Ismael lo asesinó en un acto resultante de su celo nacionalista.

Evil-merodac honra a Joaquín, 25:27-30. Al final de 2 Reyes suena una nota de esperanza. Joaquín todavía estaba en Babilonia como prisionero, pero el rey babilónico lo libró y lo trató bien.

1 Joacaz y Joacim, vasallos de Egipto y Babilonia, 2 Reyes 23:31-33; 24:1, 2.

Vv. 31-33. Un joven de 23 años, Joacaz, fue proclamado rey por el pueblo aunque no era el hijo mayor de Josías. Reinó sólo 3 meses y por mucho tiempo fue prisionero de Necao en Ribla (v. 33). La evaluación de su reinado: *hizo lo malo ante los ojos de Jehovah.* Joacaz es el nombre con el que se le identifica como rey, pero en Jeremías 22:10 y 1 Crónicas 3:15 se le llama "Salum". El faraón de Egipto, Necao, impuso tributo sobre Judá y estableció a Eliaquim como rey. Para mostrar que Eliaquim era su vasallo, le cambió el nombre a Joacim (v. 34).

24:1. Para evitar la destrucción de Jerusalén, Joacim hizo alianza con Babilonia. Después de una batalla en la frontera con Egipto en el año 601 a. de J.C., parecía que Nabucodonosor no podría controlar a Palestina y Joacim se rebeló.

V. 2. Históricamente fue Nabucodonosor quien incitó a varias tropas para que atacaran a Judá hasta que él pudiera llegar. Teológicamente fue obra de Jehovah. Al rebelarse contra Babilonia Judá se estaba rebelando contra Dios. Se negó a aceptar el castigo que Dios había anunciado por medio de Jeremías, Ezequías y otros profetas.

2 Joaquín y la cautividad de Jerusalén, 2 Reyes 24:10-14.

Vv. 10-11. Joaquín, al igual que Joacaz (vv. 31-34), estuvo poco tiempo en el trono. También reinó sólo tres meses, pero era más joven (18 años) y se enfrentó con Nabucodonosor de Babilonia. Su padre Joacim se había rebelado y murió inmediatamente antes de que llegara Nabucodonosor a Judá (v. 6). Los ejércitos de Babilonia sitiaron a Jerusalén y el destino de Jerusalén se decidió cuando Nabucodonosor mismo llegó para supervisar su destrucción. Según las crónicas babilónicas el sitio de la ciudad duró tres meses, ¡todo el tiempo que reinó Joaquín *en Jerusalén!*

V. 12. Joaquín se vio obligado rendirse a Nabucodonosor. Judá había sido testigo del horror de los largos sitios que Samaria (6:24-31; 17:5) había sufrido en manos de Senaquerib (17:13-37). La nota del *octavo año de su reinado* se refiere al reinado de Nabucodonosor.

Vv. 13, 14. Que Judá no resistió a los babilonios, sino que se rindió por su propia voluntad explica el trato amable que recibió por parte de Nabucodonosor. El oro y los tesoros del templo y del palacio fueron saqueados. Sin embargo, no todo fue robado. Todavía podía funcionar el culto en Jerusalén. También, era parte de la política de Nabucodonosor llevar al pueblo vencido al exilio. Llevó un total de *10,000 cautivos* —militares y los trabajadores calificados juntamente con el rey, su familia, sus consejeros y los nobles. Sin embargo, dejó un grupo para que Judá siguiera existiendo como nación. Para reinar sobre ellos proclamó rey en lugar de Joaquín a su tío Matanías, y cambió su nombre por el de Sedequías (v. 17).

3 **Sedequías y la caída de Jerusalén, 2 Reyes 24:18-20; 25:1-12.**
V. 18. Nabucodonosor proveyó para la continuación del Estado de Judá. Aunque la nación fue reducida, Judá siguió con una vida económica, política y religiosa según sus tradiciones. Sedequías era de la línea de David.
V. 19. Una vez más hay una evaluación negativa de un rey de Judá sin una historia de su función política.
V. 20. La autoridad moral de Dios quedó demostrada en la destrucción de Jerusalén. Los avisos divinos habían sido rechazados y ahora lo que Dios declaró en 23:26, 27 y confirmó en 24:2-4, ocurrió con todo su furor. Sedequías tendría que saber de la predicación de los profetas acerca del pecado de Judá y del castigo que Dios mandaba mediante los babilonios, pero aún así insistió en rebelarse. *Se rebeló contra el rey de Babilonia.*
25:1, 2. El *noveno año* se refiere al reinado de Sedequías. El ataque final contra Jerusalén se inició el 26 de diciembre de 589 a. de J.C. Desde Ribla Nabucodonosor dirigió la campaña que destruyó todas las ciudades fortificadas en Judá como Laquis y Azeca (Jer. 34:7).
El sitio de Jerusalén y la destrucción sistemática de las otras ciudades de Judá duró dos años (v. 2).
V. 3. Ezequías había asegurado agua suficiente para Jerusalén construyendo un túnel entre la fuente de Guijón y el estanque de Siloé (2 Rey. 20:20). Pero después de dos años *prevaleció el hambre en la ciudad.*
Vv. 4-6. A través de *una brecha* abierta en el muro de Jerusalén, Sedequías y una escolta de soldados *huyeron de noche* hacia el sur. Moab y Amón estaban en esa dirección y habían participado en la rebelión (Jer. 27:3), y el rey buscó asilo en uno de esos lugares.
Sin embargo, fue arrestado en las *llanuras de Jericó*, un área sin vegetación para esconderse. Su guardia lo abandonó y Sedequías fue llevado ante Nabucodonosor en Ribla. La sentencia del rey fue extremadamente cruel.
V. 7. La última cosa que vio Sedequías fue el "sacrificio" de sus hijos. *Degollaron*, implica una matanza brutal. Luego le sacaron los ojos al rey, le aprisionaron con cadenas, y así Sedequías, quien tenía sólo 32 años, vencido y sin poder caminó hacia la oscuridad del destierro.
Vv. 8-10. *Nabuzaradán, capitán de la guardia.* Fue el líder de la administración de la ocupación babilónica. Su primer acto fue destruir los posibles centros de resistencia y lugares simbólicos del poder anterior de Judá. Luego *demolió los muros* que protegían la ciudad para que nadie olvidara la vulnerabilidad de Jerusalén. El pueblo sufrió por su pecado y negligencia.
Vv. 11, 12. Nabuzaradán concluyó el destierro de varios grupos que todavía estaban en Jerusalén. Los babilonios querían que la tierra fuera cultivada y dejaron gente como *viñadores y labradores*. También permitieron que algunos líderes permanecieran en Jerusalén para guiar a la gente que quedó.
Tal fue la situación del reino de Judá como consecuencia de su obstinada actitud de alejarse del Señor. Ojalá que Judá hubiera percibido la trascendencia de su alejamiento y se hubiera dispuesto a volver al Señor. Otra hubiera sido su historia.

1. Un líder espiritual debe tener su base firme en la Palabra de Dios.
Hoy como ayer la base más sólida para hacer la voluntad de Dios y dirigir a otros en esa misma dirección es la Palabra de Dios.
2. Siempre somos siervos de alguien. Joacaz y Joacim ilustran esta verdad. Porque no querían servir a Dios, llegaron a ser vasallos de Egipto y Babilonia. Hay que decidir a quién queremos servir.
3. Dios mueve los hilos de la historia para cumplir su plan eterno. 2 Reyes en su totalidad proclama el mensaje que Dios puede utilizar todo y a todos para cumplir su plan eterno. Los sirios, asirios, egipcios y babilonios fueron sus instrumentos para revelar su voluntad a Israel y a Judá.

Ayuda homilética

¿Cuál es la última palabra?
2 Reyes 25:21b-30

Introducción: Leer la Biblia es esperar que Dios nos hable. Queremos escuchar su voz para entender nuestro propósito y nuestro destino.

I. Es Dios quien tiene la última palabra en la vida.
   A. Dios es soberano sobre todo el mundo.
   B. En 2 Reyes hemos visto el pecado insistente del pueblo, la paciencia y la gracia de Dios, y la ira y castigo de Dios.
   C. ¿Cuál es la última palabra de Dios: castigo o esperanza? ¿Juicio o gracia?
II. Dios quiere que el juicio sea su penúltima palabra.
   A. El pecado es un asunto grave porque es rebelión contra Dios.
   B. Dios es santo y castigará al pecador.
   C. El juicio de Dios tiene otro propósito que meramente destruir.
III. Dios quiere que la gracia sea su última palabra.
   A. La liberación de Joquín ofrece una posibildad de esperanza al pueblo de Dios.
   B. Si escuchamos la palabra de Dios que recibimos en el castigo y nos arrepentirnos, es posible que escuchemos la palabra de perdón y gracia.

Conclusión: La cruz de Cristo echa su sombra sobre nosotros condenando nuestro pecado. La cruz de Cristo se levanta también como la palabra incontrovertible de la gracia de Dios que ha vencido el poder del pecado.

Lecturas bíblicas para el siguiente estudio

Lunes: Miqueas 1:1	**Jueves:** Miqueas 2:12 a 3:4
Martes: Miqueas 1:2-16	**Viernes:** Miqueas 3:5-8
Miércoles: Miqueas 2:1-11	**Sábado:** Miqueas 3:9-12

AGENDA DE CLASE

Antes de la clase
1. Al leer 2 Reyes 23:31 a 25:30 anote los nombres de los reyes y, bajo cada uno, datos de él que le llaman la atención. Anote también algo de la relación de cada uno con Babilonia y/o Egipto y cómo fue el final de cada uno. **2.** Estudie el *Fondo histórico* bajo *Estudio panorámico del contexto* en este libro y en el del alumno. Agregue a sus notas sobre cada rey, las fechas que allí se dan. **3.** Ubique en el mapa bíblico Egipto, Babilonia y los demás nombres que mencionan los pasajes a estudiar. **4.** Haga muñecos de papel (4) que representen a Joacaz, Joacim, Joaquín y Sedequías. Coloréelos de un mismo color pero en tonos de claro a oscuro cronológicamente. Esto le facilitará recordar la secuencia de cada uno. Haga un muñeco que represente a Necao de Egipto y otro a Nabucodonosor de Babilonia. **5.** Note que Babilonia es la actual Iraq. Preste atención a las noticias para tener información al día sobre Israel, Iraq y Egipto. **6.** Responda a las preguntas al principio del *Estudio del texto básico* en el libro del alumno.

Comprobación de respuestas
JOVENES: **1.** c. h. g. d. e. a. b. i. f. **2.** a) 100 talentos de plata y un talento de oro. b) Los tesoros del templo y del palacio real.
ADULTOS: 8, 5, 1, 11, 4, 9, 2, 13, 6, 7, 3, 12, 10.

Ya en la clase
DESPIERTE EL INTERES
1. En el pizarrón o en una hoja grande de papel escriba como título TRAGE-DIAS y abajo PERSONALES - NACIONALES para formar dos columnas. **2.** Pida a los alumnos que mencionen tragedias personales. Escríbalas bajo esa columna. **3.** Haga lo mismo con tragedias nacionales. **4.** Diga que en este estudio veremos una de las más grandes tragedias en la historia del pueblo de Dios, tragedia desencadenada por su fracaso espiritual.

ESTUDIO PANORAMICO DEL CONTEXTO
1. Si consiguió alguna noticia fresca de Iraq, Israel o Egipto actual, preséntela haciendo ver que éstos son descendientes de los pueblos que intervienen en los pasajes a enfocar en este estudio. **2.** Relate a grandes rasgos la historia de Judá que este estudio abarca, empezando con la profecía por la acción vanidosa de Ezequías (2 Rey. 20:12-20). **3.** Cuando menciona uno de los reyes, colóquelo en el mapa donde corresponde moviéndolo según el lugar a donde fue llevado. Por ejemplo, transporte a Joacaz a Egipto y acuéstelo cuando dice que allí murió. **4.** Use los muñecos para mostrar el movimiento militar de Egipto y Babilonia y lo que pasó con los reyes de Judá. Comente que, como ven, hubo aquí tragedias personales y tragedias nacionales. **5.** Escriba en el cuadro cronológico grande los nombres de los reyes. Es más

fácil recordar su secuencia si tenemos en cuenta que el orden alfabético es también cronológico. Vea: Joacaz, Joacim, Joaquín.

ESTUDIO DEL TEXTO BASICO

1. Joacaz y Joacim, vasallos de Egipto y Babilonia. Forme dos equipos. El primero es el equipo "Joacaz" y debe tomar 2 Reyes 23:31-33 y averiguar todos los datos que se dan sobre Joacaz y las tragedias personales y nacionales que sucedieron. El segundo equipo es "Joacim" y hará lo mismo con 2 Reyes 24:1, 2. Cuando informen, agreguen las tragedias a las listas en el pizarrón.

2. Joaquín y la cautividad de Jerusalén. Dé un breve resumen de 2 Reyes 24:3-9. Vuelvan a trabajar en dos equipos. Uno debe preparar un resumen de lo que sucedió como si fuera Joaquín quien lo cuenta, y cómo fue una gran tragedia para él personalmente y para la nación. Imaginen los sentimientos de Joaquín.

El segundo equipo, con los mismos versículos, debe preparar un resumen desde el punto de vista de uno de los pobres que quedó en Jerusalén (v. 14b). Escriba 597 en el pizarrón, el año trágico cuando Joaquín se rindió.

3. Sedequías y la caída de Jerusalén. Vuelva a formar dos equipos. El primero investiga 2 Reyes 24:18-25 donde deben averiguar: 1. Lo que hizo Sedequías que causó el sitio de Jerusalén por Babilonia. 2. Saquen la cuenta de cuánto duró el sitio. 3. Las consecuencias del sitio para los habitantes. 4. Qué pasó con Sedequías y su familia cuando trató de huir (consulten Jeremías 52:11 para ver dónde pasó el resto de sus días).

El segundo equipo investigue 2 Reyes 25:8-14 para averiguar: 1. Qué edificios incendiaron los babilonios en Jerusalén. 2. Qué demolieron. 3. A quiénes más llevaron cautivos a Babilonia. 4. Todo lo que saquearon del templo. Cuando informen agreguen tragedias a sus listas. Escriba 586 en el pizarrón, el año fatídico cuando Jerusalén fue totalmente avasallada. El reino del Norte había desaparecido en 721, el del Sur siguió 135 años más pero también tuvo que sufrir el jucio de Dios por su maldad.

APLICACIONES DEL ESTUDIO

1. Lean las aplicaciones en el libro del alumno. **2.** Al terminar cada una, pida a un voluntario que la exprese en forma positiva (p. ej. Jóvenes, 1. Vivir una vida piadosa abre las ventanas de las bendiciones de Dios. Adultos, 1. Dios bendice la integridad de los líderes.)

PRUEBA

1. Individualmente escriban las respuestas en esta sección en su libro. **2.** Compruebe lo que hicieron. **3.** Oren por su país, su iglesia y sus líderes.

Los juicios de Dios

Contexto: Miqueas 1:1 a 3:12
Texto básico: Miqueas 1:6-9; 2:1-5, 12, 13; 3:5-8
Versículo clave: Miqueas 3:8
Verdad central: Los juicios de Dios sobre Samaria y Jerusalén y la destrucción que vino sobre sus ciudades nos enseñan que Dios condena las injusticias sociales.

Metas de enseñanza-aprendizaje: Que el alumno demuestre su: (1) conocimiento de las injusticias sociales que Dios condena y castiga según el profeta Miqueas, (2) actitud de compromiso para evitar ser parte de quienes cometen injusticias sociales.

─────── **Estudio panorámico del contexto** ───────

A. Fondo histórico:

Miqueas. El nombre del profeta (*Mikah* Miq. 1:1, o *Mikayah* Jer. 26:18) es una forma breve de *mikayahu:* "¿Quién es como Jehovah?" Es una exclamación de adoración a Jehovah, el gran Dios incomparable. Su ministerio se llevó a cabo alrededor de los años 740 al 686 a. de J.C. en el reino del sur, Judá, pero muchos elementos de sus profecías fueron dirigidos a Samaria, reino del norte.

El mensaje de Miqueas. En los días de Jotam, Acaz y Ezequías (1:1) había en Judá desigualdad, comercialización, y centralización del poder en una sola clase social. Miqueas habló enérgicamente contra los abusos de los que tenían poder y autoridad. No condenaba la apostasía como lo hicieron los profetas Oseas e Isaías. Miqueas pudo darse cuenta de que la reforma que necesitaba Judá iba más allá de una reforma del culto. La reforma verdadera que Dios demandaba incluía la justicia como resultado de un amor sincero a Dios y a las personas. Jehovah considera el carácter del adorador, no sólo la forma de la adoración. También Miqueas señala la relación estrecha que existe entre pecado y juicio. Por insistir en pecar los líderes de Jerusalén causaron la destrucción de Judá.

El Mesías en Miqueas. La predicación de Miqueas incluyó entre sus elementos la esperanza. Trató con seriedad el pecado de Judá, pero también trató con seriedad el propósito de Dios para su pueblo. El amor de Jehovah no sería frustrado. Enviaría un Mesías (ungido), Jehovah iniciaría esta obra mesiánica en el mismo lugar donde comenzó su obra con David, en Belén.

B. Enfasis:

Llamamiento de Miqueas, 1:1. El versículo 1 sirve como título del libro y se compone de cuatro elementos: (1) Se identifica al profeta, Miqueas de Moréset. Moréset se ubicaba a unos 38 kilómetros al sudoeste de Jerusalén. (2) Se informa que el ministerio de Miqueas ocurrió en la segunda mitad del siglo VIII a. de J.C. (3) Se relata que su mensaje se dirigió a una situación específica: la de Samaria y Jerusalén. (4) Finalmente, se asegura que el libro no contiene sólo las palabras del hombre Miqueas, sino que es la palabra de Jehovah revelada por medio de su siervo el profeta.

Castigo de Jerusalén, 1:2-16. La primera sección de Miqueas refleja la predicación del profeta en la hora de la caída de Samaria en el año 722 a. de J.C. Los sucesos no son obra de los asirios, sino del Señor. Todo el mundo es invitado a participar como jurado en el pleito de Dios contra su pueblo (v. 2). Como preludio, hay un himno que declara que Jehovah es Señor de toda la creación (vv. 3, 4). Los eventos de esa hora suceden por la transgresión de Jacob (v. 5), especialmente el pecado de los líderes que se simbolizan en los nombres de las capitales Samaria y Jerusalén. El "yo" de los vv. 6, 7 es Jehovah, quien describe sus actos. El "yo" de los vv. 8, 9 es Miqueas, quien se identifica con un pueblo cautivo y humillado.

El peligro de la codicia y la opresión, 2:1-11. El profeta levanta un lamento sobre los oficiales administrativos y militares de Judá en 2:1-5. Aunque parecen fuertes y poderosos, Miqueas los trata como si estuvieran muertos. Ellos reaccionan, pero el profeta les contesta que sí, Dios hace bien a su pueblo que camina rectamente, pero no a ellos que caminan como enemigos (vv. 6-8a). El profeta es el portavoz de Dios y señala la opresión que sufren los débiles y desamparados y las consecuencias que esas acciones traerán (vv. 8b-10). Luego el profeta ofrece su opinión del tipo de predicador que este pueblo quería escuchar porque a Miqueas no le hacían caso (v. 11).

Esperanza, compasión, castigo, Miqueas 2:12 a 3:4. La esperanza para el pueblo de Judá se expresa en 2:12, 13. Se usan dos figuras para describir la compasión del Señor (v. 12), y la liberación que proveerá (v. 13): (1) El remanente que Jehovah recogerá (v. 12) que no incluye a (2) los jefes de Jacob (3:1). Son los jefes de Jacob quienes deben prestar atención y ayudar a los más pequeños, pero en lugar de eso pervierten la justicia de manera grotesca (3:1-3). Por eso Dios no les prestará atención ni les ayudará (3:4).

Los malos profetas, Miqueas 3:5-12. Entre los líderes malos están los profetas que hacen errar a mi pueblo (v. 5). La R.V.A. implica que estos profetas dicen: "Paz" (*Shalom*) al pueblo cuando en realidad lo hieren. Por satisfacer sus intereses personales perderán su capacidad de conocer la voluntad de Dios y tendrán que callar. Miqueas, al contrario, recibe el poder de Dios para confrontar a la gente con la realidad de su pecado (v. 8). En los vv. 9-12 el mensaje de Miqueas se expande para incluir a los jefes y magistrados. La injusticia de administradores, jueces y líderes religiosos es por causa de su amor al dinero (v. 11). A pesar de su pretendida autoseguridad (v. 11b), Jerusalén sufrirá el mismo destino de Samaria (compare 3:12 con 1:6).

1 Castigo de Samaria y Jerusalén, Miqueas 1:6-9.

V. 6. La acción del pueblo de Dios fue una rebelión intencional. Por eso Jehovah habla: *Convertiré, pues, a Samaria en un montón de ruinas.* La colina de Samaria, con una altura de 450 metros, había sido comprada por Omri para edificar allí la capital de Israel (1 Rey. 16:24).

V. 7. Miqueas acusó a Israel de recibir *obsequios de prostitutas.* La abundancia que Israel había acumulado se la atribuían equivocadamente a la adoración de Baal en el culto a la fertilidad. Pero Miqueas profetiza que todas esas riquezas que habían acumulado serían entregadas a los asirios. Los ídolos en realidad les causaron la destrucción.

V. 8. Lamentar (*sapad*) expresa pesar y se refiere especialmente al grito: ¡Ay! (*yalal*). Pero la acción del profeta va más allá de lamentar la muerte de alguien. Andar *descalzo y desnudo* simboliza la humillación de ser prisionero (ver Isa. 20:2-4). Al comparar Miqueas su llanto con el de *los chacales* y *las avestruces* está señalando el destino de Samaria. Sus habitantes serán como las bestias del desierto.

V. 9. Miqueas entendía que el reino del Norte junto con el del Sur formaban el pueblo de Dios. Pero también, reconoció que la *llaga* (*makkah*, herida o golpe) llegaría más allá de Samaria. Era una herida *incurable* y un golpe ineludible que caería también sobre Judá. Lo expresa diciendo *hasta la puerta de mi pueblo, hasta Jerusalén.*

Sin excepción Miqueas se refiere al pueblo oprimido como *"mi pueblo".* Se identifica con ellos y se responsabiliza por su causa. Jerusalén era *la puerta* al pueblo: así como al capturar la puerta de una ciudad el enemigo puede conquistar toda la ciudad, así los enemigos controlarían toda la nación de Judá al capturar a Jerusalén.

2 Pecado y castigo de los gobernantes, Miqueas 2:1-5.

Vv. 1, 2. Miqueas se dirigió a los oficiales administrativos y militares que tenían responsabilidades en las cinco fortalezas en un radio de 9 kilómetros alrededor de Moréset (1:10-16). Comienza su discurso con la interjección: ¡Ay! que es un lamento por los muertos, porque los líderes iban caminando hacia la muerte. Este camino comienza con codiciar, planear *iniquidad*, y tramar *el mal*. Su función es defender al pueblo contra los asirios y, sin embargo, sólo veían las fincas y las haciendas que codiciaban para sí. *Oprimen al hombre y a su casa.* Es decir, obligaban a los jefes de familia a dejar su hogar para servir en el ejército o hacer alguna labor pública en Jerusalén o en una de sus fortalezas, para alejarlos, para después echar "fuera de las casas de sus delicias" a las mujeres y a los niños (v. 9). El profeta respeta a todos, sin acepción de personas.

Vv. 3-5. Miqueas declara la sentencia que Dios impondrá sobre *esta familia*. La palabra *familia* se usa en el sentido de un grupo unido por su carácter: los líderes forman un grupo caracterizado por sus pecados. Planeaban (*jashab*) el mal (iniquidad), ahora Dios piensa (*jashab*) en *un mal* (desastre). Será como un yugo sobre ellos y no caminarán con la soberbia que mostraron cuando abusaban de su autoridad. Los que se apoderaron de la propiedad de otros perderán estos campos. Se quejarán, pero no habrá respuesta porque no habrá *quien aplique cordel para echar suertes en la congregación de Jehovah*. No respetaron la heredad que las familias habían recibido en los días de Josué (Jos. 14:1, 2); cuando los asirios tomaran Samaria, ellos no iban a tener quien les ayudara. El castigo sería proporcional al crimen cometido.

3 La esperanza de un remanente, Miqueas 2:12, 13.

V. 12. Según este versículo, la situación ha cambiado completamente. El profeta contempla un tiempo futuro cuando el castigo de Dios caerá sobre Judá y el pueblo será reducido a un *remanente de Israel*. Sin embargo, Jehovah tiene para este pueblo una promesa de salvación. Los que han sido esparcidos como *ovejas* perdidas no permanecerán solos. Un buen pastor los recogerá y los unirá en un *rebaño* seguro. En vez de sufrir aislado y olvidado, cada miembro del rebaño de Jehovah gozará el compañerismo de Dios.

V. 13. El pueblo será encerrado, como gente en una ciudad sitiada o prisioneros en la cárcel. Pero Jehovah, *su rey,* los librará. Estará adentro con ellos, los guiará a romper los muros y salir hacia la libertad.

4 Pecado y castigo del profeta falso, Miqueas 3:5-8.

V. 5. Miqueas proclama un discurso de juicio contra los profetas falsos y se contrasta a sí mismo con ellos. La fórmula del mensajero: *Así ha dicho Jehovah,* señala que Dios está hablando mediante su profeta. La predicación de los falsos profetas se basaba en lo que ellos podían obtener como ganancia. El v. 5 puede entenderse así: "Si los profetas reciben algo para comer, dan un mensaje de bienestar (*shalom*, paz). Pero, si no reciben nada, proclaman un mensaje de desastre contra los que no les pagaron."

Vv. 6, 7. Para ser profeta es necesario tener una visión clara del plan de Dios (1:1). Los que abusaron de sus dones proféticos iban a perderlos; quedarían sin *visión*. Habían recibido verdaderos dones, pero los utilizaron para enriquecerse. Ahora la luz de la revelación divina se tornará en *oscuridad*. Ellos no verán más, y por eso no podrán abrir sus *labios* para profetizar.

V. 8. Miqueas revela lo que distingue al profeta falso del verdadero. El falso predica cuando su boca se sacia con comida (v. 5).

En cambio, Miqueas predicaba cuando Dios le llenaba con *poder, juicio y valor*. Miqueas podía oponerse a los ricos oficiales porque tenía el *poder* o autoridad que venía *del Espíritu de Jehovah*. Su mensaje se basaba en *juicio*, el sentido verdadero de lo que era correcto y justo. Dios le concedió *valor*, confianza y coraje.

Miqueas habló sin intimidación, el propósito de su ministerio era, en primer lugar, exponer claramente que el pueblo de Dios había errado el camino de la justicia.

1. Vivir en infidelidad, avaricia e injusticia es traicionar a Dios quien quiere darnos libertad, paz y una herencia con él. El problema del pecador no es que comete un error inocentemente o que no sabe que su acción es mala. Al buscar lo suyo el pecador rechaza a Dios como dueño de la vida.

2. El hombre de Dios se identifica con los oprimidos y los humildes. Al ministrar no podemos ayudar solamente a los que nos pueden recompensar. Dios demanda un ministerio a los "pequeños" (Mat. 25:34-46).

3. Dios concede poder espiritual, juicio y valor al creyente que le sirve. Esta persona no vive por sus propios recursos, sino que recibe todo de Dios. Como una vasija, puede recibir, retener y repartir lo que Dios le da.

—————————Ayuda homilética —————————

El verdadadero siervo de Dios
Miqueas 3:8

Introducción: Dios es el que llama a sus siervos y el único que puede y quiere llenar a cada uno con el poder divino que se requiere para actuar como su "verdadero siervo".

I. El verdadero siervo de Dios se llena del poder del Espíritu Santo.
   A. Los opositores de Miqueas llenaron su mente con planes de maldad (2:1), su boca con comida a cambio de buenas palabras (3:5), y su mano con violencia (2:8, 9).
   B. El siervo de Dios llena su mente con los planes de Dios (4:12), su boca con las palabras de Dios (3:5), y su mano con la obra de Dios.
II. El verdadero siervo de Dios se llena con juicio.
   A. Es importante comprender las cosas espirituales.
   B. El siervo de Dios comprende qué es la voluntad de Dios.
III. El verdadero siervo de Dios se llena con valor.
   A. Oponerse al mal no es fácil.
   B. Los profetas enfrentaron la ira de oficiales y pueblo.
   C. Obedecer a Dios y exponer el mal de hoy demanda valor.

Conclusión: Cada creyente es un "siervo" llamado para servir a Dios. ¿Aceptará el desafío? ¿Será como Miqueas?

Lecturas bíblicas para el siguiente estudio

Lunes: Miqueas 4:1-4   **Jueves:** Miqueas 5:1-5a
Martes: Miqueas 4:5-8   **Viernes:** Miqueas 5:5b-9
Miércoles: Miqueas 4:9-13   **Sábado:** Miqueas 5:10-15

AGENDA DE CLASE

Antes de la clase

1. Lea Miqueas 1-3. **2.** Al estudiar el *Fondo histórico* en la sección *Estudio panorámico del contexto* subraye: A. Los datos personales de Miqueas. B. Lugar y fecha aproximada de su ministerio. C. Condiciones sociales que motivaron sus profecías. D. Su mensaje. **3.** Procure presentar todos estos datos como un monólogo que empiece: "Yo, Miqueas..." **4.** Subraye el nombre de Miqueas en el cuadro cronológico. **5.** Responda a las preguntas al principio de la sección *Estudio del texto básico* en el libro del alumno.

Comprobación de respuestas

JOVENES: **1.** Se convertiría en un montón de ruinas del campo. **2.** Campos, casas y heredades. **3.** Profetas. **4.** Videntes y adivinos. **5.** Dios no les iba a dar ningún mensaje. **6.** Miqueas, el profeta. **7.** Declara el pecado y la rebelión de Israel.

ADULTOS: **1.** Samaria, Jerusalén. **2.** Lamentará, gemirá, andará descalzo y desnudo. **3.** Tienen poder. **4.** Un rebaño.

Ya en la clase

DESPIERTE EL INTERES

Relate lo siguiente: **1.** La tierra se divide en grandes segmentos llamados plataformas. Estas se desplazan lentamente. Sudamérica y Norteamérica son parte de una plataforma que se está distanciando de la plataforma sobre la cual descansa Europa a una velocidad de unos 3 cms. por año. En algunas zonas occidentales del continente americano hay "fallas" o grietas donde el movimiento es entre 10 a 20 cms. anuales. Muchos terremotos suceden a lo largo de los bordes donde dos plataformas se enganchan de alguna manera y resisten el desplazamiento de las plataformas. Entonces, empieza a aumentar la presión y, súbitamente, se ajusta. Cuando lo hace, el suelo puede sacudirse y levantarse hasta 6 a 9 metros. **2.** Este fenómeno es igual que el orden moral que Dios determinó. Si lo resistimos, igual seguirá desplazándose y la resistencia va juntando presión hasta que Dios hace un ajuste violento. Entonces emite su juicio contra la resistencia a su voluntad. El sabe cuándo la resistencia es tal que una sacudida es inminente e inevitable. En ese punto estaban Israel y Judá.

ESTUDIO PANORAMICO DEL CONTEXTO

Presente el monólogo "Yo, Miqueas..." sugerido en la sección: *Antes de la clase*.

ESTUDIO DEL TEXTO BASICO

1. Castigo de Samaria y Jerusalén. En Miqueas 1:6-9 encontramos la profecía del gran "terremoto", que en los vv. 6 y 7 es Dios quien está diciendo lo que hará. Asigne a una mitad de la clase estos versículos. Mientras uno de ellos los lee en voz alta, los demás deben prepararse para describir, desde la perspectiva divina, el "terremoto" que él enviará. Después que lo describan, diga que los vv. 8 y 9 son desde el punto de vista de las víctimas del "terremoto". Un alumno de la otra mitad de la clase lea en voz alta dichos versículos mientras sus compañeros escuchan para prepararse a describirlo desde este otro punto de vista. Esta profecía fue dada pocos años antes de la caída de Samaria en 721 y unos 200 años antes de la caída de Jerusalén y como gozaban de prosperidad, creían que contaban con el favor de Dios. La misión de Miqueas era abrirles los ojos.

2. *Pecado y castigo de los gobernantes.* Diga que en Miqueas 2:1-5 ◯ encontramos en qué consistía esa resistencia. Lean el pasaje en parejas indicándoles que deben encontrar tres "resistencias" o pecados de los poderosos y el "terremoto" o castigo violento que recibirían. Dirija una discusión del tema animando la participación de los alumnos. Agregue usted información obtenida de su propio estudio de este pasaje.

3. *La esperanza de un remanente.* Dios castiga, pero su castigo es para quitar la "resistencia", liberar la "presión" del continuo pecado. El castigo es para corregir y después viene la calma. Un alumno lea en voz alta Miqueas 2:12, 13 donde verán lo que Dios haría con el remanente que sobreviviría al "terremoto". Formen parejas para leer el comentario de esta sección en libro del alumno. Pregunte enseguida ¿qué dos figuras presenta este pasaje? ◯

4. *Pecado y castigo del profeta falso.* Escriba en el pizarrón *PROFETAS FALSOS* y pregunte cómo los definirían ellos. Escriba las respuestas en el pizarrón. Lean en voz alta Miqueas 3:5 y comparen con lo que escribió. Diga que uno de los grandes problemas antes de la caída de Samaria y de Jerusalén, era que los líderes consultaban a los profetas y hacían caso a los que les decían lo que ellos querían oír. Otro alumno lea los vv. 6 y 7 y pregunte: ¿Qué destino les esperaba a los falsos profetas? Agregue las respuestas a las del pizarrón. Que un alumno lea el v. 8 y vean qué contraste tiene con el profeta auténtico. ¿Qué cualidades tiene? ¿Para qué?

APLICACIONES DEL ESTUDIO
1. Pregunte qué podemos hacer para evitar el "terremoto" del juicio de Dios en nuestro tiempo. **2.** Dé tiempo para que compartan sus pensamientos. **3.** Si ◯ cuesta comenzar el diálogo, consulten las aplicaciones en el libro del alumno.

PRUEBA
Escriban lo que el libro del alumno pide en esta sección y compartan lo que hicieron.

Unidad 16

Consuelo y esperanza

Contexto: Miqueas 4:1 a 5:15
Texto básico: Miqueas 4:1-7; 5:1-8
Versículo clave: Miqueas 4:3
Verdad central: El mensaje del profeta Miqueas sobre la venida del Mesías nos enseña que Dios ofrece consuelo y esperanza para quienes se vuelven a él arrepentidos y dispuestos a obedecerle.
Metas de enseñanza-aprendizaje: Que el alumno demuestre su: (1) conocimiento de las profecías de Miqueas sobre la venida del Mesías para inaugurar una era de paz, perdón, consuelo y esperanza, (2) actitud de buscar a Dios con todo su corazón.

―――――――――― Estudio panorámico del contexto ――――――――――

A. Fondo histórico:
El concepto de "justicia" según Miqueas. Justicia no es un concepto abstracto en la Biblia. Es el conocimiento y la ejecución de lo correcto según las tradiciones legales que Israel recibió de Dios y que se preservan en el Pentateuco.
El concepto del "remanente" según Miqueas. Por un lado, se refiere a Judá porque era todo lo que quedaba del imperio de David, después de la destrucción de Israel en el año 722 a. de J.C. Por otro lado, el término se refiere a los que sobrevivirán al desastre que vendrá sobre Judá según la predicción de Miqueas.
El profeta experimentó el furor de los asirios y también profetizó el exilio babilónico. El remenente, en su aplicación exacta, siempre se refiere al pueblo de Dios que se ha visto reducido por el castigo merecido y que es rescatado por él (2:12; 5:7, 8; etc.).
El concepto de "Mesías" según Miqueas. El profeta proclama que Dios no se ha olvidado de la promesa hecha a David. En el futuro, según Miqueas, un rey ideal vendrá de Belén, la aldea aparentemente insignificante de la que salió David.
Será un rey-pastor, una figura tradicional en el Antiguo Oriente. Traerá paz y victoria, pero no por medio de campañas militares. Este rey, el Mesías (ungido), no será víctima de debilidad humana, sino portador del poder y la autoridad de Jehovah (5:4).

B. Enfasis:

En aquel día, 4:1-8. La respuesta de Dios al pecado de su pueblo y el fracaso de sus líderes no será exclusivamente negativo (3:1-12). Dios es más poderoso que el pecado, y el plan de Dios ha de cumplirse; 4:1-4 expresa la promesa de Dios que en los últimos días Jerusalén será el centro religioso que debía ser. Muchas naciones encontrarán la palabra de Dios allí. Jehovah mismo será la fuente de salvación en Sion y habrá paz (*shalom,* bienestar) para todos. En 4:5 se confronta la realidad del presente (ahora todos los pueblos siguen andando en el nombre de sus dioses) con la confesión de fe necesaria para el pueblo de Dios (nosotros andaremos en el nombre de Jehovah). En 4:6, 7 el profeta proclama que son precisamente los débiles de quienes Dios hará una nación poderosa y en 4:8 se promete la restauración de la casa de David.

Jehovah redimirá a su pueblo, 4:9-13. El profeta cambia el enfoque de su mensaje desde los últimos días (4:1) hasta ahora (4:9, 11, y 5:1). La promesa del futuro (4:10b, 13) se da para que el pueblo interprete y acepte su presente doloroso. Las preguntas satíricas del v. 9 explican la causa del dolor de Jerusalén (v. 10a). Los que combaten a Judá no reconocen que son instrumentos de Jehovah (vv. 11, 12), pero ellos no tendrán la última palabra; ésta pertenece a Dios (v. 13).

La esperanza del futuro, 5:1-5a. Este tercer oráculo que se inicia con la palabra "ahora", es el más importante para entender el dolor del presente y la esperanza del futuro. Se da poca atención al problema (5:1) y mucha a la solución (5:2-5a). Jerusalén sufre el castigo de su pecado por la hostilidad del enemigo, pero la angustia de Jerusalén se contesta con la promesa de salvación desde el mismo lugar donde nació David. Pero este gobernante de Israel será más grande que David. ¡Este será la paz! (5:5a).

El remanente de Jacob, 5:5b-9. Esta sección es una disputa acerca de la naturaleza del poder de Israel. En 5:5b, 6a se presentan palabras de oposición a Miqueas, eran como decir: "¡Qué venga Asiria... tendremos suficientes generales para derrotarlos hasta conquistar su propio territorio!"; 5:6b-8 es la respuesta de Miqueas: "No, sólo el Mesías nos librará. Nuestro poder será como el rocío; afectará las naciones en una manera misteriosa en cuanto a su origen y casi imperceptible pero efectiva al revelar a Dios a las naciones"; 5:9 es la petición a Dios de que él haga su voluntad y el reconocimiento de que todo juicio pertenece sólo a él.

Destrucción de las falsas esperanzas, 5:10-15. El pecado de Judá se centró en la confianza que los líderes civiles, militares y religiosos habían puesto en los objetos de culto en vez de confiar en Jehovah. El profeta ataca los instrumentos de poder político y militar en 5:10, 11. Condena los medios religiosos para obtener autosuficiencia: hechicerías e ídolos en 5:12-14. El propósito se ve en el v. 13b: nunca más te inclinarás hacia la obra de tus manos. El v. 15 muestra que la acción de Dios también afectará a las naciones que no escucharon. El mensaje de Miqueas se ha dirigido hacia ellas de manera clara y contundente (1:2).

1 Sion en la era mesiánica, Miqueas 4:1-7.

V. 1. Miqueas veía un cambio *en los últimos días* al hablar del triunfo final de Jerusalén. La exaltación del monte, lugar del templo, sería obra de Dios y no de la acción humana. Los verbos pasivos, *será establecido y será elevado*, se refieren a actividades divinas. Es Jehovah quien transformará a Jerusalén. La grandeza de Jehovah atraerá a *los pueblos* de la tierra. En aquel tiempo todos querrán conocer a Jehovah y no habrá obstáculos en el camino.

V. 2. Las *naciones* irán a Jerusalén y al templo sin coerción, porque quieren que *él* les *enseñe sus caminos*. La meta es recibir *la palabra de Jehovah*. La frase *"la casa del Dios de Jacob"* no es común en las profecías, pero sí en los Salmos, por lo cual su uso aquí pone énfasis en la nota universal del mensaje de Miqueas. Jehovah ha escogido a Jerusalén para que todos sepan que ¡el *Dios de Jacob* es el Dios del mundo!

V. 3. Dios será el árbitro entre las naciones estableciendo lo que es justo. Todas las naciones serán desarmadas. Los pueblos harán de las armas de destrucción implementos de producción. La institución de la paz hará que sean abolidas las estrategias de guerra.

V. 4. Miqueas también describe el efecto de la era mesiánica en el individuo, *cada uno*. "Sentarse *debajo de su vid y debajo de su higuera"* es una figura de sentarse en paz (*shalom*, bienestar) que significa "tener seguridad personal". No habrá ningún enemigo que pueda amenazar la seguridad de la vida. Su autoridad en declararlo es que *la boca de Jehovah de los Ejércitos ha hablado. Jehovah de los Ejércitos* es un título que expresa la acción omnipotente de Dios.

V. 5. Confortados por la seguridad del tiempo final de Dios del cual ellos formarían parte, el pueblo expresa su resolución: *nosotros andaremos en el nombre de Jehovah*, lo cual significaba vivir conforme a la voluntad y el carácter de Dios.

Vv. 6, 7. Después del sufrimiento y del juicio por el maltrato que Dios ejercerá sobre su pueblo rebelde, él mismo los recogerá. Al *remanente* del pueblo de Dios, que ha experimentado el justo castigo de Dios (que yo maltraté), Jehovah, el buen pastor, lo recogerá y lo sanará. Ese pueblo oprimido en el exilio llegará a ser *una nación poderosa*. Su poder dependerá de Jehovah quien *reinará sobre ellos en Sion, desde ahora y para siempre*.

2 Profecía sobre la venida del Mesías, Miqueas 5:1-5a.

V. 1. Este oráculo es el tercero y más importante de un serie de tres que comienzan con la expresión: *ahora* (*attah*). Miqueas describe a Jerusalén como *hija de tropas* (véase la nota en R.V.A.), como una ciudad sitiada. El año 701 a. de J.C. fue la ocasión de un sitio de Jerusalén por Senaquerib (2 Rey. 18 a 19). Más tarde, Jerusalén sufriría en manos de los babilonios un sitio peor. El profeta breve pero claramente declara la afrenta que recibirá el rey: ¡con vara herirán en la mejilla al juez de Israel!

V. 2. Miqueas trata en una forma mucho más detallada la esperanza futura del Mesías (el Ungido ideal que Dios mandará). Este Mesías vendrá de *Belén Efrata,* el lugar donde nació David. Los nombres del lugar son significativos: "casa de pan" y "fecundidad". Belén es *pequeña* pero el poder de Dios levantará de allí un *gobernante de Israel.* La referencia a la antigüedad es una referencia a la línea perpetua de David (2 Sam. 7). Sin embargo, es interesante que éste no se llama "rey" pero es *"gobernante".* Nada ocultará el hecho de que Dios es Rey.

V. 3. El problema que confronta el pueblo de Dios no es solamente la presencia del enemigo. También es la ausencia de sus compañeros. *Sus hermanos* están separados. La separación se inició con la división del reino de David y Salomón, Miqueas vio la destrucción de Samaria y la deportación de Israel. Ahora el pueblo de Judá ha sido diezmado por la guerra y el profeta ha proclamado un destierro. La realidad de una división no se puede negar, pero en la era del Mesías habrá reconciliación y restauración.

Vv. 4, 5a. El Mesías será un rey-pastor. La figura del pastor comúnmente se aplicaba al rey en el Medio Oriente, refiriéndose a un gobernante que cuida de su pueblo. También representa bien la casa de David, el pastorcito que llegó a ser rey. El Mesías reinará *con el poder de Jehovah,* y su majestad se derivará de la autoridad (*nombre*) de Jehovah, quien en un sentido muy personal será *su Dios.* La soberanía del Mesías incluirá a todas las naciones: *será engrandecido hasta los fines de la tierra.* En sí mismo *será la paz.*

3 Poderío de Israel en el futuro, Miqueas 5:5b-8.

Vv. 5b, 6. Hay que notar bien el cambio de sujetos entre los verbos: en Miqueas 5:1-5a. es el profeta quien habla. En los vv. 5b, 6a es el discurso de un grupo (*nuestra tierra, nuestros palacios,* y *levantaremos*). Este es el grupo que se opone a Miqueas. La frase numérica *siete...ocho* era un modismo semítico que significa multiplicidad y abundancia (véase Ecl. 11:2). La reputación del profeta está en el v. 6b, cuando casi gritando parece decir: "¡No! uno solo es el que *nos librará* (*hitzil,* salvará) del enemigo." Este será el Mesías de Paz.

Vv. 7, 8. *El remanente de Jacob,* que se refiere a todo el pueblo de Dios, aparece introduciendo cada una de las dos promesas que aquí se dan. (1) Israel será una bendición a las naciones (Gén. 12:2, 3): funcionará *como el rocío y como la lluvia.* (2) En algún sentido Israel triunfará sobre las naciones: funcionará *como el león* y *como* el *león* joven. En Palestina no llueve desde junio hasta septiembre. Por eso el rocío, que se condensa en la noche del aire húmedo cerca del mar Mediterráneo, tiene una gran importancia ya que la vegetación vive y crece por ello. Así como el rocío es bendición para la tierra, la presencia de Israel será de bendición entre las naciones.

Hay un cambio abrupto en el v. 8: *el remanente de Jacob será... como el león, ... el cual... pisotea y arrebata.* ¿Cómo se armoniza *el rocío* con *el león*? Es mejor entender los dos oráculos como la paradoja del triunfo de Dios.

1. Cada creyente es responsable por sus acciones. Si nosotros creemos en el glorioso futuro del reino de Dios, tenemos que vivir como ciudadanos del reino de los cielos desde ahora (Fil. 3:20).

2. La esperanza del pueblo de Dios se encuentra sólo en su Dios. Cuando Judá fue derrotado, Dios formó de ellos un remanente y una nación poderosa (4:7). Pablo escribe: "Cuando soy débil, entonces soy fuerte." Esta es la obra de Dios y es nuestra esperanza.

3. El pueblo de Dios siempre será una bendición entre los pueblos de la tierra. Miqueas 5:7, 8 declara el triunfo de Dios en usar a su pueblo para regar la tierra. Nosotros también debemos compartir el "agua viva" con un mundo sediento y necesitado.

──────── **Ayuda homilética** ────────

La nueva realidad
Miqueas 4:1-5

Introducción: Un montón de ruinas se convierte en el monte de la casa de Jehová. El lugar de desastre merecido llega a ser el lugar de gracia inmerecida. ¡Este lugar es el monte Calvario!

I. La nueva realidad es la obra de Dios.
   A. Sólo Dios puede hacer la transformación que Miqueas profetiza.
   B. Dios se revelará a todas las naciones.
   C. Las naciones vendrán por su propia voluntad a Dios y recibirán la Palabra y la paz de Dios.

II. La nueva realidad afectará tanto a la sociedad como al individuo.
   A. Lo que Dios ofrece a las naciones cambiará la vida comunal del mundo porque todas se sujetarán al gobierno divino (4:3).
   B. La vida del individuo también mejorará (4:4).

III. La nueva realidad demanda una respuesta actual.
   A. La nueva realidad no domina el mundo actual.
   B. El pueblo de fe que cree en la promesa de Dios tiene la obligación de vivir ahora según la nueva realidad.

Conclusión: La causa de Cristo triunfará completamente en los últimos días. Hasta entonces, los que pertenecen a Cristo hemos de vivir en una manera que anticipe su reino porque ya vivimos la vida abundante en su nombre.

Lecturas bíblicas para el siguiente estudio

Lunes: Miqueas 6:1-5   **Jueves:** Miqueas 7:1-7
Martes: Miqueas 6:6-8   **Viernes:** Miqueas 7:8-17
Miércoles: Miqueas 6:9-16   **Sábado:** Miqueas 7:18-20

AGENDA DE CLASE

Antes de la clase
1. Lea Miqueas 4:1 a 5:13. Escriba en un papel las promesas que contiene el pasaje. **2.** Estudie el comentario en este libro y vea si hay más promesas que las que usted escribió. Agréguelas a su lista. Esas promesas son el corazón del estudio con su mensaje de consuelo y esperanza. **3.** Pida a un alumno que averigüe todo lo que pueda acerca de Belén (provéale la información en este libro) para compartir con la clase. **4.** Prepare tres tarjetas pequeñas y escóndalas debajo de tres sillas. En cada una escriba una de las siguientes tareas: 1) Leer Miqueas 4:3 que describe un futuro cuando cesarán las guerras y reinará la paz. ¿Qué evidencias tenemos de que esta profecía sí o no se ha cumplido en nuestros días? 2) Leer Miqueas 4:4. ¿Cuánta seguridad sentimos hoy en nuestros hogares? ¿Qué necesitaríamos para que todos disfrutáramos de paz y seguridad? 3) Leer Miqueas 4:5 que describe una época cuando el pueblo le será eternamente fiel. ¿Cómo describiríamos el diario vivir de una persona así de fiel? **5.** Responda a las preguntas que aparecen al principio de la sección *Estudio del texto básico* en el libro del alumno.

Comprobación de respuestas
JOVENES: **1.** a. En los últimos días. b. Los pueblos/muchas naciones. c. Rejas de arado. d. Podaderas. e. Un remanente. **2.** a. De Belén en Judá. b. Muy pequeña. c. Asiria. d. Siete pastores y ocho hombres principales. e. Rocío y lluvia, león y cachorro de león.
ADULTOS: **1.** Sion. **2.** (No hay una respuesta absoluta porque deben hacer la descripción con sus palabras). **3.** Falsa. **4.** Belén Efrata. **5.** Rocío, lluvia, león y cachorro de león.

Ya en la clase
DESPIERTE EL INTERES
1. Pregunte qué planes, esperanzas o metas tienen para el futuro inmediato. **2.** Dé oportunidad para que respondan ampliamente. **3.** Alégrese con el optimismo de cada uno. **4.** Diga que el futuro muchas veces es una incógnita y, otras veces, es ya cosa cierta, como el futuro glorioso que el Señor promete en el pasaje que hoy enfocarán. (Esta seguridad puede quitar el temor de algunos.)

ESTUDIO PANORAMICO DEL CONTEXTO
1. En el segundo párrafo bajo *Fondo histórico* en la sección *Estudio panorámico del contexto* hay un resumen de la "realidad presente" de Miqueas. Preséntelo, conectando con algo de la historia de Israel y Judá que recientemente estudiaron. Miqueas, en medio de todo lo malo vio un futuro muy distinto de victoria final, que puede quitar cualquier temor.

ESTUDIO DEL TEXTO BASICO

1. Sion en la era mesiánica. Un alumno lea en voz alta Miqueas 4:1, 2, coméntelos incluyendo que (1) el futuro al cual se refiere Miqueas es el final de los tiempos, (2) las gentes de todas las naciones buscarán al Señor, (3) los habitantes de todos los pueblos anhelarán vivir haciendo la voluntad de Dios. Haga que miren debajo de sus asientos. Los que encontraron las tarjetas leerán la cita bíblica en orden numérico y harán las preguntas a toda la clase para que respondan. Luego pregunte usted: ¿Les parece que estamos cerca de lograr paz, seguridad y fidelidad a Dios? Diga que una cosa que podemos hacer para que estemos más cerca de lograrlas es hacer que el versículo 5 sea nuestra resolución personal. Lean todos al unísono el v. 5. Usted lea en voz alta los vv. 6-8 y explíquelos usando la información obtenida de su propio estudio.

2. Profecía sobre la venida del Mesías. El alumno que se preparó para hablar de Belén lea en voz alta Miqueas 5:2 y luego presente su información. Pregunte usted a quién se refiere "gobernante de Israel" (el Mesías, Jesucristo). Otro lea en voz alta los vv. 4 y 5a mientras los demás deben descubrir características del Mesías que vendría. Permita que las nombren. Escríbalas en el pizarrón. Diga que quizá ese era un futuro difícil de vislumbrar porque primero tenían que pasar por lo que predicen los vv. 1 y 3. Léalos y explique su significado.

3. Poderío de Israel en el futuro. Antes de leer usted en voz alta los versículos 5b y 6, haga notar lo que el comentario exegético en este libro explica acerca de ellos. Parafrasee el comienzo diciendo que era como si Miqueas escribiera: "Ustedes afirman que cuando Asiria venga..." (siga leyendo hasta la parte donde dice: espadas desenvainadas). Haga notar que la próxima frase tiene implícito este comienzo: "Pero yo afirmo que nos librará..." (siga leyendo hasta el final). Diga que ahora se está refiriendo al que nacería en Belén. Que un alumno lea en voz alta los versículos 7 y 8 y usted explique su significado (vea el comentario exegético de este libro y el del libro del alumno).

APLICACIONES DEL ESTUDIO

1. Vuelvan a leer en silencio Miqueas 4:5. **2.** Inste a los presentes a reflexionar si pueden hacer realmente suyas esas palabras. Pregunte: ¿Cómo? Dé tiempo para la reflexión y, los que deseen hacerlo, exterioricen sus pensamientos. **3.** Guíe al grupo a reflexionar sobre el hecho de que aceptar a Jesucristo como Salvador y seguirlo de todo corazón sería el comienzo de una buena respuesta.

PRUEBA

1. Reunidos en parejas contesten las preguntas en esta sección del libro del alumno. **2.** Pida que algunos compartan las respuestas a la segunda pregunta.

Lo que Dios demanda de su pueblo

Contexto: Miqueas 6:1 a 7:20
Texto básico: Miqueas 6:1-4, 6-8; 7:2, 5-7, 18-20
Versículo clave: Miqueas 6:8
Verdad central: Las condiciones espirituales y éticas del camino de la salvación nos enseñan que Dios perdona y salva a toda persona que le busca en actitud de obediencia a sus demandas.
Metas de enseñanza-aprendizaje: Que el alumno demuestre su: (1) conocimiento de las condiciones espirituales y éticas del camino de la salvación como lo presenta el profeta Miqueas, (2) actitud de obediencia a las demandas de Dios.

Estudio panorámico del contexto

A. Fondo histórico:

Miqueas y el evangelio. Dios no es un Dios de ira que simplemente quiere erradicar el pecado y al pecador. Dios sí demanda ciertas cosas de la humanidad, pero son actitudes más que una lista de acciones (6:8). Una descripción de la naturaleza de Dios ocupa un lugar importante al final de Miqueas. Esta descripción hace claro que el propósito del libro es manifestar la buena nueva del Dios de compasión, amor y misericordia (7:18).

El versículo más conocido del libro de Miqueas. Miqueas 6:8, se dirige al individuo (hombre, adam) para que se comporte de una manera que se describe con tres frases: "Hacer justicia", "amar misericordia" y "caminar humildemente con tu Dios".

B. Enfasis:

Dios pide una respuesta, 6:1-5. Esta sección se inicia con un llamamiento para poner atención al litigio de Jehovah contra su pueblo (vv. 1, 2). Desde lo más alto, hasta lo más profundo de la tierra son escogidos los testigos del juicio. Dios pronuncia un discurso de autodefensa que se compone de dos partes (vv. 3-5). (1) Se declara inocente y desafía a que alguien demuestre lo contrario (v. 3). (2) Da evidencia concreta de su bondad mencionando sus actos salvadores en la historia de Israel (vv. 4, 5).

¿Qué requiere de ti Jehovah?, 6:6-8. Israel se personifica en la voz del individuo de los vv. 6, 7. Pregunta al profeta sobre la manera de acercarse a Dios. La respuesta del profeta (v. 8) deja a un lado todas las sugerencias del adorador para guiarlo a fijar la atención en la totalidad de la vida ante Dios

(actitudes y acciones), no solamente en actividades cúlticas.

Dios castiga la falta de honestidad, 6:9-16. La sentencia se anuncia en los vv. 13-15. El v. 13 declara que el castigo ya ha comenzado. La naturaleza del castigo se ve en las imprecaciones de futilidad que Dios pronuncia. El pasaje termina con la declaración de que Jerusalén es como Samaria, y sufrirá el mismo destino.

4. En quien esperar, 7:1-7. El profeta reacciona ante la situación de su pueblo con "¡Ayes!" (vv. 1 y 4). El lamento del profeta menciona varias injusticias del pueblo, pero no hay una declaración de castigo. Es como si las injusticias contuvieran en sí el castigo. Miqueas no se desespera, sino que se apoya en Dios. En el caos de la vida Dios brilla como una estrella.

5. Israel volverá a su tierra por la misericordia del Señor, 7:8-17. Aquí la palabra del profeta no se pronuncia con alguna acusación o anuncio de juicio. La voz que habla es el "yo" de la comunidad en una expresión de lamento, confesión, confianza, petición y alabanza. Es la respuesta de la comunidad de fe al mensaje de Miqueas. El pasaje tiene la perspectiva del pueblo que ha sufrido el castigo de Dios y que ahora espera su salvación. Esta salvación no es para el pueblo sólo, sino que afectará a todas las naciones.

6. El Dios único, 7:18-20. El salmo termina celebrando el carácter incomparable de Jehovah, ¡el Dios que perdona! En realidad el pecado es el enemigo del pueblo de Dios (y de todos los pueblos de la tierra), y Dios puede destruirlo completamente (v. 19). La promesa de Dios es segura.

————————— Estudio del texto básico —————————

1 Pleito de Jehovah con su pueblo, Miqueas 6:1-4.

Vv. 1, 2. Jehovah convoca a un juicio para resolver su *pleito*. Primero, selecciona el jurado: *los montes, las colinas,* y *los poderosos fundamentos de la tierra.* Estos son testigos porque desde el principio de la creación han observado en silencio las acciones de la humanidad. Si el jurado se compone de los *poderosos... de la tierra,* ¿quién podrá ser el acusado? Sorpresivamente se da a conocer al acusado: *Jehovah tiene pleito con su pueblo.* El nombre *Israel* en este pasaje, igual que en gran parte del libro de Miqueas, se aplica al reino de Judá, se refiere al pueblo de Dios.

V. 3. Dios presenta una defensa de su posición en relación con el pleito. Las primeras palabras lo dicen todo: *Pueblo mío* es una vocación tierna que expone la magnitud del amor de Dios. Jehovah se declara inocente con dos preguntas retóricas. Pide que le respondan a él, ¿qué había hecho mal y en qué había agobiado a Israel? Por supuesto, la respuesta tendría que ser: nada. Si contestara las preguntas, Israel se condenaría. Por eso, como acusado guarda silencio. Dios insiste: *¡Responde contra mí!*

V. 4. Todas las evidencias en cuanto a la relación entre Jehovah e Israel apoyan el pleito que Dios está reclamando. La historia de Israel subraya la gracia y la fidelidad que Jehovah mostró por su pacto con Israel. La liberación de la esclavitud en Egipto fue solamente el primer paso de una larga historia. Esa liberación simbolizaba el amor de Dios que se actualizaba en forma personal con cada generación (*te redimí*). También, Dios le dio líderes a Israel. El tárgum (traducción, paráfrasis e interpretación de los libros del A. T. al arameo) explica la selección de estos tres personajes así: *Moisés*, quien reveló la voluntad de Dios al pueblo, *Aarón*, quien actuó como sacerdote del pueblo, y *María*, quien era maestra especial para las mujeres. ¿Qué más podría haber hecho Dios para mostrarles su fidelidad?

2 Lo que Dios demanda de su pueblo, Miqueas 6:6-8.

Vv. 6, 7. Israel entra en la discusión con Dios como la voz de un individuo que quiere saber qué es necesario hacer para poner fin al litigio. Ofrece *holocaustos*, sacrificios en que el animal entero se quemaba. Ofrecer como holocausto *becerros de un año* era un sacrificio caro ya que al quemarlo se perdía la gran inversión que se había hecho al criarlo. Entonces sigue una pregunta que expresa cantidad en vez de calidad. Se contempla dar *millares de carneros o miríadas de arroyos de aceite*. Sólo un rey podía dar esas cantidades de sacrificios, y solamente en ocasiones especiales. Ofrecer el *primogénito*. ¿Es este tipo de sacrificio humano lo que Dios exigía de su pueblo?

V. 8. Miqueas da respuesta a las preguntas de los vv. 6 y 7 rechazando todas las opciones presentadas. Señala que *lo que es bueno* es lo que Dios les ha declarado y que ahora les requiere cumplir. Las tres frases que siguen reflejan la actitud de aceptar la responsabilidad que cada persona tiene hacia Dios y hacia otras personas. *Hacer justicia* es insistir en el bienestar de los débiles y preservar el orden justo en la sociedad. *Amar misericordia* (*hesed*) es practicar el amor. *Hesed* (misericordia) es una palabra que se refiere a una relación caracterizada por un amor leal que demuestra buena voluntad y solidaridad en la comunidad de fe. *Caminar humildemente con tu Dios* es una actitud que se basa en una relación personal con Dios (*tu Dios*). El profeta cambia el énfasis de la vida ante Dios de los actos de adoración a la vida del adorador, de la forma a la substancia, del rito al carácter. Miqueas casi da un resumen de los mensajes de Amós (*justicia*), Oseas (*hesed, misericordia*) e Isaías (*caminar humildemente con tu Dios*).

3 Violencia, corrupción y esperanza, Miqueas 7:2, 5-7.

V. 2. La palabra hebrea traducida *piadoso* se deriva de *hesed* y significa uno que vive guiado confiadamente por Jehovah. Pero entre el pueblo de Dios no había ni una persona honesta, recta o escrupulosa. Al contrario, *cada* individuo en Israel practicaba la violencia. Desde los grandes del gobierno hasta los pequeños en la calle, todos estaban en conflicto entre sí. Cada persona trataba *a su prójimo* como a un animal silvestre.

Vv. 5, 6. La violencia que Miqueas describe no se limitaba a la vida pública (gobernante, juez y centinelas, vv. 3, 4), sino que afectaba la vida particular de cada persona. La desconfianza rompía la relación entre *nuera* y *suegra*. La situación era horrible porque los poderosos *retuercen* la ley para su beneficio personal (v. 3). No había alivio ni consuelo en el hogar a causa del caos que los miembros de la comunidad habían creado. *Los enemigos del hombre son los de su propia casa* (v. 6). Los pecados de violencia, corrupción, y avaricia produjeron su propio castigo: desconfianza, escepticismo y desintegración familiar.

V. 7. El profeta siente que no es el fin de su pueblo. Sabe que hay una alternativa: *yo miraré a Jehovah; esperaré en el Dios de mi salvación*. Es una expresión de confianza en el poder de Dios la que sostiene al profeta. El sabe que a pesar de la infidelidad y el engaño humano, Dios hará su salvación una realidad. Lo que asegura Miqueas es su relación personal con Jehovah: *¡Mi Dios me escuchará!*

4 Alabanza al Dios de misericordia, Miqueas 7:18-20.

V. 18a. La última parte del libro de Miqueas es un himno que celebra la misericordia de Jehovah. Comienza con la pregunta: *¿Qué Dios hay como tú?* (El nombre del profeta, Miqueas, *mikayahu* significa: "¿Quién es como Jehovah?"). En el Antiguo Testamento el tema del carácter incomparable de Dios es tradicional.

Vv. 18b, 19. Esta alabanza a Dios consiste en siete verbos que describen el carácter inmutable de Dios: *perdona, olvida, no ha guardado, se complace, volverá a compadecerse, pisoteará y echará*. Miqueas usa las tres palabras más importantes que en el Antiguo Testamento describen el pecado: (1) *maldad* (*avén*) que significa divergir o transgredir; (2) *pecado, pesha* (también ocurre en forma plural en el v. 19), que significa rebelión o apostasía, y es la palabra más fuerte para referirse al pecado; (3) *iniquidades, jatovot* que significa ofender. Miqueas personifica el pecado en el v. 19 como un enemigo que Dios derrotará completamente en combate. Es el amor de Dios el que tiene la última palabra, no *su enojo*.

V. 20. Este amor de Dios se manifestará en la salvación de su pueblo, será el cumplimiento de la promesa que hizo a los patriarcas *desde tiempos antiguos*. La promesa es *verdad* (confiable) y la motivación de Dios en todo lo que hace es su *lealtad* (*hesed*). Al experimentar el perdón de Dios nuestra respuesta debe ser un eco de esta alabanza.

——————Aplicaciones del estudio ——————

1. El pecado produce su propio castigo en la vida del pecador. En los días de Miqueas la vida pública y la vida particular eran intolerables. La violencia y el engaño resultaron en la desconfianza y la desintegración de la comunidad y la familia (7:6, 7).

2. Lo que demanda Dios es bueno para el hombre. El propósito de Dios al guiarnos no es recibir algo para su beneficio como sospecha el individuo de Miqueas 6:6, 7. La demanda de Dios es que tengamos actitudes y acciones que promuevan armonía con nuestros prójimos y con nuestro Dios. Es para nuestro beneficio.

3. El propósito del juicio y castigo de Dios es para que el pecador se arrepienta. Aunque Miqueas anuncia un desastre que resultará como consecuencia del pecado del pueblo, también mira la salvación como la verdadera meta. La respuesta del pueblo en Miqueas 7:8-17 es una de confesión de pecado (v. 9).

―――――――――――――――Ayuda homilética ―――――――――――

¿Qué es bueno?
Miqueas 6:1-7

Introducción: Este juicio tan importante tiene el propósito de decidir quién sabe lo que es bueno para la humanidad. El jurado desde los extremos de la tierra escucha la evidencia (6:1, 2). Dios actúa como juez y fiscal. El acusado es el pueblo de Dios.

I. Dios siempre ha buscado lo bueno para su pueblo.
   A. El problema no está en las acciones de Dios.
   B. Dios ha hecho grandes cosas por su pueblo (6:4, 5).
   C. A esta lista podemos añadir el sacrificio de su Hijo, Jesucristo.
II. Las demandas de Dios no son para su beneficio.
   A. La voz que representa al pueblo pregunta sobre sacrificios que son inversiones caras que resultan en pérdidas (6:6, 7).
   B. Dios se satisface con calidad no con cantidad.
III. Las demandas de Dios son para el beneficio del ser humano.
   A. Hacer justicia. El individuo encuentra la vida abundante y auténtica en hacer la voluntad de Dios que se revela en su Palabra.
   B. Amar misericordia. El individuo debe buscar lo que fomenta la solidaridad de la comunidad.
   C. Caminar humildemente con tu Dios. El individuo debe vivir atento a lo que Dios ya está haciendo en su alrededor.

Conclusión: El camino que Miqueas indica es el mismo que el Nuevo Testamento señala al invitarnos a seguir a Jesús. ¿Qué es lo bueno para nosotros? Responder al llamado de Cristo que dice: "Sígueme".

Lecturas bíblicas para el siguiente estudio

Lunes: Romanos 1:1-7	**Jueves:** Romanos 1:18-23
Martes: Romanos 1:8-15	**Viernes:** Romanos 1:24-28
Miércoles: Romanos 1:16, 17	**Sábado:** Romanos 1:29-32

> **Maestros:**
> Es el tiempo de obtener el siguiente libro para su propia preparación y la adecuada orientación a sus alumnos.